SOCIALE INTELLIGENTIE

DANIEL GOLEMAN

Sociale intelligentie

Nieuwe theorieën over menselijk gedrag

Vertaald door Mirjam Westbroek

2007
Uitgeverij Contact
Amsterdam/Antwerpen

Eerste druk februari 2007
Tweede druk mei 2007

© 2006 Daniel Goleman
© 2007 Nederlandse vertaling Mirjam Westbroek voor *Uitgeverij* Contact
Oorspronkelijke titel *Social Intelligence. The New Science of Human Relationships*
Omslagontwerp Via Vermeulen/Natascha Frensch
Typografie Arjen Oosterbaan
Auteursfoto © Jerry Bauer
ISBN 978 90 254 1796 3
D/2007/0108/906
NUR 770

www.uitgeverijcontact.nl
www.danielgoleman.info

Voor de kleinkinderen

INHOUD

PROLOOG

Een nieuwe wetenschap belicht

Aan het begin van de tweede Amerikaanse invasie in Irak begaf een groep soldaten zich naar een plaatselijke moskee om contact te leggen met de belangrijkste geestelijke van het stadje. Het doel van hun missie was zijn hulp in te roepen bij de distributie van hulpgoederen, maar er ontstond een oproer, omdat de bevolking bang was dat de soldaten kwamen om de geestelijke te arresteren of de moskee, een heilige plek, te verwoesten.

Honderden vrome moslims dromden om de soldaten samen. Schreeuwend en zwaaiend met hun armen drongen ze zich op aan het zwaar bewapende peloton. De bevelhebbend officier, luitenant-kolonel Christopher Hughes, liet zijn hersens razendsnel werken.

Hij pakte een luidspreker en gaf zijn manschappen het bevel om te knielen en hun geweren op de grond te richten.

'En nu glimlachen,' gebood hij.

Op dat moment sloeg de stemming van de menigte om. Een aantal mensen bleef nog schreeuwen, maar de meeste glimlachten terug. Sommigen klopten de soldaten zelfs op de schouders terwijl die zich op Hughes' commando nog altijd glimlachend langzaam achteruit bewogen.[1]

Deze slimme zet was het resultaat van een duizelingwekkende reeks razendsnelle sociale calculaties. Hughes moest bepalen hoe vijandig de menigte was en aanvoelen wat hen zou kunnen kalmeren. Hij moest rekenen op de discipline van zijn manschappen en op hun vertrouwen in hem. En hij moest de gok wagen dat hij exact het juiste gebaar maakte om de grenzen van taal en cultuur te doorbreken. Tezamen culmineerden al die afwegingen in een aantal onmiddellijke beslissingen.

Dit soort goed afgestemde daadkracht gecombineerd met het vermogen om mensen te duiden is kenmerkend voor de allerbeste ordehandhavers, en zeker voor militaire officieren die zich geconfronteerd zien met opstandige burgers.[2] Hoe men ook staat tegenover de militaire campagne zelf, dit incident laat zien dat de hersenen over sociale virtuositeit beschikken, zelfs in een onoverzichtelijke, gespannen confrontatie.

Wat Hughes uit zijn penibele situatie redde, waren dezelfde neurologische circuits waar we op terugvallen wanneer we een onguur type tegen het lijf lopen en op slag beslissen of we ervandoor gaan of de confrontatie aangaan.

Deze interpersoonlijke radar heeft in de loop van de geschiedenis ontelbare mensen het leven gered en is nog altijd van cruciaal belang om te overleven.

De sociale circuits in ons brein sturen ons niet alleen in urgente situaties, maar in al onze contacten, of die nu in het klaslokaal, in de slaapkamer of op de werkvloer plaatsvinden. Ze doen hun werk wanneer geliefden elkaar in de ogen kijken bij de eerste kus of wanneer we tranen voelen opkomen, maar ze terugdringen. Ze zijn verantwoordelijk voor de warmte die we voelen in een vertrouwelijk gesprek met een goede vriend.

Dit neurale systeem is actief in iedere interactie waarin afstemming en timing van doorslaggevend belang zijn. Het geeft de advocaat zekerheid over wie hij in de jury wil, verleent de onderhandelaar het instinctieve gevoel dat dit het laatste bod is van de tegenpartij en vertelt de patiënte dat zij haar dokter kan vertrouwen. Het is verantwoordelijk voor dat magische moment in een vergadering waarop iedereen ophoudt met zijn papieren te ritselen en zich concentreert op wat er gezegd wordt.

En nu is de wetenschap in staat om de neurale mechanismen die op deze momenten werkzaam zijn nauwkeurig te beschrijven.

Het sociabele brein

In dit boek belicht ik een wetenschap in opkomst die bijna dagelijks verrassende inzichten oplevert in onze interpersoonlijke wereld.

De meest fundamentele ontdekking van deze nieuwe discipline is dat we ingesteld zijn op contact.

De neurowetenschap heeft ontdekt dat onze hersenen in aanleg sociabel zijn en onherroepelijk een intieme brein-tot-breinverbinding aangaan zodra we contact maken met een ander. Door middel van die neurale brug beïnvloeden we het brein, en daarmee het lichaam, van iedereen met wie we omgaan, en omgekeerd.

Zelfs onze meest routinematige ontmoetingen functioneren in de hersenen als regulatiemechanismen en roepen emoties op, soms wenselijke, soms onwenselijke. Hoe sterker we emotioneel met een ander verbonden zijn, hoe groter de wederzijdse uitwerking. De sterkste uitwisselingen hebben we met mensen waarmee we dag in, dag uit, jaar in jaar uit, veel tijd doorbrengen, en vooral als we veel om hen geven.

In deze neurale koppelingen dansen onze hersenen een emotionele tango, een dans van gevoelens. Onze sociale interacties werken als regulatoren, als een soort interpersoonlijke thermostaten die bij het orkestreren van onze emoties voortdurend belangrijke aspecten van onze hersenfunctie aanpassen.

De daaruit voortvloeiende gevoelens hebben een enorme impact op ons lichaam. Ze wekken een waterval van hormonen op die onze biologische systemen regelen, van ons hart tot onze immuuncellen. Misschien wel een van de meest verrassende ontdekkingen is dat de wetenschap nu verbanden in kaart brengt tussen onze meest stressvolle relaties en de werking van specifieke genen die het immuunsysteem reguleren.

Meer dan we voor mogelijk hielden vormen onze relaties dus niet alleen onze ervaring, maar ook onze biologie. Door de koppeling tussen breinen hebben onze primaire relaties niet alleen invloed op onschuldige zaken, zoals of we lachen om dezelfde grapjes, maar ook op diepgaande processen, zoals welke genen er geactiveerd worden in onze T-cellen, de soldaten die ons immuunsysteem inzet om ons te beschermen tegen invasies van bacteriën en virussen.

Die koppeling is als een tweesnijdend zwaard: goede relaties hebben een gunstige uitwerking op onze gezondheid, terwijl toxische relaties als een langzaam gif op ons lichaam kunnen inwerken.

Vrijwel alle belangrijke wetenschappelijke ontdekkingen waar ik in dit boek gebruik van maak, dateren van na het verschijnen van *Emotionele intelligentie* in 1995. Bij het schrijven van *Emotionele intelligentie* heb ik me gericht op een zeer belangrijke verzameling menselijke eigenschappen bínnen het individu, op ons vermogen om onze eigen emoties te reguleren en op ons innerlijk potentieel om positieve relaties aan te gaan. Hier verruimt het perspectief zich van de persoonlijke psychologie (de innerlijke capaciteiten van het individu) tot de psychologie van twee personen: dat wat er gebeurt wanneer wij ons met elkaar verbinden.[3]

Het is mijn bedoeling dat dit boek fungeert als een aanvulling op *Emotionele intelligentie*. Het onderzoekt hetzelfde terrein van het menselijk leven, maar dan vanuit een ander perspectief, zodat we ons inzicht in onze persoonlijke wereld kunnen uitbreiden.[4] De focus verschuift naar de vluchtige momenten die zich voordoen in interacties. Die momenten krijgen een diepe betekenis nu wij gaan beseffen hoe wij in de optelsom van die momenten elkaar scheppen.

Ons onderzoek snijdt vragen aan als: Wat maakt een psychopaat tot een gevaarlijke manipulator? Kunnen wij er op een betere manier zorg voor dragen dat onze kinderen gelukkig worden? Wat maakt een huwelijk tot een ondersteunende basis? Kunnen relaties ons beschermen tegen ziekte? Kan een leraar of een leidinggevende het brein van leerlingen of werknemers positief stimuleren? Hoe kunnen groepen die door haat verscheurd worden weer in vrede samenleven? En wat zeggen deze inzichten over het soort maatschappij dat we kunnen opbouwen en over wat werkelijk van belang is in ons leven?

Sociale corrosie

Tegenwoordig, juist nu de wetenschap het grote belang van betrokken relaties aantoont, lijken menselijke betrekkingen steeds meer onder vuur te liggen. Sociale corrosie kent vele gezichten.

Op het moment dat een zesjarig meisje door haar onderwijzeres gevraagd wordt om haar speelgoed op te ruimen, krijgt ze een verschrikkelijke woedeaanval. Ze schreeuwt, duwt haar stoel omver, kruipt onder het bureau van de onderwijzeres en begint zo hard te schoppen dat de laden eruit vliegen. Deze uitbarsting is illustratief voor een uitbraak van vergelijkbare incidenten van onhandelbaar gedrag bij kinderen uit de groepen een en twee in een schooldistrict in Fort Worth, Texas.[5] De uitbarstingen vonden niet alleen plaats onder armere leerlingen, maar ook onder meer welvarende. Sommigen verklaren de geweldspiek onder zeer jonge kinderen uit economische stress. Ouders moeten langer werken en als gevolg daarvan brengen kinderen uren alleen of in kinderopvangcentra door, om thuis te komen bij ouders die op de toppen van hun zenuwen leven. Anderen wijzen op cijfers die aangeven dat maar liefst 40 procent van de tweejarigen al minimaal drie uur per dag televisie kijkt, tijd die niet besteed wordt aan interacties met mensen die hun kunnen leren beter met elkaar om te gaan. Hoe meer televisie kinderen kijken, hoe tegendraadser ze zijn tegen de tijd dat ze naar school gaan.[6]

In een stad in Duitsland komt een motorfietser bij een botsing ten val en belandt op het asfalt. Onbeweeglijk ligt hij op de weg. Voetgangers lopen langs en bestuurders staren naar hem terwijl ze wachten tot het licht op groen springt. Niemand stopt om te helpen. Uiteindelijk, na vijftien lange minuten, draait de passagier in een voor het stoplicht wachtende auto het raampje omlaag en vraagt of de motorfietser gewond is en of hij om hulp moet bellen. Wanneer het incident wordt uitgezonden door het tv-station dat het ongeluk in scène heeft gezet, is men ontzet: in Duitsland heeft iedereen met een rijbewijs een EHBO-cursus gevolgd, juist voor momenten als deze. Het commentaar van een Duitse EHBO-arts: 'Mensen lopen gewoon een blokje om wanneer ze zien dat iemand in gevaar is. Het is net alsof het ze niet kan schelen.'

In 2003 werden eenpersoonshuishoudens de meest gebruikelijke leefvorm in de Verenigde Staten. Kwamen gezinnen vroeger 's avonds bij elkaar, tegenwoordig vinden kinderen, ouders en echtelieden het steeds moeilijker om tijd voor elkaar te vinden. *Bowling Alone*, Robert Putnams veelgeprezen analyse van de onttakeling van Amerika's sociale netwerk, maakt melding van een al twee decennia durende afname van 'sociaal kapitaal'. Een manier om het sociale kapitaal van een maatschappij te meten is door het aantal openbare bijeenkomsten en het aantal lidmaatschappen van verenigingen te tellen. Terwijl in de jaren zeventig van de vorige eeuw nog twee derde van de Amerikanen lid was van een organisatie en regelmatig bijeenkomsten bijwoonde, was dat aantal in de jaren negentig gedaald tot ongeveer een derde. Deze cijfers, aldus Putnam, weerspiegelen een teloorgang van menselijk contact in de Amerikaanse maatschappij.[7] Sinds die tijd heeft er een explosieve groei plaatsgevonden van een ander type organisatie, van ongeveer 8000 in de jaren vijftig tot meer dan 20 000 aan het eind van de jaren negentig.[8] In tegenstelling tot de oude verenigingen, met hun persoonlijke bijeenkomsten en hun permanente sociale netwerk, houden deze nieuwe organisaties mensen echter op afstand. Lidmaatschap gaat via e-mail of massale mailings, en de voornaamste activiteit is niet het samenkomen, maar het sturen van geld.

Dan zijn er nog de onbekende factoren in de wijze waarop mensen wereldwijd contacten aangaan (en afbreken). De technologie biedt meer en meer mogelijkheden tot ogenschijnlijke communicatie in feitelijke isolatie. Deze trends getuigen stuk voor stuk van de langzame teloorgang van mogelijkheden die mensen hebben om contact te maken. Deze onafwendbare technologisering is zo verraderlijk, dat niemand nog heeft kunnen vaststellen welke sociale en emotionele prijs we ervoor betalen.

Voortschrijdend isolement

Rosie Garcia staat aan het hoofd van een van de drukste bakkerijen die er zijn, de Hot & Crusty op het Grand Central Station in New York. De grote stroom forensen die zich dagelijks door het station beweegt, zorgt voor lange rijen wachtende klanten.

Maar Rosie merkt dat steeds meer van de klanten die ze bedient totaal afwezig zijn en wazig in het niets staren. Als ze vraagt of ze hen kan helpen, merken ze het niet eens en ook als ze de vraag herhaalt, krijgt ze geen reactie.

Pas als ze de volumekraan vol openzet, lijkt er iets door te dringen.[9]

Het is niet dat Rosies klanten doof zijn: ze hebben een koptelefoontje in hun oren geprop dat vast zit aan een iPod. Ze gaan helemaal op in een van de deuntjes op hun persoonlijke playlist, afgesloten van alles en, belangrijker nog, iedereen om hen heen.

Natuurlijk sloten mensen al vóór de iPod het straatrumoer buiten met een walkman of een mobiele telefoon. Het begon in feite met de auto, een manier om je volkomen geïsoleerd door de openbare ruimte te bewegen, afgeschermd door glas, minimaal een halve ton aan staal en het sussende geluid van de radio. Voordat de auto ingeburgerd raakte, bleven mensen op hun reizen steeds in contact met de wereld om hen heen: ze liepen, of gebruikten een koets of een ossenkar.

Een koptelefoon schept een eenpersoonscocon en versterkt daarmee de sociale afzondering. Zelfs in een direct contact is het met afgesloten oren erg gemakkelijk om de ander als een object te beschouwen, meer iets om omheen te lopen dan iemand die je een teken van herkenning zou kunnen geven, of op zijn minst opmerken. Als voetganger zijn we in de gelegenheid om een voorbijganger te groeten of een paar minuutjes met iemand te blijven kletsen; de drager van een iPod daarentegen, heeft de neiging anderen te negeren en met een soort algehele arrogantie dwars door hen heen te kijken.

De iPoddrager zelf denkt intussen dat hij wél contact maakt: met de zanger, de band of het orkest dat in zijn oren is geplugd. Zijn hart slaat in hetzelfde tempo als dat van hen. Maar deze virtuele anderen hebben hoegenaamd niets te maken met de mensen die misschien maar een meter van de verrukte luisteraar verwijderd zijn en die hem vrijwel koud laten. Naarmate mensen meer opgaan in een door technologie geschapen virtuele werkelijkheid, worden ze ongevoeliger voor degenen die werkelijk om hen heen zijn. Het sociale autisme dat daar het gevolg van is, draagt bij aan de groeiende lijst van onbedoelde gevolgen van de voortschrijdende invasie van de technologie in ons dagelijks leven.

Dat we voortdurend digitaal bereikbaar zijn, betekent dat ons werk ons zelfs op vakantie achtervolgt. Een onderzoek onder Amerikaanse werknemers wees uit dat 34 procent zich tijdens de vakantie zo vaak bij zijn bedrijf meldt, dat ze even of zelfs meer gestrest terugkomen dan ze vertrokken.[10] E-mail en mobiele telefoons doorbreken de onontbeerlijke grenzen rond privé-tijd en gezinsleven. Een mobieltje kan ook afgaan tijdens een picknick met de kinderen en zelfs thuis sluiten moeder of vader zich af van het gezin door avond aan avond uitgebreid hun e-mail door te nemen.

Natuurlijk hebben de kinderen dat niet echt in de gaten: ze zijn gefixeerd op hun eigen e-mail, een webspel of de tv in hun slaapkamer. Uit een Frans onderzoek onder 2,5 miljard kijkers in tweeënzeventig landen bleek dat in 2004 mensen gemiddeld 3 uur en 39 minuten per dag televisie keken. Japan kwam met 4 uur en 25 minuten op de eerste plaats, op de voet gevolgd door de Verenigde Staten.[11]

'De televisie,' zo waarschuwde de dichter T.S. Eliot in 1963, toen het nieuwe medium zich in steeds meer huiskamers een plaats verwierf, 'maakt het mogelijk dat miljoenen mensen tegelijkertijd naar dezelfde grap luisteren en toch eenzaam blijven.'

Internet en e-mail hebben hetzelfde effect. Een onderzoek onder 4830 mensen in de Verenigde Staten wees uit dat het internet als vrijetijdsbesteding de plaats van de televisie heeft ingenomen. Voor ieder uur dat men op het internet doorbracht, nam het persoonlijke contact met vrienden, collega's en familie af met vierentwintig minuten. We houden contact op een armlengte afstand. In de woorden van Norman Nie, verantwoordelijk voor het internetonderzoek en directeur van het Stanford Institute for the Quantitative Study of Society: 'Je krijgt via het internet geen knuffel of kus.'[12]

Sociale neurowetenschap

Dit boek geeft een inkijk in de verrassende resultaten van een vakgebied in opkomst, de sociale neurowetenschap. Toch wist ik, toen ik aan het onderzoek voor dit boek begon, niet eens dat dit vakgebied bestond. Aanvankelijk viel mijn oog nu eens op een academisch artikel, dan weer op een krantenknipsel waaruit bleek dat het wetenschappelijk inzicht in de neurale dynamiek van menselijke relaties zich sterk had ontwikkeld.

> Recentelijk is er een soort zenuwcel ontdekt, de *spindle*–cel (letterlijk: spoelcel), die sneller werkt dan alle andere zenuwcellen en onze impulsieve sociale beslissingen stuurt. Er blijken veel meer van deze cellen te bestaan in de menselijke hersenen dan in die van andere soorten.

> Een ander soort hersencellen, de spiegelneuronen, registreert welke beweging iemand anders wil maken en wat hij voelt, en prepareert ons ogenblikkelijk om die beweging te imiteren en mee te voelen.

> Wanneer een vrouw een man die haar aantrekkelijk vindt recht in de ogen kijkt, scheiden zijn hersenen dopamine af, een stofje dat een belangrijke rol speelt bij het ervaren van plezier en genot. Als ze de andere kant uit kijkt, gebeurt dat niet.

Elk van deze ontdekkingen liet weer iets zien van de werking van het 'sociale brein', de neurologische circuits die actief zijn in onze interacties. Niet één vertelde het volledige verhaal, maar naarmate de ontdekkingen zich opstapelden, werden de contouren van een nieuw wetenschapsgebied zichtbaar.

Pas geruime tijd nadat ik deze geïsoleerde gevallen ging volgen, begon ik het verborgen patroon te begrijpen dat hen met elkaar verbindt. Toevallig stuitte ik op de naam van dit vakgebied, de sociale neurowetenschap, toen ik las over een conferentie over het onderwerp die in 2003 gehouden was in Zweden.

Op zoek naar de oorsprong van de term 'sociale neurowetenschap' ontdekte ik dat die voor het eerst gebruikt werd aan het begin van de jaren ne-

gentig van de vorige eeuw door de psychologen John Cacioppo en Gary
Berntson, in die tijd de eenzame voorvechters van dit prachtige nieuwe vakgebied.[13] Toen ik Cacioppo onlangs sprak, vertelde hij daarover: 'Onder neurowetenschappers bestond er grote scepsis ten aanzien van onderzoek naar
alles wat buiten de inhoud van de schedel viel. De twintigste-eeuwse neurowetenschap dacht dat sociaal gedrag te ingewikkeld was om te onderzoeken.'

'Tegenwoordig,' aldus Cacioppo, 'beginnen we een beetje te begrijpen hoe
de hersenen ons sociale gedrag sturen en hoe onze sociale wereld weer onze
hersenen en onze biologie beïnvloedt.' Cacioppo, tegenwoordig directeur
van het Center for Cognitive and Social Neuroscience van de Universiteit
van Chicago, is getuige geweest van een revolutie: het vakgebied is inmiddels uitgegroeid tot een speerpunt in de wetenschap van de eenentwintigste
eeuw.

Het nieuwe onderzoeksgebied heeft inmiddels al een aantal oudere wetenschappelijke raadsels opgelost. Zo bleek uit vroeg onderzoek van Cacioppo dat er verbanden bestaan tussen verwikkeld zijn in een problematische relatie en een toename van stresshormonen tot een niveau waarop
bepaalde genen worden aangetast die virussen bevechten. Wat men tot op
dat moment nog niet had kunnen vinden was de neurale route die ervoor
zorgt dat relatieproblemen zulke biologische gevolgen hebben, een van de
aandachtsgebieden van de sociale neurowetenschap.

Het nieuwe vakgebied is een trefpunt voor psychologen en neurowetenschappers. Beide maken gebruik van de functionele MRI (fMRI), een apparaat voor *brain imaging* of hersenbeeldvorming dat tot nog toe vooral werd
ingezet voor het stellen van klinische diagnoses in ziekenhuizen. Met behulp
van krachtige magneten is de gewone MRI in staat tot een verrassend gedetailleerd beeld van de hersenen. Insiders noemen MRI's ook wel 'magneten'
('Ons lab heeft drie magneten.'). De fMRI heeft ook nog eens een enorm vermogen om gegevens te verwerken. Het resultaat is min of meer equivalent
aan een video en laat bijvoorbeeld zien welke delen van het brein oplichten
bij het horen van de stem van een oude vriend. Uit dit soort onderzoek komen antwoorden voort op vragen als: Wat gebeurt er in het brein van iemand die naar zijn geliefde kijkt? Of bij iemand die in de greep is van fana-
tisme, of bij iemand die probeert een spelletje te winnen?

Het sociale brein is de som van de neurale mechanismen die zowel onze
interacties orkestreren, als onze gedachten en gevoelens over mensen en relaties. Het meest opmerkelijke nieuws op dit gebied is misschien wel dat het
sociale brein het enige biologische systeem in ons lichaam is dat ons voortdurend afstemt op, en omgekeerd beïnvloed wordt door, de innerlijke toestand van de mensen om ons heen.[15] Alle andere biologische systemen, van
onze lymfeklieren tot onze milt, reguleren hun activiteit voornamelijk in res-

pons op signalen die van binnen het lichaam komen, niet van buitenaf. De routes van het sociale brein zijn uniek in hun gevoeligheid voor de buitenwereld. Iedere keer dat we oogcontact (of stemcontact, of huidcontact) maken met een ander, vindt er een koppeling plaats tussen onze sociale breinen.

Door middel van 'neuroplasticiteit' spelen onze sociale interacties zelfs een rol bij herstructurering van de hersenen; dat wil zeggen dat herhaalde ervaringen bepalend zijn voor het aantal, de vorm en de grootte van onze neuronen en hun synaptische verbindingen. Doordat onze belangrijkste relaties ons brein bij herhaling in een bepaalde toestand dwingen, kunnen ze geleidelijk bepaalde neurologische circuits modelleren. Zo kunnen chronische pijn en woede, maar ook emotionele steun van iemand die we jarenlang dagelijks meemaken onze hersenen daadwerkelijk veranderen.

Deze nieuwe ontdekkingen laten zien dat onze relaties een subtiele, maar krachtige en levenslange uitwerking op ons hebben. Dit is misschien geen prettig nieuws voor wie voornamelijk negatieve relaties heeft, maar tegelijkertijd betekent het dat onze persoonlijke connecties op ieder moment in ons leven mogelijkheden bieden tot herstel.

Hoe we met anderen omgaan is dus van onvoorstelbaar belang.

En dat brengt ons op wat het zou kunnen betekenen om, in het licht van deze nieuwe inzichten, intelligent te zijn met betrekking tot onze sociale wereld.

Verstandig handelen

Al in 1920, vlak na de eerste explosie van enthousiasme over de toen nieuwe IQ-tests, bedacht psycholoog Edward Thorndike de term 'sociale intelligentie'. Een van zijn definities luidde: 'het vermogen om mannen en vrouwen te begrijpen en te sturen', een vaardigheid die we allemaal nodig hebben om goed te kunnen leven in de wereld.

Op grond van deze definitie is het echter ook mogelijk om pure manipulatie te beschouwen als een kenmerk van interpersoonlijk talent.[16] Ook nu nog bestaan er beschrijvingen van sociale intelligentie die geen onderscheid maken tussen de kille handigheden van een oplichter en de oprecht liefdevolle daden die een gezonde relatie verrijken. Naar mijn mening zou manipulatief gedrag (alleen waarde hechten aan wat werkt voor één persoon ten koste van anderen) niet opgevat mogen worden als een teken van sociale intelligentie.

In plaats daarvan zouden we sociale intelligentie kunnen zien als een kernachtige term voor het vermogen om zowel intelligent te zijn óver onze relaties als ín onze relaties.[17] Door onze focus op die manier te verbreden, kunnen we verder kijken dan het individu en begrijpen wat er gebeurt wanneer mensen met elkaar in contact treden. Zo overstijgen we bekrompen eigenbelang en krijgen we oog voor de belangen van anderen.

Dankzij deze bredere visie kunnen we de kwaliteiten die een positieve bijdrage leveren aan onze persoonlijke relaties, zoals empathie en zorgzaamheid, bestuderen binnen het kader van sociale intelligentie. In dit boek ga ik dan ook uit van een tweede, meeromvattend principe dat Thorndike formuleerde om onze sociale vaardigheid te karakteriseren: 'verstandig handelen binnen menselijke relaties'.[18]

De sociale ontvankelijkheid van het brein vereist dat we verstandig zijn, dat we ons realiseren dat niet alleen onze stemmingen, maar zelfs onze biologie gestuurd en gevormd wordt door de mensen in ons leven. En omgekeerd vereist het ook dat we nagaan hoe we de emoties en biologie van anderen beïnvloeden. Sterker nog, we zouden relaties kunnen waarderen in termen van de invloed die anderen op ons hebben, en wij op hen.

De biologische invloed die mensen op elkaar uitoefenen geeft ons idee van een welbesteed leven een nieuwe dimensie: we kunnen onszelf gedragen op een manier die ook op dit subtiele niveau goed is voor degenen met wie we in contact komen.

Relaties krijgen een nieuwe betekenis en daarom zullen we er op een radicaal andere manier over moeten denken. De implicaties zijn van meer dan voorbijgaand theoretisch belang: ze zetten ons aan om de manier waarop we ons leven leiden te herzien.

Maar laten we, voordat we die indrukwekkende implicaties gaan onderzoeken, teruggaan naar het begin van dit verhaal: het verbluffende gemak waarmee onze hersenen zich onderling koppelen en onze emoties zich als een virus verspreiden.

DEEL EEN

INGESTELD OP CONTACT

HOOFDSTUK 1

De emotionele economie

Te laat voor een bespreking midden in Manhattan probeerde ik een kortere weg te vinden. Ik liep het atrium van een wolkenkrabber binnen: via de uitgang aan de andere kant zou ik een flink stuk afsnijden.

Maar zodra ik bij de liften in de lobby van het gebouw kwam, stormde een geüniformeerde beveiligingsbeambte met zwaaiende armen op me af. 'U mag hier niet komen,' schreeuwde hij.

'Waarom niet?' vroeg ik verbaasd.

'Privéterrein, dit is privéterrein,' riep hij zichtbaar opgewonden.

Blijkbaar was ik ongewild in een ongemarkeerde beveiligde zone beland. 'Het zou handig zijn,' suggereerde ik in een zwakke poging om tot een redelijk gesprek te komen, 'als er een bord "verboden toegang" op de deur zou hangen.'

Mijn opmerking maakte hem alleen maar kwader. 'Eruit! Eruit!' schreeuwde hij.

Enigszins verward ging ik er haastig vandoor. Nog een paar blokken verder voelde ik zijn woede natrillen in mijn lichaam.

Wanneer mensen hun eigen toxische gevoelens over ons uitstorten (door woedend of agressief te worden, walging of minachting te laten zien) activeren zij ons circuit voor diezelfde onplezierige emoties. Hun acties hebben ingrijpende neurologische consequenties: emoties zijn besmettelijk. We worden net zo goed 'aangestoken' door sterke emoties als door een rhinovirus en kunnen dus het emotionele equivalent oplopen van een verkoudheid.

Iedere interactie heeft een emotionele subtekst. Tegelijk met willekeurig wat we aan het doen zijn, kunnen we elkaar een beetje oppeppen, enorm oppeppen, een beetje slechter laten voelen – of heel veel slechter, zoals mij gebeurde. We kunnen aan een ontmoeting een stemming overhouden die blijft hangen tot lang na het moment van de ontmoeting zelf, als een emotionele nagloed (of nawee, zoals in mijn geval).

Deze stilzwijgende transacties zijn de motor achter wat je een emotionele economie zou kunnen noemen: de netto innerlijke winst of het verlies dat we ervaren bij een bepaald persoon, in een bepaald gesprek of op een bepaalde dag. Aan het einde van de dag bepaalt de netto balans van de gevoelens die we hebben uitgewisseld grotendeels of we vinden dat we een 'goede' of een 'slechte' dag hebben gehad.

Steeds wanneer een sociale interactie resulteert in een overdracht van gevoelens, nemen we deel aan deze interpersoonlijke economie en dat is bijna altijd. Dit interpersoonlijke judo kent talloze variaties, maar ze komen alle neer op ons vermogen om de stemming van een ander te beïnvloeden en omgekeerd. Als ik jou je wenkbrauwen laat fronsen, maak ik je een beetje bezorgd; als jij mij laat glimlachen, voel ik me blij. In deze clandestiene uitwisseling bewegen emoties zich van persoon tot persoon, van buiten naar binnen, en hopelijk met een positief resultaat.

Een nadeel van emotionele besmetting zien we wanneer we in een toxische staat raken alleen omdat we op de verkeerde tijd bij de verkeerde persoon zijn. Ik was een ongewild slachtoffer van de razernij van een beveiligingsbeambte. Net als de rook van andermans sigaret kan een emotionele lekkage een omstander tot een onschuldig slachtoffer maken van de toxische staat van een ander.

Op momenten als mijn botsing met die bewaker, wanneer we geconfronteerd worden met andermans woede, scant ons brein automatisch of het nog meer gevaar signaleert. De hyperwaakzaamheid die daar het gevolg van is, wordt grotendeels gestuurd door de amygdala, een amandelvormig gebied in de middenhersenen dat verantwoordelijk is voor onze vecht-, vlucht- of bevriezingsrespons bij gevaar.[1] Meer dan door enig ander gevoel wordt de amygdala geactiveerd door angst.

Wanneer het uitgebreide circuit van de amygdala eenmaal door alarmsignalen geactiveerd is, mobiliseert het sleutelpunten overal in de hersenen die onze gedachten, aandacht en waarneming richten op datgene wat ons bang heeft gemaakt. Instinctief letten we beter op de gezichten van de mensen om ons heen, op zoek naar een glimlach of een frons, tekenen die ons helpen de alarmsignalen te interpreteren.[2]

Deze verhoogde, door de amygdala aangestuurde waakzaamheid maakt ons alerter op de emotionele signalen van anderen. Dat leidt er weer toe dat hun gevoelens sterker in ons worden opgeroepen en besmetting gemakkelijker plaatsvindt. Hoe ongeruster we ons voelen, hoe bevattelijker we dus ook zijn voor andermans emoties.[3]

Meer in het algemeen functioneert de amygdala als een hersenradar die aandacht vraagt voor alles wat nieuw of vreemd is, of belangrijk om meer over te weten. De amygdala bestuurt het vroegewaarschuwingssysteem van de hersenen. Het scant alles wat er gebeurt, altijd alert op emotioneel opvallende gebeurtenissen en vooral op mogelijk gevaar. De rol van de amygdala als bewaker en trigger van ontreddering is in de neurowetenschappen al lang bekend. Dat de amygdala ook een sociale functie heeft en deel uitmaakt van ons hersensysteem voor emotionele besmetting, is pas onlangs ontdekt.[4]

De lage route: Centraal Station Besmetting

Een man die door de doktoren Patiënt X wordt genoemd, had tweemaal een beroerte gehad. Hierdoor was de verbinding tussen zijn ogen en het gezichtssysteem in de visuele cortex vernietigd. Hoewel zijn ogen signalen konden opvangen, kon zijn brein ze niet ontcijferen of zelfs maar registreren dat ze aangekomen waren. Patiënt X was volledig blind – zo leek het althans.

Als Patiënt X in een test afbeeldingen van verschillende vormen kreeg voorgelegd, van cirkels en vierkanten tot foto's van mannen- en vrouwengezichten, had hij geen idee waar zijn ogen op rustten. Kreeg hij echter foto's te zien van mensen met een boos of een blij gezicht, dan bleek hij plotseling veel beter in staat om die emoties te duiden dan op grond van toeval mogelijk werd geacht. Hoe kon dat?

Hersenscans die genomen waren terwijl Patiënt X de gevoelens probeerde te duiden, gaven aan dat er een alternatieve route bestaat voor het gezichtsvermogen. De gebruikelijke routes lopen van de ogen naar de thalamus, waar alle zintuigen de hersenen binnenkomen, en vandaar naar de visuele cortex. De tweede route stuurt informatie rechtstreeks van de thalamus naar de amygdala (die uit twee delen bestaat, één aan de linker- en één aan de rechterkant van het brein). De amygdala destilleert dan al microseconden voordat we ons zelfs maar realiseren wat we zien een emotionele betekenis uit de non-verbale boodschap (een norse blik, een plotselinge verandering van houding, een andere toon in een stem).

De amygdala beschikt over een hoogontwikkelde gevoeligheid voor dit soort boodschappen, maar zijn circuit is niet direct verbonden met de spraakcentra. In die zin is de amygdala letterlijk sprakeloos. Wanneer we een gevoel registreren, bootsen signalen vanuit onze hersencircuits die emoties na in ons lichaam, in plaats van de verbale gebieden te activeren waar woorden kunnen uitdrukken wat we weten.[5] Patiënt X zág de emoties op de gezichten dus niet, maar hij vóélde ze, een conditie die 'affectieve *blindsight*' (blindzicht) wordt genoemd.[6]

In onbeschadigde hersenen maakt de amygdala gebruik van dezelfde route om het emotionele aspect van wat we waarnemen te lezen (opgetogenheid in een stem, een spoor van woede rond de ogen, een houding van diepe verslagenheid) en verwerkt die informatie dan subliminaal, buiten het bereik van het directe bewustzijn. Dit reflexieve, onbewuste besef signaleert die emotie door bij ons hetzelfde gevoel op gang te brengen (of een reactie erop, zoals angst bij het zien van woede): een belangrijk mechanisme in het 'oplopen' van een gevoel van een ander.

Het feit dat we elke willekeurige emotie in een ander kunnen oproepen, of zij in ons, is illustratief voor de kracht van dit overdrachtsmechanisme.[7] Dit soort besmettingen vormen de voornaamste transactie in de emotionele economie, de uitwisseling van gevoelens die plaatsvindt bij elk menselijk contact.

Neem bijvoorbeeld de kassier van de plaatselijke supermarkt die met zijn opgewektheid al zijn klanten aansteekt. Hij krijgt mensen altijd aan het lachen; zelfs de meest neerslachtige types lopen glimlachend de winkel uit. Mensen als die kassier werken als een emotionele *zeitgeber*, een natuurlijke kracht waarop onze biologische ritmes zich afstemmen.

Besmetting kan met veel mensen tegelijk gebeuren. Dat is soms overduidelijk, wanneer niemand in de bioscoop bij een tragische scène de ogen droog houdt bijvoorbeeld, en soms ook subtiel, zoals wanneer de sfeer op een vergadering enigszins geprikkeld raakt. Maar hoewel het kan zijn dat we de zichtbare gevolgen van besmetting waarnemen, zijn we ons toch grotendeels onbewust van de manier waarop emoties zich precies verspreiden.

Emotionele besmetting is een voorbeeld van wat je het werk van de 'lage route' in het brein zou kunnen noemen. De lage route bestaat uit de hersencircuits die buiten ons directe bewustzijn opereren. Zij doen hun werk automatisch en moeiteloos, en met een immense snelheid. De meeste dingen die we doen lijken te worden gestuurd door enorme neurale netwerken die via de lage route opereren, en dat geldt zeker voor ons emotionele leven. Wanneer we bekoord raken door een aantrekkelijk gezicht of het sarcasme oppikken in een opmerking, dan danken we dat aan de lage route.

De 'hoge route' daarentegen loopt via neurale systemen die meer methodisch, stapsgewijs en doelbewust functioneren. Van de hoge route zijn we ons wel bewust en hij geeft ons, in tegenstelling tot de lage route, enige controle over ons innerlijk leven. Wanneer we ons afvragen hoe we die aantrekkelijke persoon kunnen benaderen of zoeken naar een spits antwoord op een sarcastische opmerking, nemen we de hoge route.

Je zou de lage route kunnen zien als 'nat', druipend van emotie, en de hoge route als relatief 'droog': koel en rationeel.[8] Over de lage route bewegen zich ongepolijste gevoelens, over de hoge route afgewogen inzichten in wat er aan de hand is. Via de lage route kunnen we ogenblikkelijk met iemand meevoelen; de hoge route kan nadenken over wat we voelen. Gewoonlijk grijpen ze naadloos in elkaar. Ons sociale leven wordt geregeerd door het samenspel tussen deze twee strategieën [zie Appendix A voor details].[9]

Een emotie kan in stilte van de ene persoon op de andere overgaan, zonder dat iemand zich daar duidelijk van bewust is, omdat het netwerk voor deze besmetting deel uitmaakt van de lage route. Om het heel eenvoudig te formuleren: de lage route maakt gebruik van neurale circuits die lopen via de amygdala en vergelijkbare automatische knooppunten in de hersenen, terwijl de hoge route impulsen stuurt naar de prefrontale cortex, de controlekamer van het brein waar ons vermogen tot doelgerichtheid gelokaliseerd is en waar we kunnen nadenken over wat er met ons gebeurt.[10]

De twee wegen registreren informatie in een zeer uiteenlopend tempo. De lage route is eerder snel dan nauwkeurig; de hoge route is langzamer, maar kan een meer accuraat beeld opleveren van wat er speelt.[11] De lage route is snel en slordig, de hoge route traag, maar zorgvuldig. Om met de 20ste-eeuwse filosoof John Dewey te spreken: de een werkt 'boem-knal, eerst doen dan denken', terwijl de ander meer 'omzichtig en opmerkzaam' is.[12]

Door het verschil in snelheid tussen de twee systemen (het directe emotionele circuit is in hersentijd een aantal malen sneller dan het meer rationele) is het mogelijk dat we impulsieve beslissingen nemen waar we later spijt van krijgen of die we moeten rechtvaardigen. Wanneer de lage route gereageerd heeft, kan de hoge route er soms alleen nog maar het beste van maken. Zoals sciencefictionschrijver Robert Heinlein ooit droogjes opmerkte: 'De mens is geen rationeel, maar een rationaliserend dier.'

Stemmingmakers

Ooit, tijdens een bezoek aan een ander deel van het land, draaide ik een verkeerd nummer. 'Dit nummer is niet in gebruik,' klonk een stem op een bandje vriendelijk.

De warmte in die verder onopmerkelijke bandopname trof me onmiddellijk. Er ging, geloof het of niet, even een golfje van welbehagen door mij heen. Jarenlang had ik me geërgerd aan de manier waarop de gecomputeriseerde stem van mijn eigen regionale telefoonmaatschappij diezelfde boodschap overbracht. Om de een of andere reden meenden de technici die de boodschap programmeerden een stem met een knarsend, intimiderend toontje te moeten kiezen, alsof je direct gestraft werd voor het draaien van een verkeerd nummer.

Ik had een hekel gekregen aan het irritante geluid van die opgenomen boodschap. Het was net of je een tuttige, kritische bemoeial aan de lijn had. Elke keer weer raakte ik uit mijn humeur, al was het maar voor even.

De emotionele uitwerking van dit soort subtiele prikkels kan verrassend sterk zijn. Dat bleek ook uit een slim experiment met student-vrijwilligers aan de Universiteit van Würzburg in Duitsland.[13] De studenten kregen een bandopname te horen van de meest droge intellectuele stof die je je kunt voorstellen: een Duitse vertaling van de Britse filosoof David Hume's *Philosophical Essays Concerning Human Understanding*. Er waren twee versies van de bandopname, de een vrolijk, de ander neerslachtig. Dat was zo subtiel gedaan, dat mensen het verschil alleen konden horen als ze daar expliciet naar luisterden.

Maar ook al was de emotionele ondertoon nog zo onderdrukt, de studenten voelden zich na de bandopname ofwel iets vrolijker, ofwel iets neerslachtiger dan daarvoor. Toch hadden ze niet het idee dat hun stemming was veranderd, laat staan waardoor.

De stemmingswisseling vond zelfs plaats wanneer de studenten tijdens het luisteren een afleidend taakje kregen en metalen pinnen in een houten bord met gaatjes moesten steken. De afleiding zorgde ervoor dat de hoge route stil kwam te liggen: het intellectuele begrip van de filosofische passage haperde. De stemmingen sloegen daarentegen nog even gemakkelijk over: de lage route bleef wagenwijd open.

Een van de manieren waarop een stemming verschilt van een emotie, stellen psychologen, is dat de oorzaken zo ongrijpbaar zijn. Meestal weten we wel ongeveer waardoor een pure emotie is opgeroepen, maar van onze stemmingen kennen we vaak de oorsprong niet. Het Würzburgexperiment suggereert echter dat onze wereld wel eens gevuld zou kunnen zijn met stemmingsprikkels die we niet opmerken, van suikerzoete liftmuzakjes tot de zure ondertoon in iemands stem.

Een goed voorbeeld zijn de uitdrukkingen op andermans gezicht. Zweedse onderzoekers ontdekten dat een plaatje van een blij gezicht genoeg was om een vluchtige activiteit te ontlokken aan de spieren waarmee de mond glimlacht.[14] Als we naar een foto kijken van mensen die een sterke emotie laten zien als verdriet, walging of vreugde, spiegelen onze gezichtsspieren automatisch hun gezichtsuitdrukking.

Die reflexieve imitatie maakt ons ontvankelijk voor subtiele emotionele invloeden van de mensen om ons heen en maakt deel uit van de 'breinbrug' die er tussen mensen ontstaat. Zeer gevoelige mensen raken op deze manier gemakkelijk besmet, terwijl types met een dikke huid ongeschonden door de meest toxische confrontaties heen kunnen zeilen. In beide gevallen vindt de transactie echter meestal plaats zonder dat iemand het in de gaten heeft.

We bootsen de blijdschap na van een lachend gezicht door onze eigen gezichtsspieren tot een subtiel glimlachje te plooien, ook al zijn we ons er misschien niet eens van bewust dat we een lach gezien hebben. Dat nagebootste lachje is lang niet altijd voor het blote oog zichtbaar, maar onderzoekers die gezichtsspieren observeren, kunnen dit soort emotionele spiegelingen duidelijk traceren.[15] Het is alsof ons gezicht zich voorbereidt om de volledige emotie te tonen.

Dit nabootsen heeft ook biologische gevolgen, aangezien onze gezichts-uitdrukking de gevoelens die we laten zien daadwerkelijk activeert. We kunnen iedere emotie opwekken door bewust onze gezichtsspieren in de bijbehorende stand te zetten: je hoeft maar een potlood tussen je tanden te klemmen om je gezicht tot een glimlach te dwingen en je gaat je iets vrolijker voelen.

Edgar Allen Poe voelde dit principe intuïtief aan. Hij schreef: 'Wanneer ik wil weten hoe goed of slecht iemand is, of wat hij op het moment denkt, dan boots ik zo nauwkeurig mogelijk zijn gezichtsuitdrukking na en dan wacht ik af wat voor gedachten of gevoelens er in mijn eigen hoofd of hart opkomen. Het is alsof ze zich aanpassen aan of corresponderen met de gezichts-uitdrukking.'[16]

Emoties oplopen

Het decor is Parijs, 1895. Een paar avontuurlijke lieden zijn een expositie van de gebroeders Lumière binnengelopen, pioniers op het gebied van de fotografie. Als eersten in de geschiedenis confronteren de gebroeders het publiek met bewegende beelden: een korte, volstrekt geluidloze film van een trein die in een wolk van stoom een station binnenrijdt, recht op de camera af.

Het publiek schreeuwt het uit van angst en duikt onder de stoelen.

Nooit eerder hadden mensen beelden zien bewegen. Het volstrekt naïeve publiek kon niet anders dan het griezelige spektakel op het scherm als 'echt' registreren. Dit allereerste ogenblik in Parijs was misschien wel het meest magische en indrukwekkende moment in de geschiedenis van de film, omdat de kijkers nog niet beseften dat wat hun ogen zagen niet meer was dan een illusie. Voor zover het hen (en het perceptiesysteem van hun hersenen) betrof, waren de beelden op het scherm werkelijkheid.

Zoals een filmcriticus ooit schreef: 'De overheersende indruk dat dit echt is, vormt een groot deel van de primitieve kracht van deze kunstvorm,' en dat is nog steeds zo.[17] Dat realiteitsgevoel betovert bioscoopgangers nog altijd, omdat de hersenen met dezelfde circuits op de door de film geschapen illusie reageren als op het leven zelf. Zelfs emoties op een scherm zijn besmettelijk.

Een Israëlisch onderzoeksteam heeft een aantal neurale mechanismen geïdentificeerd die betrokken zijn bij de emotieoverdracht van het scherm op de kijker. Een groep vrijwilligers kreeg in een fMRI fragmenten te zien uit de spaghettiwestern *The Good, the Bad, and the Ugly*. In waarschijnlijk het enige artikel in de annalen van de neurowetenschap dat zijn erkentelijkheid betuigt aan Clint Eastwood, concludeerden de onderzoekers dat de film het brein van de kijkers bespeelde als een neurale poppenspeler.[18]

Net als bij die panische filmgangers in het Parijs van 1895 gedroegen de hersenen van de kijkers in dit onderzoek zich alsof het verhaal op het scherm henzelf overkwam. Zodra de camera inzoomde voor een close-up van een gezicht, lichtten de hersengebieden voor gezichtsherkenning op. Wanneer op het scherm een gebouw of een landschap te zien was, werd het visuele centrum geactiveerd waarmee we onze fysieke omgeving opnemen.

Bij een scène waarin een aantal delicate handbewegingen voorkwam, werd het hersengebied voor aanraking en beweging actief. En bij scènes met een maximum aan opwinding (geweerschoten, explosies, verrassende plotwendingen) sprongen de emotionele centra op. Kortom, de films waarnaar we kijken, mobiliseren ons brein.

Alle leden van een publiek nemen deel aan dezelfde neurale poppenkast. Wat er in het brein van één kijker gebeurde, gebeurde op ieder moment van de film ook bij alle andere kijkers. De actie op het scherm zette als het ware de pasjes uit die de kijkers allemaal volgden in een identieke innerlijke dans.

Een gevleugelde uitspraak binnen de sociale wetenschappen luidt: 'Iets is werkelijk als de gevolgen werkelijk zijn.' Wanneer het brein op imaginaire scenario's op dezelfde manier reageert als op echte, hebben ook de imaginaire scenario's biologische gevolgen. De lage route bespeelt onze emoties.

Alleen de prefrontale gebieden van de hoge route, de controlekamer van het brein, doen niet mee aan de poppenkast. Hier is ruimte voor kritisch denken, inclusief de gedachte: Het is maar een film. En daarom raken we tegenwoordig niet meer in paniek wanneer er een trein op het scherm op ons af komt razen, ook al voelen we de angst door ons lichaam golven.

Hoe opmerkelijker en frappanter een gebeurtenis, hoe meer aandacht het brein inschakelt.[19] De twee factoren die de hersenrespons op een virtuele realiteit zoals film vergroten zijn perceptueel 'rumoer' en emotioneel aangrijpende momenten, zoals geschreeuw of gehuil. Niet gek dus dat er in zoveel films een hoop tumult voorkomt: het overrompelt de hersenen. Alleen al de enorme omvang van het scherm, met zijn monsterlijk grote mensen, registreren we als zintuiglijk rumoer.[20]

Maar stemmingen zijn zo aanstekelijk dat we al een vleug emotie oppikken van iets vluchtigs als de glimp van een glimlach of een frons, of van iets saais als een passage uit een filosofisch werk.

Een radar voor onoprechtheid

Twee vrouwen die elkaar niet kenden, hadden samen naar een aangrijpende documentaire gekeken over de schrijnende nasleep van de atoomaanvallen op Hiroshima en Nagasaki aan het einde van de Tweede Wereldoorlog.

Beide vrouwen waren bijzonder geraakt door wat ze hadden gezien. Walging, woede en verdriet streden met elkaar om voorrang.

Toen ze over hun gevoelens begonnen te praten, gebeurde er echter iets merkwaardigs. Een van de vrouwen stak haar ontsteltenis niet onder stoelen of banken, terwijl de ander haar emoties onderdrukte en deed of het haar allemaal niet kon schelen. De eerste vrouw kreeg de indruk dat de tweede vrouw helemaal geen emotionele reactie hád; ze leek hooguit wat verward en afstandelijk.

Het was de bedoeling dat het gesprek zo zou verlopen. Beide vrouwen namen als vrijwilliger deel aan een onderzoek van Stanford University naar de sociale consequenties van emotionele ontkenning en een van de twee had de opdracht gekregen om haar ware gevoelens te verbergen.[21] Uiteraard voelde de emotioneel open vrouw een gebrek aan connectie met haar gesprekspartner. Ze had zelfs het gevoel dat dit niet iemand was waar ze bevriend mee zou kunnen raken.

Degene die haar ware gevoelens onderdrukte, was gespannen en slecht op haar gemak, en gedroeg zich verward en verstrooid. In de loop van het gesprek liep haar bloeddruk gestaag op: wie heftige gevoelens onderdrukt, moet voor die emotionele inspanning een fysiologische prijs betalen.

De grote verrassing was echter dat de bloeddruk van de vrouw die open en eerlijk was net zo gestaag steeg. De spanning was niet alleen voelbaar, maar ook besmettelijk.

De standaardreactie van ons brein is openheid. Ons neurale systeem brengt zelfs de meest vluchtige stemming over naar onze gezichtsspieren, zodat onze gevoelens onmiddellijk zichtbaar worden. Het tonen van emoties gebeurt automatisch en onbewust, en daarom vereist het onderdrukken van emotie een bewuste inspanning.

Emotionele onoprechtheid kost moeite en pogingen om onze angst of woede te verbergen slagen maar zelden volledig.[22]

Zo vertelde een vriendin me dat ze al in het eerste gesprek 'gewoon wist' dat ze de man aan wie ze haar appartement onderverhuurde niet kon vertrouwen. En inderdaad, de week dat ze weer terug zou verhuizen liet hij weten dat hij weigerde te vertrekken. Intussen had zijzelf geen dak boven haar hoofd. Geconfronteerd met een oerwoud aan regels die de rechten van de huurder beschermen, moest ze maar afwachten of haar advocaat haar appartement terug zou kunnen vorderen.

Ze had haar huurder alleen ontmoet toen hij het appartement was komen bekijken. 'Er was iets met hem, waardoor ik wist dat hij problemen ging opleveren,' klaagde ze later.

Dat 'er was iets met hem' is een weerslag van specifieke circuits langs de lage en de hoge route die functioneren als een eerstewaarschuwingssysteem

voor onoprechtheid. Dit systeem, dat gespecialiseerd is in achterdocht, verschilt van de circuits voor empathie en rapport (zie Hoofdstuk 2). Dat het
bestaat, zegt iets over het belang van het opsporen van onbetrouwbaarheid
in menselijke aangelegenheden. Volgens de evolutietheorie is ons vermogen
om aan te voelen wanneer achterdocht gepast is zeker zo belangrijk voor ons
voortbestaan als ons vermogen tot vertrouwen en samenwerking.

De specifieke neurale radar die hierbij betrokken is, werd ontdekt in een
onderzoek waarbij hersenfoto's gemaakt werden van vrijwilligers die luisterden naar een aantal acteurs die een tragisch verhaal vertelden. Afhankelijk van de gezichtsuitdrukking van de acteur die het verhaal vertelde, waren
er grote verschillen te zien in de neurale regionen die geactiveerd werden in
de hersenen van de proefpersonen. Als het gezicht van de acteur de gepaste
droefheid vertoonde, dan werden de amygdala en aanverwante circuits voor
droefheid geactiveerd.

Als de acteur tijdens het trieste verhaal daarentegen begon te glimlachen
(een emotioneel verkeerde combinatie) activeerde het brein van de luisteraar een plek die gericht is op het signaleren van sociale dreiging en conflicterende informatie. In dat geval hadden de luisteraars een duidelijke hekel
aan de persoon die het verhaal vertelde.[23]

De amygdala scant iedereen die we tegenkomen automatisch en dwangmatig op betrouwbaarheid: Is het veilig om op deze figuur af te stappen? Is
hij gevaarlijk? Kan ik op hem rekenen of niet? Neurologische patiënten met
zwaar beschadigde amygdala zijn niet in staat om een oordeel te vellen over
iemands betrouwbaarheid. In een onderzoek zagen zij geen verschil in uitstraling tussen een foto van iemand die op gewone mensen bijzonder onguur overkwam en een foto van iemand die anderen juist als heel betrouwbaar beoordeelden.[24]

Ons waarschuwingssysteem voor onbetrouwbaarheid heeft twee vertakkingen: een loopt via de hoge en een via de lage route.[25] We werken met de
hoge route wanneer we bewust een oordeel vellen over iemands betrouwbaarheid. Buiten ons directe bewustzijn vindt er echter een continue, door
de amygdala gestuurde beoordeling plaats die onafhankelijk is van wat we
bewust denken. De lage route zet zich in voor onze veiligheid.

De ondergang van een casanova

Giovanni Vigliotto was een opmerkelijk succesvolle Don Juan; zijn charme
leverde hem de ene verovering na de andere op. Hoewel, niet exact de een
na de ander: hij was met verschillende vrouwen tegelijk getrouwd.

Niemand weet precies hoe vaak Vigliotto in het huwelijksbootje stapte, maar in de loop van zijn romantische carrière stond hij met misschien wel honderd vrouwen voor het altaar. En het was ook echt een carrière, want Vigliotto verdiende zijn geld met het huwen van rijke vrouwen.

Die carrière stortte in elkaar toen Patricia Gardner, een van zijn beoogde veroveringen, hem aanklaagde wegens bigamie.

Tijdens het proces kwam even aan de orde waarom al die vrouwen weg-droomden bij Vigliotto. Gardner vertelde dat ze onder andere gevallen was voor de 'oprechte uitstraling' van de charmante bigamist: hij keek haar al-tijd lachend in de ogen, zelfs wanneer hij loog alsof het gedrukt stond.[26]

Net als Gardner leiden emotie-experts veel af uit de manier waarop men-sen kijken. Gewoonlijk, zo beweren ze, kijken we omlaag als we bedroefd zijn, de andere kant uit bij walging, en omlaag of de andere kant uit wan-neer we ons schuldig of beschaamd voelen. De meeste mensen voelen dit in-tuïtief aan. Om die reden raadt een oude volkswijsheid ons dan ook aan om goed op te letten of iemand ons in de ogen kijkt als we willen weten of hij liegt.

Net als veel andere oplichters wist Vigliotto dit maar al te goed en was hij er bijzonder bedreven in om zijn romantische slachtoffers ogenschijnlijk eer-lijk aan te kijken.

Hij was iets op het spoor, maar dat ging misschien meer over het creëren van rapport dan over liegen. Die geloof-maar-wat-ik-zeg-blik zegt in feite maar weinig over het waarheidsgehalte van wat iemand beweert, aldus Paul Ekman, een wereldvermaard expert in het signaleren van leugens op grond van gedrag.

In de loop van zijn jarenlange onderzoek naar de relatie tussen emotie en gezichtsuitdrukking raakte Ekman gefascineerd door de manieren waarop we leugens op het spoor kunnen komen. Met zijn scherpe oog voor de sub-tiliteiten in een gezicht vielen hem discrepanties op tussen het masker van iemands geveinsde gevoelens en de doorsijpelende ware emoties.[27]

Liegen vraagt om een bewust en doelgericht inschakelen van de hoge rou-te, die verantwoordelijk is voor de uitvoerende controlesystemen waarmee we onze woorden en daden stroomlijnen. Ekman wijst erop dat leugenaars vooral letten op hun woordkeuze, die ze censureren, en minder op hun ge-zichtsuitdrukking.

Het onderdrukken van de waarheid vraagt zowel mentale inspanning als tijd. Wanneer iemand in antwoord op een vraag een leugen vertelt, ant-woordt hij ongeveer twee tiende van een seconde later dan iemand die de waarheid spreekt. Die onderbreking wijst op een poging om een goede leu-gen te componeren, en om de emotionele en fysieke kanalen te beheersen die ongewild de waarheid wel eens zouden kunnen prijsgeven.[28]

Succesvol liegen vergt concentratie, maar aandacht is een schaars goed. De neurale hulptroepen die voor een leugen moeten worden ingezet, gaan ten koste van de middelen waarover het prefrontale gebied (de hoge route) beschikt om een andere taak uit te voeren: het voorkomen van een onwillekeurige gezichtsuitdrukking die de leugen kan verraden.

Soms zijn woorden voldoende om een leugen aan het licht te brengen, maar meestal merken we dat iemand ons misleidt op grond van een discrepantie tussen wat hij zegt en zijn gezichtsuitdrukking: iemand zegt dat het goed gaat, maar een lichte trilling rond zijn mondhoek verraadt dat hij bang is.

'Er bestaat geen onfeilbare leugendetector,' vertelt Ekman, 'maar je kunt kritieke plekken detecteren,' plekken waar iemands emoties niet passen bij wat hij zegt. Deze tekenen van extra mentale inspanning vragen om nader onderzoek, want de oorzaken kunnen uiteenlopen van nervositeit tot uitgesproken leugenachtigheid.

De gezichtsspieren staan onder controle van de lage route, maar de keuze om te liegen komt van de hoge route; bij een emotionele leugen ontkent het gezicht wat er gezegd wordt. De hoge route verbergt, de lage route laat zien.

De circuits van de lage route zijn belangrijke pijlers van de stille brug die ons brein verbindt met het brein van een ander. Ze helpen ons de klippen in onze relaties te omzeilen door te signaleren wie we kunnen vertrouwen en wie we beter kunnen ontlopen. Of door aanstekelijke positieve gevoelens te verspreiden.

Liefde, macht en empathie

In de interpersoonlijke emotiestroom is macht een belangrijk ingrediënt. In liefdesrelaties zie je vrijwel altijd dat een van de partners zijn of haar emoties meer afstemt op de ander dan andersom en dat is altijd de partner met de minste macht.[29] Als we de relatieve macht in een relatie willen peilen, raken we een aantal complexe kwesties. Toch zou je die 'macht' grofweg praktisch kunnen toetsen door vast te stellen welke partner het meeste invloed heeft op het zelfbeeld van de ander, of wie de doorslaggevende stem heeft in gemeenschappelijke beslissingen over zaken als de financiën of de invulling van het dagelijks leven (Gaan we wel of niet naar dat feestje?).

Uiteraard onderhandelen stellen stilzwijgend over wie de macht heeft op welk terrein: de een kan dominant zijn op het gebied van de financiën, de ander op het gebied van de sociale agenda. Op het terrein van de emoties is het echter zo dat de partner die over het geheel genomen de minste macht heeft, de grootste innerlijke aanpassingen doet in het emotionele samenzijn.

Dit soort aanpassingen worden sneller duidelijk in situaties waarin een van de partners opzettelijk een neutrale emotionele houding aanneemt, zoals in psychotherapie. Al sinds Freud weten therapeuten dat hun lichaam de emoties spiegelt die hun cliënten voelen. Als een cliënt moet huilen om een pijnlijke herinnering, voelt de therapeut ook tranen opkomen; als een traumatische herinnering grote angsten oproept, zal ook de therapeut zijn maag van angst ineen voelen krimpen.

Freud wees er al op dat psychoanalytici door zich af te stemmen op hun eigen lichaam inzicht kunnen verkrijgen in de emotionele wereld van hun cliënten. Vrijwel iedereen is in staat om emoties op te pikken die openlijk geuit worden, maar goede psychotherapeuten gaan nog een stap verder en registreren emotionele onderstromen die hun patiënten nog niet eens tot hun eigen bewustzijn hebben toegelaten.[30]

Pas een kleine eeuw nadat Freud als eerste de aandacht vestigde op deze subtiele gedeelte sensaties, ontwikkelden onderzoekers een degelijke methode om dit soort gelijktijdige veranderingen in de fysiologie van twee mensen tijdens een gesprek te traceren.[31] De doorbraak kwam tot stand dankzij de ontwikkeling van nieuwe statistische methoden en van supercomputers die het mogelijk maakten om tijdens een interactie een enorme hoeveelheid meetgegevens te analyseren, zoals hartslag en dergelijke.

De onderzoeken met behulp van deze nieuwe middelen wezen bijvoorbeeld uit dat in echtelijke ruzies de lichamen van beide partners geneigd zijn de onevenwichtigheden van de ander na te bootsen. Naarmate het conflict vordert, drijven zij elkaar zo tot steeds grotere woede, gekwetstheid en verdriet (een wetenschappelijke ontdekking die niemand zal verbazen).

Interessanter was de volgende stap van de onderzoekers: ze filmden de ruziemakende stellen en vroegen dan volslagen vreemden of ze op grond van de opnames de emoties van een van de ruziemakers in kaart konden brengen.[32] De fysiologie van de vrijwilligers bleek die van de persoon waar ze naar keken te volgen.

Hoe sterker het lichaam van de vrijwilliger dat van de ruziemaker nabootste, hoe nauwkeuriger de impressie van wat de ander voelde, een effect dat vooral sterk is bij negatieve emoties als woede. Empathie, het aanvoelen van andermans emoties, zou dus wel eens evengoed een fysiologisch als een mentaal verschijnsel kunnen zijn dat gebaseerd is op het delen in de innerlijke toestand van de ander. Deze biologische dans wordt in gang gezet zodra wie dan ook empathie voelt voor een ander. Degene die empathie voelt, deelt op een subtiel niveau de fysiologische toestand van de persoon op wie zij zich afstemt.

Mensen die tijdens het onderzoek de meeste gelaatsexpressie vertoonden waren meer accuraat in het benoemen van de gevoelens van anderen. Het algemene principe luidt dus: hoe meer de fysiologische toestanden van twee mensen op een gegeven moment op elkaar lijken, hoe gemakkelijker zij elkaar aanvoelen.

Wanneer wij ons op iemand afstemmen, kunnen we niet anders dan met diegene meevoelen, al is het op nog zo'n subtiel niveau. Aangezien we op dezelfde golflengte zitten, komen de emoties van de ander zelfs wanneer we dat niet willen bij ons binnen.

Kortom, de emoties de we oppikken, hebben gevolgen. En dat zou voldoende reden moeten zijn om te willen weten hoe we ze positief kunnen beïnvloeden.

HOOFDSTUK 2

Een recept voor rapport

De therapiesessie is in volle gang. De psychiater zit stijfjes en formeel in een houten leunstoel. Zijn patiënte ligt uitgezakt op een leren bank, een en al verslagenheid. Ze zitten niet op dezelfde golflengte.

De psychiater heeft net een therapeutische blunder begaan door iets wat de patiënte zei verkeerd te interpreteren. Hij verontschuldigt zich: 'Ik maakte me zorgen over de voortgang van de behandeling.'

'Nee...' begint de patiënte.

De therapeut onderbreekt haar en komt met een nieuwe interpretatie.

De patiënte probeert opnieuw te antwoorden, maar de therapeut laat haar niet aan het woord.

Wanneer het de vrouw eindelijk lukt om ertussen te komen, begint ze te klagen over al het leed dat haar moeder haar in haar leven heeft aangedaan, een indirect commentaar op het gedrag van de therapeut.

En zo hobbelt de sessie voort, zonder dat er sprake is van wezenlijk contact.

Een andere sessie, op een moment van volledig rapport tussen therapeut en patiënt:

Patiënt Twee heeft zijn therapeut net verteld dat hij zijn vriendin, met wie hij al jaren samen is, de dag ervoor ten huwelijk heeft gevraagd. De therapeut is maanden bezig geweest om de man te helpen zijn angst voor intimiteit te overwinnen, zodat hij de moed zou kunnen vinden om een huwelijk aan te gaan. Het is dus voor allebei een moment van triomf. Zowel de therapeut als de patiënt zijn stilletjes opgetogen.

Hun rapport is zo sterk, dat hun houding en bewegingen elkaar spiegelen. Wanneer de therapeut eerst de ene en daarna de andere voet verplaatst, doet de patiënt ogenblikkelijk hetzelfde.

Beide therapeutische sessies werden gefilmd, maar er gebeurde nog meer: tussen de therapeut en de cliënt waren twee rechthoekige metalen dozen opgesteld. Uit de dozen kwamen draden die met een metalen clip aan een vingertop van beide personen waren bevestigd. Deze installatie was bedoeld om subtiele veranderingen te meten in de zweetrespons van beiden.

De sessies maakten deel uit van een onderzoek naar de verborgen biologische dans die zonder dat wij het weten plaatsvindt in onze dagelijkse interacties.[1] In de video's van de sessies zijn de metingen aangegeven met schommelende lijnen onder in beeld, een blauwe voor de patiënt, een groene voor de therapeut. Aan de schommelingen van de lijnen is te zien of de emoties toe- of afnemen.

Bij de gespannen, disharmonieuze uitwisseling in de eerste sessie bewogen de lijnen als nerveuze vogeltjes met elk hun eigen ups en downs. Het gebrek aan connectie was overduidelijk.

In de tweede sessie daarentegen golfden de lijnen als vogels in formatie in een sierlijk dans van gecoördineerde bewegingen. Wanneer twee mensen rapport voelen, zo bleek uit de vloeiende lijnen, raken ze zelfs fysiologisch op elkaar afgestemd.

Deze therapeutische sessies behoren tot de meest geavanceerde onderzoeksmethodes naar de normaliter onzichtbare hersenactiviteit tijdens een gesprek. Hoewel de zweetrespons ogenschijnlijk maar weinig met het brein te maken heeft, kunnen we door een analyse in omgekeerde richting te maken vanaf de zweetrespons naar de fijne vertakkingen van het centrale zenuwstelsel, redelijk nauwkeurig vaststellen welke hersenstructuren bij deze interpersoonlijke tango's betrokken zijn.

Die neurale berekeningen werden uitgevoerd door Carl Marci, psychiater aan de geneeskundefaculteit van Harvard University en hoofd van het onderzoek. Hij reisde Boston en omgeving af met een koffer vol meetapparatuur, op zoek naar bereidwillige therapeuten. Marci hoort bij een uitgelezen groep pioniers die op zoek is naar inventieve manieren om de eens ondoordringbare barrière voor hersenonderzoek te 'slechten': de schedel. Tot voor kort bestudeerde de neurowetenschap nooit meer dan één brein tegelijk. Tegenwoordig maakt men ook gelijktijdige analyses van de hersenen van twee mensen en daaruit blijkt dat er in interacties een ongekend neuraal samenspel tussen die hersenen ontstaat.

Uit deze gegevens heeft Merci een, zoals hij het zelf noemt, 'logaritme voor empathie' afgeleid, een specifieke wisselwerking tussen de zweetrespons van twee mensen in een situatie van rapport. Die logaritme brengt het exacte fysiologische patroon van twee mensen op een moment van volledig rapport, wanneer beiden zich door de ander begrepen voelen, terug tot een wiskundige vergelijking.

De gloed van genegenheid

Ik herinner me zo'n situatie van volledig rapport uit de tijd dat ik psychologie studeerde aan Harvard, jaren geleden, in het kantoor van Robert Rosenthal, mijn docent statistiek. Bob, zoals iedereen hem noemde, stond bekend als de meest sympathieke docent van de afdeling. Na een bezoekje aan Bobs kantoor voelden we ons altijd gehoord, begrepen en als bij toverslag een stuk opgewekter, onafhankelijk van de reden van ons bezoek.

Bob had de gave om mensen op te peppen. Eigenlijk was het niet zo vreemd dat hij wist hoe hij een ontspannen sfeer kon scheppen: zijn wetenschappelijk werk concentreerde zich op de non-verbale links waarmee we rapport opbouwen. Jaren later publiceerden Bob en een collega een baanbrekend artikel waarin ze de basale ingrediënten formuleerden voor een magische relatie, het recept voor rapport.[2]

Rapport bestaat alleen *tussen* mensen; het is er zodra we ons in een contact plezierig, betrokken en op ons gemak voelen. Maar het belang van rapport stijgt uit boven dat van een paar vluchtige aangename momenten. Wanneer mensen rapport voelen, zijn ze gezamenlijk creatiever en efficiënter in hun besluitvorming, of het nu gaat om een echtpaar dat de vakantieroute plant of om topmanagement dat een zakelijke strategie uitzet.[3]

Rapport geeft een goed gevoel en genereert een harmonieuze gloed van genegenheid, een gevoel van vriendelijkheid waarbij iedereen de warmte, het begrip en de oprechtheid van de ander voelt. Deze wederzijdse gevoelens van sympathie versterken de onderlinge band, ook al is die maar heel tijdelijk.

Rapport, zo heeft Rosenthal ontdekt, bevat altijd drie elementen: wederzijdse aandacht, gemeenschappelijke positieve gevoelens en een goed gecoördineerd non-verbaal samenspel. Wanneer deze drie factoren tegelijkertijd ontstaan, genereren we rapport.[4]

Wederzijdse aandacht is een eerste vereiste. Wanneer twee mensen aandacht besteden aan wat de ander zegt en doet, roepen ze een gevoel op van onderlinge belangstelling, een gezamenlijke focus die werkt als perceptuele lijm. Deze wederzijdse aandacht bevordert het ontstaan van gemeenschappelijke gevoelens.

Een van de indicatoren van rapport is wederzijdse empathie. Beide partners ervaren dat ze ervaren worden. Dat was hoe wij ons voelden in een gesprek met Bob: hij was met al zijn aandacht aanwezig. Hierin verschilt sociale ongedwongenheid van volledig rapport: bij sociale ongedwongenheid voelen we ons op ons gemak, maar we hebben niet het gevoel dat de ander zich afstemt op onze gevoelens.

Rosenthal citeert een onderzoek waarbij mensen in paren werden opgesplitst. Een van de twee werkte heimelijk samen met de onderzoekers en had voor de gelegenheid een vinger in het verband, alsof hij zich pijnlijk verwond had. Op een gegeven moment deed hij alsof hij zijn vinger opnieuw bezeerde. Wie het vermeende slachtoffer op dat moment in de ogen keek, vertrok zijn gezicht en bootste de pijnlijke uitdrukking na. Maar wie niet naar het slachtoffer keek, vertrok zijn gezicht veel minder snel, zelfs wanneer hij zich bewust was van de pijn van de ander.[5] Als onze aandacht verdeeld is, sluiten we ons meer af, waardoor we cruciale details over het hoofd zien, met name emotionele. Oogcontact maakt ons ontvankelijk voor empathie.

Aandacht alleen is niet genoeg voor rapport. Het volgende ingrediënt is een goed gevoel. Dat wordt vooral opgeroepen door de toon van de stem en de gezichtsuitdrukking. Wanneer we werken aan een positieve sfeer, leggen de non-verbale boodschappen die we uitzenden vaak meer gewicht in de schaal dan wat we zeggen. Zo bleek uit een experiment dat mensen die van hun vriendelijk kijkende manager op warme toon kritische feedback kregen, zich positief voelden over de interactie.[6]

Het derde onmisbare ingrediënt voor rapport volgens het recept van Rosenthal is coördinatie of synchronie. We coördineren vooral via subtiele nonverbale kanalen, zoals het tempo en de timing van een gesprek, en de bewegingen van ons lichaam. Mensen die rapport voelen, zijn geanimeerd en laten hun emoties duidelijk zien. Hun spontane, directe ontvankelijkheid lijkt tot in de details georkestreerd, alsof het vraag-en-antwoordspel van de interactie doelbewust is gepland. Ogen ontmoeten elkaar en lichamen zoeken toenadering, stoelen worden bij elkaar geschoven en zelfs neuzen komen dichterbij dan in een gesprek gebruikelijk is. Als er een stilte valt, is dat niet vervelend.

Bij een gebrek aan coördinatie wordt een gesprek oncomfortabel. Reacties zijn slecht getimed en er vallen ongemakkelijke stiltes. Mensen worden nerveus of klappen dicht. Rapport is niet mogelijk.

Synchronie

In een plaatselijk restaurant werkt een serveerster door wie iedereen zich graag laat bedienen. Ze heeft een bijzonder talent voor het aanvoelen van de stemming en het tempo van haar klanten, en stemt zich daar ogenblikkelijk op af.

Met de norse man die eindeloos in een donker hoekje boven een drankje hangt, is ze rustig en discreet. Maar met de luidruchtige groep collega's die lachend en grappen makend de lunch gebruikt, is ze weer open en extravert. Ze bezweert de stress van een jonge moeder met twee hyperactieve peuters door de kinderen met een paar gekke gezichten en grapjes te kalmeren. Uiteraard krijgt ze de meeste fooien van allemaal.[7]

Deze stemmingsgevoelige serveerster is de belichaming van het principe dat synchronie interpersoonlijke voordelen oplevert. Hoe meer twee mensen tijdens een interactie onbewust hun bewegingen en manieren coördineren, hoe positiever hun gevoelens over de ontmoeting en over elkaar.

De subtiele kracht van dit samenspel bleek uit een reeks uitgekiende experimenten onder studenten aan de Universiteit van New York. De studenten dachten dat ze deelnamen aan de evaluatie van een nieuwe psychologische test. Eén voor één beoordeelden ze samen met een andere student een reeks foto's voor de zogenaamde test.[8] De andere student speelde met de onderzoekers onder één hoedje en was geïnstrueerd om tijdens het doornemen van de foto's op afgesproken momenten te glimlachen, of juist niet, om zijn voet te schudden of om over zijn gezicht te strijken.

De onwetende vrijwilligers waren geneigd om alles wat de student met de dubbelrol deed na te bootsen: als hij over zijn gezicht wreef, deden zij dat ook; begon hij te glimlachen, dan ontlokte dat ook een lachje op hun gezicht. Toch bleken de vrijwilligers zich later absoluut niet te herinneren dat ze geglimlacht hadden of met hun voet hadden geschud; ze hadden de door de onderzoekers afgesproken maniertjes niet eens opgemerkt.

Voor een ander deel van hetzelfde experiment hadden de onderzoekers hun medeplichtige student gevraagd de bewegingen en de gebaren van zijn gesprekspartner bewust na te bootsen. Zodra hij dat deed, vond men hem niet erg sympathiek. Zijn gesprekspartners vonden hem een stuk aardiger op de momenten dat hij hen spontaan nabootste.[9] In tegenstelling tot wat populaire boekjes hierover zeggen, wordt het rapport met anderen niet groter wanneer je hen bewust nabootst door bijvoorbeeld de positie van hun armen of hun houding te imiteren. Deze geveinsde synchronie is voelbaar mechanisch en vals.

Sociaalpsychologen hebben keer op keer vastgesteld dat wanneer twee mensen uit zichzelf in hetzelfde tempo dezelfde bewegingen maken, hun positieve gevoelens toenemen.[10] Als je twee vrienden van een afstand met elkaar ziet praten zonder dat je kunt horen wat ze zeggen, kun je deze nonverbale flow waarnemen als een elegante dans van bewegingen en vlekkeloze overgangen van de een naar de ander. Zelfs de blikken zijn gecoördineerd.[11] Er is een dramadocent die zijn leerlingen films laat kijken waarbij hij het geluid uitzet, zodat ze deze stille dans kunnen bestuderen.

Een wetenschappelijke bril maakt zichtbaar wat voor het blote oog verborgen blijft: de manier waarop, in een gesprek tussen vrienden, steeds het brein van degene die luistert zijn ritme aanpast aan dat van degene die aan het woord is.[12] Onderzoeken waarin het ademritme geregistreerd werd van vrienden die met elkaar in gesprek waren, wezen uit dat de ademhaling van de luisteraar die van de spreker min of meer spiegelde, door in te ademen als de partner uitademde of door de ademhaling te synchroniseren.

De synchronie van de ademhaling wordt sterker wanneer het moment nadert dat er van spreker wordt gewisseld. En ook bij gedeeld plezier neemt de aanpassing toe: beiden beginnen ongeveer op hetzelfde moment te lachen en halen vrijwel op dezelfde manier adem.

Coördinatie zorgt in persoonlijke ontmoetingen voor een sociale buffer; zolang er synchronie is in de beweging, is het alsof een ongemakkelijk moment in een gesprek nog altijd gladjes verloopt. Deze geruststellende harmonisatie gaat meestal ook in moeilijke momenten (lange stiltes, onderbrekingen en elkaar in de rede vallen) gewoon door. Zelfs wanneer de toon van een gesprek geprikkeld raakt of er een stilte valt, houdt de fysieke synchronie het gevoel in stand dat de interactie niet verbroken wordt. Synchronie verraadt een stilzwijgend begrip of overeenstemming tussen spreker en luisteraar.

Een conversatie waarin de geruststelling van fysieke synchronie ontbreekt, moet in zijn verbale coördinatie veel gladder verlopen om een gevoel van harmonie te genereren. Wanneer mensen elkaar niet kunnen zien, in een telefoongesprek of over een intercom bijvoorbeeld, wordt het patroon van spreken en luisteren meestal meer bewust gecoördineerd dan wanneer ze fysiek aanwezig zijn.

Alleen al een overeenkomstige houding is een belangrijk ingrediënt van rapport. Uit een onderzoek naar de lichaamshouding van leerlingen in een klaslokaal bleek dat hoe meer de lichaamshouding van de leerling overeenkwam met die van de docent, hoe meer rapport de leerling voelde en hoe groter zijn betrokkenheid was bij de les. Het is vast mogelijk om aan de hand van overeenkomsten en verschillen in lichaamshouding een snel inzicht te krijgen in de sfeer in een klas.[13]

Synchronie kan intens plezierig zijn en hoe groter de groep, hoe beter. De esthetische uitdrukkingskracht van groepssynchronie is terug te vinden in het plezier waarmee mensen overal ter wereld samen dansen en bewegen. En ook de 'wave' die door het stadion golft en het publiek meesleept, komt voort uit dit plezier in massale synchronie.

Het menselijk zenuwstelsel lijkt ingesteld op dat emotioneel meebeleven. Zelfs in de baarmoeder stemmen baby's hun bewegingen af op het ritme van menselijke spraak (maar niet op andere geluiden). Eenjarigen passen de timing en de duur van hun gebrabbel aan aan het ritme van de spraak van hun moeder. Synchronie tussen moeder en baby, maar ook tussen twee mensen die elkaar voor het eerst ontmoeten, geeft de boodschap 'Ik ben bij je', een impliciet 'Ga alsjeblieft door.'

Die boodschap houdt de betrokkenheid van de ander in stand. Wanneer een gesprek tussen twee mensen op zijn einde loopt, stopt de synchronie als een stilzwijgend signaal dat het tijd is de interactie te beëindigen. En als die synchronie niet eens tot stand komt, omdat mensen door elkaar heen blijven praten of anderszins niet in staat zijn om zich op elkaar af te stemmen, zullen ze zich niet op hun gemak voelen.

Ieder gesprek werkt op twee niveaus, dat van de hoge route en dat van de lage route. Rationaliteit, woorden en betekenissen lopen via de hoge route, maar de lage route verleent een gesprek een vitaliteit vrij van vorm die áchter de woorden schuilt. Er ontstaat een voelbare band die de interactie samenhang geeft en minder berust op wat er gezegd wordt, dan op een meer directe, intieme en onuitgesproken emotionele link.

Die onuitgesproken connectie is niet bepaald geheimzinnig. We laten onze gevoelens altijd blijken door middel van spontane gezichtsuitdrukkingen, gebaren, blikken, enzovoort. Op dat subtiele niveau zijn we voortdurend geluidloos aan het kletsen. Het is een vorm van hardop denken, een verhaal tussen de regels waarmee we de ander van moment tot moment laten weten hoe we ons voelen.

Altijd als twee mensen met elkaar praten, kunnen we dit emotionele samenspel waarnemen in een dans van optrekkende wenkbrauwen, snelle handgebaren, vluchtige gezichtsuitdrukkingen, rap aangepast spreektempo, veranderende blikken, enzovoort. Met behulp van synchronie kunnen we contact maken en, als we het goed doen, een positieve emotionele resonantie opbouwen met de andere persoon.

Hoe groter de synchronie, hoe meer de emoties van twee mensen op elkaar zullen lijken: door afstemming ontstaat er een emotionele koppeling. Wanneer een moeder en haar baby zich samen van een laag niveau van alertheid en energie naar een hoger niveau bewegen, neemt hun gemeenschappelijk plezier gestaag toe. Het feit alleen dat het mogelijk is om op deze manier te resoneren, zelfs voor baby's, wijst erop dat de hersenen zijn uitgerust met een systeem dat deze synchronie vanzelfsprekend maakt.

De innerlijke klok

'Vraag me eens waarom ik geen goede grap kan vertellen.'
    'Oké. Waarom kan j… '
'Slechte timing.'
De beste komieken beschikken over een vanzelfsprekend gevoel voor ritme, een timing die zorgt dat hun grappen werken. Zoals een musicus een stuk muziek bestudeert, zo kan een professionele komiek precies analyseren hoeveel tellen hij moet pauzeren voordat hij met de clou komt (of wanneer hij iemand moet onderbreken, zoals in het grapje over timing). Als je het ritme aanvoelt, kun je de grap maken.

De natuur is gek op goede timing. De wetenschappen komen synchronie overal in de natuur tegen. Overal zijn processen gaande die een ander proces aandrijven of in het ritme van een ander meetrillen. Wanneer golven niet synchroon lopen, neutraliseren ze elkaar; wanneer ze synchroon lopen, versterken ze elkaar juist.

In de natuur vinden tempoaanpassingen bij de meest uiteenlopende verschijnselen plaats, van oceaangolven tot de hartslag. Op het interpersoonlijke vlak slepen onze emotionele ritmes elkaar mee. Wanneer een menselijke *zeitgeber* ons in een opgewekte stemming brengt, bewijst hij ons een dienst. En wanneer wij voor anderen hetzelfde doen, verlenen we hén een dienst.

Wie dit proces in werking wil zien, hoeft maar naar een concert van virtuoze musici te kijken. De spelers lijken in vervoering. Als één wezen wiegen ze mee op het ritme van de muziek. Maar onder deze zichtbare synchronie zijn de musici ook met elkaar verbonden op een manier die zich aan het publiek onttrekt: via hun hersenen.

Als twee willekeurige musici tijdens het spelen hun hersenactiviteit zouden laten meten, zou dat een opmerkelijke synchronie te zien geven. Wanneer twee cellisten hetzelfde stuk muziek spelen, liggen de ritmes van hun neurale activiteit opvallend dicht bij elkaar. De synchronie tussen deze zones voor muzikaal talent in de twee verschillende breinen is veel groter dan die tussen de linker- en de rechterhersenhelft van elk brein afzonderlijk.[14]

De mogelijkheid van zo'n harmonisch samengaan met een ander danken we aan wat neurowetenschappers 'oscillatoren' noemen: neurale systemen die zich gedragen als een klok en het tempo van de neurale prikkeloverdracht steeds opnieuw afstemmen op het ritme van een inkomend signaal.[15] Dat signaal kan eenvoudig zijn, zoals het tempo waarin een vriendin de afgewassen borden aan je doorgeeft zodat je ze af kunt drogen, maar ook heel complex, zoals de bewegingen van een fraaie pas de deux.

Hoewel wijzelf zelden bij deze alledaagse coördinatie stilstaan, zijn er elegante wiskundige modellen ontwikkeld voor de logaritmen die deze microharmonisatie mogelijk maken.[16] Die neurale rekensom geldt steeds wanneer we het tempo van onze bewegingen afstemmen op de buitenwereld, niet alleen op andere mensen, maar ook wanneer we op het voetbalveld een hard schot onderscheppen of een honkbal wegslaan met een snelheid van 120 kilometer per uur.

De ritmische onderstroom en de vloeiende synchronie van zelfs de meest rudimentaire interacties zijn soms net zo complex als de geïmproviseerde coördinatie van jazz. Het zal niemand verbazen dat er afstemming optreedt bij een verschijnsel als knikken, maar het proces gaat dieper.

Er zijn vele manieren waarop we bewegingen op elkaar afstemmen.[17] Wanneer twee mensen opgaan in een gesprek is het net of de beweging van hun lichamen het tempo en de structuur van hun spraak volgt. Beeldanalyses van pratende stellen laten zien hoezeer de bewegingen van de personen het ritme van het gesprek onderstrepen: bewegingen van hoofd en handen vallen samen met betekenisvolle momenten en haperingen in het spreken.[18] Opmerkelijk genoeg treedt dit soort synchronie tussen lichaam en spraak op in een fractie van een seconde. Tijdens een gesprek haakt dit proces in op het overeenkomstige proces bij de gesprekspartner, en vice versa, maar ons denken kan de complexiteit van de dans onmogelijk volgen. Het brein heeft de touwtjes van ons lichaam in handen en reageert in milliseconden, of zelfs microseconden, terwijl onze bewuste informatieverwerking en ons denken hele seconden nodig heeft.

Ongemerkt stemt ons lichaam zich af op de subtiele patronen van om het even wie we tegenover ons hebben. Zelfs een blik uit een ooghoek levert voldoende informatie op om een gekoppelde oscillatie in gang te zetten, een stilzwijgende interpersoonlijke synchronie.[19] Soms merk je het als je naast iemand loopt: binnen een paar minuten beweeg je allebei armen en benen precies gelijk.

Oscillatoren echoën het neurale equivalent van het deuntje uit *De Avonturen van Alice in Wonderland*: 'Dans je mee, ja of nee, ja of nee, ja of nee?' Wanneer we met iemand samen zijn, zorgen deze uurwerkjes ervoor dat we onbewust synchroon gaan lopen, zoals geliefden die elkaar met vanzelfsprekend gemak naderen voor een omhelzing of op exact het juiste moment elkaars hand pakken. (Andersom wist een vriendin van mij altijd meteen dat er iets niet goed zat als ze niet gelijk bleef lopen met een potentiële geliefde.)

Ieder gesprek vereist dat de hersenen bijzonder complexe berekeningen maken. De oscillatoren zijn daarin verantwoordelijk voor de voortdurende stroom van aanpassingen die ervoor zorgt dat we afgestemd blijven. Vanuit deze microsynchronie ontstaat er affiniteit, omdat we iets van de ervaring van onze gesprekspartner delen. Het gemak waarmee we een breinlink tot stand brengen, danken we aan het feit dat we deze geluidloze rumba al een leven lang oefenen, sinds we ooit de basispassen leerden.

De protoconversatie

Een moeder houdt haar baby in de armen. Liefdevol tuit ze haar lippen en trekt een 'kusjesgezicht'. Het baby'tje zuigt zijn lipjes naar binnen, wat hem een ernstig gezichtje geeft. De moeder glimlacht eventjes, waarop het kindje zijn mondje ontspant, alsof hij op het punt staat haar een grote grijns te schenken; dan glimlachen moeder en baby even samen.

De baby begint te stralen en beweegt zijn hoofd opzij en omhoog, alsof hij aan het flirten is.

De volledige interactie duurt nauwelijks drie seconden. Er gebeurt weinig,

maar er is absoluut sprake van communicatie. Dit soort rudimentaire contacten noemen we 'protoconversaties', het prototype van iedere menselijke
interactie, communicatie op het meest basale niveau.

Bij protocommunicatie zijn oscillatoren betrokken. Uit microanalyses is
gebleken dat moeders en baby's het begin, het einde en de pauzes in hun 'babypraat' precies timen en hun ritmes koppelen. Elk van beiden stemt zijn gedrag af op de timing van de ander.[20]

Deze 'conversaties' zijn non-verbaal: woorden functioneren hooguit als
geluidseffecten.[21] We beginnen een protoconversatie met een baby door middel van onze blik en de toon van onze stem. Boodschappen worden overge-
bracht via lachjes en gekir, en vooral via 'moedertaal', het volwassen equivalent van 'babypraat'.

Meer een lied dan een verhaal, maakt moedertaal gebruik van prosodie,
melodische spraakklanken met een cultuuroverstijgend karakter: het maakt
weinig uit of de moeder nu Chinees, Urdu of Engels spreekt. Moedertaal
klinkt altijd vriendelijk en speels, op grote toonhoogte (ongeveer 300 hertz)
en met korte, puntige, golvende of glijdende toonhoogteovergangen.

Vaak laat de moeder deze moedertaal vergezeld gaan van klopjes of aaitjes
in een regelmatig ritme. De bewegingen van haar gezicht en hoofd zijn afgestemd op haar handen en stem, en de baby antwoordt met lachjes, kreetjes, en bewegingen van kaken, lippen en tong die zijn afgestemd op zijn handbewegingen. Deze dansjes van moeder en baby duren niet lang, meestal maar
een paar seconden of zelfs milliseconden, en ze eindigen wanneer beiden in
dezelfde toestand verkeren – meestal blijdschap. Moeder en kind spelen als
het ware een duet met gesynchroniseerde of afwisselende partijen, in een mo-
deratotempo van ongeveer 90 tellen per minuut.

Dit soort wetenschappelijke observaties vergen een enorme inspanning:
nauwkeurig onderzoek van urenlange, gefilmde interacties tussen moeders
en baby's door ontwikkelingspsychologen als Colwyn Trevarthen van de
Universiteit van Edinburgh. Dankzij zijn onderzoek wordt Trevarthen nu
wereldwijd beschouwd als dé expert op het gebied van protoconversatie, een
duet waarin beide artiesten, zoals hij het uitdrukt, 'een melodie scheppen
door in eenzelfde ritme zowel harmonie als contrapunt na te streven.'[22]

Maar meer nog dan van een melodie is er sprake van een soort discussie
tussen moeder en kind die volledig in het teken staat van één centraal thema: emoties. De frequentie van de aanraking door de moeder en het geluid
van haar stem geven de baby de geruststellende boodschap dat ze van hem
houdt en dat resulteert, om met Trevarthen te spreken, in een 'onmiddellijk, onuitgesproken, conceptloos rapport'.

Deze uitwisseling van signalen schept een band met een baby. We kunnen
haar blij en opgewonden maken, maar ook kalm en stil of overstuur en in

tranen. In een vrolijke protoconversatie voelen moeder en kind zich opge-wekt en op elkaar afgestemd, maar wanneer een van de twee het af laat we-ten en haar aandeel in de conversatie niet op zich neemt, is de uitkomst to-taal anders. Als de moeder bijvoorbeeld niet scheutig is met aandacht of zonder enthousiasme reageert, trekt de baby zich terug. Als de respons van de moeder slecht getimed is, toont de baby eerst verbazing en raakt dan van slag. En als de baby niet reageert, trekt de moeder zich dat weer aan.

Deze sessies tussen moeder en kind zijn een vorm van onderricht. De pro-toconversatie is de eerste les die een baby krijgt in het omgaan met anderen. Lang voordat we onze gevoelens onder woorden kunnen brengen, leren we hoe we ons emotioneel af moeten stemmen. Protoconversaties blijven onze fundamentele blauwdruk voor menselijke interactie, een onuitgesproken be-sef dat ons geruisloos prepareert voor contact met een ander. Ons vermo-gen tot synchronie zoals we dat als baby geleerd hebben, blijft ons een leven lang van dienst en staat ons bij in al onze sociale interacties.

En net zoals gevoelens het voornaamste onderwerp waren van de proto-conversatie in onze babytijd, zijn ze het fundament van onze volwassen com-municatie. Deze stille dialoog over gevoelens vormt de grondslag voor alle verdere ontmoetingen en de verborgen agenda in iedere interactie.

HOOFDSTUK 3

Neurale Wi-Fi*

Ik had me net geïnstalleerd in een New Yorkse metro toen ik ver achter me, aan de andere kant van de wagon, een schreeuw hoorde. Op dit soort ogenblikken gaan bij iedere stadsbewoner de haren overeind staan.

Ik zat met mijn rug naar de bron van de schreeuw, maar de man tegenover me keek plotseling enigszins geschrokken.

Mijn hersenen werkten op volle toeren: Wat was er aan de hand? Wat kon ik doen? Kon ik wat doen? Was er een gevecht aan de gang? Draaide iemand door? Was ik in gevaar?

Of was het gewoon een vreugdekreet? Misschien was het wel een groep tieners die de grootste lol had.

Het antwoord kwam snel, van het gezicht van de man die kon zien wat er aan de hand was: de schrik verdween uit zijn ogen en hij dook weer in zijn krant. Wat er daarachter ook gebeurd was, ernstig was het niet.

Mijn aanvankelijke paniek werd aangewakkerd door die van mijn overbuurman en ik kalmeerde weer toen ik hem zag ontspannen. Op momenten van plotselinge alertheid gaan we instinctief beter letten op de gezichten om ons heen, op zoek naar een lach of een frons, tekenen die ons helpen alarmsignalen te interpreteren of die iets prijsgeven van andermans intenties.[1]

In de prehistorie was een groep, met zijn vele ogen en oren, veel alerter op gevaar dan een geïsoleerd individu ooit zou kunnen zijn en in de hardvochtige wereld van de vroege mens had dat vermogen om de waakzaamheid te vermenigvuldigen, in combinatie met een hersenmechanisme voor het automatisch registreren van tekenen van gevaar en het mobiliseren van angst, ongetwijfeld grote overlevingswaarde.

Hoewel we op de toppen van onze angst waarschijnlijk te veel opgaan in onze eigen paniek om ons te kunnen afstemmen, versterkt iedere lichtere vorm van angst onze emotionele transacties. Mensen die zich bedreigd en bang voelen, zijn daarom bijzonder bevattelijk voor andermans emoties. In die vroege samenlevingsgroepen was de ontzetting op het gezicht van iemand

* Wi-Fi is een certificatielabel voor draadloze datanetwerkproducten. De term wordt in toenemende mate gebruikt als synoniem voor 'draadloos thuisnetwerk'.

die net een tijger gespot had ongetwijfeld genoeg om diezelfde paniek wakker te roepen in iedereen die hem zag en om allemaal een veilig heenkomen te zoeken.

Kijk eens een moment naar dit gezicht:

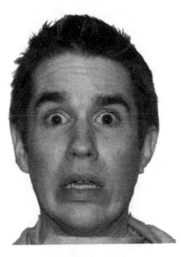

De amygdala reageert ogenblikkelijk op een foto als deze, en hoe sterker de emotie die is afgebeeld, hoe intenser de reactie van de amygdala.[2] Mensen die bij het kijken naar dit soort foto's een fMRI ondergingen, lieten een hersenactiviteit zien alsof zíj degenen waren met angst, zij het in mindere mate.[3]

In persoonlijk contact tussen twee mensen verspreidt emotionele besmetting zich via vele neurale circuits die in de hersenen van beide personen parallel opereren. Deze systemen voor emotionele besmetting beslaan het volledige gevoelsspectrum, van vreugde tot verdriet en angst.

De momenten waarop besmetting plaatsvindt, zijn de weerslag van een opmerkelijke neurale gebeurtenis: de vorming van een functionele link tussen twee breinen, een *feedback loop* die de grens van huid en schedel tussen twee lichamen passeert. In systeemtheoretische termen 'koppelen' de hersenen zich, waarbij de output van het ene brein de input vormt voor het andere brein, en er tijdelijk iets als een gezamenlijk hersencircuit ontstaat. Wanneer twee units in een feedback loop met elkaar verbonden zijn, verandert de ene zodra de andere verandert.

Zodra mensen samen een 'loop' vormen, versturen en ontvangen hun hersenen voortdurende stroom van signalen die hen in staat stelt stilzwijgend met elkaar in harmonie te komen en, als de stroom de juiste route kiest, hun

resonantie te versterken. Een feedback loop maakt de synchronisatie van gevoelens, gedachten en handelingen mogelijk. We versturen en ontvangen iedere aangename en onaangename innerlijke toestand, van plezier en tederheid tot spanning en rancune.

In de natuurkunde heet de voornaamste eigenschap van resonantie *sympathetic vibration*, dat wil zeggen de neiging van het ene deel om zijn tril-
lingssnelheid te verhogen tot het tempo waarin een ander deel vibreert. Deze resonantie genereert de sterkste en meest langdurige respons die mogelijk
is tussen twee op elkaar inwerkende delen: een nagloed.

Hersenlooping gebeurt buiten ons bewustzijn, zonder dat er speciale aandacht of intentie voor nodig is. We kunnen bewust proberen om iemand na
te bootsen en zo een gevoel van intimiteit te cultiveren, maar zulke pogingen komen meestal geforceerd over. Synchronie werkt het best als het spontaan optreedt en niet kunstmatig in het leven wordt geroepen omdat we bij
iemand in het gevlij willen komen, of om welke andere reden dan ook.[4]

De lagere route is snel omdat hij automatisch is. De amygdala heeft maar
heel weinig tijd nodig om tekenen van angst in iemands gezicht te traceren:
33 milliseconden is genoeg. Sommige mensen hebben zelfs aan 17 milliseconden voldoende (dat is minder dan twee honderdste van een seconde).[5]
De lage route is dus zo snel, dat dit soort percepties buiten ons actieve bewustzijn vallen (hoewel we wel de vage gevoelens van ongemak kunnen signaleren die eruit volgen).

Ook al zijn we ons misschien niet bewust van de manier waarop we synchroniseren, toch doen we dat met opmerkelijk gemak. Dit spontane sociale duet is het werk van een speciale groep neuronen.

Neurale spiegels

Ik kan niet ouder geweest zijn dan een jaar of twee, drie, maar de herinnering staat in mijn geheugen gegrift. Naast mijn moeder drentelde ik over het
gangpad van de plaatselijke supermarkt toen een mevrouw mij, een schattig
klein peutertje, in het oog kreeg en lief naar me lachte.

Nog altijd kan ik voelen hoe verbaasd ik was toen mijn eigen mond zonder dat ik het wilde zomaar teruglachte. Het was alsof ik het gezicht had van
een marionet. Ergens werd er aan onzichtbare touwtjes getrokken, waardoor
mijn mond breder werd en mijn wangen opbolden.

Ik was ervan overtuigd dat mijn glimlach niet spontaan was, maar van buitenaf werd afgedwongen.

Die automatische reactie was ongetwijfeld te danken aan de activiteit van
zogenaamde 'spiegelneuronen' in mijn jonge hersenen. Spiegelneuronen

doen precies wat de naam zegt: ze reflecteren een handeling die we bij een ander waarnemen door ons die handeling te laten nabootsen of door de impuls op te roepen om dat te doen. Deze doe-wat-zij-doet-neuronen zijn verantwoordelijk voor een hersenmechanisme dat getuigt van de diepe waarheid van het oude liedje 'Als je lacht, lacht heel de wereld met je mee.'

Het lijdt geen twijfel dat belangrijke circuits van de lage route dit soort neuronen bevatten. We beschikken over meerdere systemen die uit spiegelneuronen bestaan en er worden steeds nieuwe ontdekt. Hoogstwaarschijnlijk zijn verreweg de meeste van deze systemen nog niet in kaart gebracht. Ze kunnen vele verschijnselen verduidelijken, van emotionele besmetting en sociale synchronie tot het leergedrag van kinderen.

Neurowetenschappers ontdekten deze neurale Wi-Fi bij toeval in 1992. Ze waren bezig het sensomotorische gebied van apenhersenen in kaart te brengen met behulp van elektroden die zo dun waren, dat ze in een enkele hersencel geïmplanteerd konden worden. Daarmee wilden ze bekijken welke hersencellen er oplichtten bij bepaalde bewegingen.[6] De neuronen in dit gebied bleken uiterst precies: sommige lichtten bijvoorbeeld alleen op wanneer de aap iets in zijn hand pakte en andere slechts wanneer hij het aan stukken trok.

Op een warme namiddag ontdekte men echter iets wat niemand had verwacht. Een van de onderzoeksassistenten had in zijn pauze een ijsje gehaald. De onderzoekers zagen tot hun verbazing dat er een sensomotorische cel actief werd wanneer een van de apen de assistent het ijsje naar zijn mond zag brengen. Het was een verbijsterende ontdekking dat een aap alleen maar een beweging van een andere aap of van een van de onderzoekers hoefde waar te nemen om een bepaalde groep neuronen te activeren.

Sinds die eerste waarneming van spiegelneuronen bij apen zijn er in de menselijke hersenen overeenkomstige systemen gevonden. Uit een opmerkelijk onderzoek waarbij een elektrode zo dun als een laser de activiteit registreerde van een enkel neuron in een wakkere proefpersoon, werd het neuron zowel actief wanneer de persoon zelf een speldenprik verwachtte, als wanneer hij iemand anders een speldenprik zag krijgen: een neuraal inkijkje in directe empathie in actie.[7]

Veel spiegelneuronen bevinden zich in de premotorische cortex, die verantwoordelijk is voor activiteiten die variëren van spreken en bewegen tot de simpele intentie om tot handelen over te gaan. Omdat ze grenzen aan motorische neuronen, kunnen de hersengebieden die beweging initiëren actief worden op het moment dat we iemand anders diezelfde beweging zien maken.[8] Wanneer we een handeling mentaal repeteren (een praatje dat we moeten houden nog eens doornemen of de fijne kneepjes van onze golfswing visualiseren) activeren we dezelfde neuronen in de premotorische cortex als

wanneer we die handeling ook daadwerkelijk uitvoeren. Een handeling si-
muleren is voor de hersenen hetzelfde als de handeling uitvoeren, alleen is
de daadwerkelijke realisatie ervan op de een of andere manier geblokkeerd.[9]

Onze spiegelneuronen beginnen te vuren wanneer we naar iemand kijken
die, om maar wat te noemen, op zijn hoofd krabt of een traan wegveegt. Dat
betekent dat een deel van het neurale vuren in ons brein dat van de ander
nabootst. Onze eigen motorische neuronen krijgen informatie die identiek
is aan wat we zien, zodat we de handelingen van de ander kunnen ervaren
alsof we die zelf uitvoeren.

De menselijke hersenen beschikken over meerdere systemen van spiegelneuronen, niet alleen voor het nabootsen van handelingen, maar ook voor
het duiden van intentie, voor het afleiden van de sociale implicaties van gedrag en voor het identificeren van emoties.[10] In een experiment kregen vrijwilligers die waren aangesloten op een fMRI een video te zien van iemand die
lachte of schold. De meeste hersengebieden die tijdens het kijken geactiveerd
werden, kwamen overeen met de hersengebieden die actief waren bij de persoon die de emotie liet zien, zij het in mindere mate.[11]

Spiegelneuronen maken emoties besmettelijk. Ze zorgen dat de gevoelens
die we waarnemen door ons lichaam stromen, zodat we ons kunnen afstemmen en kunnen volgen wat er gaande is. We 'voelen' de ander in de
ruimste zin van het woord, doordat we hun sentimenten, hun bewegingen,
hun gewaarwordingen en hun emoties in onszelf ervaren.

Onze sociale vaardigheden zijn afhankelijk van spiegelneuronen. Door te
echoën wat we bij een ander waarnemen bereiden we ons bijvoorbeeld voor
op een snelle en gepaste reactie. Bovendien reageren spiegelneuronen al op
het kleinste zweempje van een beweging en helpen ons nagaan welke motivatie er in het spel zou kunnen zijn.[12] Aanvoelen wat mensen willen, en waarom, levert onbetaalbare sociale informatie op waardoor we als een sociale
kameleon altijd de gebeurtenissen een stap vóór kunnen zijn.

Spiegelneuronen blijken van fundamenteel belang voor de manier waarop kinderen leren. Nabootsend leren is al lang erkend als een belangrijke ont-
wikkelingsweg voor kinderen, maar de ontdekkingen over spiegelneuronen
verklaren hoe kinderen dingen leren beheersen door alleen maar toe te kijken. Terwijl ze kijken, graveren ze in hun eigen hersenen een repertoire van
emoties, gedragingen en verklaringen van hoe de wereld in elkaar steekt.

Menselijke spiegelneuronen zijn vele malen meer flexibel en divers dan die
van apen, en weerspiegelen onze uitgekiende sociale vaardigheden. Door na
te bootsen wat een ander doet of voelt, creëren spiegelneuronen een gedeelde gevoeligheid; om de ander te begrijpen, worden we als de ander, al is het
maar een beetje.[13] Dat virtuele besef van wat een ander ervaart sluit aan bij
een nieuw inzicht in de filosofie van de geest: dat we anderen begrijpen door

hun acties te vertalen in de neurale taal die ons voorbereidt op identieke handelingen en ons die op dezelfde manier laat ervaren.[14]

Ik begrijp jouw actie door er in mijn eigen hersenen een blauwdruk voor te ontwerpen. Volgens Giacomo Rizzolatti, de Italiaanse neurowetenschapper die de spiegelneuronen ontdekte, maken deze systemen het mogelijk 'dat we begrijpen wat er in anderen omgaat, niet door conceptueel redeneren, maar door rechtstreekse simulatie: door te voelen, niet door te denken'.[15]

Deze prikkeling van parallelle circuits in de hersenen van twee verschillende mensen maakt dat we ogenblikkelijk een overeenkomstig gevoel krijgen over een bepaalde situatie. Er ontstaat een bepaalde band, een gevoel het moment te delen. Neurowetenschappers noemen deze toestand 'empathische resonantie', een koppeling tussen hersenen via de lage route waardoor er een tweepersoonscircuit ontstaat.

De uiterlijke kenmerken van deze innerlijke connectie zijn beschreven door een Amerikaanse psychiater aan de Universiteit van Genève, Daniel Stern. Stern is een ontwikkelingspsycholoog in de traditie van Jean Piaget. Al tientallen jaren doet hij systematisch onderzoek naar de interacties tussen moeders en baby's. Daarnaast onderzoekt hij interacties tussen volwassenen, zoals tussen psychotherapeuten en hun cliënten of tussen geliefden.

Stern concludeert dat ons zenuwstelsel 'erop gebouwd is om overmeesterd te worden door de zenuwstelsels van anderen, zodat we als het ware in de huid van een ander kunnen kruipen'.[16] Op die momenten resoneren wij met hun ervaring en zij met de onze.

We kunnen, aldus Stern, 'onze geest niet langer beschouwen als onafhankelijk, afgescheiden en geïsoleerd'. In plaats daarvan zijn we 'poreus' en voortdurend aan het uitwisselen, als door een onzichtbare link met anderen verbonden. Op een onbewust niveau zijn we continu in gesprek met iedereen met wie we in contact komen, waarbij ieder gevoel en iedere manier van bewegen op die van hen is afgestemd. Ons mentale leven is, in elk geval voor het ogenblik, een gezamenlijke creatie van een tweepersoons matrix.

De neurale bedrading van de gezichtsspieren maakt dat de emoties die ons beroeren op ons gezicht te lezen zijn (tenzij we ze actief onderdrukken) en spiegelneuronen zorgen ervoor dat iemand op het moment dat hij een emotie op je gezicht ziet verschijnen ogenblikkelijk dezelfde emotie ondergaat. Op die manier ervaren we onze emoties niet alleen zelf, maar delen we ze met de omgeving, zowel openlijk als verborgen.

Stern stelt dat de neuronen voor nabootsing actief zijn wanneer we de gemoedstoestand van anderen aanvoelen en met hun gevoelens resoneren. Deze hersenkoppeling maakt dat lichamen tegelijk bewegen, gedachten hetzelfde pad volgen en emoties overeenkomen. De brug die spiegelneuronen

slaan tussen twee breinen opent de weg voor subtiele, maar belangrijke transacties.

Het voordeel van een blij gezicht

Toen ik Paul Ekman in de jaren tachtig voor het eerst ontmoette, had hij net
een jaar voor de spiegel doorgebracht om te leren elk van de bijna tweehonderd spieren in zijn gezicht onafhankelijk te bewegen. Daar was heroïsch
wetenschappelijk onderzoek voor nodig geweest: hij had zichzelf lichte elektrische schokken moeten toedienen om een aantal moeilijk te traceren gezichtsspieren te vinden. Toen hij deze krachttoer had volbracht, kon hij precies in kaart brengen hoe de verschillende spiergroepen bewegen om de
voornaamste emoties en hun varianten te laten zien.

Ekman heeft achttien uiteenlopende glimlachjes geïdentificeerd, allemaal
verschillende combinaties van de vijftien betrokken gezichtsspieren. Een ongelukkig lachje verspreidt zich met een zekere gelatenheid over een ongelukkige gezichtsuitdrukking. Een wreed lachje laat zien dat de betrokken persoon geniet van zijn woede en gemeenheid, en dan is er het hautaine lachje
waarop Charlie Chaplin het patent had en waarbij een spier gebruikt wordt
die de meeste mensen niet bewust kunnen bewegen – een lachje, zoals Ekman zegt, dat 'lacht om het lachen'.[17]

Daarnaast is er natuurlijk het oprechte lachen van vreugde en spontaan
plezier. Dit lachen maakt de grootste kans om een lach op te roepen bij een
ander dankzij het werk van spiegelneuronen die gewijd zijn aan het opsporen van een lach en het aanwakkeren van onze eigen lach.[18] Zoals een Tibe-
taans spreekwoord zegt: 'Als je het leven toelacht, is de helft van de lach voor
je eigen gezicht en de andere helft voor dat van een ander.'

Lachen heeft iets voor op andere uitdrukkingen van emotie: het menselijk brein heeft een voorkeur voor een blij gezicht en herkent dat gemakkelijker en sneller dan een gezicht met een negatieve uitdrukking, een effect dat
ook wel het *happy face advantage* genoemd wordt, het voordeel van een blij
gezicht.[19] Sommige neurowetenschappers menen dat het brein beschikt over
een systeem voor positieve gevoelens dat in constante staat van paraatheid
verkeert en ieder moment actief kan worden. Mensen zouden daardoor vaker in een goede dan in een slechte stemming zijn en over het algemeen een
vrij positieve levensvisie hebben.

Dit impliceert dat de natuur geneigd is om positieve relaties te koesteren.
Ondanks de al te prominente rol van agressie in het leven, zijn we er van nature niet op gericht om een hekel te hebben aan mensen.

Zelfs bij volslagen vreemden zorgt een speels moment, al is het nog zo flauw, ogenblikkelijk voor resonantie. In een experiment kregen mensen die elkaar niet kenden de opdracht om samen een paar gekke spelletjes te spelen. Een van de twee moest door een rietje praten en de ander, die geblinddoekt was, aanwijzingen geven bij het gooien van een zachte bal. De deelnemers kregen zonder uitzondering de slappe lach van hun eigen onhandigheid. Bij vrijwilligers die hetzelfde spelletje speelden zónder de blinddoek en het rietje, kon er daarentegen geen lachje af. De conclusie ligt misschien voor de hand, maar de paren die moesten lachen, voelden zich al na een paar minuten sterk met elkaar verbonden.[20]

Plezier zou wel eens de snelste verbinding tussen twee breinen kunnen zijn, een onstuitbare aanstekelijke gemoedsbeweging die ogenblikkelijk een sociale band schept.[21] Kijk maar eens naar twee giechelende tienermeisjes. Hoe vrolijker en speelser de vriendinnetjes worden, hoe groter hun synchronie, en hoe levendiger en gelukkiger ze zich samen voelen. Met andere woorden: ze resoneren.[22] Ouders kunnen het een hels kabaal vinden, maar voor tieners zelf zijn dit de momenten waarop ze het sterkst met elkaar verbonden zijn.

Oorlog tussen de memen

Al sinds de jaren zeventig bewieroken rapsongs het leven van pooiers en schooiers, met zijn pistolen en drugs, bendeoorlogen en vrouwenhaat, en zijn voorliefde voor blingbling. Maar dat lijkt te veranderen, net als het leven van een aantal van de mensen die dit soort liedjes schrijft.

'Het is alsof hiphop alleen maar gaat over feestjes en pistolen en vrouwen,' erkent Darryl McDaniels, de DMC van de rapgroep Run DMC. Maar McDaniels, die zelf liever naar klassieke rock luistert dan naar rap, voegt eraan toe: 'Dat is prima als je in een club bent, maar van negen uur 's morgens totdat ik 's avonds naar bed ging, had de muziek me niets te zeggen.'[23]

Zijn klacht kondigt de opkomst aan van een nieuw soort rapmuziek, die een gezondere, zij het nog altijd onbeschaamd openhartige manier van leven bezingt. Een van deze bekeerde rappers, John Stevens (bekend als de Legend), zei daarover: 'Ik zou me niet prettig voelen als ik muziek zou maken die geweld en dat soort zaken verheerlijkt.'[24]

In plaats daarvan richt Legend zich samen met zijn collega Kanye West op songteksten met een positieve inslag, waarin hij bekentenissen vol zelfkritiek vermengt met spottend sociaal commentaar. Die genuanceerde gevoeligheid weerspiegelt hun levenservaring, die behoorlijk verschilt van die van de meeste gangstarappers uit het verleden. Stevens heeft een titel behaald aan de Universiteit van Pennsylvania en Kayne is de zoon van een universitair docent. Zoals Kayne zegt: 'Mijn moeder is docent en ik ben ook een soort leraar.'

Kayne heeft iets in de smiezen. Rapteksten kunnen, net als ieder gedicht, essay of journalistiek verhaal, opgevat worden als een systeem voor de overdracht van 'memen', ideeën die zich ongeveer op dezelfde manier als emoties van brein tot brein verspreiden. Het concept van de meme is gemodelleerd naar het gen: een eenheid die zichzelf vermenigvuldigt door van persoon op persoon te worden doorgegeven.

Krachtige memen, zoals 'democratie' of 'hygiëne', hebben invloed op ons gedrag; het zijn ideeën met impact.[25] Sommige memen staan lijnrecht tegenover elkaar. Als dat het geval is, zijn die memen in oorlog en ontstaat er een gevecht tussen ideeën.

Memen lijken macht te ontlenen aan de lage route vanwege hun associatie met krachtige emoties. Een idee is belangrijk voor ons als het ons beweegt en dat is precies wat emoties doen. De kracht die rapteksten, maar ook andere liedjes, ontlenen aan de lage route kan enorm zijn, zeker door de combinatie met oscillatorstimulerende beats.

Mogelijk ontdekken we ooit een verband tussen memen en de spiegelneuronen. Hun onbewuste scenario's bepalen een groot deel van wat we doen, vooral als we op de automatische piloot staan. De subtiele invloed van memen op ons gedrag is echter vaak niet te traceren.

Memen zijn van grote invloed op de *priming* (onbewuste activering) van sociale interacties.[26] In een experiment kreeg een groep vrijwilligers een lijst woorden voorgelezen die stuk voor stuk te maken hadden met onbeleefdheid, zoals 'bot' en 'onbeschoft'. Een tweede groep werd getrakteerd op woorden als 'zorgzaam' en 'beleefd'. Daarna moesten de vrijwilligers een boodschap overbrengen aan iemand die met een ander in gesprek was. Twee van de drie personen uit de eerste groep onderbraken het gesprek zonder al te veel plichtplegingen, terwijl acht van de tien uit de tweede groep tien volle minuten bleven wachten tot het gesprek ten einde was, om dan pas het woord te nemen.[27]

Een ander voorbeeld van priming is de manier waarop een onopgemerkt signaal tot een opmerkelijke synchronie kan leiden. Hoe is anders te verklaren wat mijn vrouw en mij overkwam toen we op vakantie waren op een tropisch eiland? Op een morgen zagen we aan de horizon een prachtige, sierlijke viermaster voorbij zeilen. Mijn vrouw vroeg me om een foto te maken en dus pakte ik mijn camera en drukte af. Het was de eerste foto die ik maakte in de tien dagen dat we er al waren.

Een paar uur later, op weg naar de lunch, besloot ik de camera mee te nemen en deed hem in mijn rugzak. Terwijl we naar een lunchtentje liepen op het strand, dacht ik erover om even te zeggen dat ik de camera bij me had, maar nog voordat ik mijn mond open had kunnen doen, vroeg mijn vrouw als vanuit het niets: 'Heb je de camera meegenomen?'

Het was alsof ze mijn gedachten had gelezen.

Dit soort synchroniciteiten lijken het product van het verbale equivalent van emotionele besmetting. Onze associatieketens volgen vaste routes, circuits die gevormd zijn door ons geheugen en door wat we geleerd hebben. Zodra een van die ketens geactiveerd wordt, al is het maar door een simpel teken, ontwaakt die route in ons onderbewustzijn, buiten het bereik van onze actieve aandacht.[28] Een befaamde uitspraak van de Russische toneelschrijver Anton Tsjechov zegt dan ook dat er nooit in de tweede akte van een stuk een geweer aan de muur moet hangen, als het niet tegen het eind van de derde gebruikt wordt: het publiek verwacht dat er geschoten gaat worden.

We hoeven alleen maar aan een handeling te denken, om het brein op het uitvoeren van die handeling voor te bereiden. Priming zorgt er zo voor dat we zonder enige mentale inspanning onze dagelijkse routines kunnen afwerken. Als we 's morgens onze tandenborstel op de rand van de wastafel zien liggen, is dat een automatische prikkel om hem op te pakken en onze tanden te poetsen.

Deze drang om tot handelen over te gaan is altijd aanwezig. Wanneer iemand tegen ons fluistert, fluisteren we terug. Als je met iemand die op de snelweg achter het stuur zit over de Grand Prix begint te praten, gaat hij harder rijden. Het is alsof het ene brein overeenkomstige gevoelens, gedachten en impulsen in het andere implanteert.

Op een vergelijkbare manier kunnen parallelle gedachteketens ervoor zorgen dat twee mensen op hetzelfde moment ongeveer hetzelfde denken, doen of zeggen. Toen mijn vrouw en ik plotseling dezelfde gedachte kregen, had waarschijnlijk een kortstondige gemeenschappelijke perceptie een identieke reeks gedachten in gang gezet die uitkwam bij de camera.

Deze mentale intimiteit is een teken van emotionele verbondenheid; hoe tevredener en communicatiever een stel is, hoe groter hun vermogen om elkaars gedachten te lezen.[29] Wanneer we iemand goed kennen of een sterk rapport ervaren, zijn de omstandigheden vrijwel optimaal voor een samenvloeien van gedachten, gevoelens, percepties en herinneringen.[30] We komen in een toestand waarin we geestelijk samensmelten en we op eenzelfde manier waarnemen, denken en voelen.

Ook als vreemden bevriend raken vindt deze versmelting plaats, zoals bij studenten die samen een kamer moeten delen. Onderzoekers aan de Universiteit van Californië te Berkley rekruteerden studenten die net samen een kamer toegewezen hadden gekregen en liet hen gescheiden van elkaar een aantal korte films bekijken. Een ervan was een hilarische komedie met Robin Williams; een andere een tranentrekker met een jongetje dat verschrik-

kelijk moet huilen om de dood van zijn vader. De emotionele respons van
de kamergenoten was zo verschillend als je van willekeurige vreemden kan
verwachten. Zeven maanden later kregen de studenten een aantal vergelijkbare korte films te zien en toen bleek dat hun reacties opmerkelijk naar elkaar toe waren gegroeid.[31]

De verdwazing van de menigte

Ze worden superhooligans genoemd, de groepen voetbalfans die bij wedstrijden rellen en gevechten provoceren. Het recept voor een voetbalrel is altijd hetzelfde, onafhankelijk van het land. Een klein en hecht groepje fans zet
het al een paar uur voor de wedstrijd op een drinken, zingt de cliedliederen
en zet de boel op stelten.

Wanneer de menigte zich verzamelt voor de wedstrijd, gaan de bendes met
vlaggen zwaaien, nog luidruchtiger zingen en heffen ze spreekkoren aan die
door de omstanders worden overgenomen. De superhooligans bewegen zich
naar plekken waar de fans van hun eigen team op de fans van de tegenstan-
der stuiten. Nu nemen de spreekkoren de vorm aan van openlijke dreige-
menten. Dan slaat de vlam in de pan: een van de leiders van de bende valt
een fan van de tegenpartij aan. Anderen springen erbovenop en het gevecht
verspreidt zich.

Dit patroon van gewelddadige massahysterie heeft zich sinds het begin van
de jaren tachtig keer op keer herhaald, met tragische gevolgen.[32] Een dronken, agressieve massa is de ideale voedingsbodem voor een uitbarsting van
geweld: de alcohol schakelt de neurale impulsbeheersing uit en zodra een van
de leiders het sein voor een slachting geeft, wordt de rest aangestoken.

In zijn studie *Masse und Macht* merkt Elias Canetti op dat een groot aantal individuen een massa wordt, wanneer ze beheerst worden door één gezamenlijke passie, een gemeenschappelijke emotie die leidt tot gemeenschappelijk handelen, kortom, wanneer er sprake is van een collectieve
besmetting.[33] Een stemming kan zich met grote snelheid over een groep verspreiden, een opmerkelijke demonstratie van de parallelle afstelling van biologische subsystemen die iedereen ter plekke onderwerpt aan fysiologische
synchronie.[34]

De snelheid waarmee er verschuivingen optreden in de activiteit van men-
senmassa's doet vermoeden dat er sprake is van grootschalige coördinatie
door spiegelneuronen. Een menigte heeft maar een paar seconden nodig om
een beslissing te nemen, waarschijnlijk de tijd die nodig is voordat de synchronisatie door spiegelneuronen van individu tot individu is doorgegeven
(hoewel dat voorlopig een kwestie van speculeren blijft).

Een veel kalmere vorm van groepsbesmetting vindt plaats bij iedere goede muziek- of theatervoorstelling. Acteurs en musici creëren een soort magnetisch veld om zich heen en bespelen de emoties van het publiek als instrumenten. Toneelstukken, concerten en films geven ons toegang tot een veld van emoties dat we delen met een groot aantal mensen die we niet kennen. Het delen van vrolijkheid en optimisme geeft, zoals psychologen graag zeggen, 'intrinsieke bekrachtiging', wat zoveel wil zeggen als: iedereen houdt er een goed gevoel aan over.

Groepsbesmetting vindt ook in de kleinst mogelijke groepjes plaats. Als drie mensen in stilte een paar minuten bij elkaar zitten, zal bij gebrek aan een machtsstructuur degene met het meest expressieve gezicht de stemming bepalen.[35]

In vrijwel iedere gecoördineerde groep mensen is er sprake van besmetting. In een experiment moest een groep beslissen over de hoogte van de eindejaarsuitkering voor iedere afzonderlijke werknemer en tegelijkertijd tot een optimale verdeling komen voor de groep als geheel.

Die conflicterende agenda's leidden tot spanning, en toen de bijeenkomst ten einde liep, was iedereen van slag. In een bijeenkomst van een andere groep, met een identiek doel, voelde iedereen zich echter goed over het uiteindelijke resultaat.

De twee bijeenkomsten waren businesssimulaties die werden gehouden in het kader van een inmiddels klassieke studie van de Universiteit van Yale.[36] Niemand wist dat een van de deelnemers aan elke bijeenkomst in werkelijkheid een doorgewinterd acteur was met de geheime opdracht om zich bij de ene groep confronterend en negatief te gedragen, en bij andere behulpzaam en opgewekt.

Welke emoties de acteur ook aangaf, de groep volgde. De stemming van de groepsleden veranderde in positieve of in negatieve zin, maar niemand leek te beseffen waardoor zijn stemming veranderd was. Ze waren ongemerkt meegetrokken in een stemmingsverschuiving.

De gevoelens die in een groep de ronde doen, kunnen de informatieverwerking van alle groepsleden kleuren en daarmee ook de beslissingen die ze nemen.[37] Dat zou betekenen dat bij het nemen van beslissingen iedere groep er goed aan zou doen niet alleen aandacht te besteden aan wat er gezegd wordt, maar ook aan de gemeenschappelijke emoties.

Samenvattend blijkt er dus een subtiel, maar onverbiddelijk magnetisme te bestaan dat bewerkstelligt dat mensen in hechte relaties (familie, collega's en vrienden) geneigd zijn op een identieke manier te voelen en te denken.

HOOFDSTUK 4

Een instinct voor altruïsme

Op een middag moesten veertig studenten aan het Theologisch Seminarium van Princeton een korte preek geven waarvoor ze een beoordeling zouden krijgen. De helft van de studenten had een willekeurig Bijbels onderwerp opgekregen, de andere helft had de opdracht gekregen zich te buigen over de parabel van de barmhartige Samaritaan, die stopt om een vreemdeling die gewond langs de kant van de weg ligt te helpen terwijl zogenaamd 'vromere' mensen gewoon waren doorgelopen.

De seminaristen werkten samen in één kamer en elk kwartier vertrok een van hen naar een ander gebouw om zijn of haar preek te houden. Geen van allen wist dat ze deelnamen aan een experiment in altruïsme.

Onderweg kwamen ze langs een portiek waarin een ineengezakte man lag te kreunen van de pijn. Van de veertig studenten liepen er vierentwintig gewoon door en negeerden de man volkomen, of ze zich nu verdiept hadden in de les van de barmhartige Samaritaan of niet.[1]

Tijd bleek voor de seminaristen een belangrijke factor. Van een groep van tien studenten die dachten dat ze aan de late kant waren voor hun preek, stopte er maar één; van een andere groep van tien die dachten dat ze meer dan genoeg tijd hadden, boden er zes hun hulp aan.

Van de vele factoren die een rol spelen bij altruïsme lijkt gewoon de tijd nemen om ergens aandacht aan te schenken een hele belangrijke; onze empathie is het sterkste wanneer we ons volledig op iemand richten en er daardoor een emotionele *feedback loop* ontstaat. Mensen verschillen uiteraard in hun vermogen, bereidheid en belangstelling om aandacht te geven: een weerspannige tiener kan haar moeders gezeur buitensluiten en een minuut later volledig geconcentreerd aan de telefoon hangen met een vriendinnetje. De seminaristen die zich voorbij haastten om hun preek te houden, waren blijkbaar niet bereid of in staat om aandacht te schenken aan de kreunende man. Waarschijnlijk gingen ze zo op in hun eigen gedachten en in hun tijdnood, dat ze zich niet op hem afstemden, laat staan dat ze hem hielpen.[2]

Wereldwijd zijn mensen die zich door drukke steden bewegen minder geneigd om een ander op te merken, te groeten of te helpen. Dat komt door een verschijnsel dat *urban trance* genoemd wordt. Sociologen hebben de theorie ontwikkeld dat we op drukke straten tot deze toestand van zelfver-zonkenheid vervallen om ons te pantseren tegen de overdaad aan prikkels uit de omgeving. Zoals dat gaat, moeten we voor deze strategie ook een prijs betalen: we sluiten ons niet alleen af voor de prikkeloverdaad, maar ook voor de reële behoeftes van de mensen om ons heen. Zoals een dichter ooit zei: 'Bedwelmd en doof bieden we het straatrumoer het hoofd.'

Daarnaast zetten ook sociale verschillen ons oogkleppen op. Een dakloze die in een grote stad neerslachtig op straat zit en om geld vraagt, zou door de voorbijgangers wel eens totaal genegeerd kunnen worden, terwijl diezelfde voorbijgangers een paar passen verder meer dan bereid zijn een gesprekje te beginnen met een goedgeklede, vlotte vrouw die om handte-keningen vraagt voor een petitie. (Uiteraard is ook het omgekeerde mo-gelijk, afhankelijk van onze voorkeuren: sympathie voor de dakloze, maar niet voor het politieke initiatief.) Kortom, onze prioriteiten, socialisatie en ontelbare andere sociaalpsychologische factoren kunnen ons ertoe bren-gen om onze aandacht of emoties, en daarmee onze empathie, te beteuge-len.

We hoeven alleen maar aandacht te geven om een emotionele connectie tot stand te brengen. Zonder aandacht heeft empathie geen schijn van kans.

Wanneer aandacht nodig is

Laten we de gebeurtenissen aan het seminarium van Princeton nu eens ver-gelijken met een voorval dat zich voordeed tijdens het spitsuur in New York. Na mijn werk haastte ik me naar het metrostation op Times Square. Zoals gewoonlijk bewoog een gestage stroom mensen zich langs de betonnen trap-pen omlaag om zo snel mogelijk de metro te kunnen pakken.

Plotseling zag ik iets waar ik van schrok: halverwege de trap lag een ar-moedige man, zonder shirt, bewegingloos en met zijn ogen dicht.

Niemand leek hem op te merken. In de haast om thuis te komen stapten mensen gewoon over hem heen.

Geschokt door de aanblik bleef ik staan om te kijken wat er aan de hand was. En zodra ik stopte, gebeurde er iets opmerkelijks: andere mensen stop-ten ook.

Vrijwel ogenblikkelijk ontstond er rondom de man een kleine kring van bezorgde mensen en even spontaan begon men hulp te bieden. Een man liep naar een hotdogkar om iets te eten voor hem te halen, een vrouw haalde snel een fles water tevoorschijn en weer een ander trok de aandacht van een me-trowacht, die op zijn beurt met zijn portofoon om hulp vroeg.

Ongetwijfeld gingen wij allemaal, brave burgers op weg van werk naar huis, uit van allerlei stilzwijgende vooronderstellingen over die man op de trap, stereotypen die we hadden opgebouwd doordat we in ons leven al honderden daklozen gepasseerd waren. Stedelingen leren om de angst die ze voelen bij het zien van zo iemand te hanteren door hun aandacht als in een reflex af te wenden.

Ik denk dat mijn eigen afwendreflex veranderd was door een artikel dat ik kort daarvoor geschreven had voor *The New York Times*. Daarin beschreef ik hoe de straten van de stad in een psychiatrisch ziekenhuis waren veranderd omdat veel opvanginstellingen hun deuren hadden moeten sluiten. In het kader van de research voor het artikel had ik een aantal dagen meegedraaid met een paar hulpverleners die zich over de daklozen ontfermden. In een busje reden we rond om eten te brengen, onderdak aan te bieden en psychiatrische patiënten (een schokkend hoog percentage) over te halen naar een van de klinieken te gaan voor hun medicatie. Nog geruime tijd daarna bekeek ik dakloze mensen met andere ogen.

In andere onderzoeken rond het thema van de barmhartige Samaritaan vertellen de mensen die stoppen om te helpen meestal dat ze zelf van streek raakten door de ontreddering van de ander, een empathisch gevoel van tederheid.[3] Zodra de ene persoon de ander voldoende opmerkte om empathie te voelen, waren de kansen dat hij hulp zou bieden bijzonder groot.

Soms is het al genoeg om te horen dat iemand een ander geholpen heeft om een warm en opbeurend gevoel te genereren. Amerikaanse psychologen gebruiken de term *elevation* voor de gloed die we voelen wanneer we de vriendelijkheid van een ander zien. Dit is de toestand die mensen vaak vermelden wanneer ze vertellen hoe ze zich voelden toen ze getuige waren van een spontane daad van moed, tolerantie of compassie. De meeste mensen raken ontroerd of zelfs opgetogen.

Daden die *elevation* opwekken zijn bijvoorbeeld het helpen van arme of zieke mensen, of het bijstaan van iemand in een moeilijke situatie. Maar deze goede daden hoeven helemaal niet zo ingrijpend te zijn als het in huis opnemen van een ander gezin of als een Moeder Theresa voor de armen van Calcutta zorgen. Alledaagse zorgzaamheid is al genoeg om een beetje van deze morele warmte te genereren. In een Japans onderzoek vermeldden veel mensen een ervaring van *kandou*, een ogenblik waarop het hart geraakt wordt, bijvoorbeeld bij het zien van een ruig uitziend bendelid dat in de trein opstond voor een oudere man.[4]

Elevation, zo blijkt uit onderzoek, zou wel eens aanstekelijk kunnen zijn. Wanneer iemand een ander iets aardigs ziet doen, krijgt hij meestal de impuls om ook zoiets te doen. Misschien gaan mythische verhalen overal ter wereld daarom wel zo vaak over figuren die anderen heldhaftig te hulp schieten. Psychologen speculeren dat het horen van een verhaal over dit soort goedheid, mits levendig verteld, dezelfde emotionele impact heeft als het zien van de goede daad zelf.[5] Dat *elevation* aanstekelijk kan zijn, lijkt erop te wijzen dat het gekoppeld is aan de lage route.

Verfijnde afstemming

Toen ik met mijn zoon vijf dagen in Brazilië was, viel het ons op dat de mensen die we tegenkwamen met de dag vriendelijker werden. De verandering was opmerkelijk.

Aanvankelijk vonden we de Brazilianen afstandelijk en gereserveerd, maar rond de derde dag waren de mensen aanmerkelijk warmer.

Op de vierde dag was iedereen overal even hartelijk en tegen de tijd dat we weer naar huis vertrokken, wisselden we op het vliegveld links en rechts knuffels uit.

Waren de Brazilianen veranderd? Geen sprake van. Wat weggesmolten was, was onze eigen gespannenheid, de stress van twee gringo's in een onbekende cultuur. Onze defensieve reserve had ons aanvankelijk afgesloten voor de open en vriendelijke houding van de Brazilianen, en hen mogelijk het signaal gegeven om afstand te bewaren.

Aan het begin van de reis waren we te veel afgeleid om de vriendelijkheid van de mensen die we ontmoetten op te merken, als een radio die net niet helemaal op de juiste frequentie is afgestemd. Naarmate we ons ontspanden en ons afstemden op onze omgeving, was het alsof we het juiste kanaal hadden gevonden: de warmte die steeds al aanwezig was. Wanneer we angstig of afwezig zijn, ontgaan ons de lichtjes in iemands ogen, de zweem van een glimlach of de warmte in iemands stem, basale kanalen voor het uitzenden van boodschappen van vriendelijkheid.

Een technische verklaring voor deze dynamiek laat zien waar de grenzen van onze aandacht liggen. Ons werkgeheugen, de hoeveelheid geheugen die we op elk willekeurig moment met onze aandacht kunnen vasthouden, is gelokaliseerd in de prefrontale cortex, het bolwerk van de hoge route. Dit circuit is verantwoordelijk voor de activiteit die zich onder het oppervlak van een interactie afspeelt en levert zo belangrijk werk in het verdelen van onze aandacht. Het doorzoekt bijvoorbeeld ons geheugen op wat we zouden moeten zeggen en doen, terwijl het tegelijkertijd inkomende signalen opvangt en onze reacties daar weer op aanpast.

Naarmate de moeilijke taken zich opstapelen, komt ons aandachtsvermogen steeds meer onder druk te staan. Zorgelijke signalen vanuit de amygdala overspoelen sleutelgebieden in de prefrontale cortex, waar ze zich manifesteren als preoccupaties die de aandacht afleiden van wat we aan het doen zijn. Psychische ontreddering overbelast onze aandacht: je hoeft je maar een gespannen gringo te voelen of het is al gebeurd.

De natuur beloont een soepele communicatie tussen leden van een bepaalde soort door de hersenen zo te vormen dat ze beter op elkaar aansluiten, soms zelfs ter plekke. Bij een bepaalde vissensoort bijvoorbeeld, scheidt het vrouwtje in de paartijd hormonen uit die haar auditieve circuits tijdelijk veranderen, zodat ze zich beter kan afstemmen op de frequentie van de lokroep van het mannetje.[6]

Iets vergelijkbaars kun je waarnemen bij een twee maanden oude baby die zijn moeder ziet aankomen: instinctief wordt hij stil, brengt zijn ademhaling een beetje tot rust, draait zich naar haar toe en kijkt naar haar gezicht. Hij focust op haar ogen of mond en spitst zijn oren om de geluiden die ze zou kunnen maken op te vangen, en dat allemaal met een gezichtsuitdrukking die onderzoekers *knit brow with jaw-drop* noemen, of de 'gefronste wenkbrauwen met open mond'. Al deze bewegingen verhogen het perceptuele vermogen van de baby om zich af te stemmen op wat de moeder zegt of doet.[7]

Hoe scherper onze aandacht, hoe nauwkeuriger we de innerlijke toestand van een ander aanvoelen. We zijn sneller en hebben maar weinig aanwijzingen nodig, ook in meer ambigue omstandigheden. Andersom geldt: hoe groter onze innerlijke ontreddering, hoe minder accuraat onze empathie.

Kortom, zelfverzonkenheid in welke vorm dan ook is dodelijk voor empathie, om over compassie maar te zwijgen. Wanneer we op onszelf gericht zijn, krimpt onze wereld en nemen onze problemen en preoccupaties gigantische proporties aan. Maar wanneer we ons op anderen richten, wordt de wereld groter. Onze eigen problemen verdwijnen naar de periferie en lijken daardoor kleiner, en ons vermogen tot contact of tot compassievol handelen neemt toe.

Instinctieve compassie

Een laboratoriumrat hangt piepend en worstelend in een tuigje in de lucht. Zodra een van zijn kooigenoten de rat in nood in de gaten krijgt, raakt deze ook van streek. Hij slaagt erin het slachtoffer te redden door op een balkje te duwen, waardoor de rat veilig op de grond terechtkomt.

Zes resusaapjes hebben geleerd om aan een ketting te trekken als ze iets te eten willen. Op een zeker moment krijgt een zevende aapje, dat voor de andere duidelijk te zien is, een pijnlijke schok toegediend telkens wanneer een van hen aan de ketting trekt. Bij het zien van de pijn van het andere aapje beginnen vier van de zes aapjes aan een andere ketting te trekken, een die minder eten oplevert, maar die het andere aapje een schok bespaart. Het vijfde aapje raakt vijf dagen lang geen ketting meer aan en het zesde zelfs twaalf dagen. Ze zijn bereid zich dood te hongeren om te voorkomen dat het zevende aapje een schok krijgt toegediend.

Vrijwel vanaf hun geboorte beginnen baby's te huilen zodra ze zien dat een andere baby overstuur is. Ze beginnen daarentegen maar zelden te huilen wanneer ze een opname horen van hun eigen gehuil. Als ze een maand of veertien zijn, gaan kinderen niet alleen huilen als ze een ander horen huilen, maar proberen ze de andere baby ook te troosten. Hoe ouder het kind is, hoe minder het huilt en hoe meer het probeert te helpen.

Laboratoriumratten, aapjes en baby's delen een automatische impuls die hun aandacht richt op het lijden van een ander, bij henzelf vergelijkbare gevoelens van ontreddering opwekt en hen ertoe brengt de ander te helpen. Waarom zou eenzelfde respons bij zeer uiteenlopende soorten voorkomen? Het antwoord is simpel: de natuur behoudt wat werkt, zodat het steeds opnieuw gebruikt kan worden.

Succesvolle eigenschappen vinden we terug in de blauwdruk van de hersenen van verschillende soorten. Het menselijk brein beschikt over uitgebreide neurologische trajecten die hun nut ruimschoots bewezen hebben en die we gemeen hebben met andere zoogdieren, vooral met de andere primaten. De overeenkomst in meevoelende ontreddering tussen soorten, gekoppeld aan de impuls om te helpen, suggereert dat er in de hersenen een vergelijkbaar stelsel van onderliggende neurale circuits bestaat. In tegenstelling tot zoogdieren vertonen reptielen niet de geringste tekenen van empathie en eten zelfs hun eigen jongen op.

Hoewel mensen in staat zijn iemand in nood te negeren, lijkt die onverschilligheid een meer instinctieve, automatische impuls om een ander te helpen te onderdrukken. Wetenschappelijke observaties wijzen op het bestaan van een responssysteem dat diep verankerd is in de menselijke hersenen (en waar ongetwijfeld spiegelneuronen bij betrokken zijn) en dat actief wordt zodra we een ander zien lijden, zodat we ogenblikkelijk met hem meevoelen. Hoe meer we meevoelen, hoe meer we willen helpen.

Dit instinct voor compassie biedt aantoonbare voordelen als het gaat om evolutionair of reproductief succes, dat wil zeggen: hoeveel van iemands nageslacht in leven blijft om zelf weer nageslacht te produceren. Meer dan een eeuw geleden bracht Charles Darwin te berde dat empathie, het voorstadium van compassievol handelen, voor ons voortbestaan altijd een belangrijk gereedschap is geweest.[8] Empathie werkt als een smeermiddel op sociabiliteit en wij mensen zijn het sociale dier bij uitstek. Nieuwe theorieën stellen dat sociabiliteit de belangrijkste overlevingsstrategie is van de primaten, waartoe ook wij behoren.

Het nut van vriendelijkheid kunnen we waarnemen bij in het wild levende primaten. Primaten bewonen een hardvochtige wereld die vergelijkbaar is met de menselijke prehistorie, toen maar weinig kinderen de vruchtbare leeftijd bereikten. Op Cayo Santiago, een afgelegen eiland in het Caraïbisch gebied, leven ongeveer duizend apen. Ze stammen allemaal af van één enkele groep die in 1950 vanuit India werd overgeplant. Het zijn makaken en ze leven in kleine groepen. Wanneer de apen de volwassenheid bereiken, blijven de vrouwtjes bij de groep; de mannetjes vertrekken om een plaats te zoeken in een andere groep.

Die overstap brengt reële gevaren met zich mee. Twintig procent van de jonge mannetjes die aansluiting zoeken bij een andere groep, sterft in een gevecht. Onderzoekers hebben bij honderd adolescente makaken ruggenmergvloeistof afgenomen. Zij concluderen dat de meest extraverte apen de minste stresshormonen produceren en over een sterkere immuunfunctie beschikken. Bovendien zijn ze, en dat is misschien wel het belangrijkste, het best in staat om de apen in de nieuwe groep te benaderen, en er vriendschap mee te sluiten of hen uit te dagen. Deze meer sociabele jonge apen hebben de grootste overlevingskansen.[9]

Andere gegevens over primaten komen van bavianen in de buurt van de Kilimanjaro in Tanzania. Voor deze bavianen geldt de jeugd als een bijzonder gevaarlijke periode: in een goed jaar sterft ongeveer 10 procent van de jongen, in een slecht jaar rond de 35 procent. Biologen die de bavianenmoeders observeerden, ontdekten dat de jongen van de meest sociabele moeders (degenen die de meeste tijd besteedden aan het vlooien of op andere wijze socialiseren met andere vrouwelijke bavianen) de meeste kans maakten om te overleven.

De biologen geven twee redenen voor het belang van sociabel gedrag bij de moeder. Ten eerste vormen deze moeders een soort clubje waarvan de leden elkaar kunnen helpen om de jongen te beschermen tegen pesterijen of om beter eten en onderdak te vinden. Ten tweede bleken de moeders gezonder en meer ontspannen naarmate ze elkaar meer vlooiden. Sociabele bavianen zijn betere moeders.[10]

Mogelijk voelen we ons van nature aangetrokken tot anderen omdat het menselijk brein gevormd is door omstandigheden van schaarste. Het is niet moeilijk voorstelbaar dat het als lid van een groep gemakkelijker is in barre tijden te overleven en dat het een fataal nadeel geweest moet zijn als eenzaam individu met een groep om de schaarse middelen te moeten wedijveren.

Een eigenschap die zo belangrijk is voor het voortbestaan kan geleidelijk aanpassingen modelleren in onze hersencircuits. Wat effectief blijkt in het verspreiden van onze genen, dringt steeds dieper door in de genenpoel.

Als sociabiliteit de prehistorische mens een geslaagde strategie bood in de strijd om het bestaan, dan geldt dat ook voor de hersensystemen die ons sociale leven reguleren.[11] Het is dan ook niet vreemd dat onze geneigdheid tot empathie, de grote verbroederaar, zo sterk is.

Een engel op aarde

De frontale botsing had niets van haar auto heel gelaten. Met twee gebroken botten in haar rechterbeen lag ze hulpeloos en verward opgesloten in het wrak.

Plotseling stopte er een voorbijganger en knielde naast haar neer. Hij hield haar hand vast en stelde haar gerust terwijl reddingswerkers trachtten haar te bevrijden. Dankzij hem raakte ze ondanks haar pijn en angst niet in paniek.

Ze is er nooit achter gekomen hoe hij heette, maar hij was, zei ze later, 'mijn engel op aarde'.[12]

We zullen nooit precies weten wat die 'engel' bewoog om naast haar neer te knielen en haar gerust te stellen, maar een dergelijke compassie is niet mogelijk zonder die cruciale eerste stap: empathie.

Voor empathie is het nodig dat we emoties tot op zekere hoogte delen, zodat we daadwerkelijk iets van de innerlijke wereld van de ander begrijpen.[13] Het zijn de spiegelneuronen die ons, zoals een neurowetenschapper het formuleerde, 'de rijkdom schenken van empathie, het elementaire mechanisme dat maakt dat het echt pijn doet als je een ander pijn ziet lijden'.[14]

Constantin Stanislavski, de Rus die het befaamde 'methodacting' ontwikkelde, ontdekte dat een acteur sterke gevoelens op kan roepen door gebruik te maken van emotionele herinneringen. Deze herinneringen hoeven zich niet te beperken tot de eigen ervaring. Met behulp van een beetje empathie kan een acteur ook gebruik maken van de emoties van anderen. De legendarische acteercoach formuleerde het als volgt: 'We moeten anderen bestuderen en hen emotioneel zo nabij komen, dat de sympathie die we voor hen voelen zich transformeert tot eigen gevoelens.'[15]

Stanislavski had een vooruitziende blik. Uit onderzoek dat gebruik maakt van brain imaging-technieken blijkt dat we praktisch dezelfde hersencircuits activeren wanneer we antwoord geven op de vraag 'Hoe voel jij je?' als op de vraag 'Hoe voelt *zij* zich?' De hersenen reageren vrijwel identiek op onze waarneming van onze eigen gevoelens en op onze waarneming van die van een ander.[16]

Wanneer mensen gevraagd wordt om iemands uitdrukking van blijdschap, vrees of walging te imiteren en daarbij die emotie in zichzelf te genereren, dan activeert dit bewust meevoelen circuits die ook actief worden als ze de persoon alleen maar observeren of de emotie spontaan voelen. Zoals Stanislavski al begreep komen deze circuits vooral tot leven wanneer empathie intentioneel is.[17] Wanneer we een emotie bij een ander waarnemen, dan voelen we letterlijk samen. Hoe meer we er ons best voor doen of hoe intenser de gevoelens, hoe sterker we ze zelf ervaren.

Het is veelzeggend dat het Duitse woord *Einfühlung*, dat in 1910 voor het eerst in het Engels werd vertaald met de nieuwe term *empathy*, in meer letterlijke zin 'invoelen' betekent, wat een innerlijk imiteren van de gevoelens van de ander suggereert.[18] Theodore Lipps, de man die het woord *empathy* in het Engels introduceerde, drukt het als volgt uit: 'Wanneer ik een koorddanser aan het werk zie, voel ik me alsof ik binnen in hem ben.' Het is alsof we de emoties van de ander in ons eigen lichaam ervaren en dat doen we ook: neurowetenschappers beweren dat de mate van activiteit van onze spiegelneuronale systemen direct verband houdt met de kracht van onze empathie.

In de hedendaagse psychologie wordt het woord empathie in drie verschillende betekenissen gebruikt: *weten* wat een ander voelt, *voelen* wat een ander voelt en *met compassie reageren* op andermans ontreddering. Deze drie varianten van empathie lijken uit elkaar voort te vloeien: ik merk je op, ik voel met je mee en daarom schiet ik je te hulp.

Alle drie de betekenissen sluiten goed aan bij neurowetenschappelijke inzichten in de activiteit van het brein bij het afstemmen op een ander, zoals Stephanie Preston en Frans de Waal opmerken in een belangrijke theorie die interpersoonlijke perceptie relateert aan handelen.[19] De twee onderzoekers weten waar ze het over hebben: Preston heeft pionierswerk verricht door methoden uit de sociale neurowetenschap te gebruiken bij onderzoek naar empathie bij mensen. De Waal, directeur van Living Links, een onderdeel van Yerkes Primate Center, heeft decennia lang het gedrag van primaten systematisch geobserveerd en daar lessen uit getrokken voor menselijk gedrag.

Preston en De Waal stellen dat in een moment van empathie zowel onze emoties als onze gedachten geactiveerd worden volgens hetzelfde patroon als dat van de andere persoon. Wanneer we iemand van angst horen schreeuwen, proberen we spontaan te bedenken wat die angst veroorzaakt zou kunnen hebben. Vanuit een cognitief perspectief delen we een mentale 'representatie', een verzameling beelden, associaties en gedachten over de situatie.

De beweging van empathie naar handeling loopt via spiegelneuronen. Empathie lijkt zich ontwikkeld te hebben uit emotionele besmetting en maakt dientengevolge gebruik van dezelfde neurale mechanismen. Primaire empathie is niet gerelateerd aan een gespecialiseerd hersengebied: er zijn vele hersengebieden bij betrokken, afhankelijk van waar we mee 'empathiseren'. We stappen in andermans schoenen om te delen wat ze ervaren.

Preston heeft ontdekt dat als iemand zich een van de gelukkigste momenten van haar leven voor de geest haalt en vervolgens een vergelijkbaar moment in het leven van een van haar dierbaarste vriendinnen, het brein voor deze twee mentale handelingen vrijwel dezelfde hersencircuits activeert.[20] Met andere woorden: om te begrijpen wat een ander ervaart – om te empathiseren – gebruiken we dezelfde systemen als bij een eigen ervaring.[21]

Alle communicatie vereist dat wat van belang is voor de zender ook van belang is voor de ontvanger. Door zowel gedachten als gevoelens te delen vormen twee breinen als het ware samen een steno dat twee mensen ogenblikkelijk op één lijn krijgt, zonder tijd of woorden te hoeven verspillen om uit te leggen wat er aan de hand is.[22]

Spiegelen vindt altijd plaats wanneer onze perceptie van iemand automatisch een beeld of een sensatie in ons eigen lichaam activeert van wat ze aan het doen zijn en wat ze ervaren.[23] Wat hen bezighoudt, houdt ons bezig. We vertrouwen op deze innerlijke boodschappen om aan te voelen wat er in iemand omgaat. Want wat 'betekent' een lach of een knipoog, een blik of een frons uiteindelijk, behalve dat het een aanwijzing is van wat zich afspeelt in andermans hoofd?

Een zeer oud debat

Vandaag de dag herinneren de meeste mensen zich de zeventiende-eeuwse filosoof Thomas Hobbes vooral vanwege zijn bewering dat het leven in onze natuurlijke staat, dat wil zeggen zonder een sterke leiding, 'akelig, gewelddadig en kort' is, een oorlog van allen tegen allen. Ondanks deze harde, cynische visie had Hobbes zelf een zachte kant.

Toen hij op een dag door de straten van Londen dwaalde, zag hij een oude zieke man om een aalmoes vragen. Geraakt gaf Hobbes hem onmiddellijk een gulle gift.

Toen een vriend hem vroeg of hij hetzelfde gedaan zou hebben als er geen religieus voorschrift of filosofisch principe had bestaan dat we de armen moeten helpen, zei Hobbes van wel. Hij deed hem pijn om de ellende van die man te zien, dus door hem een aalmoes te geven, verlichtte hij niet alleen het lijden van de ander, maar ontlastte hij ook zichzelf.[24]

Dit verhaal suggereert dat we gedeeltelijk uit eigenbelang iets proberen te doen aan andermans ellende. Een richting in de moderne economische theorie beweert, in navolging van Hobbes, dat mensen gedeeltelijk aan liefdadige doelen geven vanwege het plezier dat het hen geeft om zich de opluchting voor te stellen van de mensen aan wie het geld ten goede komt, of omdat ze daarmee hun plaatsvervangende nood verlichten.

Latere versies van deze theorie hebben getracht om altruïstische daden te reduceren tot verborgen eigenbelang.[25] Er bestaat een theorie die stelt dat compassie niets anders is dan het product van een 'zelfzuchtig gen' dat zijn reproductiekansen probeert te maximaliseren door anderen aan ons te verplichten of door naaste verwanten te bevoordelen die immers dezelfde genen dragen.[26]

Er zijn ongetwijfeld gevallen waarvoor dit geldt, maar er bestaat ook een meer directe en universele verklaring. Lang voor Hobbes, in de derde eeuw voor Christus, schreef de Chinese wijsgeer Mengzi (Mencius): 'Het ligt in de menselijke aard dat we anderen niet kunnen zien lijden.'[27]

De neurowetenschap schaart zich nu achter het standpunt van Mengzi en voegt nieuwe feiten toe aan dit eeuwenoude debat. Wanneer we zien dat iemand het moeilijk heeft, echoën er vergelijkbare circuits in onze eigen hersenen, als een soort diep verankerde empathische resonantie die de prelude vormt op compassie. Als een baby huilt, weerklinkt dat in de hersenen van de ouders op ongeveer dezelfde manier, waardoor ze automatisch iets gaan doen om de onlustgevoelens van hun baby te verzachten.

Onze hersenen zijn ingesteld op vriendelijkheid. Automatisch helpen we een kind dat schreeuwt van angst; automatisch willen we een lachende baby knuffelen. Dit soort emotionele impulsen zijn 'dominant': ze roepen spontane en directe reacties bij ons op. Dat deze beweging van empathie tot actie zo snel en automatisch plaatsvindt, suggereert dat er speciale hersencircuits voor bestaan. Als we ontreddering voelen, prikkelt dat een drang om te helpen.

Wanneer we een angstige schreeuw horen, activeert dat zowel de hersengebieden die een dergelijke pijn daadwerkelijk ervaren, als de premotorische schors, een teken dat we ons voorbereiden om tot handelen over te gaan. Op eenzelfde manier activeert het luisteren naar een triest verhaal de motorische schors van de luisteraar, die verantwoordelijk is voor beweging, maar ook de amygdala en verwante hersencircuits voor verdriet.[28] Deze gedeelde toestand geeft dan een signaal aan de motorische gebieden van de hersenen waar we onze respons voorbereiden om de relevante handeling uit te voeren. Onze eerste perceptie bereidt ons voor op actie: zien leidt tot doen.[29]

De neurale netwerken voor waarnemen en handelen maken gebruik van een gemeenschappelijke code in de taal van de hersenen. Deze code maakt het mogelijk dat op alles wat we waarnemen vrijwel ogenblikkelijk de juiste reactie volgt. Het zien van een emotie op iemands gezicht, het horen van een stembuiging of onze aandacht die gericht wordt op een bepaald onderwerp veroorzaakt ogenblikkelijk een gepaste neurale respons.

Charles Darwin voorvoelde het bestaan van deze gedeelde code. In 1872 schreef hij een wetenschappelijk werk over emoties dat bij onderzoekers nog altijd in hoog aanzien staat.[30] Hoewel Darwin empathie noemt als een belangrijke factor voor ons voortbestaan, legt een populaire misinterpretatie van zijn evolutietheorie de nadruk op een 'natuur, rood van tand en klauw', zoals Tennyson dichtte over het meedogenloos uitschiften van zwakkeren. Sociaal-darwinisten gingen nog een stapje verder en verdraaiden de evolutiegedachte om hebzucht te legitimeren.

Darwin zag iedere emotie als een predispositie om op een unieke manier te handelen: angst om te bevriezen of te vluchten, woede om te vechten, plezier om te omhelzen, enzovoort. Met brain imaging is nu aangetoond dat hij op neuraal niveau gelijk had. Iedere emotie prikkelt de drang om tot de bijbehorende handeling over te gaan.

Dankzij de lage route is die link tussen voelen en handelen interpersoonlijk. Wanneer we iemand zien die angst toont, al is het maar in lichaamshouding of beweging, activeert ons eigen brein de circuits voor angst. Naast deze onmiddellijke besmetting worden ook de hersengebieden die voorbereiden op angstig handelen actief. En dat geldt voor iedere emotie: woede, vreugde, verdriet, enzovoort. Emotionele besmetting doet dus meer dan alleen gevoelens verspreiden; het bereidt de hersenen automatisch voor op de gepaste actie.[31]

Een vuistregel van de natuur is dat een biologisch systeem een minimale hoeveelheid energie mag verbruiken. De hersenen bereiken die efficiency door zowel bij waarnemingen als bij handelingen dezelfde neuronen af te vuren. Datzelfde geldt voor een koppeling van brein tot brein. De link tussen perceptie en handeling maakt dat we van nature geneigd zijn om iemand die het moeilijk heeft te hulp te schieten. Meevoelen prikkelt tot bijstaan.

Uiteraard wijzen sommige gegevens erop dat in veel situaties mensen eerder geneigd zijn om hun geliefden te helpen dan een vreemde. Desondanks worden we als we ons emotioneel afstemmen op een vreemde die in moeilijkheden verkeert evenzeer geprikkeld om hem te helpen als wanneer het een geliefde was geweest. Uit een onderzoek bleek dat hoe verdrietiger mensen waren over het tragische lot van een thuisloos weeskind, hoe meer ze geneigd waren om geld te doneren of het kind zelfs tijdelijk onderdak te verlenen, onafhankelijk van de eventuele sociale afstand die ze voelden.

De voorkeur om mensen te helpen die net zo zijn als wij verdwijnt als sneeuw voor de zon wanneer we oog in oog komen te staan met iemand in pijn of nood. Bij zo'n rechtstreekse confrontatie zorgt de directe koppeling met de hersenen van de ander dat wij hun leed ervaren alsof het onszelf betreft en dat we ons ogenblikkelijk voorbereiden om te hulp te schieten.[32] En die directe confrontatie met lijden was ooit meer regel dan uitzondering in het menselijk leven, in die lange periode dat we fysiek nog dicht bij elkaar stonden, vóór de kunstmatige afstand tussen mensen ontstond die kenmerkend is voor het leven in deze tijd.

Laten we terugkeren naar de vraag waarom we niet altijd daadwerkelijk in actie komen als het inderdaad zo is dat het menselijk brein over een systeem beschikt dat zich afstemt op het leed van een ander en ons voorbereidt om hulp te geven. Er zijn veel mogelijke antwoorden die in de sociale psychologie in talloze experimenten aan de orde zijn gekomen, maar het meest simpele antwoord is misschien wel dat het niet samengaat met het moderne leven: we komen voornamelijk op afstand in contact met mensen in nood. Die scheiding betekent dat we eerder 'cognitieve' empathie ervaren dan een directe emotionele besmetting. Of erger nog: we koesteren sympathie, we vinden het vervelend voor de personen in kwestie maar we ervaren niets van hun ellende.[33] Deze meer afstandelijke relatie verzwakt de ingeschapen impuls om te helpen.

Zoals Preston en De Waal opmerken: 'In dit tijdperk van e-mail, forenzen, frequente verhuizingen en slaapsteden wordt het automatisch en accuraat waarnemen van de emotionele toestand van anderen steeds moeilijker, en zonder dat is empathie onmogelijk.' De moderne sociale en virtuele afstanden hebben een anomalie geschapen in het menselijk leven, hoewel we die nu als norm beschouwen. Deze afgescheidenheid brengt empathie tot zwijgen, waardoor ook altruïsme afbrokkelt.

Al lang doet de theorie opgeld dat wij mensen van nature meevoelend en empathisch zijn, met hooguit hier en daar een gemeen trekje, maar die claim wordt voortdurend weersproken door alle leed in de wereld en er is ook maar weinig betrouwbaar wetenschappelijk bewijs voor. Maar bedenk nu eens, bij wijze van gedachtenexperiment, hoeveel kansen iedereen ter wereld vandaag heeft om een antisociale daad te begaan, van verkrachting of moord tot ordinaire onbeschoftheid en oneerlijkheid. Beschouw dat aantal als de noemer van een breuk. De teller is het aantal antisociale daden dat vandaag ook daadwerkelijk plaatsvindt.

Deze verhouding tussen werkelijke en mogelijke slechtheid is iedere dag van het jaar ongeveer nul. En als je het aantal goede daden van een bepaalde dag tot de teller maakt, dan ziet de verhouding tussen goedheid en wreedheid er veel beter uit, al zou je dat op grond van de dagelijkse nieuwsberichten niet vermoeden.

Jerome Kagan van Harvard University gebruikt deze mentale oefening om iets duidelijk te maken over de menselijke aard: de optelsom van vriendelijkheden is vele malen groter dan die van wreedheden. 'Hoewel mensen ge-

boren worden met een biologische aanleg die het mogelijk maakt om woede, jaloezie, zelfzuchtigheid en afgunst te voelen, en om onbeschoft, agressief of gewelddadig gedrag te vertonen,' merkt Kagan op, 'komen ze ter wereld met een nog grotere biologische aanleg voor vriendelijkheid, compassie,
samenwerking, liefde en koestering, vooral voor mensen in nood.' Dit ingebouwde gevoel voor ethiek, voegt hij eraan toe, 'is een biologische eigenschap
van onze soort.'[34]

Met de ontdekking dat we op neuraal niveau zijn uitgerust om empathie
in dienst te stellen van compassie, schenkt de neurowetenschap de filosofie
een mechanisme om de ondoorzichtigheid van de altruïstische impuls te verklaren. In plaats van belangeloze daden weg te redeneren, zouden filosofen
zich kunnen wijden aan het raadsel van de ontelbare keren dat wrede daden
uitblijven.[35]

HOOFDSTUK 5

De neuroanatomie van een kus

Het stel kan zich hun eerste kus nog precies herinneren, een onvergetelijk moment in hun relatie.

Ze waren al jaren bevriend en hadden op een middag afgesproken om thee te drinken. Het gesprek kwam erop hoe moeilijk het was om de juiste partner te vinden. Op dat ogenblik viel er een duidelijke pauze, waarbij ze elkaar een seconde of twee diep in de ogen keken.

Toen ze later buiten stonden en afscheid wilden nemen, keken ze elkaar weer diep in de ogen en als uit het niets versmolt een mysterieuze kracht hun lippen tot een kus.

Geen van beiden had het gevoel het initiatief genomen te hebben. Wat er gebeurde leek groter dan zijzelf.

Dat lange staren in elkaars ogen zou wel eens het noodzakelijke neurale voorspel geweest kunnen zijn op hun kus. De neurowetenschap vertelt ons nu iets dat dicht in de buurt komt van de poëtische notie dat ogen de vensters zijn van de ziel: ogen geven een kijkje in iemands meest intieme gevoelens. Preciezer gezegd, beschikken de ogen over zenuwuiteinden die rechtstreeks naar een belangrijke hersenstructuur voor empathie en aanverwante emoties lopen, het orbitofrontale gebied van de prefrontale cortex (de OFC).

Als onze blikken zich verstrengelen, ontstaat er een feedback loop. Om een romantisch ogenblik te reduceren tot een aspect van zijn neurologie: wanneer twee mensen elkaar in de ogen kijken, koppelen ze hun orbitofrontale gebieden, die bijzonder gevoelig zijn voor één-op-één signalen zoals oogcontact. Deze sociale routes spelen een cruciale rol bij het herkennen van elkaars emotionele gesteldheid.

Net als in de makelaardij is locatie in de topografie van het brein van groot belang. De OFC ligt vlak achter en boven de oogkassen. Dat is een strategische plek omdat daar de grens loopt tussen het bovenste gedeelte van de emotionele centra en het onderste gedeelte van het denkende brein. Als onze hersenen een vuist zouden zijn, dan zou de rimpelige schors grofweg op de plaats van de vingers liggen, de subcorticale centra onder in de handpalm en de OFC precies daar, waar de twee elkaar ontmoeten.

De OFC vormt een directe verbinding, van neuron tot neuron, tussen drie belangrijke hersenengebieden: de schors of het 'denkende brein', de amygdala (de reactiestarter voor vele emotionele reacties) en de hersenstam (het 'reptielenbrein' voor automatische respons). Deze hechte connectie wijst op een snelle en krachtige koppeling die een ogenblikkelijke coördinatie van denken, voelen en handelen mogelijk maakt. Deze neurale *autobahn* verbindt in een razende beweging de input van de lage route vanuit de emotionele centra, het lichaam en de zintuigen, met de paden van de hoge route, die de data betekenis geven en de bewuste plannen scheppen die ons handelen sturen.[1]

Deze verbinding tussen de corticale gebieden boven in de hersenen en de lagere subcorticale gebieden maakt de OFC tot een centraal ontmoetingspunt tussen hoog en laag, een epicentrum voor inzicht in de sociale wereld om ons heen. Door onze innerlijke en uiterlijke ervaring samen te brengen voert de OFC ogenblikkelijk een sociale rekensom uit die ons vertelt wat we vinden van de persoon met wie we zijn, wat zij van ons vindt en hoe we op haar zullen reageren.

Finesse, rapport en soepele interacties zijn voor een groot deel afhankelijk van deze neurale circuits.[2] Zo bevat de OFC neuronen die de taak hebben emoties af te leiden uit gezichtsuitdrukkingen of stembuigingen, en die sociale boodschappen vervolgens te verbinden aan de innerlijke ervaring, met als resultaat twee mensen die zich tot elkaar aangetrokken voelen.[3]

Deze circuits zijn gericht op affectieve betekenis: wat iets of iemand emotioneel voor ons betekent. Uit fMRI's van moeders van pasgeboren baby's die foto's te zien kregen van hun eigen en andermans baby's, bleek dat de OFC oplichtte in respons op de foto's van hun eigen kinderen, maar niet reageerde op die van de andere. Hoe groter de activiteit van de OFC, hoe sterker hun gevoelens van liefde en warmte.[4]

Technisch gesproken bepalen de circuits van de OFC de 'hedonistische waarde' van onze sociale wereld en laten ons weten dat we háár waarderen, maar hén minachten en hém adoreren. Op die manier beantwoordt de OFC ook vragen die fundamenteel zijn in de aanloop naar een kus.

De OFC bepaalt tevens onze sociale esthetiek, zoals onze respons op lichaamsgeuren, een primair signaal dat vaak een sterke voorkeur of afkeer oproept (een biologische reactie die ten grondslag ligt aan het succes van de parfumindustrie). Zo vertelde een vriend me ooit dat hij de kus van een vrouw lekker moest vinden smaken om van haar te kunnen houden.

Al voordat dit soort onbewuste waarnemingen tot ons bewustzijn zijn doorgedrongen, voordat we de onderhuidse gevoelens die in ons gewekt zijn hebben opgemerkt, gaan we naar die gevoelens handelen. Vandaar het spontane karakter van die kus.

Uiteraard zijn er ook andere neurale circuits actief. De oscillatoren coördineren het tempo van neurale prikkeloverdracht en motorische activiteit wanneer we geconfronteerd worden met een bewegend object. Hier waren ze waarschijnlijk hard aan het werk om de twee monden precies op de juiste snelheid en in de juiste baan naar elkaar toe te leiden voor een zachte ontmoeting van twee paar lippen in plaats van een botsing tussen tanden. En dat lukt al bij de eerste kus.

De snelheid van de lage route

Een bevriende hoogleraar vertelde me ooit hoe hij zijn assistent gekozen had, de persoon met wie hij op werkdagen het grootste deel van zijn tijd doorbrengt:

'Ik liep de wachtkamer in waar ze zat en voelde mijn fysiologie meteen kalmeren. Ik wist direct dat ik me bij haar op mijn gemak zou voelen. Natuurlijk keek ik naar haar cv en zo, maar vanaf het eerste ogenblik wist ik zeker dat ik háár aan moest nemen. En ik heb er geen moment spijt van gehad.'

Aanvoelen of we iemand die we net ontmoet hebben aardig vinden, komt neer op gissen of er naarmate de relatie zich ontwikkelt rapport zal ontstaan. De vraag is hoe we degenen die ons aantrekken onderscheiden van degenen die ons koud laten. Er zijn immers zoveel mensen met wie we een vriendschap, een zakelijke relatie of een huwelijk aan zouden kunnen gaan.

Veel van die beslissingen lijken plaats te vinden in de eerste ogenblikken van een eerste ontmoeting, zoals bleek uit het volgende opmerkelijke onderzoek: op de eerste dag van een universitaire cursus namen de studenten drie tot tien minuten de tijd om kennis te maken met een van hun medestudenten. Meteen daarna gaven ze aan hoe groot ze de kans achtten dat het contact oppervlakkig zou blijven of dat het zich tot een vriendschap zou ontwikkelen. Negen weken later bleek die eerste indruk het daadwerkelijke verloop van de relatie met grote nauwkeurigheid te hebben voorspeld.[5]

Wanneer we een direct oordeel vellen, zijn we voor een groot deel afhankelijk van een ongebruikelijke groep neuronen, hersencellen in de vorm van een spoel, die een breed, langwerpig cellichaam hebben met aan één uiteinde een flinke verdikking. *Spindle*-cellen, denken neurowetenschappers tegenwoordig, zijn het geheim achter de snelheid van sociale intuïtie.

De sleutel zit hem in de spoelvorm: het lichaam van de spindle-cel is ongeveer vier keer zo groot als dat van andere hersencellen. De dendrieten en axonen die de cellen met elkaar verbinden, ontspruiten aan een brede, lange stam. De transmissiesnelheid van een neuron naar andere cellen wordt groter naargelang de afmetingen van de lange armen die naar andere neuronen uitsteken. De reusachtige afmetingen van de spindle-cel staan garant voor een bijzonder hoge transmissiesnelheid.

Spindle-cellen scheppen vooral stevige verbindingen tussen de OFC en het bovenste deel van het limbisch systeem, de anterieure cingulate cortex (ACC). De ACC focust onze aandacht en coördineert onze gedachten, onze emoties en de respons van het lichaam op onze gevoelens.[6] Door de koppeling tussen OFC en ACC ontstaat er een soort neuraal commandocentrum. Vanuit dit centrale kruispunt strekken de spindle-cellen zich uit naar zeer diverse hersendelen.[7]

De specifieke neurotransmitters die door de axonen van deze neuronen getransporteerd worden, lijken de centrale rol van spindle-cellen in sociaal contact te onderschrijven. Spindle-cellen zijn rijk aan receptoren voor serotonine, dopamine en vasopressine. Deze neurotransmitters spelen een sleutelrol in het maken van contact, in de liefde, in onze goede en slechte stemmingen, en in plezier.

Sommige neuroanatomen vermoeden dat spindle-cellen een belangrijke rol spelen in wat ons als soort uniek maakt. Wij mensen hebben ongeveer duizend keer zoveel spindle-cellen als onze naaste verwanten de apen, die er maar een paar honderd hebben. Geen ander zoogdierenbrein lijkt over spindle-cellen te beschikken.[8] Sommigen speculeren dat spindle-cellen er verantwoordelijk voor zijn dat sommige mensen (of primaatsoorten) meer sociaal bewust of sensitief zijn dan anderen.[9] Uit onderzoek met behulp van brain imaging is gebleken dat de ACC sterker functioneert bij mensen met een relatief groot interpersoonlijk bewustzijn, mensen die niet alleen een sociale situatie accuraat kunnen beoordelen, maar ook aanvoelen hoe anderen die situatie opvatten.[10]

Spindle-cellen concentreren zich in een gebied van de OFC dat actief wordt bij emotionele reacties op anderen, met name bij directe empathie.[11] Hersenscans laten zien dat dit gebied oplicht wanneer een moeder haar kind hoort huilen of wanneer wij geconfronteerd worden met het leed van iemand die we liefhebben. Het wordt ook actief op emotioneel geladen momenten, zoals wanneer we een foto van een geliefde bekijken, wanneer we iemand aantrekkelijk vinden, of wanneer we ons afvragen of we eerlijk behandeld worden.

De andere plek waar veel spindle-cellen te vinden zijn is in een gebied in de ACC dat een sleutelrol speelt in ons sociaal functioneren. Dit gebied is verantwoordelijk voor het tonen en herkennen van emoties op het gezicht, en wordt actief wanneer we een intense emotie voelen. Het gebied is op zijn beurt weer nauw verbonden met de amygdala, de reactiestarter van veel van deze gevoelens en de plek waar onze eerste emotionele oordelen ontstaan.[12]

Deze razendsnelle neuronen lijken gedeeltelijk verantwoordelijk voor de hoge snelheid van de lage route. Zo weten we vaak al voordat we onze waarneming kunnen benoemen of we iets prettig vinden.[13] Mogelijk kunnen we aan de hand van spindle-cellen begrijpen hoe de lage route al milliseconden voordat we ons zelfs maar realiseren waar het over gaat met het oordeel 'leuk' of 'niet leuk' op de proppen komt.[14]

Dit soort directe oordelen is misschien wel vooral van belang wanneer het op mensen aankomt. De spindle-cellen weven met elkaar wat je ons sociale gidssysteem zou kunnen noemen.

Wat hij haar zag zien

Kort na haar huwelijk brengt Maggie Verver, de heldin van Henry James' roman *The Golden Bowl*, een bezoek aan haar vader, die al jaren weduwnaar is. Er zijn ook andere gasten op het landgoed, waaronder een aantal beschikbare dames met duidelijke belangstelling voor de heer des huizes.

Op een gegeven moment werpt Maggie een blik op haar vader en begrijpt dan plotseling dat hij, die haar hele jeugd strikt als vrijgezel geleefd heeft, zich nu vrij voelt om te hertrouwen.

En op datzelfde ogenblik beseft haar vader door de blik in de ogen van zijn dochter dat zij volledig begrijpt wat hij voelt, maar het niet uitspreekt. Zonder dat er een woord gesproken is, voelt Adam, de vader, 'wat hij haar zag zien'. 'Haar gezicht kon het niet voor hem verbergen; boven op al het andere had ze, op haar eigen vlugge wijze, gezien wat zij beiden zagen.'

De beschrijving van dit korte moment van wederzijdse erkenning neemt verscheidene pagina's in beslag aan het begin van het boek. De rest van het lange verhaal komt voort uit de naschok van dit ene moment, daar Adam uiteindelijk daadwerkelijk hertrouwt.[15]

Wat Henry James zo uitstekend wist vast te leggen, is de rijkdom aan inzicht in de geest van de ander die we al door de kleinste perceptie kunnen verkrijgen. In een oogwenk kan één enkele uitdrukking ons boekdelen vertellen. De spontaniteit van deze sociale oordelen is gedeeltelijk te danken aan het feit dat de neurale circuits die hen voortbrengen altijd 'aan' lijken te staan. Zelfs als de rest van het brein in rust is, blijven er vier neurale gebieden actief, als stationair draaiende neurale motoren, klaar voor een vlugge respons. Het is opmerkelijk dat drie van deze vier klaar-voor-de-start-gebieden betrokken zijn bij het vormen van een oordeel over mensen.[16] Deze stationaire neurale zones verhogen hun activiteit wanneer we mensen zien communiceren of ons dat voorstellen.

Een onderzoeksgroep aan de Universiteit van Californië te Los Angeles onder leiding van Marco Iacoboni, een van de ontdekkers van de spiegelneuronen, en Matthew Lieberman, een van de grondleggers van de sociale neurowetenschap, onderzocht deze zones in een fMRI-onderzoek.[17] Ze kwamen tot de conclusie dat de standaardactiviteit van onze hersenen (dat wat automatisch plaatsvindt als er verder niet veel gebeurt) bestaat uit gepieker over relaties.[18]

De vrij hoge metabolische snelheid van deze 'persoonsgevoelige' netwerken getuigt van het belang dat de hersenen toekennen aan de sociale wereld. Op rustige momenten houdt ons brein zich waarschijnlijk het liefst bezig met het herkauwen van ons sociale leven, als een favoriete tv-show. Onze 'mensencircuits' komen pas tot rust wanneer de hersenen zich wijden aan een onpersoonlijke taak, zoals het betalen van rekeningen.

Corresponderende gebieden die objecten beoordelen, moeten daarentegen hun tempo opvoeren om daadwerkelijk actief te worden. Dit zou kunnen verklaren waarom we ongeveer een tiende van een seconde eerder een oordeel over een mens produceren dan een oordeel over een ding: die delen van de hersenen hebben een voortdurende voorsprong. Bij iedere sociale ontmoeting wordt hetzelfde circuit actief en komt met de beslissing 'leuk' of 'niet leuk'. Die beslissing voorspelt hoe de relatie verder zal verlopen – en of er überhaupt een relatie ontstaat.

De sequentie van hersenactiviteit begint met een snelle beslissing waarbij de ACC betrokken is. Via spindle-cellen verspreidt die beslissing zich naar centrale verbindingsgebieden, met name de OFC. Deze netwerken langs de lage route strekken zich ver uit naar resonerende circuits overal in de emotiegebieden. Dit gehele netwerk activeert één overheersend gevoel dat zich met behulp van de hoge route kan ontwikkelen tot een meer bewuste reactie, of dat nu een daadwerkelijke handeling is of alleen een stilzwijgend begrijpen, zoals bij Maggie Verver het geval was.

De circuits tussen de OFC en de ACC komen in actie wanneer we uit vele mogelijkheden de beste respons kiezen. Deze circuits beoordelen alles wat we ervaren en kennen er elementaire waarden aan toe: oké of niet-oké. Daarmee geven ze vorm aan ons fundamentele gevoel van wat van belang is. Deze emotionele rekensom, zo denken sommigen tegenwoordig, vormt het basale waardensysteem op grond waarvan het brein ons functioneren regelt, al was het maar door op ieder gegeven moment te beslissen wat onze prioriteiten zijn. Hierdoor zijn deze neurale circuits van cruciaal belang in onze sociale besluitvorming. Deze continu voortgaande inschattingen bepalen of we in onze relaties slagen of falen.[19]

De hersensnelheid van deze realisaties in het sociale leven is enorm. In ieder contact hebben deze neurale gebieden binnen een twintigste van een seconde hun eerste oordeel klaar.[20]

En dan is er de vraag hoe we zullen reageren op de persoon in kwestie.

Zodra de beslissing 'oké' of 'niet-oké' ondubbelzinnig geregistreerd is in de OFC, bepaalt het de neurale activiteit in dat gebied gedurende nog eens een vijfde van een seconde. Nabijgelegen prefrontale gebieden die parallel functioneren, komen op de proppen met informatie over de sociale context op grond van een meer verfijnde gevoeligheid, zoals welke reacties voor het moment gepast zijn.

Met behulp van gegevens als de context zoekt de OFC naar een balans tussen een primaire impuls *(maak dat je hier wegkomt)* en wat het beste werkt *(zoek een acceptabel excuus om te vertrekken).* We ervaren de beslissing van de OFC niet als een voortdurend begrijpen van de regels achter de beslissing, maar als een gevoel 'dat het klopt'.

Kortom, zodra we weten wat we van iemand vinden, helpt de OFC ons om adequaat te handelen. Door onze eerste impulsen te onderdrukken arrangeert de OFC handelingen die ons van nut zijn, al was het maar door te voorkomen dat we dingen doen of zeggen waar we spijt van krijgen.

Deze sequentie is niet eenmalig, maar gebeurt voortdurend, in iedere sociale interactie. Onze primaire sociale sturingsmechanismen zijn zodoende afhankelijk van een stroom van ongepolijste emotionele neigingen: als we háár leuk vinden, activeren we een bepaald repertoire; als we hém minachten, weer een heel ander. En mochten onze gevoelens in de loop van de interactie veranderen, dan past het sociale brein wat we zeggen en doen stilletjes aan.

Wat er op deze ogenblikken gebeurt is cruciaal voor een bevredigend sociaal leven.

De keuzes van de hoge route

Een vrouw die ik ken heeft vreselijk veel moeite met haar zus, die door een mentale stoornis ten prooi valt aan woedeaanvallen. Af en toe is het contact warm en innig, maar de zus kan omslaan als een blad aan een boom, en plotseling extreem vijandig en paranoïde gedrag vertonen.

In de woorden van mijn vriendin: 'Elke keer als ik haar na kom, kwetst ze me.'

En dus is mijn vriendin begonnen zich af te sluiten voor wat ze ervaart als 'emotioneel geweld'. Ze beantwoordt niet ogenblikkelijk meer ieder telefoontje en trekt niet zoveel tijd meer uit voor haar zus als ze gewend was. Als ze haar zus boos het antwoordapparaat hoort inspreken, wacht ze een dag of twee voordat ze terugbelt om haar tijd te geven om af te koelen.

Toch houdt ze van haar zus en wil ze graag een goede band met haar bewaren. Als haar zus weer eens uithaalt, denkt ze daarom aan de mentale stoornis, wat helpt om de woede minder persoonlijk op te vatten. Haar innerlijke mentale judo beschermt haar tegen een toxische besmetting.

Het automatische karakter van emotionele besmetting maakt ons gevoelig voor ontreddering, maar daar begint het verhaal pas. We beschikken ook over het vermogen om met een aantal strategische zetten besmetting tegen te gaan. Als een relatie destructief is geworden, kunnen deze mentale tactieken een beschermende emotionele afstand scheppen.

De lage route werkt hypersnel, in een oogwenk, maar we zijn niet overgeleverd aan alles wat zo vlug op ons afkomt. Wanneer de directe koppeling van de lage route pijnlijk is, kan de hoge route ons beschermen.

De keuzes die de hoge route ons geeft, lopen grotendeels via circuits die verbonden zijn met de OFC. Er schiet een stroom van boodschappen naar de centra aan de lage route die onze eerste emotionele reacties voortbrengen en weer terug. Intussen dirigeert de OFC een parallelle stroom naar boven, om onze gedachten over die reactie te activeren. Die opwaartse vertakking maakt een meer genuanceerde respons mogelijk, vanuit een beter begrip van wat er gaande is. Deze parallelle wegen regelen iedere ontmoeting en de OFC is het wisselstation tussen beide.

De lage route, met zijn ultravlugge spiegelneuronale links, werkt als een soort zesde zintuig. We voelen met een ander mee zelfs als we ons maar vaag bewust zijn dat we ons hebben afgestemd. De lage route genereert een meevoelende emotionele toestand zonder dat er een gedachte tussenbeide komt: ogenblikkelijke primaire empathie.

De hoge route daarentegen gaat open wanneer we zo'n stemmingswisseling observeren en bewust aandacht schenken aan de persoon met wie we in gesprek zijn om beter te begrijpen wat er gebeurt. Hier komt ons denkende brein, en met name de prefrontale centra, in het spel. De hoge route verleent het veel strakkere en beperktere repertoire van de lage route een enorme flexibiliteit. Terwijl de milliseconden wegtikken en de hoge route zijn rijke schakering aan neurale vertakkingen activeert, nemen de responsmogelijkheden exponentieel toe.

Dus waar de lage route ons ogenblikkelijke emotionele affiniteit oplevert, genereert de hoge route een meer verfijnd sociaal gevoel dat weer voor een gepaste respons zorgt. Die flexibiliteit is te danken aan de hulpbronnen van de prefrontale cortex, het controlecentrum van de hersenen.

Prefrontale lobotomie, een psychiatrische modegril in de jaren veertig en vijftig van de vorige eeuw, ontkoppelde de OFC chirurgisch van andere hersengebieden. (De 'chirurgische ingreep' was vaak primitief en kwam neer op het medisch equivalent van een schroevendraaier via de oogkas in de boterzachte hersenen steken.) In die tijd hadden neurologen nauwelijks weet van de specifieke functies van de verschillende hersengebieden, laat staan van de

OFC. Ze ontdekten echter dat geagiteerde psychiatrische patiënten rustig werden na een lobotomie, een enorm pluspunt vanuit het perspectief van iedereen die leiding moest geven aan de enorme, chaotische psychiatrische ziekenhuizen waarin patiënten in die tijd werden opgesloten.

Terwijl de cognitieve vaardigheden van de patiënten na een lobotomie intact bleven, nam men een tweetal toen nog raadselachtige bijwerkingen waar: de emoties van de patiënten vervlakten of verdwenen volledig, en de patiënten raakten gedesoriënteerd in sociale situaties die nieuw voor hen waren. Vandaag de dag weet men in de neurowetenschap dat dat gebeurt, omdat de OFC de wisselwerking orkestreert tussen de sociale wereld en hoe wij ons voelen, en ons vertelt wat we moeten doen. Zonder die interpersoonlijke rekensom konden patiënten na een lobotomie niet uit de voeten met nieuwe sociale situaties.

Economische verkeersagressie

Stel dat jij en een ander tien dollar krijgen om te verdelen. Op welke manier maakt niet uit, als jullie het maar eens zijn. De ander biedt je twee dollar, en dat is het. Iedere econoom zal zeggen dat het volkomen redelijk is om op het aanbod in te gaan. Twee is beter dan niets.

Maar als jij die twee dollar aanneemt, dan krijgt de ander er acht. De meeste mensen reageren dan ook verontwaardigd op het aanbod, en ontsteken in razernij als ze maar één dollar krijgen aangeboden.

Dit scenario voltrekt zich keer op keer in het door gedragseconomen ontwikkelde Ultimatumspel. Het Ultimatumspel is een onderhandelingsspel dat al sinds jaar en dag gebruikt wordt in simulaties van economische besluitvorming. In het spel doet een van de partners een voorstel dat de ander alleen kan accepteren of afwijzen. Als ieder voorstel wordt afgewezen, eindigen beiden met niets.

Een zeer laag aanbod kan leiden tot het economisch equivalent van verkeersagressie.[21] Jonathan Cohen, directeur van het Center for the Study of Brain, Mind and Behavior aan de Universiteit van Princeton, gebruikt het Ultimatumspel voor onderzoek op het gebied van de sociale neurowetenschap. Zijn groep bestudeert de hersenactiviteit van mensen die het spel spelen.

Cohen is een pionier op het gebied van de 'neuro-economie', de analyse van verborgen neurale krachten achter de rationele en irrationele beslissingen in ons economische leven, een gebied waarop zowel de hoge als de lage route een grote rol speelt. Veel van dit onderzoek concentreert zich op hersengebieden die actief zijn in interpersoonlijke situaties die rechtstreekse implicaties hebben voor ons inzicht in de irrationele krachten die zich doen gelden op de economische markten.

'Als de eerste persoon niet meer dan een dollar biedt,' aldus Cohen, 'dan zou de reactie van de ander heel goed kunnen zijn: "Stik er maar in." Maar volgens de klassieke economische theorie is dat irrationeel, want één dollar is beter dan niets. Dit resultaat maakt economen gek, want hun theorieën gaan er altijd van uit dat mensen proberen om hun winst te maximaliseren. In werkelijkheid zijn mensen soms zelfs bereid om een maandsalaris op te offeren om een oneerlijk aanbod af te straffen.'

Wanneer er maar één ronde van het Ultimatumspel wordt gespeeld, dan leidt een laag aanbod vaak tot woede. Maar als de spelers meerdere rondes mogen spelen, dan is de kans groter dat ze een bevredigende deal sluiten.

Het Ultimatumspel is niet alleen een strijd tussen twee personen. Er ontstaat binnen de persoon ook een krachtmeting op het kruispunt van de hoge en de lage route in het cognitieve en emotionele systeem. De hoge route is sterk afhankelijk van de prefrontale schors, die van cruciaal belang is voor het rationele denken. Het orbitofrontale gebied ligt, zoals we hebben gezien, aan de onderkant van het prefrontale gebied, en controleert de grens met de emotioneel impulsieve centra van de lage route, zoals de amygdala onder in de middenhersenen.

Door te kijken welke neurale circuits er werkzaam zijn tijdens deze micro-economische transacties waarin de hoge en de lage route conflicterende belangen hebben, is Cohen erin geslaagd om de invloed van de rationele prefrontale cortex te scheiden van het overhaaste 'stik er maar in' van de lage route, in dit geval de insula, die bij bepaalde emoties zeker zo sterk kunnen reageren als de amygdala. Hoe groter de reactiviteit van de lage route, zo blijkt uit Cohens hersenscans, hoe minder rationeel de reacties van de spelers zullen zijn vanuit een economisch perspectief. Hoe actiever het prefrontale gebied, hoe evenwichtiger de uitkomst van het spel.[22]

In zijn essay de 'The Vulcanization of the Brain' (een verwijzing naar Mr. Spock uit *Star Trek*, het hyperrationele personage van de planeet Vulcanus), richt Cohen zich op de interactie tussen de abstracte neurale informatieverwerking van de hoge route, waarbij voors en tegens zorgvuldig worden afgewogen, en de activiteiten van de lage route, waar emoties en de neiging tot snel handelen zich laten gelden. Welke de overhand krijgt, zo stelt hij, is afhankelijk van de kracht van het prefrontale gebied, de vertegenwoordiger van rationaliteit.

Onze hersenontwikkeling onderscheidt zich van die van andere primaten door de afmetingen van de prefrontale schors, die bij de overige primaten veel kleiner is. In tegenstelling tot andere taakspecifieke hersengebieden heeft deze controlekamer iets meer tijd nodig om zijn werk te doen, maar als een soort van universele hersenmotor is het prefrontale gebied uitzonderlijk flexibel en kan het veel meer verschillende taken vervullen dan welke neurale structuur dan ook.

'De prefrontale schors,' aldus Cohen, 'heeft de menselijke wereld zo veranderd, dat niets meer hetzelfde is, fysiek noch economisch noch sociaal.'

En ook al blijft het menselijk genie een duizelingwekkende reeks zich problematisch ontwikkelende realiteiten voortbrengen (benzineverslinders en olieoorlogen, geïndustrialiseerde landbouw en overvloedige calorieën, e-mail en identiteitsdiefstal), onze inventieve prefrontale circuits helpen ons de gevaren te omzeilen die ze zelf mede hebben voortgebracht. Veel van deze risico's en verleidingen komen voort uit de meer primaire aanvechtingen van de lage route, die zich geconfronteerd ziet met een door de hoge route geschapen explosie van mogelijkheden tot mateloosheid en misbruik. Om ze te overleven zijn we sterk van de hoge route afhankelijk.

Cohen: 'We hebben gemakkelijker toegang tot wat we verlangen, zoals suiker en vet. Maar we moeten onze lange- en kortetermijnbelangen in evenwicht brengen.'

Dat evenwicht bereiken we via de prefrontale cortex, die ons de kracht geeft om nee te zeggen tegen onze impulsen: we scheppen niet nóg een portie romige chocolademousse op en we gaan niet slaan als iemand ons beledigt.[23] Op die momenten is de hoge route de lage route de baas.

Nee tegen impuls

Een man uit Liverpool speelde getrouw elke week met dezelfde nummers mee in de nationale loterij: 14, 17, 22, 24, 42 en 47.

Op een dag zag hij op televisie dat de hoofdprijs van twee miljoen pond precies op die nummers was gevallen, maar net die week was hij vergeten zijn inschrijving te verlengen en die was een paar dagen eerder verlopen.

De teleurstelling was zo groot, dat hij een eind aan zijn leven maakte.

Het krantenbericht naar aanleiding van die tragedie werd geciteerd in een wetenschappelijk artikel over spijt na een slechte beslissing.[24] Dit soort gevoelens ontstaan in de OFC. Ze veroorzaken scheuten van wroeging en waarschijnlijk ook het zelfverwijt waar de arme loterijspeler aan ten prooi viel. Patiënten met beschadigingen in sleutelgebieden van de OFC ontbreekt het volledig aan dergelijke spijtgevoelens. Hoe slecht hun keuzes ook mogen zijn, hun gemiste kansen laten hen hoegenaamd koud.

De OFC voert een 'top-down' modulatie uit op de amygdala, de bron van tegendraadse emotionele oprispingen en impulsen.[25] Als bij kleine kinderen ontbreekt het patiënten met beschadigingen in deze remmende gebieden aan het vermogen om hun emotionele impulsen te onderdrukken. Ze zijn bijvoorbeeld niet in staat om zichzelf te weerhouden andermans mimiek te imiteren. Zonder emotionele veiligheidspal krijgt hun eigenzinnige amygdala de vrije teugel.

Deze mensen blijven ook onbewogen onder wat andere mensen zouden beschouwen als dodelijke sociale flaters. Ze zijn in staat om een volslagen vreemde met een omhelzing en een kus te begroeten, of om smakeloze poepen piesgrappen te vertellen die alleen leuk zijn als je drie jaar oud bent. Ze vertellen monter aan iedereen die het horen wil de meest gênante dingen over zichzelf, zich niet bewust dat ze ook maar iets ongepasts hebben gedaan.[26] Ze kunnen de juiste sociale normen voor gepast gedrag probleemloos rationeel uitleggen, maar zijn zich volstrekt onbewust van diezelfde normen wanneer ze die overschrijden. Met een gehandicapte OFC lijkt de hoge route niet in staat om de lage route in het gareel te houden.[27]

De OFC vliegt ook uit de bocht bij oorlogsveteranen die overspoeld worden door traumatische herinneringen aan hun eigen oorlogservaringen als ze op het journaal geconfronteerd worden met oorlog of als ze een vrachtwagenmotor horen terugslaan. De schuldige is een overactieve amygdala die golven van paniek uitzendt in een abusievelijke reactie op signalen die vagelijk lijken op het oorspronkelijke trauma. Gewoonlijk evalueert de OFC zulke primaire angstgevoelens en geeft dan aan dat we alleen maar een tv-programma zien of een vrachtwagen horen, en geen vijandelijk vuur.

Zolang de amygdala in het gareel wordt gehouden door de systemen van de hoge route, krijgt hij niet de kans om de hersenen te bespelen. Een van de neuronenreeksen die opwellingen van de amygdala kan stuiten en 'nee' kan zeggen tegen limbische impulsen bevindt zich in de OFC. Terwijl de circuits van de lage route primitieve emotionele impulsen omhoog sturen ('Ik wil gaan gillen' of 'Ze werkt me zo op mijn zenuwen dat ik hier weg wil'), evalueert de OFC ze op grond van een meer verfijnd inzicht in het ogenblik ('Dit is een bibliotheek' of 'Het is pas ons eerste afspraakje') en stemt ze als een emotionele rem daarop af.

Wanneer die rem niet werkt, gedragen we ons ongepast. Dat bleek uit de resultaten van een onderzoek waarvoor universitaire studenten in paren werden verdeeld en elkaar online in een chatroom moesten leren kennen.[28] Ongeveer een op de vijf van deze internetgesprekken kreeg al snel een sterk seksueel karakter, met expliciete bewoordingen, plastische omschrijvingen van seksuele handelingen en directe uitnodigingen tot seksueel contact.

De experimentleider die de transcripties van de sessies nalas, was verbijsterd. Hij had de studenten van en naar de computerkamertjes begeleid, en voor zover hij het had kunnen beoordelen gedroegen ze zich zonder uitzondering rustig, bescheiden en beleefd, in grote tegenstelling tot het on-geremd vrijpostige gedrag dat ze online vertoonden.Waarschijnlijk had er niet één een dergelijk openlijk seksueel gesprek durven beginnen als ze oog in oog hadden gestaan met iemand die ze slechts minuten daarvoor hadden ontmoet. En dat is nu juist het punt: in rechtstreekse persoonlijke interac-ties stemmen we ons af en krijgen we voortdurend feedback, met name van de gezichtsuitdrukking van de persoon en van de klank van zijn stem, die ons ogenblikkelijk vertellen of we de juiste toon aanslaan.

Al sinds de opkomst van het internet hebben er incidenten plaatsgevon-den die vergelijkbaar zijn met deze ongepaste seksbabbels in het lab en doen volwassenen online kinderlijk aanstootgevende uitlatingen.[29] Gewoonlijk legt de hoge route ons aan banden, maar het ontbreekt het internet aan de feedback die de OFC nodig heeft om ons sociaal in het gareel te houden.

Bij nader inzien

Wat droevig. Die arme vrouw staat daar helemaal alleen te huilen bij de kerk. Binnen is natuurlijk een begrafenis bezig. Ze mist degene die overleden is vast verschrikkelijk ...

Wacht even, dat is helemaal geen begrafenis. Er staat een witte limousine vol mooie bloemen voor de kerk. Het is een bruiloft! Wat leuk ...

Dit waren de gedachten van een vrouw bij het zien van een foto van een huilende vrouw voor een kerk. In eerste instantie dacht ze dat het om een begrafenis ging. Ze werd er zelf zo verdrietig van dat de tranen haar in de ogen brandden.

Maar haar tweede gedachte veranderde de impact van de foto volkomen. Door de impressie dat de vrouw een huwelijk bezocht en doordat ze zich een voorstelling maakte van die blijde gebeurtenis, veranderde haar droefenis in vreugde. Door onze waarneming te wijzigen, kunnen we onze emoties ver-anderen.

Met behulp van brain imaging-technieken heeft Kevin Ochsner de her-senmechanismen achter deze alledaagse gebeurtenis blootgelegd.[30] Ochsner is niet veel ouder dan dertig, maar heeft zich al ontwikkeld tot een toon-aangevende figuur in deze groeiende discipline. Tijdens mijn bezoek aan zijn keurige kantoor, een oase van ordelijkheid in Schermerhorn Hall, het muf-fe doolhof waar de psychologiefaculteit van Columbia University gevestigd is, legde hij mij zijn methoden uit.

Een vrijwilliger van het fMRI Research Center ligt doodstil op een onder-zoeksbank in de lange donkere buis van een MRI-apparaat. Over het hoofd van de goede ziel is iets geplaatst dat lijkt op een vogelkooi; het detecteert radiogolven die uitgezonden worden door atomen in de hersenen. Een spiegel die zorgvuldig in een hoek van vijfenveertig graden boven de kooi is geplaatst, reflecteert een beeld dat wordt geprojecteerd vanaf het andere uiteinde van de onderzoeksbank, waar de voeten van de vrijwilliger uit het enorme apparaat steken.[31]

Het is nauwelijks een natuurlijke omgeving, maar desondanks levert de opstelling een nauwkeurige plattegrond op van de manier waarop het brein op specifieke stimuli reageert, van een foto van iemand in complete staat van paniek tot het geluid van een lachende baby. Dankzij deze methoden van brain imaging hebben neurowetenschappers met ongekende precisie de hersenzones in kaart kunnen brengen die gecoördineerd samenwerken in de enorme variatie van één-op-één ontmoetingen.

In Ochsners onderzoek werd vrouwen gevraagd naar een foto te kijken en hun eerste gevoelens en gedachten de vrije loop te laten. Daarna kregen ze de opdracht om de scène doelbewust op een andere, minder aangrijpende manier te interpreteren.

Hieruit volgde de verschuiving van een begrafenis- naar een huwelijksscène. Bij de herinterpretatie temperden de neurale mechanismen van de vrouw de emotionele centra die haar verdriet hadden laten voelen. Om precies te zijn verliep de neurale sequentie ongeveer als volgt: de rechterhelft van de amygdala, een trigger voor emotionele ontreddering, gaf een automatische, ultrasnelle beoordeling van wat er op de foto te zien was (een begrafenis) en activeerde het circuit voor verdriet.

Die eerste emotionele respons gebeurt zo snel en spontaan, dat wanneer de amygdala haar reacties in gang zet en andere hersengebieden activeert, de corticale denkcentra nog niet eens klaar zijn met een analyse van de situatie. Tegelijk met de hypergevoelige amygdala zijn er systemen tussen de emotionele en de cognitieve centra aan het werk om die eerste reactie te verifiëren en verfijnen, en zo nog meer emotionele kleur te verlenen aan onze waarneming. Op die manier vormen wij onze eerste indruk ('Wat droevig, ze staat te huilen bij een begrafenis').

De bewuste herinterpretatie van de foto ('Het is een huwelijk, geen begrafenis') verving de aanvankelijke gedachte door een nieuwe, en de eerste stroom van negatieve gevoelens door een vrolijkere dosis. Dat zette weer een stortvloed van mechanismen in gang die de amygdala en de bijbehorende circuits kalmeerde. Hoe groter de betrokkenheid van de ACC, zo toont Ochsners onderzoek aan, hoe meer de herinterpretatie de stemming in positieve zin verandert. En hoe groter de activiteit van bepaalde prefrontale gebieden, hoe stiller de amygdala wordt tijdens de herinterpretatie.[32] Wanneer de hoge route het woord neemt, ontneemt het de lage route zijn microfoon.

Wanneer we bewust een lastige situatie het hoofd bieden, kan de hoge route de amygdala dankzij een aantal prefrontale circuits in toom houden. De specifieke mentale strategie die we bij een herinterpretatie hanteren, bepaalt welk van deze circuits geactiveerd wordt. Er is een prefrontaal circuit dat actief wordt wanneer we de ellende van een ander waarnemen (de pijn van iemand die ernstig ziek is, bijvoorbeeld) en ons een objectieve, klinisch afstandelijke blik geeft, alsof er geen sprake is van een persoonlijke connectie. Dit is een strategie die je veel ziet bij mensen die werken in de zorg.

Wanneer we de situatie van de patiënt opnieuw bekijken, bijvoorbeeld door er het beste van te hopen en te bedenken dat de patiënt niet dodelijk ziek is, een sterk gestel heeft en waarschijnlijk wel beter zal worden, activeren we weer een ander circuit.[33] Door de betekenis van wat we waarnemen te veranderen, veranderen we ook de emotionele impact. Zoals Marcus Aurelius millennia geleden al zei, is pijn 'niet te wijten aan het ding zelf, maar aan je oordeel erover, en je bent in staat om dat op ieder moment te herroepen'.

De gegevens die uit het onderzoek naar herinterpretatie naar voren komen, bieden een correctief op een wijdverbreid misverstand, namelijk dat we in ons mentale leven vrijwel geen keuzes hebben, omdat zoveel van wat we denken, voelen en doen automatisch voorbij komt razen.[34]

'De gedachte dat we alles op de automatische piloot doen, is deprimerend,' merkt Ochsner op. 'Herinterpretaties veranderen onze emotionele respons. Wanneer we daar bewust mee werken, herwinnen we bewuste controle over onze emoties.'

Om de amygdala te kalmeren kan het al voldoende zijn dat we de emoties die we voelen voor onszelf benoemen.[35] Dit soort herinterpretaties heeft verstrekkende gevolgen voor onze relaties. Zo versterkt het ons vermogen om automatische negatieve reacties op mensen te herzien, situaties met meer aandacht te beoordelen en een ondoordachte houding te vervangen door een houding die ons, en de ander, meer oplevert.

Dankzij de keuzemogelijkheden van de hoge route zijn we vrij om te reageren zoals we willen, zelfs op een ongewenste besmetting.[36] In plaats van overweldigd te worden door iemand die hysterisch is van angst, kunnen we koel blijven en hem uit de brand helpen. Als iemand zindert van opwinding en we die opwinding liever niet delen, kunnen we ons afschermen voor besmetting en resoluut de stemming handhaven waaraan we de voorkeur geven.

Het volle leven biedt eindeloos veel mogelijkheden. In onze reacties daarop biedt de lage route een eerste keus, maar de hoge route kan beslissen waar we uiteindelijk belanden.

Het reconstrueren van de lage route

David Guy was zestien toen hij voor het eerst een aanval kreeg van plankenkoorts. Het gebeurde tijdens de Engelse les, toen zijn leraar hem vroeg om zijn opstel hardop voor te lezen.

Bij de gedachte alleen al werd David overspoeld door beelden van zijn klasgenoten. Hij wist al dat hij schrijver wilde worden en was aan het experimenteren met nieuwe technieken, maar zijn klasgenoten waren helemaal niet in schrijven geïnteresseerd. Als echte pubers waren ze wars van iedere pretentie en hun sarcasme was meedogenloos.

David was tot alles bereid om aan hun in zijn ogen onvermijdelijke kritiek en spot te ontsnappen. En daar stond hij dan, niet in staat om een woord uit te brengen. Zijn plankenkoorts werkte verlammend. Hij kreeg een kleur, het zweet stond in zijn handen en zijn hart klopte zo luid, dat hij bijna geen adem kon halen. Hoe meer hij zijn best deed, hoe groter zijn paniek.

De plankenkoorts verdween niet meer. Hoewel hij in zijn laatste schooljaar genomineerd werd voor klassenvertegenwoordiger, bedankte hij toen hij zich realiseerde dat hij een speech zou moeten houden. Jaren later nog, toen hij de dertig al gepasseerd was en zijn eerste roman had gepubliceerd, probeerde hij spreken in het openbaar te vermijden en sloeg hij aanbiedingen af om voor te lezen uit zijn boek.[37]

David Guy is bij lange na niet de enige die moeite heeft met spreken in het openbaar. Statistieken wijzen uit dat het de meest voorkomende fobie is en dat één op de vijf Amerikanen er last van heeft. Maar de angst om voor een publiek te staan is maar een van de vele verschijningsvormen van een 'sociale fobie', zoals het diagnostisch handboek deze angsten voor openbare situaties aanduidt. Andere vormen variëren van angst voor het ontmoeten van nieuwe mensen tot angst om te praten met vreemden, te eten in het openbaar of een openbaar toilet te gebruiken.

Zoals ook bij David het geval was, vindt de eerste aanval meestal plaats in de puberteit, hoewel de angst levenslang blijft aanhouden. Mensen wringen zich in bochten om de gevreesde situatie te vermijden, omdat alleen de gedachte eraan al een golf van angst teweegbrengt.

Podiumangst zoals die van David kan een sterke biologische impact hebben. Zodra ons innerlijke oog een beeld vormt van een minachtend publiek, wordt de amygdala actief en reageert het lichaam met een overweldigende stortvloed aan stresshormonen. David hoefde zich de minachting van zijn klasgenoten maar voor te stellen om deze fysiologische storm op te wekken.

Dit soort aangeleerde angsten wordt gedeeltelijk opgedaan in de circuits rond de amygdala, door Joseph LeDoux ook wel Centraal Station Angst van de hersenen genoemd.[38] LeDoux kent het neurale terrein van de amygdala als geen ander: voor het Center for Neural Studies van de Universiteit van New York doet hij al decennialang onderzoek naar deze klont neuronen. De cellen in de amygdala, waar de zintuiglijke informatie binnenkomt en in de aangrenzende gebieden die angst opslaan, zo heeft LeDoux ontdekt, blijken volgens nieuwe patronen te vuren vanaf het moment dat een angst is aangeleerd.[39]

Onze herinneringen zijn gedeeltelijk reconstructies. Wanneer we een herinnering ophalen, herschrijft het brein die een beetje, in overeenstemming met onze huidige belangstelling en inzicht. Op cellulair niveau, zo verklaart LeDoux, betekent het ophalen van een herinnering dat deze opnieuw wordt vastgelegd: er vindt een nieuwe synthese van proteïne plaats die een kleine chemische verandering tot gevolg heeft, waarna de bijgewerkte herinnering opnieuw wordt opgeslagen.[40]

Elke keer dat we ons iets herinneren, passen we de chemie van die herinnering aan. De volgende keer dat we die herinnering oproepen, verschijnt ze zoals we haar het laatst hebben opgeslagen. Hoe we de herinnering aanpassen, is afhankelijk van wat er gebeurt als we haar ophalen. Als een oude angst gewoon opnieuw opvlamt, verdiepen we onze vreesachtigheid.

Maar de hoge route kan de lage route tot rede brengen. Als de angst toeslaat en we vertellen onszelf iets dat ons minder bang maakt, dan wordt de herinnering zo gecodeerd, dat zij iets van haar macht over ons verliest.[41] Geleidelijk kunnen we de eens zo gevreesde herinnering ondergaan zonder opnieuw de golf van ontreddering te voelen. In die gevallen, aldus LeDoux, zijn de cellen in onze amygdala zo geherprogrammeerd dat we de oorspronkelijke angstconditionering zijn kwijtgeraakt.[42] Een van de doelstellingen van therapie zouden we dus kunnen formuleren als het geleidelijk wijzigen van de neuronen voor aangeleerde angst.

Behandelingen stellen mensen soms daadwerkelijk bloot aan de dingen die hen angst aanjagen. Dit stelt de persoon in staat om zowel de fobie te ervaren als manieren te oefenen om die de baas te worden. Dit soort sessies begint door de persoon te laten ontspannen, meestal door middel van een paar minuten lage buikademhaling. Daarna stelt de persoon zich bloot aan de bedreigende situatie. De mate van blootstelling loopt geleidelijk op van heel licht tot maximaal.

Exposuretherapie voor woedebeheersing werkt vrijwel hetzelfde als die voor angstreductie. Een New Yorkse verkeersagente was door het lint gegaan nadat een motorrijder haar een 'vuile teef' had genoemd. In de exposuretherapie werd die uitdrukking keer op keer tegen haar geuit, eerst op vlakke toon, vervolgens met toenemende emotionele intensiteit en uiteindelijk met obscene gebaren. De agente had de opdracht om gewoon te blijven zitten en zo veel mogelijk te ontspannen. De therapie is geslaagd wanneer ze ontspannen blijft, ook al is wat er gezegd wordt nog zo aanstootgevend. Waarschijnlijk kan ze dan op straat ook weer gewoon een bon uitschrijven, ook al wordt ze beledigd.[43]

Soms gaan therapeuten erg ver om een scène die een sociale angst oproept te herscheppen. Een cognitief therapeut die bekendstaat als een expert op het gebied van angstreductie gebruikt zijn therapiegroepen als proefpubliek voor patiënten die hun angst voor spreken in het openbaar willen overwinnen.[44] De patiënt oefent zich zowel in ontspanningstechnieken als in gedachten die de angstgedachten tegengaan. Ondertussen instrueert de therapeut de groep om het de patiënt moeilijk te maken door scherpe opmerkingen te plaatsen, en verveeld of afkeurend te kijken.

Uiteraard mag de intensiteit van de blootstelling de grenzen van wat de patiënt aankan niet overschrijden. Zo verdween een vrouw die op het punt stond om een vijandig publiek tegemoet te treden naar het toilet, sloot zich op en weigerde naar buiten te komen. Ze kon met veel pijn en moeite overgehaald worden om de behandeling voort te zetten.

Soms is het genoeg om samen met iemand een pijnlijke ervaring uit het verleden opnieuw te bekijken en iets van de spanning te verlichten door de onaangename herinneringen te hercoderen, meent LeDoux. Dit zou de verlichting kunnen verklaren die soms optreedt wanneer een cliënt en een therapeut problemen gewoon nog eens oprakelen. Mogelijk verandert alleen al het erover praten de manier waarop het brein registreert wat er mis is. Om LeDoux te citeren: 'Het is net zoiets als wat er spontaan gebeurt wanneer we onze zorgen onder de loep nemen en tot een nieuw perspectief komen.' We gebruiken de hoge route om de lage route te reconstrueren.[45]

Het sociale brein

Zoals iedere neurowetenschapper zal bevestigen, verwijst de zinsnede 'het sociale brein' niet naar een frenologische bult of een specifieke hersenkronkel. Het is een aanduiding voor de specifieke verzameling hersencircuits die aangesproken wordt in menselijke contacten.[46] Hoewel een aantal hersenstructuren een bijzonder grote rol speelt in relaties, lijkt er geen belangrijke zone te bestaan die exclusief gewijd is aan het sociale leven.[47]

Deze grote spreiding van neurale verantwoordelijkheid voor ons sociale leven, zo speculeren sommigen, zou toe te schrijven kunnen zijn aan het feit dat pas met de komst van de primaten sociale groepen belangrijk werden voor ons voortbestaan. De structuur van de hersenen was toen al grotendeels gevormd en de natuur lijkt te hebben volstaan met de hersenstructuren die op dat moment beschikbaar waren. Uit bestaande hersenonderdelen is een verzameling samenhangende routes gevormd om de uitdagingen van deze complexe relaties het hoofd te bieden.

De hersenen gebruiken ieder deel van hun anatomie om talloze taken uit te voeren. Door over hersenactiviteit na te denken in termen van een specifieke functie, zoals sociale interactie, beschikken neurowetenschappers over een grove methode om inzicht te krijgen in de anders duizelingwekkende complexiteit van de 100 miljard neuronen met hun ongeveer 100 biljoen onderlinge verbindingen, de hoogste connectiviteitsdichtheid die in de wetenschap bekend is. De neuronen zijn onderverdeeld in modules die zich ongeveer gedragen als een complexe bewegende mobiel waarbij activiteit in een bepaald deel door het gehele systeem kan meetrillen.

Een volgende complicatie: de natuur is zuinig. Serotonine, bijvoorbeeld, is een neurotransmitter die gevoelens van welbehagen genereert in de hersenen. Van SSRI antidepressiva (selectieve serotonineheropnameremmers) weten we dat ze het serotonineniveau in de hersenen verhogen en daarmee iemands stemming verbeteren. Maar datzelfde serotonine werkt ook als een regulator van de darmen. Ongeveer 95 procent van de serotonine in het lichaam bevindt zich in het spijsverteringskanaal, waar zeven soorten serotoninereceptoren activiteiten reguleren als het opgang brengen van digestieve enzymen en het bewegen van substanties door de darmen.[48]

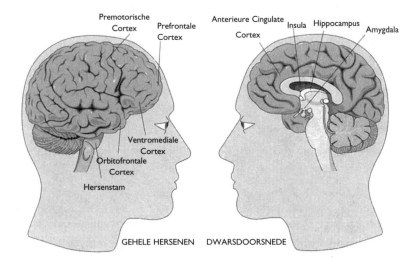

Een aantal belangrijke gebieden in de neurale circuits van het sociale brein

Net zoals één molecule zowel de spijsvertering als blijdschap reguleert, zo zijn vrijwel alle neurale paden die samenkomen in de sociale hersenen verantwoordelijk voor uiteenlopende activiteiten, maar wanneer ze samenwerken, bijvoorbeeld bij een persoonlijke interactie, vormen de verspreid liggende netwerken van de sociale hersenen een gemeenschappelijk neuraal kanaal.[49]

Het sociale brein is vooral in kaart gebracht met behulp van brain imaging, maar als een toerist die maar een paar dagen in Parijs kan doorbrengen, concentreert brain imaging zich noodgedwongen op de belangrijkste 'bezienswaardigheden' en laat minder voor de hand liggende gebieden links liggen. Dat betekent dat er geen ruimte is voor de kleine details. Dus terwijl fMRI-beelden bijvoorbeeld een sociale supersnelweg belichten tussen de orbitofrontale schors en de amygdala, laten ze maar weinig zien van de ongeveer veertien afzonderlijke kernen in de amygdala, die elk een eigen functie hebben. Er is in deze nieuwe wetenschap nog veel te ontdekken. [zie Appendix 8 voor meer details]

HOOFDSTUK 6

Wat is sociale intelligentie?

Drie jongens van een jaar of twaalf zijn op weg naar het voetbalveld voor de gymles. Twee van hen, sportief uitziende knulletjes, lopen achter de derde aan, een mollig klasgenootje, en lachen hem een beetje uit.

'Dus je gaat probéren te voetballen,' zegt een van de twee sarcastisch.

Dit is een moment dat, gezien de sociale code van jongetjes van deze leeftijd, gemakkelijk kan uitlopen op een gevecht.

Het mollige jongetje doet even zijn ogen dicht en haalt diep adem, alsof hij zichzelf wapent voor de confrontatie.

Dan draait hij zich om naar de andere twee en antwoord op kalme en zakelijke toon: 'Ja, ik ga het proberen, maar ik ben er niet erg goed in.'

Het blijft even stil en dan zegt hij: 'Maar ik ben heel goed in tekenen. Noem maar wat en ik teken het voor je…'

Vervolgens zegt hij, wijzend op zijn uitdager: 'Jij kan wel heel goed voetballen! Zo goed zou ik ook wel willen worden, maar ik ben het gewoon niet. Misschien word ik wel een beetje beter als ik mijn best blijf doen.'

Daarop antwoordt de eerste jongen volledig ontwapend: 'Zo slecht ben je nou ook weer niet. Misschien kan ik je een paar dingetjes leren.'

Die korte interactie bevat een meesterlijk vertoon van sociale intelligentie.[1] Uit wat gemakkelijk had kunnen uitlopen op een gevecht zou nu zelfs een vriendschap kunnen opbloeien. De mollige tekenaar hield stand, niet alleen in de turbulente sociale wereld van de brugklas, maar in een veel subtielere strijd: in een onzichtbare krachtmeting tussen de hersenen van de twee jongens.

Door zijn kalmte te bewaren kon de aankomend kunstenaar de sarcastische provocaties van de andere jongen weerstaan. Hij was zelfs in staat om de ander deelgenoot te maken van zijn eigen sociabele emotionele spectrum. De manier waarop de emotionele chemie van de jongens van vijandig in vriendelijk veranderde, is een voorbeeld van neuraal jiujitsu van de hoogste orde, een staaltje van relationeel genie.

'Sociale intelligentie is volop aanwezig in de kinderkamer, op het schoolplein, in barakken, fabrieken en winkels, maar het onttrekt zich aan de formele gestandaardiseerde condities van het testlaboratorium,' schreef Edward Thorndike. Thorndike, psycholoog aan de Columbia University, introduceerde het concept in 1920, in een artikel in *Harper's Monthly Magazine*.[2] Thorndike signaleerde dat interpersoonlijke efficiëntie van vitaal belang is voor succes op vele gebieden, met name voor leidinggevenden. 'De beste monteur in een fabriek,' zo schreef hij, 'kan hopeloos mislukken als voorman wegens een gebrek aan sociale intelligentie.'[3]

Aan het eind van de jaren vijftig werd dit denkbeeld van sociale intelligentie echter weggewuifd door de invloedrijke psycholoog David Wechsler, ontwerper van een nog altijd zeer veel gebruikte IQ-test. Naar zijn mening was sociale intelligentie niet meer dan 'algemene intelligentie toegepast in sociale situaties'.[4]

Nu een halve eeuw later de neurowetenschap de hersengebieden in kaart begint te brengen die de interpersoonlijke dynamiek reguleren, is het concept 'sociale intelligentie' rijp voor een heroverweging [zie Appendix C voor bijzonderheden].

Als we ons inzicht in sociale intelligentie werkelijk willen verdiepen, moeten we ook een plaats inruimen voor niet-cognitieve vaardigheden, zoals het talent waarmee een gevoelige verpleegkundige met precies de juiste aanraking een huilende peuter kan kalmeren zonder er ook maar een moment over na te hoeven denken.

In de psychologie zijn er discussies over welke menselijke vermogens sociaal zijn en welke emotioneel. Dat is niet vreemd omdat de beide gebieden door elkaar lopen, net zoals de sociale centra van ons brein de emotionele centra overlappen.[5] 'Alle emoties zijn sociaal,' vindt Richard Davidson, directeur van het Laboratory for Affective Neuroscience van de Universiteit van Wisconsin. 'Je kunt de oorzaak van een emotie niet scheiden van de wereld van relaties; het zijn onze sociale interacties die onze emoties aanwakkeren.'

In mijn eigen model van emotionele intelligentie had ik sociale intelligentie gewoon opgenomen zonder daar verder al te veel aandacht aan te besteden, zoals andere theoretici op dit gebied ook doen.[6] Intussen ben ik gaan inzien dat het je denken beperkt wanneer je sociale en emotionele intelligentie op één hoop gooit, omdat je geen aandacht besteedt aan wat er gebeurt tijdens een interactie.[7] Deze blinde vlek negeert het 'sociale' aspect van intelligentie.

De ingrediënten van sociale intelligentie zijn in twee ruime categorieën onder te verdelen: sociaal bewustzijn (wat we van anderen aanvoelen) en sociale vaardigheid (wat we vervolgens met dat bewustzijn doen).

Sociaal Bewustzijn

Sociaal bewustzijn verwijst naar een spectrum dat loopt van het onmiddellijk aanvoelen van andermans innerlijke toestand, tot het begrijpen van andermans gevoelens en gedachten, tot inzicht in gecompliceerde sociale situaties. Het behelst:

- *Primaire empathie:* Meevoelen met anderen; het aanvoelen van non-verbale emotionele signalen
- *Afstemming:* Totale ontvankelijkheid bij het luisteren; het afstemmen op een persoon
- *Empathische accuratesse:* Het begrijpen van de gedachten, gevoelens en intenties van een ander
- *Sociale cognitie:* Weten hoe de sociale wereld werkt

Sociale Vaardigheid

Alleen weten hoe anderen zich voelen, of wat ze denken of willen, is geen garantie voor vruchtbare interacties. Sociale vaardigheid berust op sociaal bewustzijn en zorgt dat onze interacties soepel en effectief verlopen. Onder het spectrum van sociale vaardigheid vallen:

- *Synchronie:* Soepel contact maken op non-verbaal niveau
- *Zelfpresentatie:* Onszelf effectief presenteren
- *Invloed:* De uitkomst van sociale interacties vormgeven
- *Betrokkenheid:* Ontvankelijk zijn voor de behoeftes van de ander en daarnaar handelen

Beide domeinen, dat van sociaal bewustzijn en dat van sociale vaardigheid, omvatten zowel basale vaardigheden van de lage route als meer complexe uitingen van de hoge route. Synchronie en primaire empathie zijn bijvoorbeeld pure kwaliteiten van de lage route, terwijl empathische accuratesse en invloed een combinatie vormen van hoog en laag. En hoe 'soft' een aantal van deze eigenschappen ook mag lijken, er bestaat inmiddels al een verbazend aantal tests en schaalverdelingen om ze te meten.

Primaire empathie

De man was naar de ambassade gekomen voor een visum. Tijdens het gesprek viel de ambassademedewerker iets vreemds op: op de vraag waarom hij een visum wilde, trok er heel even een uitdrukking van walging over het gezicht van de man.

Gealarmeerd vroeg de ambassademedewerker de man om een paar minuten te wachten en ging naar een andere kamer om een databank van Interpol te raadplegen. De man bleek op de vlucht te zijn en werd in verschillende landen door de politie gezocht.

Dat de ambassademedewerker die vluchtige uitdrukking opmerkte, getuigt van een talent voor primaire empathie, een goed vermogen om de emoties van een ander aan te voelen. Primaire empathie is een onderdeel van de lage route en werkt dus snel en automatisch. Volgens neurowetenschappers wordt deze intuïtieve, instinctieve empathie voornamelijk geactiveerd door spiegelneuronen.[8]

We kunnen stoppen met praten, maar stoppen met signalen uitzenden van wat we voelen (stembuigingen, vluchtige gezichtsuitdrukkingen), kunnen we niet. Zelfs wanneer mensen elk teken van emotie proberen te onderdrukken, lekken hun gevoelens toch door het masker heen. Wanneer het op emoties aankomt, zijn we niet in staat om niét te communiceren.

Een zinvolle test voor primaire empathie zou zich moeten richten op de snelle en spontane interpretatie van deze non-verbale aanwijzingen door de lage route. Om dat goed te doen, moet zo'n test ons laten reageren op een afbeelding van iemand anders. Vragenlijsten invullen werkt niet.

De eerste keer dat ik zo'n test tegenkwam, was toen ik worstelde met mijn promotieonderzoek. De twee studenten die een paar deuren verder zaten, leken het veel meer naar hun zin te hebben. Een van de twee was Judith Hall, nu verbonden aan Northeastern University; de ander was Dane Archer, nu medewerker aan de Universiteit van Californië te Santa Cruz. In die tijd studeerden ze sociale psychologie bij Robert Rosenthal. De twee waren bezig met het maken van videotapes, met Hall in de hoofdrol, die nu overal gebruikt worden om interpersoonlijke sensitiviteit te meten.

Archer maakte opnames terwijl Hall situaties speelde die varieerden van het terugbrengen van een kapot ding naar een winkel tot een gesprek over de dood van een vriend. De Profile of Nonverbal Sensitivity (PONS) test vraagt mensen om op grond van een fragment van twee seconden uit een bepaalde scène aan te geven wat er emotioneel gaande is.[9] Ze krijgen bijvoorbeeld een flits van Halls gezicht of lichaam te zien, of ze horen haar stem.

Werknemers die hoog scoren op de PONS-test worden over het algemeen door hun collega's en superieuren als meer interpersoonlijk sensitief ervaren. Psychologen en docenten met een goede PONS-score, scoren ook goed in functioneringsbeoordelingen. Als het artsen zijn, zijn hun patiënten meer tevreden over de medische zorg; zijn het docenten, dan vindt men ze efficiënter. Bovendien zijn deze mensen door de bank genomen populairder.

Vrouwen zijn over het algemeen iets beter in deze vorm van empathie dan mannen; ze scoren gemiddeld drie procent hoger. Onafhankelijk van de huidige staat van onze invoelende vermogens, lijkt empathie onder invloed van wat we meemaken met de jaren te groeien. Vrouwen met kinderen in de peuterleeftijd zijn bijvoorbeeld beter in het decoderen van non-verbale signalen dan hun kinderloze leeftijdgenoten, maar bij vrijwel iedereen groeit het empathisch vermogen in de periode van de vroege puberteit tot halverwege de twintig.

Een andere manier om primaire empathie te meten is de 'Reading the Mind in the Eyes test'. Deze test werd ontworpen door Simon Baron-Cohen, een expert op het gebied van autisme, en zijn onderzoeksgroep aan de Universiteit van Cambridge.[10] Drie van de in totaal zesendertig beelden waaruit de test bestaat, staan op de volgende bladzijde.

Wie hoog scoort bij het lezen van boodschappen in de ogen, heeft een talent voor empathie (en voor iedere functie waarin empathie onontbeerlijk is, van diplomatie en politiewerk tot verpleging en psychotherapie). Wie het extreem slecht doet, is waarschijnlijk autistisch.

Afstemming

Afstemming is aandacht die kortstondige empathie overstijgt en zich ontwikkelt tot een volledige, aanhoudende aanwezigheid die weer kan leiden tot rapport. We schenken iemand onze volledige aandacht en luisteren volkomen. We proberen de ander te begrijpen in plaats van steeds maar aandacht te vragen voor onze eigen besognes.

Een dergelijke diepgaande manier van luisteren lijkt misschien een aangeboren talent, maar net als bij alle andere facetten van sociale intelligentie kunnen mensen hun vermogen tot afstemming ontwikkelen.[11] Bovendien wordt afstemming al een stuk gemakkelijker als we gewoon bewust meer aandacht schenken.

Iemands spreekstijl zegt iets over zijn basale vermogen tot diepgaand luisteren. Op momenten dat we werkelijk verbonden zijn, zal wat we zeggen aansluiten op wat de ander voelt, zegt en doet. Wanneer we slecht zijn afgestemd, verandert onze communicatie in een verbale kogelregen: onze boodschap is niet aangepast aan de toestand van de ander, maar reflecteert alleen die van onszelf. Luisteren maakt het verschil. Tegen iemand praten in plaats van naar hem luisteren, reduceert een gesprek tot een monoloog.

Wanneer ik een gesprek monopoliseer door alleen maar tegen je te praten, bevredig ik mijn eigen behoeftes zonder over de jouwe na te denken. Werkelijk luisteren vraagt daarentegen dat ik me afstem op jouw gevoelens, jou aan het woord laat en de conversatie een loop laat nemen die we samen bepalen. Wederzijds luisteren creëert een dialoog waarbij beide personen hun gespreksstof aanpassen aan de respons en de gevoelens van de ander.

Deze agendaloze houding kom je verrassend genoeg vaak tegen bij topverkopers en accountmanagers. Uitblinkers op dit gebied benaderen hun klanten niet met het oogmerk om meteen een deal te sluiten; ze zien zichzelf eerder als een adviseur, wiens eerste taak het is om te luisteren en de behoeftes van de klant te begrijpen. Pas dan kijken ze of ze iets in huis hebben

Welke van de vier adjectieven rond ieder paar ogen geeft het beste aan wat de ogen zeggen?

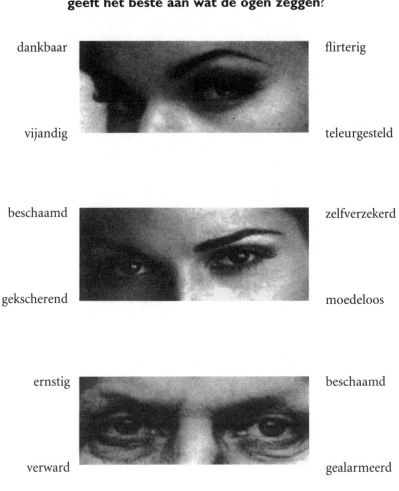

dankbaar

vijandig

flirterig

teleurgesteld

beschaamd

gekscherend

zelfverzekerd

moedeloos

ernstig

verward

beschaamd

gealarmeerd

Antwoorden: flirterig, zelfverzekerd, ernstig

dat aansluit op die behoeftes. Als ze niet over de beste oplossing beschikken, zeggen ze dat. Ze kiezen zelfs partij voor hun klant als die met een gerechtvaardigde klacht over het bedrijf komt. Ze investeren liever in een relatie waarin men op hun advies vertrouwt, dan hun betrouwbaarheid te torpederen om een snelle deal te maken.[12]

Goed luisteren is een van de voornaamste kwaliteiten van goede managers, docenten en leiders.[13] Voor werkers in de zorg, zoals artsen of maatschappelijk werkers, geldt diepgaand luisteren als een van de drie belangrijkste vaardigheden waarop ze door hun organisatie beoordeeld worden.[14] Deze mensen nemen niet alleen de tijd om te luisteren en zich af te stemmen op de gevoelens van de ander, ze stellen ook vragen om de achtergrond en situatie van de betreffende persoon beter te begrijpen, en niet alleen het directe probleem of de voor de hand liggende diagnose.

We verliezen onze volledige aandacht, toch al een schaars goed in dit tijdperk van multitasking, zodra we onze focus splitsen. Onze focus krimpt door zelfverzonkenheid en gepieker, zodat we minder goed in staat zijn de gevoelens en behoeften van anderen op te merken, laat staan met empathie te reageren. Ons vermogen tot afstemming lijdt daaronder en rapport wordt onmogelijk.

Volledig aanwezig zijn vergt echter helemaal niet zo veel. 'Een gesprekje van vijf minuten kan een uitermate betekenisvol moment zijn in een mensenleven,' zo is te lezen in een artikel in *Harvard Business Review*. 'Maar als je wilt dat het werkt, moet je datgene waar je mee bezig bent aan de kant schuiven, de memo die je aan het lezen bent wegleggen, je laptop even vergeten, je dagdromen laten voor wat ze zijn, en je concentreren op de persoon die bij je is.'[15]

Volledig luisteren maximaliseert de fysiologische synchronie, waardoor emoties op elkaar aansluiten.[16] Het bestaan van synchronie werd ontdekt tijdens psychotherapie, op momenten dat cliënten zich volledig begrepen voelden door hun therapeut (zoals beschreven in Hoofdstuk 2). Bewust meer aandacht aan iemand besteden zou wel eens de beste manier kunnen zijn om het ontstaan van rapport te stimuleren. Zorgvuldig luisteren, met onverdeelde aandacht, richt onze neurale circuits op het maken van een connectie en brengt ons op dezelfde golflengte. Dat maximaliseert de kans dat de andere noodzakelijke ingrediënten voor rapport, namelijk synchronie en positieve gevoelens, kunnen opbloeien.

Empathische accuratesse

Empathische accuratesse is volgens sommigen dé fundamentele bekwaamheid in sociale intelligentie. Volgens William Ickes, psycholoog aan de Universiteit van Texas en pionier op dit onderzoeksgebied, is dit vermogen kenmerkend voor 'de meest tactvolle adviseurs, de meest diplomatieke functionarissen, de meest effectieve onderhandelaars, de meest gekozen politici, de meest productieve verkopers, de meest succesvolle docenten en de meest begripvolle therapeuten'.[17]

Empathische accuratesse komt voort uit primaire empathie, maar voegt daar een expliciet begrip aan toe van wat de ander voelt en denkt. Deze cognitieve stappen vragen om extra activiteit in de neocortex, met name in het prefrontale gebied, en koppelen zo circuits van de hoge route aan de primaire empathie van de lage route.[18]

We kunnen empathische accuratesse meten door middel van het psychologische equivalent van een verborgen camera-show. Twee vrijwilligers voor een experiment komen een wachtkamer binnen en worden samen op een bankje gezet. Een onderzoeksassistent vraagt hen om een paar minuten te wachten terwijl hij nog wat ontbrekend materiaal bij elkaar zoekt.

Om de tijd te doden, beginnen de twee wat te kletsen. Na een minuut of zes komt de assistent terug en denkt het tweetal te kunnen beginnen. Maar het experiment is al begonnen: terwijl zij dachten dat ze alleen maar zaten te wachten, werden ze heimelijk gefilmd door een camera die in een kast was verstopt.

Vervolgens worden beide deelnemers elk naar een aparte kamer gestuurd, waar ze de video van zes minuten bekijken. Daar schrijven ze op wat ze op belangrijke momenten in het filmpje voelden en dachten, en wat ze vermoeden dat de ander op die momenten voelde of dacht. Deze stiekeme onderzoeksmethode is door psychologiefaculteiten aan universiteiten overal in de Verenigde Staten en in de rest van de wereld gebruikt om te testen in hoeverre mensen in staat zijn andermans onuitgesproken gevoelens en gedachten vast te stellen.

Een deelneemster vermeldde bijvoorbeeld dat ze zich suf had gevoeld tijdens het gesprek omdat ze zich de naam van een van haar docenten niet kon herinneren; haar partner vermoedde correct dat zij zich op dat moment 'misschien wat ongemakkelijk' voelde. Maar er was ook een vrouw die aan een voorstelling zat te denken die ze zojuist gezien had, terwijl haar mannelijke partner dacht dat 'zij zich afvroeg of ik haar mee uit zou vragen', een klassieke studentenblunder.

Empathische accuratesse lijkt één van de geheimen van een succesvol huwelijk, vooral tijdens de eerste jaren. Stellen die elkaar in de eerste twee jaar van hun huwelijk vrij goed aanvoelen, voelen zich meer tevreden en hun huwelijk heeft meer kans van slagen.[20] Een gebrek aan accuratesse belooft weinig goeds: een van de tekenen van een meer instabiele relatie is dat een partner beseft dat de ander zich slecht voelt, maar geen idee heeft wat er precies aan de hand is.[21]

Zoals bleek uit de ontdekking van de spiegelneuronen stemt ons brein zich af op wat iemand van plan is te doen, maar dat doet het op een subliminaal niveau. Direct bewustzijn van iemands intenties maakt een meer accurate empathie mogelijk, waardoor we nog beter kunnen voorspellen wat diegene gaat doen. Een meer expliciet begrip van achterliggende motieven kan het

verschil tussen leven en dood betekenen als we, om maar een voorbeeld te
noemen, oog in oog staan met een straatrover of met een woedende menigte, zoals het geval was bij de soldaten die op weg waren naar de moskee, het
verhaal waar dit boek mee begint.

Sociale cognitie

Sociale cognitie, het vierde aspect van interpersoonlijk bewustzijn, is kennis
over de manier waarop de sociale wereld werkt.[22] Mensen die goed zijn in
deze vorm van cognitie weten in vrijwel elke situatie wat er van hen verwacht
wordt, zoals hoe ze zich moeten gedragen in een vijfsterrenrestaurant. Daarnaast zijn ze bedreven in semiotiek, het decoderen van sociale signalen waaruit je bijvoorbeeld kunt opmaken wie er in een groep de meeste macht heeft.

Een dergelijke sociale flair vind je bij mensen die precies begrijpen hoe de
politieke lijntjes binnen een organisatie lopen, maar ook bij de vijfjarige die
van ieder kind uit haar klas weet met wie het bevriend is. De lessen in speel-
plaatspolitiek die we op school geleerd hebben (hoe maak je vrienden, hoe
vorm je bondgenootschappen, enzovoort) liggen op één lijn met de onuitgesproken regels die we volgen wanneer we op ons werk een succesvol team
willen vormen of ons bezighouden met bedrijfspolitiek.

Een van de manieren waarop sociale cognitie zich kan manifesteren is in
het vermogen om oplossingen te vinden voor sociale dilemma's. Waar zet je
rivalen bij een etentje? Hoe maak je vrienden als je naar een nieuwe stad bent
verhuisd? De beste sociale oplossingen komen van mensen die in staat zijn
om de relevante informatie te verzamelen en het hoofd koel te houden bij
het bedenken van oplossingen. Een chronisch onvermogen om sociale problemen op te lossen verknoeit niet alleen relaties, maar is ook een compli-
cerende factor bij psychologische problemen variërend van depressie tot schizofrenie.[23]

We gebruiken sociale cognitie om door de subtiele stromingen van het
interpersoonlijke leven te bewegen en om grip te krijgen op sociale gebeurtenissen. Sociale cognitie kan ons helpen te begrijpen waarom een opmerking die de een ziet als een geestig plaagstootje, door de ander wordt opgevat als een grove belediging. Wanneer onze sociale cognitie slecht is, kan
het zijn dat we niet begrijpen waarom iemand zich lijkt te generen of waarom een ondoordachte opmerking hard kan aankomen. Besef van de onuitgesproken normen die bij interacties een rol spelen, is van cruciaal belang
voor soepel contact met mensen uit een andere cultuur, waar de normen
sterk kunnen verschillen van de normen die we in onze eigen groep geleerd
hebben.

Deze aanleg voor interpersoonlijke kennis wordt al decennialang beschouwd als een fundamenteel facet van sociale intelligentie. Er zijn zelfs theoretici die menen dat sociale cognitie, in de zin van algemene intelligentie toegepast op de sociale wereld, de enige werkelijke component is van sociale intelligentie. Maar dit perspectief, dat zich alleen concentreert op wat we weten óver de interpersoonlijke wereld, negeert wat we daadwerkelijk doen wanneer we contact maken met anderen. Dat heeft geresulteerd in maatstaven voor sociale intelligentie die onze kennis van sociale situaties testen, maar geen aandacht besteden aan hoe we er een weg in vinden, en dat is een behoorlijke tekortkoming.[24]

Iemand die goed is in sociale cognitie, maar die het ontbreekt aan sociale vaardigheid, zal nog altijd pijnlijk onbeholpen zijn in het contact met andere mensen.

Onze sociale vermogens werken samen. Empathische accuratesse berust op luisteren en primaire empathie; alle drie vergroten ze de sociale cognitie. En interpersoonlijk bewustzijn in al zijn vormen vormt het fundament voor sociale vaardigheid, de tweede component van sociale intelligentie.

Synchronie

Synchronie verleent gratie aan onze non-verbale uitwisselingen met anderen. Als fundament van sociale vaardigheid is het de grond waarop de andere aspecten voortbouwen. Als de synchronie hapert, gaat dat ten koste van onze sociale competentie en lopen onze interacties vast.

Het neurale vermogen tot synchronie zetelt in de lage route, in systemen als oscillatoren en spiegelneuronen. Om te synchroniseren moeten de betrokkenen non-verbale aanwijzingen ogenblikkelijk oppikken en er soepel op reageren, zonder erover te hoeven nadenken. Non-verbale tekenen van synchronie zie je in harmonieus georkestreerde interacties, van op het juiste moment lachen of knikken, tot gewoon ons lichaam naar de ander toewenden.[26] Iemand die niet in staat is tot synchronie gaat bijvoorbeeld nerveus ronddraaien of valt stil, of is zich totaal niet bewust van zijn onvermogen om het non-verbale duet bij te benen.

Als de één moeite heeft met synchronie, voelt de ander zich niet op zijn gemak, laat staan dat er een mogelijkheid is tot rapport. Mensen die problemen hebben met deze sociale vaardigheid, lijden vaak aan 'dyssemia', een onvermogen om de non-verbale signalen op te pikken (en er dus naar te handelen) die het smeermiddel vormen voor soepele interacties.[27] De uiterlijke indicatoren van deze lichte sociale handicap zijn overduidelijk: mensen met dyssemia slaan voortdurend de plank mis doordat ze zich niet bewust zijn van aanwijzingen zoals dat een gesprek op zijn einde loopt. Ze maken mensen met wie ze contact hebben in de war, omdat ze de stilzwijgende signalen niet in acht nemen die zorgen voor een moeiteloze uitwisseling.

Dyssemia is vooral bestudeerd bij kinderen, omdat veel van de kinderen die op school buiten de boot vallen eraan lijden.[28] Kinderen met dit probleem kijken mensen die tegen hen praten niet aan, ze staan te dichtbij als ze met iemand praten, hebben een uitdrukking op hun gezicht die niet past bij hun emotionele toestand of maken een tactloze en ongevoelige indruk waar het de gevoelens van anderen betreft. Hoewel je deze signalen zou kunnen afdoen als normaal kinderlijk gedrag, hebben de meeste andere kinderen van dezelfde leeftijd die problemen niet.[29]

Bij volwassenen uit dyssemia zich in vergelijkbaar asynchroon gedrag.[30] De sociale blinde vlekken waar dyssemische kinderen door geplaagd worden, zorgen in de volwassen wereld voor moeizame relaties, van het onvermogen om non-verbale signalen op te volgen tot problemen met het aangaan van nieuwe relaties. Bovendien kan het met dyssemia uiterst moeilijk zijn om aan de sociale verwachtingen te voldoen die op de werkvloer worden gesteld. Dyssemische volwassen eindigen vaak in een sociaal isolement.

Dit soort sociale gebreken wordt meestal niet veroorzaakt door neurologische aandoeningen als het syndroom van Asperger of autisme, die ik in Hoofdstuk 9 bespreek. Naar schatting 85 procent van de mensen met dyssemia lijdt aan dit gebrek omdat ze niet geleerd hebben om non-verbale signalen te interpreteren of hoe er op te reageren, hetzij omdat ze niet genoeg met leeftijdgenoten zijn omgegaan, hetzij omdat hun familie een bepaalde reeks emoties niet vertoonde of excentrieke sociale normen hanteerde. Nog eens tien procent heeft het gebrek omdat een emotioneel trauma het noodzakelijke leerproces heeft kortgesloten. Slechts naar schatting vijf procent lijdt aan een aanwijsbare neurologische stoornis.[31]

Omdat dyssemia ontstaat door verstoringen van het leerproces zijn er zowel voor kinderen als voor volwassenen trajecten ontwikkeld om deze vaardigheden alsnog aan te leren.[32] De lessen beginnen met het bewust maken van de non-verbale ingrediënten van synchronie, zoals gebaren en houding, het gebruik van aanraking, oogcontact, stembuigingen en tempowisselingen. Zodra iemand effectievere manieren heeft geleerd om deze ingrediënten te gebruiken, worden deze geoefend totdat iemand bijvoorbeeld in een gesprek oogcontact kan maken zonder daar bijzondere moeite voor te doen.

Op een natuurlijke manier synchroniseren leidt uiteraard tot grotere emotionele resonantie dan wanneer iemand het bewust voor elkaar probeert te krijgen.[33] Aangezien de hersensystemen van de lage route die verantwoordelijk zijn voor synchronie buiten ons bewustzijn spontaan actief zijn, kunnen bewuste pogingen om die te beheersen hun soepele werking belemmeren.

Mensen die deelnemen aan een hersteltraject moeten dan ook 'overtrainen' door te oefenen tot op het punt waarop de nieuwe, meer harmonieuze respons spontaan optreedt.

Zelfpresentatie

Professionele acteurs zijn bijzonder goed in zelfpresentatie, het vermogen om jezelf te presenteren op een manier die een gewenste indruk achterlaat. In 1980, toen Ronald Reagan zich kandidaat stelde voor de nominatie als Republikeins presidentskandidaat, nam hij met de andere kandidaten deel aan een televisiedebat. Op een zeker moment sloot een van de technici Reagans microfoon af voordat hij uitgesproken was. Reagan reageerde door op te springen, een andere microfoon te pakken en boos uit te roepen: 'Ik heb voor deze show betaald. Ik betaal voor deze microfoon.'

De zaal stond op zijn kop bij deze uitbarsting van assertiviteit, zeker van de kant van een man die vooral bekendstond om zijn jovialiteit, en dit moment is wel een keerpunt in de campagne genoemd. Later bekende een campagneadviseur dat deze ogenschijnlijk spontane uitbarsting in werkelijkheid was voorbereid, voor als er zich een geschikte gelegenheid zou voordoen.[34]

Charisma is één aspect van zelfpresentatie. Het charisma van een invloedrijke spreker, of een groot leraar of leider, bestaat uit zijn vermogen om in ons de emoties op te wekken die hijzelf uitstraalt en ons mee te voeren in dat emotionele spectrum. We zijn getuige van deze krachtige vorm van emotionele besmetting als we een charismatische figuur zijn publiek zien betoveren. Charismatische mensen hebben een flair voor expressiviteit die anderen beweegt hun eigen ritme en gevoelens daarop aan te passen.[36]

Charisma in optima forma ontstaat wanneer een spreker zijn publiek bespeelt en een abstracte boodschap overbrengt met precies de goede mix aan emoties voor een maximale impact. Entertainers maken gebruik van timing en ritmische cadans (door de luidheid van hun stem in exact het juiste ritme te laten stijgen of dalen) om hun publiek mee te slepen. Zij zijn emotiezenders, terwijl het publiek zich opstelt als ontvanger. Dat vereist echter enig talent.

Een bepaalde studente was erg populair bij haar jaargenoten omdat ze zo levendig was. Ze was opmerkelijk open over haar gevoelens en omdat ze zo expressief was, maakte ze gemakkelijk vrienden. Maar haar docent had een andere indruk van haar. In de grote collegezaal viel ze op door haar emotionele uitbarstingen. Ze kon zuchten van verrukking of knorren van ongenoegen, en gaf zo voortdurend commentaar op alles wat hij zei. Een aantal keren werd ze zo door emoties overmand, dat ze de zaal moest verlaten.

Haar docent was van mening dat ze bijzonder expressief was, maar dat het haar enigszins aan zelfbeheersing ontbrak. Haar bruisende energie was haar in veel sociale situaties van nut, maar niet waar enige reserve op zijn plaats was.

Het vermogen om de expressie van emoties te 'controleren en maskeren' wordt soms beschouwd als de sleutel tot zelfpresentatie. Mensen die hier behendig in zijn, voelen zich in vrijwel iedere sociale situatie zelfverzekerd en zijn gezegend met savoir-faire. Wie in staat is om zichzelf evenwichtig te presenteren, zal zich gemakkelijk kunnen handhaven in iedere situatie waarin een genuanceerde respons van cruciaal belang is, van verkoop en dienstverlening tot diplomatie en politiek.

Vrouwen zijn over het algemeen emotioneel expressiever dan mannen, maar in sommige situaties moeten ze hun expressiviteit in evenwicht brengen met de restricties van zelfpresentatie. Waar sociale normen expressiviteit afkeuren, zoals meestal het geval is op de werkvloer, zullen vrouwen deze neiging tot expressiviteit moeten bedwingen, om zich aan te passen aan de situatie. Onze maatschappij kent een aantal impliciete normen voor wie welke emoties 'mag' uiten en legt daarmee stilzwijgend restricties op aan zowel mannen als vrouwen. In het persoonlijke leven mogen vrouwen met name angst en verdriet laten zien en mannen woede. Een vrouw kan volgens deze norm dus in het openbaar huilen, maar een man wordt niet geacht om zijn tranen de vrije loop te laten als hij overstuur is.[37]

In professionele situaties geldt het taboe op huilen echter ook voor vrouwen en zodra een vrouw een machtspositie bekleedt, wordt het verbod op woede opgeheven. Van een krachtige leider verwacht men juist vertoon van woede wanneer het doel van de groep niet is bereikt. Alfavrouwen lijken aan die eis te voldoen. Onafhankelijk van de vraag of woede op een bepaald ogenblik de meest effectieve respons is, lijkt het sociaal niet misplaatst als het van de baas afkomstig is.

Sommige mensen zijn een en al zelfpresentatie zonder inhoud. Sociale intelligentie is geen substituut voor andere vormen van bekwaamheid die een bepaalde functie kan vereisen. Zoals ik een zakenman in een sushibar in Manhattan tegen een ander hoorde zeggen: 'Hij kan altijd met iedereen overweg. Maar je zou geen slechtere kunnen kiezen: technisch is hij een nul.'

Invloed

De Cadillac stond dubbel geparkeerd in een smalle lommerrijke straat in een van de betere buurten van Manhattan, waardoor andere geparkeerde auto's er niet meer uit konden. Een parkeerwachter was druk bezig een bon uit te schrijven voor de Caddy.

Plotseling klonk er een boze schreeuw: 'Hé! Wat denk jij dat je aan het doen bent?' De chauffeur van de Cadillac, een goed verzorgde man van middelbare leeftijd in pak, kwam schreeuwend uit een wasserette naar buiten.

'Ik doe gewoon mijn werk. U staat dubbel geparkeerd,' antwoordde de parkeerwachter kalm.

'Dat kun je niet maken! Ik ken de burgemeester! Ik zorg dat je ontslagen wordt!' dreigde de man van de Cadillac furieus.

'Waarom neemt u niet gewoon uw bon en verdwijnt u, voordat ik de sleepwagen bel?' antwoordde de parkeerwachter zonder zich op te winden.

De chauffeur greep de bon, stapte in zijn auto en reed er luid sputterend vandoor.

De beste politieagenten zijn goed in het uitoefenen van invloed, in de zin van met tact en zelfbeheersing constructief vormgeven aan de uitkomst van een interactie. Ideale wetsdienaars maken zo min mogelijk gebruik van fysieke dwang, al kunnen ze wel teruggrijpen op enig machtsvertoon. Ze benaderen lichtgeraakte mensen met een professionele houding en blijven kalm en attent.

Als gevolg daarvan gaat het hen gemakkelijker af om mensen te laten luisteren.Verkeersagenten uit New York die bekendstaan om hun geringe gebruik van fysieke dwang, rapporteren minder vaak incidenten met boze bestuurders die uitlopen op geweld. Deze agenten merken gewoon op hoe hun lichaam reageert op de beledigingen van een automobilist (een voorteken van een riskante machtsverschuiving) en bevestigen dan kalm maar zelfverzekerd hun autoriteit door een professionele houding aan te nemen. Het alternatief, de respons laten leiden door een instinctieve reactie, zou de boel laten escaleren.[38]

Krachtdadig (maar met beleid!) fysiek optreden kan een efficiënte tactiek zijn voor het oplossen of voorkómen van een conflict. Maar het vaardig gebruikmaken van een impliciete dreiging van fysieke agressie is niet hetzelfde als het toepassen van geweld. Van belang is een nauwkeurig afgestemde respons op de omstandigheden, een combinatie van zelfbeheersing (het moduleren van een agressieve impuls) met empathie (het aanvoelen van de ander om te kunnen inschatten hoeveel fysieke dwang echt noodzakelijk is) en met sociale cognitie (het herkennen van de normen die een rol spelen in de situatie). Het onderrichten van de betrokken neurale circuits zou een onderdeel moeten vormen van trainingen in het kundig toepassen van fysieke dwang voor zowel burgers als ordehandhavers. Naarmate iemand bedrevener wordt in het toepassen van geweldsmiddelen, wordt ook het ontwikkelen van een rem op agressieve aanvechtingen onontbeerlijk.

In onze dagelijkse sociale contacten maken we van vrijwel dezelfde circuits gebruik om agressie in banen te leiden, maar het effect is subtieler. Als we

een constructieve invloed willen uitoefenen, zullen we ons moeten uitdrukken op een manier die een gewenst sociaal resultaat oplevert, zoals wanneer
we iemand op zijn gemak stellen. Mensen die zich goed kunnen uitdrukken,
worden door anderen zelfverzekerd en aardig gevonden, en maken in het algemeen een goede indruk.[39]

Wie goed is in het uitoefenen van invloed, vertrouwt in zijn doen en laten op zijn sociaal bewustzijn. Zo iemand herkent bijvoorbeeld een situatie
waarin het een relatie ten goede komt als hij een oogje dichtknijpt.[40] Het kan
contraproductief werken om je empathische accuratesse onder de aandacht
te brengen door iets te zeggen als: 'Je vindt me niet opwindend,' of 'Je houdt
niet van me!' Op zulke momenten kun je zo'n inzicht beter voor jezelf houden en er later stilzwijgend naar handelen.

Vaststellen hoe expressief je kunt zijn hangt onder andere af van sociale
cognitie, het kennen van de heersende culturele normen voor wat in een gegeven sociale context gepast is (weer een voorbeeld van de synergie tussen
de verschillende kwaliteiten van sociale intelligentie). De ingetogenheid die
goed valt in Beijing, raakt ondergesneeuwd in Guadalajara.[41] Tact brengt expressiviteit in balans. Sociale discretie bewerkstelligt dat we, waar we ook
zijn, aansluiting vinden zonder al te veel emotionele deining te veroorzaken.

Betrokkenheid

Laten we terugkeren naar de theologiestudenten die een proefpreek moesten
geven over de gelijkenis van de barmhartige Samaritaan. Ieder van hen werd
geconfronteerd met een cruciaal keuzemoment toen hij of zij de man in het
portiek hoorde kreunen. Zelfs degenen die langs hem heen snelden, voelden
misschien wel iets van empathie. Maar empathie alleen betekent weinig als
we er niet naar handelen.[42] De studenten die wél stopten om te helpen, vertoonden een ander kenmerk van sociale intelligentie: betrokkenheid.

Zoals we in Hoofdstuk 4 hebben gezien, zijn de hersenen zó ingericht dat
het voelen van de behoeften van een ander een prikkel kan zijn om in actie
te komen. In een experiment werd een aantal vrouwen gevraagd om een vi-
deotape van een huilende baby te bekijken. De vrouwen die het verdriet van
de baby het sterkst 'oppikten', vertrokken hun gezicht meer dan de anderen
tot een frons, een aanwijzing voor empathie. Deze vrouwen spiegelden niet
alleen de fysiologie van de baby, maar hadden ook de sterkste aandrang om
hem op te pakken en vast te houden.[43]

Hoe meer empathie we koesteren voor iemand in moeilijkheden en hoe
meer we ons betrokken voelen, hoe groter onze drang zal zijn om te helpen.
Een Nederlands onderzoek naar liefdadigheid wees uit dat iemands sociale

betrokkenheid direct verband hield met de waarschijnlijkheid dat die persoon geld zou doneren aan een goed doel.[44]

Op de werkvloer vertaalt de betrokkenheid die ons drijft om verantwoordelijkheid te nemen voor wat er gedaan moet worden zich in goed organisatorisch burgerschap. Betrokken mensen zijn meer dan anderen bereid de tijd en moeite te nemen om een collega uit de brand te helpen. Ze concentreren zich niet alleen op hun eigen werk, maar begrijpen de noodzaak van samenwerking binnen de groep om een groter doel te kunnen bereiken.

De mensen die fysiologisch het sterkst geprikkeld worden door de ontreddering van anderen (dat wil zeggen, die zeer ontvankelijk zijn voor emotionele besmetting op dit terrein), zijn ook degenen die het meest geneigd zijn om te helpen. Mensen die daarentegen weinig ontvankelijk zijn voor empathische betrokkenheid, kunnen die ontreddering gemakkelijk negeren. Een longitudinaal onderzoek wees uit dat kinderen tussen de vijf en de zeven jaar die vrijwel onbewogen bleven onder het verdriet van hun moeder, de grootste kans maakten om op te groeien tot 'antisociale' volwassenen.[45] De onderzoekers wijzen erop dat het 'aanmoedigen van de aandacht en betrokkenheid van jonge kinderen bij de behoeftes van anderen' een effectieve strategie zou kunnen zijn om later wangedrag te voorkomen.

Alleen betrokkenheid voelen voor anderen is niet altijd genoeg; we moeten ook effectief optreden. Maar al te veel leiders van humanitaire organisaties falen omdat het hen aan basale managementvaardigheden ontbreekt. Ze moeten beter worden in goeddoen. Betrokkenheid wint aan kracht wanneer het de vaardigheden en expertise van de hoge route aanwendt. Bill en Melinda Gates zijn de belichaming van betrokkenheid op hoog niveau. Zij maken gebruik van de beste tactieken uit de zakenwereld om de verwoestende gezondheidsproblematiek van de armen overal ter wereld aan te pakken. Bovendien voeden ze hun empathie door tijd uit te trekken om de mensen die ze helpen te ontmoeten: moeders in Mozambique van wie de kinderen sterven aan malaria, aidsslachtoffers uit India.

Betrokkenheid is de drijfveer aan de basis van de zorgsector. In zekere zin zijn mensen die in deze sector werken de publieke belichaming van betrokkenheid bij mensen in nood, of die nu ziek of arm zijn. Mensen die werken in de zorg, gedijen wanneer dit vermogen groeit, maar branden op wanneer het afneemt.

Betrokkenheid weerspiegelt iemands vermogen tot compassie. Manipulatieve mensen kunnen heel handig zijn in andere vaardigheden op het gebied van sociale intelligentie, maar hier falen ze hopeloos. Tekortkomingen op dit gebied zijn de sterkst mogelijke indicatoren voor antisociale types, mensen die niet geraakt worden door de behoeftes of het leed van anderen, laat staan hen proberen te helpen.

Het onderrichten van de lage route

Nu we het terrein van de sociale intelligentie in kaart hebben gebracht, rijst de vraag: kunnen we deze belangrijke menselijke talenten verbeteren? Vooral waar het de eigenschappen van de lage route betreft, kan dit een onmogelijke opgave lijken. Toch heeft Paul Ekman, autoriteit op het gebied van emoties en gezichtsuitdrukking (zie hoofdstuk 1), een methode ontwikkeld om mensen te leren hun primaire empathie te vergroten.

Ekmans training concentreert zich op micro-uitdrukkingen, emotionele signalen die in minder dan een derde van een seconde over een gezicht flitsen. Omdat die emotionele signalen spontaan zijn en onbewust optreden, geven ze een aanwijzing over hoe iemand zich op dat moment werkelijk voelt, ook al zou hij proberen een andere indruk te wekken.

Hoewel een enkele micro-expressie niet noodzakelijkerwijs betekent dat de persoon liegt, gaan pure leugens meestal met deze vorm van emotioneel bedrog gepaard. Hoe beter mensen zijn in het signaleren van micro-expressies, hoe groter de kans dat ze een poging om een emotionele waarheid te onderdrukken opmerken. De ambassademedewerker die de uitdrukking van walging onderschepte op het gezicht van de misdadiger die om een visum kwam vragen, was getraind in Ekmans methode.

Deze vaardigheid is vooral waardevol voor diplomaten, rechters en politiemensen, omdat micro-expressies onthullen hoe iemand zich op het moment werkelijk voelt. Maar ook geliefden, zakenmensen of leraren, eigenlijk iedereen, kunnen hun voordeel doen met het lezen van deze affectieve signalen.

Deze automatische en vluchtige emotionele uitdrukkingen opereren via de circuits van de lage route, die zich onderscheidt door zijn automatisch karakter en zijn snelheid. We zullen de lage route moeten gebruiken om de lage route te vinden, maar dat betekent dat we ons vermogen tot primaire empathie moeten verfijnen.

Ekman heeft een cd gemaakt, de MicroExpression Training Tool, die volgens hem vrijwel iedereen kan helpen om dit microdetectivewerk sterk te verbeteren. Op dit moment hebben tienduizenden mensen de training, die minder dan een uur duurt, doorlopen.[46]

Ik heb hem vanmorgen uitgeprobeerd.

De eerste ronde laat een reeks gezichten zien van verschillende mensen met een neutrale uitdrukking. Dan flitst er plotseling één van zeven verschillende uitdrukkingen over hun gezicht: verdriet, woede, angst, verbazing, walging, minachting of geluk.

Na iedere flits moest ik raden welke uitdrukking ik zojuist had gezien, maar ik had nauwelijks meer waargenomen dan een vage beweging. De lachjes en fronsjes trokken in amper een vijftiende van een seconde voorbij. Dit knal-pats-boem-tempo sluit aan bij de snelheid van de lage route en laat de hoge route in verwarring achter.

Daarna nam ik een reeks van drie oefen- en bespreeksessies door waarin zestig van deze plaatjes gepresenteerd worden in snelheden tot dertien beeld-jes per seconde. Na iedere gok kon ik elke expressie in een stilstaand beeld bestuderen om de nuances die verdriet van verrassing en walging van woe-de onderscheiden beter in de vingers te krijgen. Ook kreeg ik te horen of ik goed of fout gegokt had. De training geeft daarmee de cruciale feedback die we in het echte leven vrijwel nooit krijgen en die onze gretige neurale cir-cuits de kans geeft om zich op dit glibberige terrein te verbeteren.

Tijdens de oefeningen kon ik mijzelf zo nu en dan vertellen welke expressie ik had gezien en waarom: een flits van tanden die wees op een glimlach, het halfslachtige lachje van minachting, de opengesperde ogen van angst. Maar in de meeste gevallen was mijn verstand volkomen verbijsterd en oprecht verrast wanneer wat mij een wanhopige gok leek werd beoordeeld als een ac-curate intuïtie.

Zodra ik mezelf probeerde uit te leggen waarom die vage vlek die ik zo-juist had gezien de een of de andere emotie aangaf (die opgetrokken wenk-brauwen betekenen natuurlijk verbazing), had ik het meestal verkeerd, maar wanneer ik mijn intuïtie vertrouwde, had ik het meestal bij het goede eind. Zoals de cognitiewetenschap ons vertelt, weten we meer dan we kunnen zeg-gen. Anders gezegd: deze taak van de lage route verloopt beter wanneer de hoge route zich er helemaal buiten houdt.

Na ongeveer twintig tot dertig minuten oefenen deed ik de natest. Mijn score was een respectabele 86 procent, tegenover 50 procent in de pretest. Volgens Ekman komen de meeste mensen net als ik bij een eerste poging tot een score van ongeveer 40 tot 50 procent, maar al na twintig minuten oefe-nen heeft vrijwel iedereen 80 tot 90 procent goed.

'De lage route is voortreffelijk te trainen. Maar waarom weten we dat niet allang? Omdat we nog nooit de juiste feedback hebben gekregen,' vertelde Ekman me. Hoe meer mensen oefenen, hoe beter ze worden. 'Dit is een vaar-digheid die je moet overtrainen,' adviseert Ekman, door te oefenen tot je per-fectie bereikt.

Mensen die op deze manier getraind zijn, zo heeft Ekman ontdekt, zijn beter in het signaleren van micro-expressies in het dagelijks leven, zoals de uitdrukking van hopeloos verdriet die over het gezicht van de Britse spion Kim Philby flitste in zijn laatste publieke interview voordat hij naar de Sov-jet-Unie vluchtte of de walging op het gezicht van Kato Kaelin tijdens zijn getuigenis in de moordzaak tegen O.J. Simpson.

Het hoeft geen betoog dat Ekmans training druk wordt bezocht door politieondervragers, zakenmensen en vele anderen in beroepen waarbij het van belang is om te bespeuren of iemand onoprecht is. Maar belangrijker is dat deze snelcursus voor de lage route aangeeft dat de betrokken neurale circuits bijzonder leergierig zijn. Ze hebben alleen lessen nodig in een taal die ze begrijpen en die heeft niets met woorden te maken.

Wat sociale intelligentie betreft, biedt Ekmans programma mensen een trainingsmodel in vermogens van de lage route, zoals primaire empathie en het decoderen van non-verbale signalen. Terwijl in het verleden de meeste psychologen zouden hebben aangenomen dat dit soort snelle, automatische en spontane processen nauwelijks te verbeteren valt, levert Ekman bewijs van het tegendeel. Dit nieuwe leermodel omzeilt de hoge route en sluit direct aan op de lage.

Sociale intelligentie herzien

Aan het begin van de twintigste eeuw deed een neuroloog een experiment met een vrouw die leed aan geheugenverlies. Het was zo'n zwaar geval, dat ze bij ieder bezoek aan haar arts steeds opnieuw aan hem moest worden voorgesteld en dat was bijna dagelijks.

Op een dag hield de arts een spijkertje in zijn hand verborgen. Zoals gewoonlijk stelde hij zichzelf aan de patiënte voor en schudde haar hand. De spijker prikte in haar vel. Daarna verliet hij de kamer, ging weer naar binnen en vroeg de vrouw of zij elkaar ooit ontmoet hadden.

Ze zei van niet. Maar toen hij opnieuw zijn hand uitstak om zich voor te stellen, nam zij die niet aan.

Joseph LeDoux, die we in hoofdstuk 5 al zijn tegengekomen, gebruikt dit verhaal om het een en ander duidelijk te maken over de hoge en de lage route.[47] Het geheugenverlies van de vrouw werd veroorzaakt door beschadigingen van de temporaalkwab, die deel uitmaakt van de circuits van de hoge route. Haar amygdala, het centrale knooppunt voor de lage route, was intact. Hoewel haar temporaalkwab zich niet kon herinneren wat er zojuist met haar gebeurd was, was de bedreiging van de spijker in het circuit van de amygdala geregistreerd. Ze herkende de arts niet, maar ze wist dat ze hem niet kon vertrouwen.

We kunnen sociale intelligentie herzien in het licht van de neurowetenschap. In de sociale architectuur van het brein zijn de hoge en de lage route met elkaar verstrengeld. Als het brein intact is, werken de twee systemen parallel, als onontbeerlijke sturingsmechanismen in de sociale wereld.

Conventionele ideeën over sociale intelligentie concentreren zich al te vaak op de talenten van de hoge route, zoals sociale kennis of het vermogen om in een gegeven sociale situatie de regels, protocollen en normen voor gepast gedrag te ontwaren.[48] De 'sociale cognitie'-school reduceert interpersoonlijke begaafdheid tot dit soort algemeen intellect toegepast op interacties.[49] Hoewel deze cognitieve benadering vruchtbaar is gebleken op terreinen als linguïstiek en kunstmatige intelligentie, bereikt hij zijn grens wanneer hij wordt toegepast op menselijke relaties.

Een focus op cognitie óver relaties verwaarloost essentiële niet-cognitieve vermogens als primaire empathie en synchronie, en negeert kwaliteiten als betrokkenheid. Een puur cognitief perspectief veronachtzaamt de sociale 'lijm' tussen twee breinen die de basis vormt van iedere interactie.[50] Het volledige spectrum van eigenschappen van sociale intelligentie behelst evenzeer kwaliteiten van de hoge route als van de lage. Op dit moment worden zowel conceptueel als in metingen grote delen van de lage route over het hoofd gezien en houdt men dus geen rekening met sociale talenten die een sleutelrol hebben gespeeld in het voortbestaan van de mens.

In de jaren twintig, toen Thorndike voor het eerst voorstelde om sociale intelligentie te meten, was er nog vrijwel niets bekend over de neurale basis van het IQ, laat staan over interpersoonlijke vaardigheden. Nu daagt de sociale neurowetenschap de intelligentietheoretici uit om met een definitie te komen voor onze interpersoonlijke vermogens die ook de talenten van de lage route omvat, zoals het vermogen tot synchronie, tot afgestemd luisteren en tot empathische betrokkenheid.

Deze basale elementen van een goede relatie moeten opgenomen worden in iedere volledige beschrijving van sociale intelligentie. Zonder dat blijft het een koud en droog concept dat berekenend intellect waardeert, maar de waarde van een warm hart negeert.

Op dit punt sluit ik me aan bij de inmiddels overleden psycholoog Lawrence Kohlberg, die van mening was dat pogingen om menselijke waarden uit sociale intelligentie te elimineren het concept verarmen.[51] Een dergelijke intelligentie verwordt tot een pragmatisch spel van invloed en controle. In deze tijden van anonimiteit en afzondering moeten we steeds op onze hoede zijn voor de verspreiding van precies dat soort onpersoonlijke uitgangspunten.

DEEL TWEE

VERBROKEN BANDEN

HOOFDSTUK 7

Jij en Het

Een vrouw die onlangs haar zuster had verloren, kreeg een condoleancetelefoontje van een vriend die een paar jaar eerder zijn eigen zuster verloren had. Geraakt door zijn medeleven vertelde de vrouw hem over het lange ziekbed van haar zus en over hoe verdrietig ze was.

Maar terwijl ze aan het praten was, hoorde ze aan de andere kant van de lijn het klikken van vingers op een toetsenbord. Langzaam drong het tot haar door dat haar vriend bezig was zijn e-mail te beantwoorden terwijl zij met hem sprak over haar diepste pijn! Naarmate het gesprek vorderde, werden zijn reacties inhoudslozer, plichtmatiger en irrelevanter.

Nadat ze opgehangen hadden, voelde ze zich zo terneergeslagen dat ze wilde dat hij haar nooit gebeld had. Ze had zojuist een tik gehad van de interactie die de filosoof Martin Buber 'Ik-Het' noemde.

In een 'Ik-Het' interactie, schreef Buber, is een van de personen niet afgestemd op de subjectieve realiteit van de ander, voelt geen werkelijke empathie voor de andere persoon. Het gebrek aan connectie kan vanuit het perspectief van de ontvanger overduidelijk zijn. De vriend kan zich verplicht gevoeld hebben om de vrouw met de overleden zuster te bellen en zijn medeleven te betuigen, maar zijn gebrek aan emotionele connectie maakte het telefoontje tot een leeg gebaar.

Buber bedacht de term 'Ik-Het' voor het relatiespectrum dat zich uitstrekt van gewoon afstandelijk tot meedogenloze uitbuiting. Binnen dat spectrum zijn anderen een object: we behandelen iemand meer als een ding dan als een persoon.

Psychologen gebruiken de term 'agentief' voor deze koude benadering van anderen, waarbij mensen alleen gezien worden als een instrument om ons eigen doel te bereiken.[1] Ik ben agentief wanneer ik me helemaal niet interesseer voor jouw gevoelens, maar alleen voor wat ik van je wil.

Tegenover die egocentrische houding staat het begrip 'communaal', een toestand van grote wederzijdse empathie waarin jouw gevoelens meer dan belangrijk voor mij zijn: ze veranderen me. Zolang we in 'communie' zijn, lopen we synchroon en zijn we verbonden in een wederzijdse *feedback loop*, maar in agentieve momenten ontkoppelen we.

Wanneer andere taken of zorgen onze aandacht versnipperen, gaan we in onze gesprekken gemakkelijk over op de automatische piloot en spenderen we precies genoeg aandacht om het gesprek op de rails te houden. Als we eigenlijk meer aanwezig zouden moeten zijn, dan resulteert dat in een interactie die niet lekker loopt.

Als we veel tegelijk aan ons hoofd hebben, heeft dat een weerslag op ieder gesprek dat buiten de dagelijkse routine valt, vooral wanneer we op emotioneel moeilijk terrein komen. Welbeschouwd zal de multitaskende condoleancebeller geen kwaad in de zin hebben gehad, maar wanneer we multitasken – een verslaving waarmee we in deze tijd steeds meer te maken krijgen – en we beginnen ook nog eens een gesprek, dan glijden we gemakkelijk in de Het-modus.

Ik-Jij

Laatst hoorde ik iemand aan een aangrenzend tafeltje in een restaurant het volgende verhaal vertellen:

'Mijn broer heeft weinig geluk met vrouwen. Zijn eerste huwelijk was een ramp. Hij is negenendertig en een nerd. Hij is technisch heel begaafd, maar sociaal is hij een nul.

De laatste tijd is hij bezig met speeddaten. Alleenstaande vrouwen zitten aan een tafeltje en de mannen lopen van tafel naar tafel. Ze hebben precies vijf minuten om met elke vrouw te praten. Na vijf minuten gaat er een bel en dan geven ze allebei aan of het hen wat lijkt. Als dat zo is, wisselen ze e-mailadressen uit, zodat ze later nog eens af kunnen spreken.

Mijn broer verpest alleen al zijn kansen. Ik weet precies wat hij doet: zodra hij gaat zitten, praat hij alleen maar over zichzelf. Ik weet zeker dat hij nooit ook maar één vraag aan de vrouw stelt. Er is ook nooit iemand geweest die hem nog een keer wilde zien.'

Toen operazangeres Allison Charney nog alleenstaand was, onderwierp ze om dezelfde reden al haar afspraakjes aan een test: ze keek hoe lang het duurde voordat de man haar een vraag stelde met het woord 'jij' erin. Op haar eerste afspraakje met Adam Epstein, haar latere echtgenoot, had ze niet eens tijd om de klok aan te zetten. Hij doorstond de test met vlag en wimpel.[2]

Charneys 'test' richt zich op iemands vermogen om zich af te stemmen, op het verlangen om de innerlijke realiteit van de ander binnen te gaan en te begrijpen. Psychologen gebruiken de wat zware term 'intersubjectiviteit' om deze vermenging van de innerlijke werelden van twee mensen aan te duiden.[3] De zinsnede 'Ik-Jij' is een meer lyrische manier om dezelfde empathische band te beschrijven.

Zoals de in Oostenrijk geboren Martin Buber schreef in zijn boek over de filosofie van relaties uit 1937, is Ik-Jij een speciale band, een harmonieuze intimiteit die vaak, maar uiteraard niet altijd, bestaat tussen echtgenoten, familieleden en goede vrienden.[4] 'Du', het Duitse woord voor 'jij' is bijzonder intiem en wordt gebruikt tussen vrienden en geliefden.

Voor Buber, die niet alleen filosoof maar ook mysticus was, heeft 'Jij' een transcendente dimensie. De menselijke relatie met het goddelijke is de Ik-Jij-connectie die tot in het oneindige kan blijven voortduren, het ultieme ideaal voor onze onvolmaakte menselijkheid. Alledaagse uitingen van Ik-Jij variëren van respect en beleefdheid tot affectie en bewondering, en de ontelbare manieren waarop we onze liefde uiten.

De emotionele onverschilligheid en afstandelijkheid van een Ik-Het-relatie staat in schril contrast met het harmonieuze Ik-Jij. Wanneer we op een Ik-Het-manier opereren, behandelen we andere mensen als het middel tot een of ander doel. In de Ik-Jij-modus daarentegen, is onze relatie met de ander een doel op zichzelf. De hoge route, met zijn vermogen tot rationaliteit en cognitie, volstaat voor een Het, maar voor een Jij, waarbij we op een ander afstemmen, gebruiken we de lage route.

De grens tussen Het en Jij is poreus en vloeiend. Iedere Jij verandert wel eens in een Het; ieder Het kan een Jij worden. Wanneer we verwachten om als Jij behandeld te worden, voelt de Het-behandeling verschrikkelijk, zoals het geval was bij het inhoudsloze telefoongesprek aan het begin van dit hoofdstuk. Op die momenten verschrompelt een Jij tot een Het.

Empathie opent de deur naar Ik-Jij-relaties. We reageren niet oppervlakkig, maar vanuit een diepere laag. Om met Buber te spreken: 'Ik-Jij kan alleen gesproken worden vanuit het gehele wezen.' Een definiërende eigenschap van een Ik-Jij-contact is 'je gevoeld voelen', een sensatie die iedereen kent die ooit het onderwerp is geweest van ware empathie. Op die momenten voelen we dat de ander weet hoe we ons voelen en daarom voelen we ons gekend.[5]

Een van de eerste psychoanalytici zei ooit dat cliënt en therapeut 'in hetzelfde ritme' gaan oscilleren naarmate hun emotionele connectie in intensiteit toeneemt; dit gebeurt ook fysiologisch, zoals we in Hoofdstuk 2 hebben kunnen zien. Therapeutische empathie, aldus de humanistische theoreticus Carl Rogers, wordt bereikt wanneer de therapeut zich op de cliënt afstemt tot op het punt dat de cliënt zich begrepen voelt, zich gekend voelt als Jij.

Je gevoeld voelen

Kort nadat de Japanse psychiater Takeo Doi voor het eerst voet had gezet op Amerikaanse bodem werd hij even flink in verlegenheid gebracht. Doi was thuis uitgenodigd bij iemand die hij net had leren kennen. Op een gegeven moment vroeg zijn gastheer hem of hij honger had en voegde eraan toe: 'Er is nog wat ijs als je wilt.'

Nu had Doi behoorlijke honger, maar om op de man af gevraagd te worden of hij honger had door iemand die hij nauwelijks kende, dat was schokkend. In Japan zou niemand zoiets ooit gewaagd hebben.

Geheel volgens de Japanse culturele normen kon Doi zich er niet toe brengen toe te geven dat hij inderdaad honger had en sloeg het ijs af.

Tegelijkertijd, zo herinnert Doi zich, koesterde hij een vage hoop dat zijn gastheer nog eens zou aandringen. Hij was teleurgesteld toen hij die 'oké' hoorde zeggen en het aanbod liet voor wat het was.

In Japan, zo merkt Doi op, zou een gastheer zijn honger gewoon hebben aangevoeld en hem iets te eten hebben gegeven zonder hem te vragen of hij dat wilde.

Dat aanvoelen van de behoeftes en gevoelens van de ander, en het daar ongevraagd op reageren, getuigt van de hoge waarde die er in de Japanse cultuur (en in Oost-Aziatische culturen in het algemeen) aan Ik-Jij contact wordt gehecht. Het Japanse woord *amae* verwijst naar deze ontvankelijkheid, een empathie die men als vanzelfsprekend beschouwt en waarnaar men handelt zonder er de aandacht op te vestigen.

Als er sprake is van *amae* voelen we ons gevoeld. Takeo Doi ziet de warme band tussen moeder en baby, waarin de moeder intuïtief aanvoelt wat het kind nodig heeft, als de oervorm van deze sterke afstemming. In het Japanse dagelijks leven is *amae* een onderdeel van iedere hechte sociale band, waardoor er een intieme sfeer van verbondenheid ontstaat.[6]

Het Engels en het Nederlands hebben geen woord voor *amae*, maar ze zouden er zeker een kunnen gebruiken om zo'n fijn afgestemde relatie mee aan te duiden. *Amae* getuigt van het empirische gegeven dat we ons het gemakkelijkst afstemmen op de mensen in ons leven die we het beste kennen en van wie we houden: onze naaste familie en verwanten, geliefden of echtgenoten, oude vrienden. Hoe hechter de band, hoe meer *amae*.

Amae lijkt als vanzelfsprekend uit te gaan van een wederzijdse prikkeling van parallelle gevoelens en gedachten bij mensen die op elkaar zijn afgestemd. De onuitgesproken vooronderstelling luidt ongeveer: *Als ik het voel, dan zou jij dat ook moeten doen en daarom hoef ik jou niet te vertellen wat ik wil, voel of nodig heb. Jij zou genoeg op mij afgestemd moeten zijn om het aan te voelen en er naar te handelen zonder er woorden aan vuil te maken.*

Dit concept is niet alleen emotioneel, maar ook cognitief logisch. Hoe sterker onze relatie met iemand is, hoe opener en aandachtiger we meestal zijn. Hoe groter de persoonlijke geschiedenis die we delen, hoe gemakkelijker we aanvoelen hoe de ander zich voelt, en hoe meer onze gedachten over en reacties op willekeurig wat zich voordoet overeen zullen komen.

In hedendaagse filosofische kringen is Buber passé, maar de Franse filosoof Emmanuel Lévinas heeft zijn rol als denker over menselijke relaties grotendeels overgenomen.[7] Ik-Het, zo observeert Lévinas, verwijst naar de meest oppervlakkige relatie mogelijk, het denken óver in plaats van het afstemmen óp de ander. Ik-Het blijft aan de oppervlakte, Ik-Jij springt de diepte in. 'Het', aldus Lévinas, beschrijft Jij in de derde persoon, als niet meer dan een idee. Verder verwijderd van een intieme band kun je niet zijn.

Filosofen beschouwen de impliciete opvattingen over de wereld die ons denken en handelen sturen, als onzichtbare ankerplaatsen in onze geconstrueerde sociale werkelijkheid. Die opvattingen kunnen stilzwijgend gedeeld worden door de gehele cultuur, door een familie of in welk mentaal contact tussen mensen dan ook. Zoals Lévinas opmerkt, komt dit gedeelde bewustzijn voort uit 'de interactie tussen twee mensen': ons persoonlijke, subjectieve concept van de wereld is geworteld in onze relaties.

Zoals Freud het lang geleden al formuleerde, wekken punten van overeenkomst tussen mensen gevoelens van verbondenheid op, een welbekend feit bij iedereen die ooit met succes een gesprek is begonnen met een aantrekkelijke potentiële partner, een verkooppraatje heeft aangeknoopt met een vreemde of samen met iemand de tijd heeft gedood tijdens een lange vlucht. Maar onder deze oppervlakkige connectie ontwaarde Freud de mogelijkheid tot daadwerkelijke identificatie, een gevoel dat jijzelf en de ander vrijwel één zijn.

Op neuraal niveau betekent mijn kennismaking met jou dat ik ga resoneren met jouw emotionele patronen en mentale plattegrond. En hoe meer onze mentale plattegronden overlappen, hoe sterker we ons met elkaar identificeren en hoe groter de gedeelde werkelijkheid die we scheppen. Naarmate we ons meer met elkaar identificeren, beginnen de categorieën in onze geest te versmelten, zodat we onbewust over onze naasten op vrijwel dezelfde manier gaan denken als over onszelf. Huwelijkspartners vinden het bijvoorbeeld vaak gemakkelijker om onderlinge overeenkomsten te benoemen dan verschillen, als ze samen gelukkig zijn tenminste. Is dat niet het geval, dan springen de verschillen meer in het oog.

Een andere, enigszins ironische indicator van overeenkomsten in mentale kaarten zien we bij de zogenaamde *self-serving bias*, de neiging om succes aan eigen capaciteiten toe te schrijven en falen aan externe factoren We zijn geneigd om op onze naasten dezelfde vertekende denkbeelden toe te passen als op onszelf. Zo gaan we bijvoorbeeld vaak uit van een 'illusie van onkwetsbaarheid', waarbij we denken dat slechte dingen eerder een ander overkomen dan onszelf of de mensen van wie we houden.[8] In het algemeen schatten we de kans dat wij of onze geliefden ten prooi vallen aan kanker of een auto-ongeluk als veel kleiner dan die van anderen.

Onze ervaring van eenheid of gedeelde identiteit groeit wanneer we onderling van perspectief wisselen, en hoe meer we de dingen vanuit het gezichtspunt van de ander bekijken, hoe sterker die ervaring wordt.[9] Op het moment dat empathie wederzijds wordt, is de resonantie bijzonder krachtig. De geesten van twee mensen die sterk op elkaar zijn afgestemd, lijken met elkaar te versmelten. Ze zijn zelfs in staat elkaars zinnen af te maken, een teken van een levendige relatie dat in de psychologie *high-intensity validation* wordt genoemd.[10]

Ik-Jij is een relatie van eenwording, waarin we, voor zolang het duurt, een speciale ander zien als anders dan alle anderen en kennen in al haar verschillende facetten. Deze diepgaande ontmoetingen zijn de momenten in onze hechte relaties die we ons het best herinneren. Buber refereerde aan deze volledige betrokkenheid toen hij schreef: 'Alle werkelijke leven is ontmoeten.'[11]

Tenzij je een heilige bent, is het onmogelijk om altijd iedereen als Jij tegemoet te treden. In het gewone leven wisselen beide mogelijkheden elkaar onvermijdelijk af, zag Buber. We hebben een soort gespleten zelf, twee 'keurig afgescheiden domeinen', één voor Het en één voor Jij. Jij is voor onze ogenblikken van verbondenheid, maar de details van ons leven handelen we af in de Het-modus, via utilistische, resultaatgerichte communicatie.

De bruikbaarheid van 'Het'

New York Times-columnist Nicholas Kristof is een gelauwerd journalist en won ooit de Pulitzer Prize voor zijn onderzoeksjournalistieke werk. Hij handhaafde zijn journalistieke objectiviteit in oorlogen, bij hongersnoden en bij de meeste grote rampen van de afgelopen decennia.

Op een dag in Cambodja smolt die afstandelijkheid echter als sneeuw voor de zon. Het gebeurde tijdens een onderzoek dat hij deed naar de schaamteloze wereldwijde verkoop van duizenden kinderen aan handelaars in seksslaven.[12]

Het doorslaggevende moment kwam toen een Cambodjaanse pooier hem voorstelde aan een klein bevend tienermeisje dat Srey Neth heette. Kristof deed, zoals hij het zelf formuleerde, iets 'totaal onjournalistieks': hij kocht haar voor 150 dollar.

Kristof nam Srey Neth en een ander meisje mee terug naar hun dorp en hielp hen daar een nieuw leven te beginnen. Een jaar later voltooide Srey Neth een opleiding tot schoonheidsspecialiste in Phnom Penh en was van plan een eigen zaak te beginnen. Het andere meisje viel tragisch genoeg weer voor het gemakkelijke geld. Door in zijn columns over de meisjes te schrij-

ven, bewoog Kristof een aantal lezers om geld te sturen naar de liefdadig-
heidsinstelling die Srey Neth en anderen helpt om een nieuw leven te beginnen.

Objectiviteit is een van de leidende principes binnen de journalistieke
ethiek. Idealiter blijft de journalist een neutrale toeschouwer die gebeurtenissen onderzoekt en verslaat zoals ze plaatsvinden, zonder er op wat voor
manier dan ook in betrokken te raken. Kristof was uit de nauwbegrensde rol
van journalist gestapt en was zelf het verhaal binnengelopen.

De journalistieke code is een volmacht voor een Ik-Het-relatie, en verschilt nauwelijks van de codes in vele andere beroepen, van arts tot politieagent. Een chirurg kan beter geen operatie verrichten op iemand met wie zij
een sterke persoonlijke band heeft, om te voorkomen dat haar gevoelens haar
mentale helderheid in de weg staan; een politieagent zou –althans, in theorie– zijn onpartijdigheid nooit door een persoonlijke connectie mogen laten
beïnvloeden.

Het principe van 'professionele afstand' is bedoeld om beide partijen te
beschermen tegen de wankele, onvoorspelbare invloed van emoties op het
uitoefenen van expertise. Het handhaven van die afstand betekent dat we iemand waarnemen in de hoedanigheid van zijn rol (patiënt, misdadiger) zonder ons af te stemmen op de persoon die de rol speelt. Terwijl de lage route
ons ogenblikkelijk verbindt met het leed van de ander, zorgen onze prefrontale systemen voor kalmte en vergroten onze emotionele distantie genoeg om met meer helderheid te kunnen denken.[13] Empathie is effectief als
er een evenwicht bestaat tussen de hoge en de lage route.

De Het-modus heeft duidelijke voordelen in het dagelijks leven, al was het
maar om routineklussen voor elkaar te krijgen. Impliciete sociale regels helpen ons beslissen op welke mensen we ons niet of nauwelijks hoeven af te
stemmen. In het dagelijks leven gebeurt dat voortdurend. Telkens wanneer
we alleen met de sociale rol van iemand contact hoeven te maken (de serveerster, de winkelbediende), behandelen we haar of hem als een eendi-
mensionaal Het en negeren de 'rest': hun menselijke identiteit.

Jean-Paul Sartre, de 20ste-eeuwse Franse filosoof, zag deze eendimensio-
naliteit als symptomatisch voor een meer algemene vervreemding in het moderne leven. Hij beschreef publieke rollen in termen van een soort 'ceremo-
nie', een duidelijk omschreven manier van doen waarin we anderen
behandelen als een Het en door hen ook zo behandeld worden: 'Er is de dans
van de kruidenier, van de kleermaker, van de veilingmeester, waarmee ze
hun clientèle proberen te overtuigen dat ze niets anders zijn dan een kruidenier, een kleermaker, een veilingmeester.'[14]

Maar Sartre zegt niets over de voordelen die het heeft om met een Ik-Het-
maskerade een eindeloze reeks Ik-Jij-ontmoetingen te vermijden. De waar-

dige onverstoorbaarheid van de ober bespaart hem inbreuken in zijn privé-leven en schept tegelijkertijd de nodige privacy voor de dinergasten die hij bedient. Door in zijn rol te blijven kan een ober zaken op een efficiënte ma-nier afhandelen, terwijl hij de innerlijke autonomie behoudt om zijn aan-dacht op zijn persoonlijke belangen en doelen te richten, ook al zouden die niet meer behelzen dan dagdromen en fantasieën. Zijn rol verleent hem zelfs in het openbare leven een luchtbel van privacy.

Praten over koetjes en kalfjes is niet bedreigend voor deze luchtbel, zolang het maar over koetjes en kalfjes blijft gaan. Bovendien heeft de persoon in de Het-rol altijd de keuze om iemand als Jij te behandelen en zich tijdelijk als een volledige persoonlijkheid te manifesteren. In het algemeen functioneert de rol zelf echter als een soort scherm dat de persoon ín die rol gedeeltelijk afdekt. In elk geval zien we in eerste instantie een Het, niet een individu.

Wanneer we een vage kennis tegenkomen, stijgt ons rapport tot het ni-veau waarop we beiden deelnemen aan een non-verbale dans van weder-zijdse aandacht door te glimlachen, houding en beweging te coördineren, enzovoort. Maar wanneer we iemand ontmoeten die een professionele rol heeft, neigen we ertoe ons te richten op een behoefte of een wenselijke uit-komst. Onderzoek naar de manier waarop mensen omgaan met iemand die de rol van professionele hulpverlener vervult, zoals een arts, verpleegkundi-ge, adviseur of psychotherapeut, heeft aangetoond dat de standaardingre-diënten voor rapport bij beide partijen merkbaar zwakker zijn dan bij men-sen in informele ontmoetingen.[15]

Deze doelgerichtheid vormt een uitdaging voor professionele hulpverle-ners. Rapport is tenslotte van belang voor de effectiviteit van de professio-nele ontmoeting. In psychotherapie bepaalt de interpersoonlijke chemie tussen therapeut en cliënt of er een werkbare alliantie ontstaat. In de ge-neeskunde leidt een goed rapport ertoe dat de patiënt de arts voldoende ver-trouwt om zijn raadgevingen op te volgen.

Mensen in de hulpverlening moeten hard werken om te bewerkstelligen dat de ingrediënten voor rapport tijdens hun professionele ontmoetingen goed functioneren. Hun afstandelijkheid dienen ze in evenwicht te brengen met voldoende empathie om althans een beetje van het Ik-Jij-gevoel op te laten bloeien.

De pijn van afwijzing

Mary Duffy's moment van de waarheid kwam de ochtend nadat ze aan borst-kanker was geopereerd. Op dat ogenblik realiseerde ze zich dat ze niet lan-ger als een persoon werd gezien, maar als 'het carcinoom in kamer B-2'.

Duffy sliep nog half toen er zonder waarschuwing opeens een horde vreemden in witte jassen om haar heen drong: een arts en een groep geneeskundestudenten. Zonder een woord te zeggen trok de arts eerst het laken en vervolgens haar nachtjapon van haar af. Als een pop lag ze naakt op het bed.

Te zwak om te protesteren kon Duffy nog net een sarcastisch 'Ook goedemorgen' uitbrengen, maar de arts negeerde haar volkomen.

In plaats daarvan begon hij de snaterende studenten rond haar bed over kanker te onderhouden. Braaf staarden ze naar haar naakte lichaam, afstandelijk en onverschillig.

Uiteindelijk verwaardigde de arts zich het woord direct tot Duffy te richten en vroeg afwezig: 'Heeft u al een wind gelaten?'

Met een gevatte opmerking ('Nee, dat doe ik nooit voor het derde afspraakje.') probeerde ze nog iets van haar menselijkheid terug te winnen, maar de arts keek haar beledigd aan, alsof ze hem teleurstelde.[16]

Waar Duffy op dat moment vooral behoefte aan had, was dat de dokter haar als een mens behandelde en haar enige waardigheid verleende, al was het maar met een klein gebaar. Ze had een Ik-Jij-moment nodig. Wat ze kreeg was een koude portie Het.

Net als Duffy zijn we zonder uitzondering teleurgesteld wanneer iemand van wie we afstemming verwachten om een of andere reden zijn deel van de uitwisseling niet op zich neemt. We voelen ons verloren, als een baby die geen aandacht krijgt van de moeder.

Dat gevoel van pijn heeft een neurale basis. Ons brein registreert sociale afwijzing in hetzelfde gebied dat actief wordt wanneer we fysiek gekwetst zijn, namelijk in de ACC (zie Hoofdstuk 5).[17]

Matthew Lieberman en Naomi Eisenberger van de Universiteit van Californië te Los Angeles, die hier onderzoek naar gedaan hebben, denken dat de ACC werkt als een neuraal alarmsysteem. Hij is alert op het gevaar van afwijzing en prikkelt andere delen van de hersenen om overeenkomstig te reageren.[18] In die functie, zo menen zij, maakt de ACC deel uit van een 'sociaal hechtingssysteem', dat gebruik maakt van bestaande hersenmechanismen die waarschuwen bij fysieke schade.

Afwijzing registreert zich in het brein als een primaire bedreiging. Lieberman en Eisenberger wijzen erop dat het in de prehistorie voor een mens van fundamenteel belang was om deel uit te maken van een groep, wilde hij overleven; uitgesloten worden kon een doodvonnis betekenen, zoals nog steeds geldt voor zoogdierjongen in het wild. Het pijncentrum, zo stellen zij, zou deze gevoeligheid voor sociale uitsluiting ontwikkeld kunnen hebben als een alarmsignaal voor mogelijke verbanning en, mogen we aannemen, om ons aan te zetten tot herstel van de bedreigde relatie.

Die gedachte verklaart dat de metaforen die we gebruiken om ons gevoel van afwijzing te beschrijven ('een gebroken hart' en 'gekwetste gevoelens') suggereren dat emotionele pijn een fysiek karakter heeft. Deze gelijkstelling van fysieke en sociale pijn in de taal komen we overal ter wereld tegen

Het is veelzeggend dat een babyaapje met een beschadigde acc niet huilt van ontreddering als het van zijn moeder wordt gescheiden, terwijl zo'n mankement in de vrije natuur zijn leven gemakkelijk in gevaar zou kunnen brengen. Andersom reageert een moederaap met beschadigingen aan de acc niet langer op het gehuil van haar kind door het op te pakken en te beschermen. Bij mensen licht de acc van de moeder als ze haar baby hoort huilen net zolang op tot ze reageert.

De oeroude noodzaak tot contact zou kunnen verklaren waarom verdriet en vreugde dicht bij elkaar liggen in de hersenstam, het oudste deel van de hersenen.[19] Lachen en huilen gebeuren spontaan op primaire momenten van sociaal contact, zoals geboorte en dood, huwelijk en hereniging. De pijn van een afscheid en de vreugde van intimiteit getuigen beide van de primaire kracht van contact.

Wanneer onze behoefte aan nabijheid niet bevredigd wordt, kunnen er emotionele stoornissen ontstaan. Psychologen hebben de term 'sociale depressie' bedacht voor het verdriet dat veroorzaakt wordt door moeizame, wankele relaties. Sociale afwijzing of de vrees daarvoor is een van de meest voorkomende oorzaken van angst. Het gevoel erbij te horen is niet zozeer afhankelijk van de frequentie van onze sociale contacten of van het aantal relaties, maar van hoe geaccepteerd we ons voelen, al is het maar binnen een klein aantal belangrijke relaties.[20]

Het is dus niet verwonderlijk dat we beschikken over een ingeboren systeem dat gespitst is op de dreiging van verlating, scheiding of afwijzing: deze vormden ooit een directe bedreiging van het leven zelf. Tegenwoordig is die dreiging alleen nog symbolisch. Desalniettemin is het bijzonder pijnlijk wanneer we behandeld worden als een Het als we hopen een Jij te zijn.

Empathie of projectie?

Een psychoanalyticus herinnert zich de scherpe spanning die hij voelde bij zijn eerste ontmoeting met een nieuwe patiënt. 'Ik herkende het als een van de vele vormen van angst waar ik gevoelig voor ben,' vertelde hij me.

Wat had hem zo nerveus gemaakt? Terwijl hij zijn patiënt opnam en aandachtig luisterde, realiseerde hij zich dat het detail dat hem het meest van slag bracht de broek van de patiënt was, die strak geperst en kreukvrij was.

Zijn patiënt, zoals hij het droogjes formuleerde, zag eruit alsof hij net uit een tijdschrift voor herenmode was weggelopen. 'En ik was de opmerking op de achterpagina dat ongebruikelijke maten en tweedehandsjes op aanvraag verkrijgbaar waren.' De therapeut was zo van slag, dat hij, om de aandacht af te leiden van zijn eigen totaal verkreukelde broek, op het puntje van zijn stoel bleef zitten en geen moment het oogcontact verbrak.

Later vertelde de patiënt dat hij sterk werd herinnerd aan de strenge en zwijgende blik van afkeuring van zijn moeder. Dat kwam de therapeut bekend voor: zíjn moeder maande hem voortdurend om geperste pantalons te dragen.

De psychoanalyticus haalde dat moment aan als een voorbeeld van de cruciale rol in therapie van fijn afgestemde empathie, de momenten, zoals hij het formuleerde, wanneer de therapeut het gevoel heeft dat hij op één lijn zit met de patiënt en accuraat de gevoelens aanvoelt die de patiënt ervaart.[21] Helaas komt een gedeelte van wat de therapeut voelt voort uit zijn eigen emotionele bagage en projecteert hij ook iets van zijn eigen innerlijke realiteit op die van de patiënt. Projectie negeert de innerlijke realiteit van de ander. Wanneer we projecteren, gaan we ervan uit dat de ander voelt en denkt zoals wij.

Die neiging werd lang geleden al opgemerkt door de 18de-eeuwse filosoof David Hume, die een 'opmerkelijke neiging' waarnam in de menselijke aard om andere mensen op te zadelen met 'dezelfde emoties die we bij onszelf waarnemen, en om overal de ideeën aan te treffen die we zelf koesteren.'[22] Als we volledig projecteren, plakken we ons wereldbeeld gewoon over dat van iemand anders, zonder enig passen, meten of afstemmen. Mensen die volledig in zichzelf verzonken zijn en opgaan in hun eigen innerlijke wereld, kunnen niet anders dan die gevoeligheid projecteren op iedereen die ze tegenkomen.

Er zijn mensen die menen dat ieder moment van empathie altijd een subtiele vorm van projectie met zich meebrengt – dat we, door ons af te stemmen op een ander, in onszelf gevoelens en gedachten wekken die we gemakkelijk, maar onterecht, aan die ander toeschrijven. De uitdaging van de therapeut is om haar eigen projecties (in vaktaal: 'tegenoverdracht') te onderscheiden van werkelijke empathie. In zoverre een therapeut zich bewust is welke van haar gevoelens die van de patiënt spiegelen en welke daarentegen voortkomen uit haar eigen geschiedenis, kan ze uitvinden wat de patiënt daadwerkelijk voelt.

Waar projectie van de ander een Het maakt, ziet empathie de ander als een Jij. Empathie schept een *feedback loop* doordat we een aansluiting zoeken tussen onze perceptie en de werkelijkheid van de ander. Bij het waarnemen van zijn eigen reacties kan de therapeut eerst een gevoel in zijn eigen lichaam opmerken dat daar niet is ontstaan; het gevoel komt voort uit wat hij

aanvoelt in de patiënt. Wat het precies betekent, zal duidelijk worden naarmate de relatie tussen cliënt en therapeut zich ontwikkelt en dit gevoel zich
blijft voordoen. Door dat innerlijke gevoel te delen en er met empathie steeds
scherper op af te stemmen, kan hij de ervaring van de ander terugspiegelen.

Ons gevoel van welzijn hangt ten dele af van anderen die ons als Jij beschouwen; ons verlangen naar contact is een primaire menselijke behoefte
die ooit een rol heeft gespeeld in ons voortbestaan. Vandaag de dag versterkt
de neurale echo van die oude behoefte onze gevoeligheid voor het verschil
tussen Het en Jij en maakt dat we sociale afwijzing even diep voelen als fysieke pijn.

Als behandeld worden als een Het ons zo van streek maakt, dan zijn mensen die anderen altijd als zodanig beschouwen bijzonder verontrustend.

HOOFDSTUK 8

Het Duistere Driemanschap

Mijn zwager Leonard Wolf is van nature een zachtaardig en zorgzaam man. Hij is een expert op het gebied van Chaucer, maar weet ook alles van horror in film en literatuur. Die laatste interesse bracht hem een aantal jaren geleden tot het plan om een boek te schrijven over een echt bestaande seriemoordenaar.

Voordat hij opgepakt werd, had de man tien mensen vermoord, waaronder drie familieleden. De moorden waren van een stuitende intimiteit: hij wurgde zijn slachtoffers.

Een aantal malen bezocht Leonard de moordenaar in de gevangenis. Uiteindelijk vatte hij de moed om die ene vraag te stellen die brandde op zijn lippen: 'Hoe kon je zoiets vreselijks doen? Voelde je geen enkel medelijden?'

Het zakelijke antwoord van de moordenaar luidde: 'Nee hoor, dat deel van mijzelf moest ik uitzetten. Als ik iets van hun ellende had gevoeld, had ik het niet gekund.'

Empathie is de voornaamste rem op menselijke wreedheid: door onze natuurlijke neiging om met de ander mee te voelen te onderdrukken, zijn we in staat om de ander als een Het te behandelen.

Dat afschrikwekkende zinnetje van de wurger ('dat deel van mijzelf moest ik uitzetten') getuigt van het menselijk vermogen om bewust onze empathie af te kappen en ons blind en doof te houden voor het leed van een ander. Door onze natuurlijke aanleg om met een ander mee te voelen te onderdrukken, zetten we de deur open voor wreedheid.

Wanneer iemand totaal niet in staat is tot betrokkenheid, dan is hij meestal een van de types die psychologen 'het Duistere Driemanschap' noemen: narcisten, machiavellisten en psychopaten. Alle drie de types delen in meer of mindere mate een onaantrekkelijke, zij het soms goed verborgen kern: sociale boosaardigheid en huichelachtigheid, egocentrisme en agressie, en emotionele onverschilligheid.[1]

Het is belangrijk om op de hoogte te zijn van de karaktertrekken van het drietal, al was het maar om ze beter te herkennen. De hedendaagse maatschappij, met zijn ik-eerst-mentaliteit en zijn verafgoding van beroemdheden die de personificatie zijn van ontketende hebzucht en geïdealiseerde ijdelheid, zou ongewild wel eens een uitstekende voedingsbodem kunnen zijn voor deze types.

De meeste mensen die tot het Duistere Driemanschap behoren zijn geen psychiatrische gevallen, hoewel ze in extreme gevallen in een psychiatrisch ziekenhuis terechtkomen of in de misdaad belanden, met name psychopaten. De veel gebruikelijkere 'subklinische' variant leeft in ons midden en bevolkt kantoren, scholen en bars. Je komt ze overal tegen.

De narcist: dromen van eer

Een American Football-speler die we André zullen noemen heeft met recht een 'flitsende' reputatie. Hij wordt aanbeden om zijn harde, spectaculaire acties op cruciale momenten in belangrijke wedstrijden. André doet zijn best wanneer het publiek het hardste juicht, wanneer alle aandacht op hem gericht is en wanneer er veel op het spel staat.

'Wanneer de wedstrijd gevaar loopt,' aldus een teamgenoot tegen een verslaggever, 'zijn we blij dat we André in het team hebben'.

Maar diezelfde teamgenoot zei ook: 'André is ongelofelijk irritant. Hij komt altijd te laat op de training en paradeert dan rond alsof hij de God van het Football is. En ik geloof niet dat ik hem ooit een behoorlijk *block* heb zien opwerpen voor een andere speler.'

Bovendien heeft André de gewoonte om gemakkelijke acties te verknallen, vooral op de training of in onbelangrijke wedstrijden. Tijdens een berucht incident raakte hij bijna slaags met een teamgenoot die de bal aan een andere speler afgaf dan André – en dat terwijl die andere speler scoorde.

André is de belichaming van alledaags narcisme. Dit soort mensen wordt maar door één ding gedreven: eer en glorie.[2] Narcisten vervelen zich bij routine, maar leven op wanneer ze voor een lastige uitdaging komen te staan. Deze karaktertrek komt bijzonder goed van pas op terreinen waar het van belang is om onder druk te presteren, van de rechtbank tot in het bedrijfsleven.

De gezonde variant van narcisme komt voort uit het gevoel van een bemind kind dat de wereld om haar draait en dat haar noden ieders prioriteit zijn. Als ze volwassen wordt rijpt deze zelfde houding tot een positief zelfbeeld dat haar het zelfvertrouwen geeft dat aansluit op haar talenten, een basisvoorwaarde voor succes. Als het mensen aan dit zelfvertrouwen ontbreekt, schrikken ze ervoor terug om hun gaven en sterke punten te gebruiken.

Of iemands narcistische persoonlijkheid gezond of ongezond is, kun je aflezen aan zijn vermogen tot empathie. Hoe minder iemand in staat is om rekening te houden met anderen, hoe minder gezond zijn narcisme.

Veel narcisten voelen zich aangetrokken tot veeleisende hoge functies waarin ze hun talenten goed kunnen benutten en de kans op prestige groot is, ongeacht eventuele risico's. Net als André doen ze vooral hun best wanneer er grote resultaten te behalen vallen.

In de zakenwereld kunnen deze narcisten uitgroeien tot uitzonderlijke leiders. Michael Maccoby, een psychoanalyticus die onderzoek heeft gedaan naar narcistische leiders en hen ook behandelt, merkt op dat je het type steeds vaker tegenkomt in de bovenste regionen van het moderne zakenleven, waar de competitieve spanning, maar ook de salarissen en de glamour de pan uit rijzen.[3]

Dit soort ambitieuze en zelfverzekerde leiders kan buitengewoon effectief zijn in de hedendaagse genadeloze zakenwereld. De besten zijn getalenteerde, creatieve strategen die grip hebben op het geheel, zich elegant door risicovolle uitdagingen manoeuvreren en uiteindelijk een positief resultaat behalen. Productieve narcisten combineren een gerechtvaardigd zelfvertrouwen met openheid voor kritiek – in elk geval voor kritiek van vertrouwelingen.

Gezonde narcistische leiders zijn in staat tot zelfreflectie en hebben realiteitsbesef. Ze ontwikkelen een gevoel van perspectief en zijn zelfs in het nastreven van hun doelen speels. Als ze openstaan voor nieuwe informatie, zijn ze beter dan anderen in staat om verstandige beslissingen te nemen en worden ze minder vaak verblind door wat er om hen heen gebeurt.

Ongezonde narcisten smachten meer naar bewondering dan naar liefde. Hun sterke punten zijn onder andere dat ze een verreikende visie hebben en een talent voor het aantrekken van volgelingen. Dikwijls zijn het vernieuwende zakenlieden met een grote prestatiedrang; niet omdat ze een hoge kwaliteitsstandaard hanteren, maar omdat ze op zoek zijn naar de roem en glorie die zo'n prestatie oplevert. Het effect van hun acties op anderen doet hen weinig, waardoor ze vrij zijn om hun doelen agressief na te volgen, ongeacht de prijs die mensen daarvoor moeten betalen. In tijden van grote onrust, zo stelt Maccoby, kunnen dergelijke leiders aantrekkelijk lijken, al was het maar omdat ze het lef hebben om programma's door te drukken die radicale veranderingen in gang zetten.

Deze narcisten zijn echter selectief in hun empathie en houden zich blind en doof voor wie hun streven naar roem niet voedt. Ze kunnen een bedrijf sluiten of verkopen, of grote aantallen werknemers ontslaan, zonder ook maar een greintje sympathie te koesteren voor de mensen voor wie die beslissingen een persoonlijke ramp betekenen. Door hun gebrek aan empathie kennen ze geen spijt en staan ze onverschillig tegenover de behoeften en gevoelens van hun werknemers.

Een gevoel van eigenwaarde is een ander teken van gezond narcisme. Ongezonde narcisten ontbreekt het hier meestal aan en dat resulteert in innerlijke instabiliteit. Bij een leidinggevende figuur betekent dat bijvoorbeeld dat hij een kwetsbaarheid met zich meedraagt die hem op het moment dat hij een inspirerende visie ontvouwt, afsluit voor kritiek. Dit soort leiders ervaart zelfs constructieve feedback als een aanval. Daar ze hypergevoelig zijn voor kritiek in welke vorm dan ook, vergaren narcistische leiders geen informatie; ze concentreren zich daarentegen selectief op feiten die hun visie ondersteunen en negeren feiten die deze ontkrachten. Ze luisteren niet, maar preken en indoctrineren.

Terwijl sommige narcistische leiders spectaculaire resultaten boeken, veroorzaken anderen de ene ramp na de andere. Wanneer ze onrealistische dromen koesteren, iedere vorm van zelfbeheersing missen en wijze adviezen negeren, brengen ze een bedrijf naar de rand van de afgrond. Aangezien tegenwoordig een groot aantal bedrijven in handen is van narcistische leiders, zo waarschuwt Maccoby, moeten organisaties manieren vinden om hun leiders te leren luisteren en rekening te houden met de mening van anderen. Zo niet, dan bestaat de kans dat ze zich isoleren achter een muur van jaknikkers die hen in alles steunen.

Een narcistische topfunctionaris ging bij Maccoby in therapie om erachter te komen waarom hij zo snel woedend werd op de mensen die voor hem werkten. Zelfs behulpzame suggesties vatte hij op als een belediging en dreven hem tot razernij. De topfunctionaris kon zijn woede herleiden tot zijn jeugd, waarin hij zich niet gewaardeerd had gevoeld door zijn afstandelijke vader. Wat hij ook presteerde, zijn vader was nooit onder de indruk. De man realiseerde zich dat hij nu emotionele compensatie zocht in de vorm van voortdurende complimenten van zijn werknemers, maar wanneer hij zich niet gewaardeerd voelde, werd hij razend.

Door dat inzicht begon de topman te veranderen. Hij leerde zelfs te lachen om zijn hunkering naar applaus. Op een zeker moment vertelde hij aan zijn naaste medewerkers dat hij in psychoanalyse was en vroeg wat zij daarvan dachten. Er viel een lange stilte; toen vatte een van de managers moed en zei dat hij niet meer zo boos leek als voorheen, dus dat hij vooral door moest gaan met waar hij mee bezig was.

De duistere kant van loyaliteit

'Mijn studenten,' zo bekent een docent aan een managementopleiding, 'zien het bedrijfsleven als een soort "kermis der ijdelheden". Als je vooruit wil komen, moet je inspelen op de ijdelheid van je superieuren.'

Je speelt dit spel, weten zijn studenten, door vleien en strooplikken. Als je maar genoeg hielen likt, krijg je promotie. Als dat betekent dat je belangrijke informatie moet achterhouden, bagatelliseren of verdraaien, het zij zo.

Dat zoiets gevolgen kan hebben, maakt niet uit. Met een beetje geluk en handigheid krijgt iemand anders de rekening gepresenteerd.[4]

Die cynische houding vormt de kern van het gevaar van ongezond narcisme binnen organisaties. Een organisatie kan volledig narcistisch zijn. Wanneer een kritiek aantal werknemers een narcistische houding heeft, begint de instelling de trekken daarvan over te nemen en gaan die behoren tot de standaardprocedures binnen het bedrijf.

Organisatorisch narcisme brengt duidelijk risico's met zich mee. Het opblazen van het imago, of het nu dat van de baas is of een vals collectief zelfbeeld van het bedrijf als geheel, wordt de norm. Gezonde meningsverschillen sterven weg. En iedere organisatie die geen volledig zicht meer heeft op de waarheid, verliest het vermogen om alert te reageren op een harde realiteit.

Natuurlijk wil ieder bedrijf dat zijn werknemers trots zijn dat ze er werken en dat ze het gevoel hebben samen een betekenisvolle taak te verrichten. Enig goed gefundeerd collectief narcisme is gezond. De problemen steken de kop op wanneer die trots stoelt op een wanhopige gooi naar roem in plaats van op reële prestaties.

De problemen nemen toe wanneer narcistische leiders alleen boodschappen wensen te horen die hun enorme gevoel van eigenwaarde bevestigen. En wanneer diezelfde leiders zich keren tegen de brengers van slecht nieuws, beginnen ondergeschikten vanzelf gegevens te negeren die niet aansluiten op dat grootse beeld. Dit verwrongen filter op de werkelijkheid komt lang niet altijd voort uit cynisme. Werknemers die het lekker vinden om ergens bij te horen, zullen graag de waarheid verdraaien in ruil voor het fantastische gevoel van zelfverheerlijking binnen de groep.

Niet alleen de waarheid valt ten prooi aan dit schadelijke groepsnarcisme, maar ook authentiek contact tussen collega's is onmogelijk. Iedereen spant stilzwijgend samen om de gemeenschappelijke illusies in stand te houden. Repressie en paranoia tieren welig en het werk wordt een schertsvertoning.

In een vooruitziende scène uit de film *Silkwood* uit 1983, ziet Karen Silkwood, een activiste tegen bedrijfscorruptie, hoe een manager van een fabriek foto's retoucheert waarop de lassen te zien zijn in brandstofstaven die bestemd zijn voor kernreactoren. Hij zorgt dat gevaarlijk ondermaats werk er veilig uitziet.

De manager lijkt zich geen seconde zorgen te maken over het potentieel dodelijke resultaat van zijn klusje. Hij is alleen ongerust dat de late levering van de brandstofstaven door zijn fabriek het bedrijf, en daarmee de mensen die er werken, zal schaden. Hij beschouwt zichzelf als een verantwoordelijk ondernemer.

In de jaren sinds die film zijn er daadwerkelijk een aantal rampen gebeurd van het soort waar in die scène impliciet voor gewaarschuwd wordt, geen echte kernrampen, maar Tsjernobyls binnen grote bedrijven. Achter de grove leugens en ingewikkelde fiscale doofpotaffaires gaat één enkele kwaal schuil: collectief narcisme.

Narcistische organisaties moedigen dit soort bedrog impliciet aan, zelfs wanneer ze ogenschijnlijk om openheid en harde feiten vragen. Gemeenschappelijke illusies gedijen in een klimaat waarin de waarheid onder druk staat. Wanneer narcisme wortel schiet in een bedrijf, dan vormen mensen die al die zelfverheerlijking aan de kaak stellen, al is het met belangrijke informatie, een bedreiging. De narcistische roes maakt plaats voor een ontnuchterend gevoel van mislukking of schaamte. De psyche van de narcist reageert hier ogenblikkelijk op door razend te worden. In een narcistisch bedrijf worden degenen die het opgeblazen groepsimago in gevaar brengen dikwijls gedegradeerd, keihard tot de orde geroepen of ontslagen.

De narcistische organisatie schept een eigen moreel universum, een wereld waarin de eigen doelstellingen, middelen en ethiek niet ter discussie staan, maar omgeven worden door een aureool van heiligheid. In deze wereld mogen we doen wat nodig is om te krijgen wat we willen. De onafgebroken zelfverheerlijking verhult hoe afgescheiden we zijn geraakt van de werkelijkheid. De regels zijn niet op ons van toepassing, maar alleen op de anderen.

Het motto van de narcist: anderen bestaan om mij te adoreren

Ze had beloofd hem een pornografische passage uit een boek voor te lezen, maar nu was hij woedend.

Aanvankelijk leek alles in orde. Ze begon met lage, verleidelijke stem een prikkelende scène te lezen. Hij merkte dat hij een beetje opgewonden raakte.

Maar naarmate de passage sensueler werd, werd ze zenuwachtiger. Ze stotterde en haperde, om dan plotseling door de tekst te razen. Ze was duidelijk geagiteerd.

Uiteindelijk kon ze het gewoon niet meer aan en weigerde verder te lezen, omdat de passage haar veel te pornografisch werd.

Om het nog erger te maken, voegde ze er aan toe dat 'iets' in hem haar zo van haar stuk bracht dat ze niet verder wilde. En als klap op de vuurpijl bekende ze dat ze de passage wel helemaal aan andere mannen had voorgelezen.

Die scène werd honderdtwintig keer uitgespeeld, telkens met een andere man, in het kader van een experiment aan een niet nader genoemde universiteit.[5] De vrouw die de opwindende tekst las, assisteerde in een onderzoek naar wat sommige mannen, maar niet het merendeel, ertoe brengt om vrouwen tot seks te dwingen. Het scenario was bewust zo opgezet dat mannen eerst opgewonden raakten, vervolgens gefrustreerd en uiteindelijk vernederd werden.

Na de sessie kreeg iedere man de kans om zijn gram te halen. Hem werd verzocht de prestatie van de vrouw te beoordelen, om vast te stellen hoeveel ze betaald zou moeten krijgen, áls ze al betaald zou moeten krijgen, en om te beslissen of ze teruggevraagd of ontslagen zou moeten worden.

De meeste mannen vergaven de vrouw, vooral wanneer ze hoorden dat ze het geld nodig had om haar studie te betalen. Maar geheel in overeenstemming met hun karakter waren degenen met een narcistische inslag woedend over de beledigingen en zochten revanche. De narcisten, die vonden dat ze niet gekregen hadden waar ze recht op hadden, probeerden de vrouw op iedere mogelijke manier te straffen. Uit een test naar attitudes ten opzichte van seksuele pressie bleek bovendien dat hoe narcistischer de man, hoe minder problemen hij had met dwingende tactieken. Als dit een afspraakje was geweest waarop het stel was gaan zoenen en de vrouw had willen stoppen, zo concludeerden de onderzoekers, dan waren dit de mannen die het meest geneigd zouden zijn geweest om haar ondanks protesten tot seks te dwingen.

Zelfs ongezonde narcisten kunnen charmeurs zijn. De term 'narcist' is ontleend aan de Griekse mythe van Narcissus, die zo betoverd was door zijn eigen schoonheid, dat hij verliefd werd op zijn weerspiegeling in het water van een meer. De nimf Echo werd ook verliefd op hem, maar zij bleef met een gebroken hart achter omdat ze niet opgewassen was tegen zijn zelfadoratie.

Zoals de mythe suggereert, trekken veel narcisten mensen aan doordat het zelfvertrouwen dat ze uitstralen hen een zeker charisma verleent. Hoewel ze snel klaarstaan met een oordeel over anderen, hebben ongezonde narcisten een uiterst positief beeld van zichzelf. Uiteraard zijn ze vooral gelukkig in een huwelijk met iemand die zich volledig ondergeschikt aan hen maakt.[6] Het motto van de narcist zou kunnen luiden: 'Anderen bestaan om mij te adoreren.'

Van het Duistere Driemanschap zijn alleen narcisten onbeschaamd in hun van zelfbedrog doortrokken zelfgenoegzaamheid en grootspraak.[7] Hun vertekend zelfbeeld staat volledig in dienst van hun eigenbelang: ze eisen de eer op voor hun successen, maar weigeren de verantwoordelijkheid voor hun mislukkingen op zich te nemen. Ze vinden dat ze recht hebben op aanzien en eisen zelfs schaamteloos de eer op voor het werk van anderen (maar hier zien ze niets verkeerds in, net zo min als in andere dingen die ze doen).

Volgens een gestandaardiseerde test is een narcist iemand met een overdreven gevoel van eigenwaarde die obsessieve fantasieën koestert over grenzeloze roem, die razernij of intense schaamte voelt bij kritiek, speciale gunsten verwacht en gebrek heeft aan empathie.[8] Dat tekort aan empathie betekent dat narcisten zich volstrekt niet bewust zijn van hun egocentrische dikdoenerij, die voor anderen zo duidelijk is.

Hoewel ze selectief een charmeoffensief kunnen beginnen, kunnen ze net zo gemakkelijk onaangenaam zijn. Ze voelen zich totaal niet aangetrokken tot emotionele intimiteit, maar gedragen zich sterk competitief, cynisch en wantrouwend tegenover anderen. Ze zien er geen been in, de mensen in hun omgeving te gebruiken om er zelf beter van te worden. Toch denken de meeste narcisten van zichzelf dat ze sympathiek zijn.[9]

Onrealistische zelfingenomenheid ontstaat gemakkelijker in culturen die meer gericht zijn op de ambities van het individu dan op gedeelde successen. Collectieve culturen, zoals in Oost-Azië en Noord-Europa, belonen het harmonieus deelnemen aan een groep en het delen in zowel werk als lof voor succes. Een speciale behandeling van het individu is niet aan de orde. Maar individualistische culturen, zoals de Verenigde Staten en Australië, zijn geneigd om het streven naar prestige en beloning voor individuele prestaties te stimuleren. Je ziet dan ook dat Amerikaanse studenten vinden dat ze in de meeste dingen 'beter' zijn dan twee derde van hun medestudenten, terwijl Japanse studenten zichzelf zien als middenmoters.[10]

De macchiavellist: mijn doel heiligt de middelen

Een manager van een grote divisie van een Europees bedrijf had een tweeslachtige reputatie: de mensen die voor hem werkten waren bang voor hem en walgden van hem, maar zijn baas vond hem uiterst innemend. De manager was bijzonder welgemanierd en maakte daarmee niet alleen indruk op zijn baas, maar ook op de klanten die hij buiten het bedrijf ontmoette. Zodra hij weer terug was in zijn eigen kantoorsuite, veranderde hij echter in een kleingeestige tiran. Hij schold de mensen die hij niet goed vond presteren de huid vol, terwijl er voor de uitblinkers geen complimentje af kon.

Een consultant die door het bedrijf was ingehuurd om de managers te evalueren, merkte hoe gedemoraliseerd de mensen in de divisie van deze autocraat waren. Al na een paar interviews met medewerkers begreep ze dat de manager enorm egocentrisch was. Ze zag dat hij vooral gaf om zichzelf, en weinig om het bedrijf of om de mensen dankzij wier harde werk zijn baas zo over hem te spreken was.

De consultant deed de aanbeveling om de man te vervangen en de algemeen directeur van het bedrijf vroeg hem, met enige tegenzin, om te vertrekken. De manager vond echter ogenblikkelijk een andere uitstekende baan omdat hij zo'n goede eerste indruk maakte op zijn nieuwe baas.

We herkennen deze manipulatieve manager ogenblikkelijk: we zijn hem in talloze films, toneelstukken en televisiedrama's tegengekomen. De stereotiepe schoft, de ongevoelige, maar gelikte slechterik die anderen meedogenloos exploiteert, is een vertrouwd gezicht in de volkscultuur.

Het type maakt al sinds mensenheugenis deel uit van alle volksvermaak. Hij is zo oud als de demon Ravana in het antieke Indiase epos *Ramayana*, en zo modern als de slechte keizer in de *Star Wars*-sage. In een eindeloze reeks bioscoopincarnaties keert hij terug als de krankzinnige wetenschapper die de wereld wil veroveren of de charmante, maar gevoelloze leider van een criminele bende. Instinctief walgen we van hem vanwege zijn gewetenloze geslepenheid en zijn sluwe streken in dienst van het kwaad. Hij is de machiavellist, de schurk die we met liefde haten.

Toen Niccolò Machiavelli *De Prins* schreef, het 16de-eeuwse handboek voor het verkrijgen en behouden van politieke macht door middel van geslepen manipulatie, ging hij ervan uit dat een eerzuchtige leider alleen zijn eigen belangen nastreeft, zonder enig gevoel voor de mensen die hij regeert of voor degenen die hij vertrapt om de macht te kunnen grijpen.[11] Voor de machiavellist heiligt het doel de middelen, ongeacht het leed dat dit zou kunnen aanrichten. Die ethiek vierde eeuwenlang hoogtij onder Machiavelli's aanhangers in de wespennesten van de Europese koninklijke hoven (en uiteraard heeft het nog steeds invloed in veel hedendaagse politieke en zakelijke kringen).

Machiavelli veronderstelde dat eigenbelang de enige drijfveer is van de menselijke natuur; altruïsme komt in het hele verhaal niet voor. Natuurlijk is het mogelijk dat een politieke machiavellist zijn doelen niet als egocentrisch en slecht beschouwt; misschien bedenkt hij een overtuigende rationalisatie, misschien zelfs één waar hij zelf in gelooft. Iedere totalitaire heerser rechtvaardigt zijn eigen tirannie als een noodzakelijke bescherming van de staat tegen een of andere sinistere vijand, al heeft hij die zelf verzonnen.

De term 'machiavellistisch' (soms afgekort tot 'mach') wordt door psychologen gebruikt voor mensen die leven met deze cynische attitude waarin alles geoorloofd is. De eerste psychologische test voor machiavellisme was gebaseerd op uitspraken uit Machiavelli's boeken, zoals 'Het grootste verschil tussen de meeste misdadigers en andere mensen is dat de misdadigers zo dom zijn zich te laten pakken,' en 'De meeste mensen verwerken de dood van hun ouders gemakkelijker dan het verlies van hun eigendommen.'

De psychologische classificatie geeft geen moreel oordeel en in contexten die variëren van verkoop en diplomatie tot politiek kunnen de talenten van de machiavellist, zoals gelikte charme, geslepenheid en zelfvertrouwen, begerenswaardige eigenschappen zijn. Aan de andere kant zijn machiavellisten vaak op het cynische af berekenend en arrogant, en gedragen ze zich snel op een manier die ondermijnend werkt op onderling vertrouwen en samenwerking.

Hoewel ze bewonderenswaardig beheerst kunnen zijn in hun sociale interacties, zijn ze nooit geïnteresseerd in het aangaan van een emotionele band. Net als narcisten, bezien machiavellisten anderen op een strikt utilistische manier, als een Het om voor je eigen doeleinden te manipuleren. Zo vertelde een machiavellist op zakelijke toon aan zijn therapeut dat hij zojuist zijn vriendin 'ontslagen' had: hij zag mensen op ieder gebied van zijn leven als uitwisselbare onderdelen, de een niet beter dan de ander.

De machiavellist heeft vele eigenschappen met de twee andere types van het Duistere Driemanschap gemeen, zoals een onaangenaam karakter en egocentrisme. Maar veel meer dan de narcist of de psychopaat heeft de machiavellist een realistisch beeld van zichzelf en van anderen. Hij maakt geen overdreven aanspraken en probeert niet om indruk te maken.[12] De machiavellist ziet de dingen het liefst helder, zodat hij ze beter kan benutten.

In de prehistorie, zo redeneert een aantal evolutietheoretici, ontwikkelde de menselijke intelligentie zich in eerste instantie als een krachtig instrument in dienst van het eigenbelang. In de vroegste tijden, aldus deze theorie, was het van belang uitgekookt genoeg te zijn om een groot deel van de buit op te eisen zonder uit de groep gestoten te worden.

Vandaag de dag kunnen machiavellistische types als de manager die omhoog likt en omlaag trapt zeker persoonlijke successen boeken, maar op de lange termijn lopen machiavellisten het risico dat hun vergiftigde relaties en daaruit voortvloeiende slechte reputatie hen op een dag inhaalt. De persoonlijke geschiedenis van een machiavellist is altijd een slagveld van rancuneuze ex-vrienden, ex-geliefden en ex-zakenpartners die stuk voor stuk overlopen van pijn en ressentiment. Aan de andere kant is de maatschappij tegenwoordig zo mobiel dat machiavellisten hun jachtterrein gemakkelijk kunnen verplaatsen, zodat hun kwalijke daden hen nooit inhalen.

Karakteristiek voor machiavellisten is een soort van tunnelvisie-empathie: ze zijn vooral in staat om zich op andermans gevoelens te concentreren wanneer ze die persoon voor hun karretje willen spannen. Verder zijn machiavellisten in het algemeen slechter in empathische afstemming dan anderen.[13] De emotionele onverschilligheid van de machiavellist lijkt voort te komen uit dit fundamentele gebrek in zijn emotieverwerking. Machiavellisten zien de wereld op een rationalistische, probabilistische manier waarin het niet alleen ontbreekt aan emoties, maar ook aan het gevoel voor ethiek dat voortkomt uit menselijke betrokkenheid. Om die reden vervallen ze gemakkelijk tot schurkenstreken.

Daar ze niet in staat zijn om volledig met anderen méé te voelen, kunnen machiavellisten ook niet vóór hen voelen. Net als bij de seriemoordenaar aan het begin van dit hoofdstuk staat een deel van hen 'uit'. Machiavellisten lijken minstens zo verward over hun eigen emoties. Het is heel goed mogelijk dat ze op een moeilijk moment niet weten of ze zich, zoals een expert het formuleerde, 'verdrietig, moe, hongerig of ziek' voelen.[14] Machiavellisten lijken hun emotioneel dorre innerlijke wereld te ervaren als een chaos van dwingende primaire behoeftes aan seks, geld of macht. Het probleem van de machiavellist is dat hij deze driften probeert te bevredigen met een interpersoonlijke gereedschapskist waarin een cruciaal gedeelte van de emotionele radar ontbreekt.

Toch kan het selectieve vermogen van machiavellisten om aan te voelen wat iemand zou kunnen denken behoorlijk accuraat zijn en ze lijken op deze sociale geslepenheid te vertrouwen om zich een plek in de wereld te verwerven. Machiavellisten ontwikkelen zich tot scherpzinnige waarnemers van een interpersoonlijke wereld waarin ze alleen oppervlakkig kunnen doordringen; hun uitgekookte sociale cognitie heeft oog voor nuances en zoekt uit hoe mensen op een bepaalde situatie zouden kunnen reageren. Aan deze vermogens danken ze hun legendarische sociale gehaaidheid.

Zoals we hebben gezien zouden machiavellisten hoge ogen gooien in een aantal gangbare opvattingen van sociale intelligentie die zich hoofdzakelijk richten op dit soort sociale flair. Maar terwijl hun hoofd weet wat ze doen, heeft hun hart geen idee. Sommigen denken dat machiavellisten deze combinatie van kracht en zwakte overwinnen dankzij hun egocentrische sluwheid.[15] In deze visie compenseert hun manipulatieve inslag hun blindheid voor het volledige spectrum van emoties. Die tragische aanpassing vergiftigt hun relaties.

De psychopaat: de ander als object

Tijdens een therapeutische bijeenkomst in een ziekenhuis kwam het gesprek op het eten in de kantine. Sommigen zeiden dat de desserts zo lekker waren; anderen klaagden dat het eten te vet was. Weer een ander hoopte dat er nu eens iets nieuws op het menu zou staan.

Maar Peters gedachten gingen in een andere richting. Hij vroeg zich af hoeveel geld er in de kassa zou zitten, hoeveel personeel er tussen hem en de uitgang zou staan en hoe ver hij zou moeten vluchten voordat hij ergens een leuke meid op zou kunnen pikken om een beetje lol mee te maken.[16]

Peter was opgenomen op grond van een gerechtelijk besluit dat was uitgevaardigd omdat hij zijn voorwaardelijke invrijheidsstelling geschonden had. Sinds zijn tienerjaren gebruikte Peter drugs en alcohol, en was hij vaak uitdagend en agressief. Nu was hij veroordeeld vanwege telefoonterreur; eerder was hij beschuldigd van het beschadigen van eigendommen en mishandeling. Hij gaf openlijk toe te stelen van familie en vrienden.

Peter kreeg de diagnose 'psychopaat' of 'antisociale persoonlijkheidsstoornis', zoals het diagnostisch handboek de aandoening tegenwoordig noemt. Een tijdlang was ook de term 'sociopaat' in zwang, maar hoe je het ook wilt noemen, het gaat om mensen die zich onderscheiden door leugenachtigheid en een roekeloze onverschilligheid ten opzichte van anderen. De consequente onverantwoordelijkheid van de psychopaat leidt nooit tot spijt; er is alleen desinteresse voor het emotionele leed van anderen.

Peter kon zich bijvoorbeeld absoluut niet voorstellen dat anderen zich door zijn daden gekwetst zouden kunnen voelen. Bij ieder familieberaad waarop zijn moeder duidelijk probeerde te maken hoeveel verdriet hij zijn familie had gedaan, was Peter verbaasd, ging hij zich verdedigen en noemde hij zichzelf het 'slachtoffer'. Hij was niet in staat om te zien hoe hij zijn familie en vrienden had gebruikt om te krijgen wat hij wilde, of om te zien hoeveel pijn hij hen gedaan had.

Voor psychopaten zijn andere mensen altijd een Het, een doelwit om te bedriegen, te gebruiken en af te danken. Dat klinkt bekend: sommige mensen stellen dan ook dat het Duistere Driemanschap in feite verschillende punten beschrijft langs hetzelfde continuüm, van gezond narcisme tot psychopathie. De psychopaat en de machiavellist lijken inderdaad sterk op elkaar, en sommigen menen dan ook dat de machiavellist de subklinische (of niet-gedetineerde) versie is van de psychopaat.[17] De voornaamste test voor psychopathie houdt rekening met een zekere hoeveelheid machiavellistisch egocentrisme, zoals het eens zijn met uitspraken als 'Ik ga altijd eerst uit van mijn eigen belangen voordat ik nadenk over die van een ander.'[18]

In tegenstelling tot machiavellisten en narcisten, voelen psychopaten echter vrijwel geen angst. In tests zijn ze het niet eens met stellingen als 'Parachutespringen lijkt me eng.' Ze lijken immuun voor stress en blijven kalm in situaties waarin vele anderen in paniek zouden raken. De afwezigheid van vrees bij psychopaten is herhaaldelijk aangetoond in experimenten waarbij mensen wachten tot ze een elektrische schok krijgen toegediend.[19] Normaliter beginnen mensen dan sterk te zweten en versnelt hun hartslag, autonome indicatoren van angst. Bij psychopaten gebeurt dat niet.[20]

Deze onverstoorbaarheid betekent dat psychopaten gevaarlijk kunnen zijn op een manier die je zelden ziet bij machiavellisten of narcisten. Aangezien psychopaten geen angstige verwachtingen koesteren en zelfs onder de grootste druk volledig kalm blijven, doet de dreiging van straf hen hoegenaamd niets. Door deze onverschilligheid voor de gevolgen van hun daden, lopen psychopaten meer dan de andere leden van het Duistere Driemanschap het risico om in de gevangenis te belanden.[21]

Wat empathie betreft: die hebben psychopaten niet. Ze vinden het zelfs moeilijk om angst of verdriet op een gezicht of in een stem te herkennen. Uit brain imaging-onderzoek bij een groep criminele psychopaten bleken de neurale circuits rond de amygdala te haperen, en wel in een hersenmodule die deze specifieke emoties herkent, en waren er feilen in het prefrontale gebied dat verantwoordelijk is voor impulsbeheersing.[22]

Gewoonlijk zorgen feedback loops ervoor dat mensen zelf de ontreddering voelen die ze bij een ander waarnemen, maar psychopaten kunnen niet op deze manier resoneren: hun neurale instrumentarium is niet toegerust op het herkennen van emoties die te maken hebben met pijn en lijden.[23] De wreedheid van psychopaten zou wel eens werkelijk 'gevoelloos' kunnen zijn, omdat ze letterlijk ongevoelig zijn voor ontreddering en het hen ontbreekt aan een radar voor menselijk leed.[24]

Net als machiavellisten kunnen psychopaten bedreven zijn in sociale cognitie en leren hoe ze in andermans hoofd kunnen kruipen om diens gedachten en gevoelens te observeren, zodat ze 'op al de juiste knoppen kunnen drukken'. Soms zijn ze sociaal gelikt, in de overtuiging dat 'zelfs als anderen boos op me zijn, ik ze met mijn charme meestal wel weer voor me kan winnen'. Sommige criminele psychopaten lezen zelfhulpboeken om te leren hoe ze hun doelwit beter kunnen manipuleren.

Tegenwoordig gebruikt men wel de term 'succesvolle psychopaten' voor mensen die betrokken zijn geweest bij diefstal, drugshandel, gewelddadige misdrijven enzovoort, maar daarvoor nooit veroordeeld of gearresteerd zijn. Ze danken de status van psychopaat aan hun misdadigheid, in combinatie met het klassieke patroon van gladde oppervlakkige charme, pathologische leugenachtigheid en een geschiedenis van impulsiviteit. Volgens deze theorie zijn ze 'succesvol' omdat ze weliswaar dezelfde roekeloze neigingen hebben als andere psychopaten, maar angstiger reageren op dreigend gevaar. Hun grotere vreesachtigheid maakt dat ze iets voorzichtiger zijn, waardoor ze minder snel in de gevangenis belanden.[25]

Zelfs als kind vertonen veel psychopaten onverschilligheid; al op jonge leeftijd lijkt hun innerlijke wereld verstoken van gevoelens van tederheid en zorgzaamheid. De meeste kinderen raken van slag als ze zien dat een ander kind boos, bang of verdrietig is, en proberen de ander vervolgens op te vrolijken, maar psychopaten in de dop zijn niet in staat om andermans emotionele pijn waar te nemen en zetten dus nooit een innerlijke rem op hun eigen kwaadaardigheid of wreedheid. Het mishandelen van dieren is bij kinderen een voorloper van psychopathie in de volwassenheid. Andere waarschuwingssignalen zijn pesterijen en intimidatie, ruzie zoeken, anderen dwingen tot seks, brandstichting en andere misdrijven tegen mensen en dingen.

Als we iemand alleen als een ding zien, is het gemakkelijker om hen slecht te behandelen, te mishandelen of erger. Dit gebrek aan gevoel is op zijn sterkst bij criminele psychopaten als de seriemoordenaar of de kinderverkrachter. Hun koelbloedige wreedheid geeft aan hoe ziekelijk verward ze zijn wanneer het aankomt op empathie met het leed van hun slachtoffer. Een gedetineerde serieverkrachter zei zelfs over de doodsangst van zijn slachtoffers: 'Ik begrijp het niet echt. Ik ben zelf ook wel eens bang geweest en dat was niet onplezierig.'[26]

Morele prikkels

De laatste minuten van de wedstrijd waren bepalend voor welk basketbalteam door zou gaan naar de play-offs. In het heetst van de strijd nam de coach van Temple University, John Chaney, een paar wanhopige maatregelen.

Chaney stuurde een boomlange, 115 kilo zware reus het veld op met de opdracht 'harde overtredingen' te begaan en spelers van het andere team te blesseren. Door een van die overtredingen belandde een speler van de tegenpartij met een gebroken arm in het ziekenhuis, waardoor hij voor de rest van het seizoen was uitgeschakeld.

Dat was het moment waarop Chaney een uitzonderlijke beslissing nam en zichzelf schorste als coach.

Vervolgens belde hij de geblesseerde speler en diens ouders op om zijn verontschuldigingen aan te bieden en bood hij aan de ziekenhuisrekening te betalen. Tegen een verslaggever bekende Chaney: 'Ik heb ongelofelijke spijt' en tegen een ander: 'Ik voel me zeer, zeer berouwvol.'

Spijt, zoals Chaney had, is het voornaamste verschil tussen het Duistere Driemanschap en anderen die laakbare dingen doen. Spijt en schaamte, en verwante gevoelens als gêne, schuldgevoel en trots, zijn 'sociale' of 'morele' emoties. Leden van het Duistere Driemanschap ervaren deze prikkels tot ethisch handelen slechts in zeer geringe mate of helemaal niet.

Sociale emoties veronderstellen de aanwezigheid van empathie, zodat we aanvoelen hoe anderen ons gedrag zullen ervaren. Ze werken als een innerlijke politieagent en maken dat wat we zeggen en doen in overeenstemming is met de interpersoonlijke harmonie in een gegeven situatie. Trots is een sociale emotie omdat die ons stimuleert om dingen te doen die anderen prijzenswaardig vinden, terwijl schaamte en schuldgevoel ons in het gareel houden doordat ze functioneren als een innerlijke straf voor sociaal wangedrag.

Gêne ontstaat uiteraard wanneer we een sociale norm overtreden; we worden te persoonlijk, weten ons geen houding te geven, of zeggen of doen het verkeerde. Een goed voorbeeld is de pijnlijke getroffenheid van een keurige man die op een feestje een genadeloze opmerking maakt over een actrice en erachter komt dat zijn gesprekspartner met die actrice getrouwd is.

Sociale emoties kunnen ook dienen om dit soort blunders te herstellen. Wanneer iemand tekenen van gêne vertoont, bijvoorbeeld door te blozen, kunnen anderen zien dat ze haar misstap betreurt; ze kunnen haar gêne opvatten als een teken van verlangen het weer goed te maken. Uit een onderzoek bleek dat iemand die er hoogst gegeneerd bij staat als hij in een supermarkt een stapel producten heeft omgegooid op meer sympathie van de omstanders kan rekenen dan iemand die onbewogen blijft.[28]

Bij neurologische patiënten met een neiging tot faux pas, ongepaste openhartigheid en andere schendingen van interpersoonlijke codes, is onderzocht waar sociale emoties gelokaliseerd zijn in de hersenen. De om hun sociale roekeloosheid en blunders vermaarde patiënten bleken te kampen met beschadigingen van het orbitofrontale gebied.[29] Sommige neurologen veronderstellen dat ze niet in staat zijn om uitdrukkingen van afkeuring of verbijstering te detecteren en daardoor niet opmerken hoe anderen op hen reageren. Andere menen dat hun sociale missers voortkomen uit een gebrek aan innerlijke emotionele signalen die hun gedrag in toom houden.

De basale emoties woede, vrees en vreugde worden stuk voor stuk bij de geboorte of kort daarna vastgelegd in de hersenen, maar sociale emoties vereisen zelfbewustzijn, een vermogen dat begint te rijpen in het tweede levensjaar, wanneer het orbitofrontale gebied zich gaat ontwikkelen. Rond een maand of veertien gaat een baby zichzelf herkennen in de spiegel. Door zichzelf te herkennen als een unieke entiteit, ontwikkelt het kind omgekeerd het inzicht dat andere mensen ook zelfstandige wezens zijn, evenals het vermogen om pijnlijk getroffen te raken door wat die anderen van ons zouden kunnen denken.

Vóór het tweede jaar heeft een peuter nog geen benul van wat anderen van haar vinden en voelt daardoor geen gêne wanneer ze bijvoorbeeld haar luier bevuilt. Maar zodra ze gaat beseffen dat ze een zelfstandig wezen is, iemand die door anderen opgemerkt kan worden, beschikt ze over alle ingrediënten om zich gegeneerd te voelen, meestal de eerste sociale emotie van een kind. Dat vereist niet alleen dat ze zich bewust is van de manier waarop anderen over haar denken, maar ook van hoe zij zich op haar beurt zou moeten voelen. Dit groeiende sociale bewustzijn getuigt niet alleen van de ontwikkeling van haar empathie, maar ook van de ontwikkeling van haar vermogen tot vergelijken, categoriseren en het begrijpen van sociale nuances.

Een andere sociale emotie beweegt ons om anderen die zich misdragen te straffen, zelfs wanneer dat voor ons een risico betekent of als we er een prijs voor moeten betalen. Bij 'altruïstische woede' straft de ene persoon de schen-

ding van een sociale norm door een ander, misbruik van vertrouwen bijvoorbeeld, ook wanneer hij er niet zelf het slachtoffer van is. Deze 'gerechtvaardigde' woede lijkt het beloningscentrum in de hersenen te activeren: het
afdwingen van normen door schenders ervan te bestraffen (Hoe waagt hij
het voor te dringen!) geeft ons een gevoel van bevrediging.[30]

Sociale emoties werken als een moreel kompas. We voelen bijvoorbeeld
schaamte wanneer anderen merken dat we iets verkeerds gedaan hebben.
Schuldgevoel is daarentegen privé en manifesteert zich als het gevoel van berouw wanneer we beseffen dat we iets fout hebben gedaan. Schuldgevoelens
kunnen mensen er soms toe bewegen hun fouten te herstellen, terwijl
schaamte meestal leidt tot een defensieve houding. Schaamte is gekoppeld
aan sociale afwijzing, terwijl schuldgevoel kan leiden tot inkeer. Gewoonlijk
zijn schaamte en schuld samen actief in het voorkomen van immoreel gedrag.

Binnen het Duistere Driemanschap verliezen deze emoties hun kracht.
Narcisten worden gedreven door trots en angst voor schaamte, maar voelen
zich nauwelijks schuldig over hun egocentrische daden. Machiavellisten ontwikkelen evenmin schuldgevoel. Voor schuldgevoel is empathie nodig en
daar ontbreekt het aan in de emotioneel afstandelijke relaties van machiavellisten. Schaamte bestaat bij machiavellisten alleen in een onderontwik-
kelde vorm.

Aan de achtergebleven morele ontwikkeling van de psychopaat liggen iets
andere gebreken in de sociale emoties ten grondslag. Aangezien een psychopaat geen last heeft van schuldgevoel of angst, laat hij zich niet weerhouden door de dreiging van straf. In combinatie met het volkomen gebrek
aan empathie voor andermans leed ontstaat er een explosief gevaarlijke situatie: ook wanneer ze zelf dat leed veroorzaken, voelen ze schaamte noch
spijt. De sociale emoties verliezen hun morele kracht.

Zelfs een psychopaat kan uitblinken in sociale cognitie. Het puur intellectuele inzicht in de reacties van mensen en in sociale regels kan een psychopaat helpen bij het maken van slachtoffers. Een betrouwbare test voor
sociale intelligentie zou in staat moeten zijn om leden van het Duistere Driemanschap te identificeren en uit te sluiten. We hebben een criterium nodig
waaraan een machiavellist niet kan voldoen. Een mogelijke oplossing is dat
we ook betrokkenheid gaan evalueren, actieve empathie.

HOOFDSTUK 9

Geestelijk blind

Richard Borcherds vindt het veel te verwarrend om vrienden over de vloer te hebben. Zodra mensen beginnen te kletsen, heeft hij moeite de gang van de conversatie te volgen. De uitwisseling van blikken en glimlachjes, de subtiele toespelingen en dubbele bodems, de zee van woorden ... Het gaat hem allemaal veel te snel.

Hij heeft geen benul van de subtiliteiten van de sociale wereld. Als iemand achteraf de tijd neemt de clou van een mop uit te leggen, of waarom een van de gasten woedend wegliep en een ander bloosde van schaamte, snapt hij het soms wel. Maar op het moment zelf gaat het gehele sociale gebeuren zijn pet te boven. Dus wanneer er gasten komen, pakt hij meestal gewoon een boek of trekt zich terug in zijn studeerkamer.

Toch is Borcherds een genie. Hij is winnaar van de Fieldsmedaille, in de wiskunde het equivalent van de Nobelprijs. Zijn collega-wiskundigen aan de Universiteit van Cambridge kijken hoog tegen hem op. Er zijn er niet veel die zijn theorieën helemaal begrijpen, zo uitzonderlijk is zijn vakgebied. Ondanks zijn sociale handicaps is Borcherds succesvol.

Toen Borcherds in een kranteninterview opmerkte dat hij vermoedde dat hij leed aan het syndroom van Asperger, de subklinische variant van autisme, nam Simon Baron-Cohen, hoofd van het Autism Research Center aan dezelfde universiteit, contact met hem op. Baron-Cohen beschreef Borcherds de kenmerken van het syndroom tot in de kleinste details, waarop die zakelijk zei: 'Dat ben ik.' Het wiskundewonder bood zichzelf vervolgens aan als onderzoeksobject in het onderzoek naar Asperger.[1]

Voor Borcherds is communicatie puur functioneel: bedenk wat je van iemand nodig hebt en vermijd kletspraat. Vertellen hoe je je voelt of vragen hoe het met iemand gaat, is niet aan de orde. Borcherds vermijdt de telefoon. Hoewel hij kan uitleggen hoe die werkt op een natuurkundig niveau, raakt hij in de war van het sociale gedeelte. Hij beperkt zijn e-mail tot de allernoodzakelijkste aan werk gerelateerde informatie. Hij rent als hij zich van de ene plek naar de andere beweegt, ook als er iemand met hem meeloopt. Soms beseft hij dat anderen hem onbeschoft vinden, maar zelf vindt hij zijn sociale gewoontes volstrekt normaal.

Dit alles duidt volgens Baron-Cohen op een klassiek geval van Asperger.

Toen Borcherds een gestandaardiseerde test voor het syndroom aflegde, paste hij dan ook uitstekend in het profiel. De medaillewinnaar scoorde laag in het vermogen de gevoelens van anderen af te leiden uit hun blik, in empathie en in intieme vriendschappen, maar hij scoorde uitzonderlijk hoog in zijn begrip van fysieke causaliteit en in het vermogen tot het systematiseren van complexe informatie.

Dat plaatje (lage empathie, hoge systematisering) is het onderliggende neurale patroon bij Asperger, zo blijkt uit jaren van onderzoek door Baron-Cohen en vele anderen. Ondanks zijn wiskundige genie ontbreekt het Borcherds aan empathische nauwkeurigheid: hij kan niet aanvoelen wat er in een ander omgaat.

Akelige Aap

Er is een cartoon van een jongetje dat met zijn vader in de woonkamer zit. Een griezelig ruimtewezen kruipt langs de trap omlaag, buiten het gezichtsveld van de vader, maar zichtbaar voor de jongen. In het tekstballonnetje zegt de vader: 'Ik geef het op, Robert. Wat heeft twee hoorns, één oog en kruipt?'

Om de grap te begrijpen moeten we een aantal onuitgesproken zaken zelf afleiden. Om te beginnen moeten we bekend zijn met de taalstructuur van een raadsel, zodat we kunnen deduceren dat het jongetje aan zijn vader heeft gevraagd: 'Wat heeft twee hoorns, één oog en kruipt?'

Belangrijker nog is dat we in staat moeten zijn de gedachten van de jongen en zijn vader te lezen om te begrijpen wat de jongen weet, dat te contrasteren met wat de vader nog niet beseft en zo te anticiperen op de schok die hij te verwerken krijgt. Freud heeft ooit gezegd dat ieder grapje twee verschillende interpretaties van de werkelijkheid tegenover elkaar stelt: in dit geval is de ene het buitenaardse wezen op de trap en de andere de aanname van de vader dat zijn zoon hem een raadseltje opgeeft.

Dit vermogen tot inzicht in wat er zich in het hoofd van een ander afspeelt is een van de meest waardevolle eigenschappen van de mens. Neurowetenschappers noemen het *mindsight*.

Mindsight (ook wel *theory of mind* genoemd) komt erop neer dat we een kijkje nemen in de ander om te zien wat die voelt en denkt: het fundamentele vermogen tot empathische accuratesse. Hoewel we andermans gedachten niet werkelijk kunnen lezen, pikken we tussen de regels door genoeg aanwijzingen op uit hun gezicht, stem en ogen om opmerkelijk nauwkeurige gevolgtrekkingen te kunnen maken.

Als het ons aan deze eenvoudige eigenschap ontbreekt, kunnen we niet uit de voeten met liefhebbende, zorgzame, coöperatieve sociale contacten, om over competitieve of onderhandelende contacten nog maar te zwijgen. Zelfs de meest eenvoudige uitwisselingen zouden al moeite kosten. Zonder mindsight zouden onze relaties inhoudsloos zijn en zouden we mensen behandelen alsof ze dingen waren, zonder eigen gevoelens of gedachten – het probleem van mensen met het syndroom van Asperger of autisme. We zouden 'mindblind' zijn, geestelijk blind.

Mindsight groeit gestaag gedurende de eerste paar jaar van de kindertijd. Iedere mijlpaal in de ontwikkeling van empathie verleent een kind groter inzicht in wat de ander zou kunnen voelen of denken, of wat diens intenties zouden kunnen zijn. Mindsight ontwikkelt zich stapsgewijs van eenvoudige zelfherkenning tot een verfijnd sociaal bewustzijn ('Ik weet dat jij weet dat zij hem leuk vindt'). Hieronder staat een aantal veelgebruikte testen beschreven die gebruikt worden in experimenten naar mindsight om de vooruitgang van een kind in kaart te brengen:[2]

Plaats een grote stip op het voorhoofd van een ongeveer achttien maanden oude baby en zet de baby dan voor een spiegel. Kinderen jonger dan achttien maanden raken vrijwel altijd de stip op de spiegel aan, terwijl oudere kinderen die op hun eigen voorhoofd aanraken. De jongere baby's hebben nog niet geleerd om zichzelf te herkennen. Sociaal bewustzijn vereist een zelfgevoel op grond waarvan we ons onderscheiden van anderen.

Bied een kind van een maand of achttien twee verschillende tussendoortjes aan, bijvoorbeeld crackers en stukjes appel. Kijk waaraan het kind de voorkeur geeft. Laat het kind toekijken terwijl je zelf de tussendoortjes proeft. Laat duidelijk merken dat je het tussendoortje dat het kind het lekkerst vond erg vies vindt en het andere juist erg lekker. Leg dan de hand van het kind tussen de twee tussendoortjes en vraag: 'Wil je er een aan mij geven?' Kinderen jonger dan achttien maanden geven dan meestal het hapje dat ze zelf het lekkerst vonden; oudere kinderen kiezen het hapje dat jij lekkerder vond. De oudere peuters hebben gemerkt dat hun eigen smaak kan afwijken van die van andere mensen, en dat anderen iets anders kunnen denken dan zijzelf.

Voor drie- en vierjarigen kun je een snoepje verstoppen in een kamer, terwijl dit kind en een ouder kind toekijken. Vraag het oudere kind om de kamer uit te gaan. Zorg dan dat het jongere kind ziet dat je het snoepje op een nieuwe plek verstopt. Vraag het jongere kind waar het oudere kind het snoepje zal zoeken als het de kamer weer binnenkomt. Een kind van vier zal in de meeste gevallen zeggen dat het oudere kind op de oorspronkelijke plek gaat kijken; kinderen van drie denken de nieuwe plek. Kinderen van vier beseffen dat iemands inzicht kan verschillen van hun eigen inzicht, iets wat de jongere kinderen nog ontgaat.

Het laatste experiment is voor kinderen van drie en vier jaar, en een handpop die Akelige Aap heet. Je laat de kinderen achtereenvolgens verschillende paren stickers zien en bij elk paar vraagt Akelige Aap welke sticker het kind wil. Bij iedere ronde kiest Akelige Aap de sticker die het kind wil voor zichzelf en geeft de andere aan het kind (daarom heet hij Akelige Aap).Tegen de tijd dat een kind ongeveer vier jaar is, hebben ze het spelletje van Akelige Aap in de gaten en leren ze snel om hem het tegenovergestelde te vertellen van wat ze werkelijk willen, zodat ze de sticker krijgen die ze het mooist vinden. Jongere kinderen begrijpen over het algemeen de kwade bedoelingen van de aap niet en blijven dus onschuldig de waarheid vertellen, zodat ze nooit de sticker krijgen die ze willen.[3]

Voor mindsight heb je de volgende basisvaardigheden nodig: je moet onderscheid kunnen maken tussen jezelf en anderen; je moet begrijpen dat een ander iets anders kan denken dan jijzelf; je moet een situatie vanuit een ander perspectief kunnen zien; en je moet beseffen dat wat anderen willen niet altijd in je eigen belang is.

Op het moment dat kinderen deze sociale lessen onder de knie hebben, en dat is meestal rond het vierde jaar, kan hun empathie even accuraat zijn als die van een volwassene. Met deze volgroeidheid komt ook een einde aan een deel van hun onschuld: kinderen gaan het verschil zien tussen wat ze zich alleen maar verbeelden en wat er werkelijk gebeurt. Op vierjarige leeftijd heeft een kind de basisvaardigheden van empathie verworven waar het zijn leven lang gebruik van zal maken, zij het op steeds hogere niveaus van psychologische en cognitieve complexiteit.[4]

Dankzij deze rijping van het intellect laveren kinderen veel behendiger door hun wereld. Het helpt hen in het onderhandelen met broertjes en zusjes en om zich een plek te verwerven op het speelplein. Deze wereldjes zijn op hun beurt een school voor het leven. Naarmate kinderen in de loop der jaren hun cognitieve vaardigheden en sociale netwerken uitbreiden, worden dezelfde lessen steeds op een nieuw niveau aangescherpt.

Mindsight is een voorwaarde voor het vermogen van jonge kinderen om een grapje te maken of te begrijpen. Plagerijtjes, trucjes, liegen en gemeen zijn, vereisen allemaal ditzelfde gevoel voor de innerlijke wereld van de ander. Autistische kinderen missen dat gevoel en onderscheiden zich van kinderen die een normaal sociaal repertoire ontwikkelen doordat deze vaardigheden ontbreken.

Waarschijnlijk zijn spiegelneuronen voor mindsight van cruciaal belang. Bij normale kinderen bestaat er een correlatie tussen het vermogen om andermans perspectief te zien en te empathiseren, en de activiteit van spiegelneuronen. Uit fMRI-onderzoek bij jonge tieners blijkt dat autistische kinderen bij het interpreteren en imiteren van gezichtsuitdrukkingen een lagere activiteit van spiegelneuronen in de prefrontale cortex te zien geven dan normale kinderen.[5]

Ook bij normale volwassenen kan mindsight wel eens mislukken. Een goed voorbeeld daarvan is wat vrouwen aan Amherst College 'dienbladstaren' noemen. Wanneer ze voor een maaltijd in de rij staan in Valentine Dining Hall, dwalen hun ogen af naar andere vrouwen. Niet om te zien met wie ze eten of wat ze aanhebben, maar om te kijken wat ze op hun blad hebben liggen. Zo kunnen ze gemakkelijker 'nee' zeggen tegen wat ze graag zouden willen eten, maar van zichzelf eigenlijk niet mogen.

Catherine Sanderson, de psychologe die het dienbladstaren ontdekte, identificeerde de achterliggende verstoring in mindsight: elke vrouw dacht dat de anderen veel dunner, sportiever en meer geobsedeerd door hun lichaam waren dan zijzelf, terwijl er in werkelijkheid geen objectieve verschillen waren.

Deze verstoorde aannames prikkelden vrouwen om op dieet te gaan, wat bij een derde weer leidde tot geforceerd braken en laxeren, een gewoonte die kan uitmonden in een levensbedreigende eetstoornis.[6] Hoe onjuister de aannames van de vrouwen over de andere vrouwen waren, hoe extremer hun eigen dieetgedrag.

Gedeeltelijk zijn deze foutieve percepties te wijten aan een fixatie op de verkeerde data: vrouwen in de studentenleeftijd zijn geneigd zich te concentreren op de aantrekkelijkste en dunste vrouwen in hun omgeving. Ze vergelijken zich met een extreme standaard in plaats van met het echte gemiddelde; ze verwarren uitersten met de norm.

Mannelijke studenten maken dezelfde fout, maar op een ander gebied, namelijk drank. Studenten die geneigd zijn tot roekeloze zuipfestijnen, vergelijken zichzelf met de meest excessieve drinkers. Deze misperceptie geeft hun het idee dat ze zich te buiten moeten gaan om erbij te horen.

Mensen die deze alledaagse vorm van gedachtelezen accuraat toepassen, lopen niet het risico om het extreme als norm te nemen. In plaats daarvan kijken ze eerst in hoeverre de ander op hen lijkt. Als ze overeenkomsten ontdekken, nemen ze gewoon aan dat de ander ongeveer net zo voelt en denkt als zijzelf. Een rimpelloos sociaal leven is te danken aan een aaneenschakeling van dit soort ogenblikkelijke oordelen, mindsight in actie. We kunnen allemaal gedachtelezen.

Het mannelijke brein

Bij Temple Grandin werd als kind autisme vastgesteld. Ze vertelt dat de kinderen op school haar altijd Taperecorder noemden, omdat de jonge Temple de gewoonte had om in elk gesprek steeds dezelfde zinnetjes te herhalen en er waren maar erg weinig onderwerpen die ze interessant vond.[7]

Ze liep vaak op een ander kind af en dan verkondigde ze: 'Ik ben naar Nantasket Park geweest, en ik ging in de Rotor, en het leukste vond ik dat ik helemaal tegen de muur werd gedrukt.' En dan vroeg ze: 'En wat vond jij ervan?'

Zodra het andere kind dan had verteld hoe leuk zij het zelf had gevonden, draaide Grandin woord voor woord haar eigen verhaal weer af, keer op keer, als een bandopname zonder einde.

De adolescentie overviel Temple als een 'vloedgolf van angst die maar niet ophield', ook een symptoom van autisme. Tijdens deze moeilijke periode had ze veel steun aan haar bijzondere inzicht in de manier waarop dieren de wereld waarnemen, een manier die volgens haar te vergelijken is met de hypergevoeligheden van mensen met autisme.

Op bezoek bij haar tante, die een vakantieranch had in Arizona, zag Temple op een nabijgelegen ranch hoe een kudde vee door een veterinaire behandelbox werd gedreven. Zo'n behandelbox is gemaakt van metalen staven in een open V-vorm en wordt naar het einde toe smaller. Op een zeker punt sluit een luchtcompressor de V, waardoor de koe vast komt te zitten, zodat ze door de veearts behandeld kan worden.

In plaats van bang , worden de koeien juist rustig als ze zo in bedwang gehouden worden. Temple realiseerde zich dat stevige druk kalmerend werkt, zoals bij een baby in een draagdoek. Ze begreep onmiddellijk dat iets vergelijkbaars ook haarzelf zou kunnen helpen.

Met behulp van een leraar van haar middelbare school maakte Temple een menselijke behandelbox van hout met een luchtcompressor, afgestemd op een mens die op handen en voeten staat. Het werkte. Wanneer ze behoefte heeft aan kalmering, gebruikt ze de box nog altijd.

Grandin is in vele opzichten een ongebruikelijk persoon, ook in haar autisme. Jongens ontwikkelen vier keer zo vaak autisme als meisjes en de kans dat ze Asperger hebben is tien keer zo groot. Simon Baron-Cohen poneert de radicale stelling dat het neurale profiel van mensen met deze stoornissen een extreme vorm vertegenwoordigt van het prototypische 'mannelijke' brein.

Het extreem mannelijke brein, zo stelt hij, heeft geen benul van mindsight; de circuits voor empathie zijn onderontwikkeld. Die deficiëntie gaat echter gepaard met bepaalde intellectuele talenten, zoals de verbijsterende supergefocuste vermogens van 'idiots savants', die met de snelheid van een computer complexe wiskundeproblemen kunnen oplossen. Hoewel ze mindblind zijn, kunnen deze hypermannelijke hersenen een enorm inzicht ontwikkelen in complexe systemen als de beurs, software en kwantumfysica.

Het extreem 'vrouwelijke' brein blinkt juist uit in empathie en inzicht in andermans gevoelens en gedachten. Mensen met dit patroon zijn bijzonder begaafd op terreinen als onderwijs en therapie; als psychotherapeut zijn ze ongekend empathisch en afgestemd op de innerlijke wereld van hun cliënt. Maar wie een ultravrouwelijk brein heeft, ondervindt grote problemen met systematiseren, of het nu een routebeschrijving naar een splitsing verderop of theoretische fysica betreft. Zo iemand is, aldus Baron-Cohen, 'systeem-blind'.

Baron-Cohen heeft een test ontworpen om vast te stellen hoe gemakkelijk iemand aanvoelt wat anderen voelen. De test heet EQ, voor 'empathie-quotiënt' (niet voor 'emotionele intelligentie', wat EQ nu in een aantal talen betekent), en vrouwen scoren gemiddeld hoger dan mannen. Vrouwen scoren ook beter dan mannen op sociaalcognitief gebied – ze weten bijvoorbeeld wat een faux pas zou zijn in een bepaalde situatie – en in empathische accuratesse, wat betekent dat ze beter dan mannen invoelen wat een ander voelt of denkt. [8] En ten slotte scoren vrouwen meestal beter dan mannen in de door Baron-Cohen ontwikkelde test voor het aflezen van gevoelens uit de ogen (zie Hoofdstuk 6).

Als het daarentegen gaat om systeemdenken, helt het voordeel over naar het mannelijke brein. Baron-Cohen merkt op dat mannen gemiddeld hoger scoren dan vrouwen op tests naar gevoel voor techniek, inzicht in complexe systemen, het ontdekken van figuurtjes die verborgen zijn in complexe ontwerpen, zoals in de *Waar is Wally?*-boekjes, en visueel speurwerk in het algemeen. Op deze tests scoren mensen met autisme weer beter dan de meeste mannen, zoals ze omgekeerd nog slechter scoren dan mannen in empathie-tests.

Als we het hebben over zogenaamde 'mannelijke' of 'vrouwelijke' hersenen, komen we vanuit sociaal-politiek oogpunt op gevaarlijk terrein. Terwijl ik dit schrijf, heeft de rector magnificus van Harvard University een storm ontketend door te suggereren dat vrouwen van nature niet geschikt zijn voor een carrière in de bètawetenschappen. Maar Baron-Cohen zou gruwen van iedere poging zijn theorie te gebruiken om vrouwen te ontmoedigen ingenieur te worden, of mannen psychotherapeut.[9] Over het algemeen liggen empathie en systeemdenken bij mannen en vrouwen ongeveer op hetzelfde niveau, aldus Baron-Cohen; bovendien blinken veel vrouwen uit in systematiseren, terwijl er genoeg mannen zijn met een groot empathisch vermogen.

Temple Grandin heeft misschien wat Baron-Cohen een mannelijk brein zou noemen. Ze heeft, om maar wat te noemen, meer dan driehonderd wetenschappelijke artikelen gepubliceerd op het gebied van diergedrag. Als vooraanstaand expert op haar vakgebied heeft Grandin ontwerpen ontwikkeld die in de helft van de veebeheersingssystemen in de Verenigde Staten toegepast worden. Die systemen zijn gebaseerd op haar grote inzicht in hoe je meer humane condities kunt scheppen voor de vele duizenden koeien die er dagelijks doorheen lopen. Dankzij haar expertise heeft Grandin zich ontpopt tot een toonaangevend hervormer van de kwaliteit van leven van landbouwdieren overal ter wereld.

Het optimale patroon, aldus Baron-Cohen, is een evenwichtig brein met zowel empathische als systematiserende kwaliteiten. Een arts met die vermogens is bijvoorbeeld in staat om scherpe diagnoses te stellen en elegante behandelplannen te ontwerpen, en tegelijkertijd te zorgen dat zijn patiënten het gevoel hebben dat ze in goede handen zijn.

Desondanks hebben beide extremen hun sterke kanten. Terwijl bij mensen met een bijzonder 'mannelijk' brein de kans groot is dat zij symptomen van Asperger of autisme vertonen, kunnen ze op veel gebieden uitblinken als ze, zoals professor Borcherds, een geschikte omgeving vinden om hun talenten te ontplooien. De sociale wereld is voor hen echter een vreemde planeet, zodat ze de meest basale rudimenten van menselijke interactie op een mechanische manier moeten leren, als ze het al doen.

Mensen doorgronden

'O, wat ben jij oud!' was het eerste dat Layne Habibs tienerdochter eruit flapte tegen een winkeljuffrouw van middelbare leeftijd.

'Misschien vindt ze dat niet leuk om te horen,' fluisterde Habib.

'Waarom niet?' vroeg haar dochter en voegde er zakelijk aan toe: 'In Japan staan ouderen in hoog aanzien.'

Deze uitwisseling is typerend voor de voortdurende dialoog tussen moeder en dochter. Habib trekt veel tijd uit om haar dochter te coachen in de impliciete sociale regels voor soepele interacties.[10] Net als Richard Borcherds lijdt haar dochter aan het syndroom van Asperger en heeft dus weinig kaas gegeten van dit soort nuances.

De onbehouwen openhartigheid van haar dochter brengt ook een verfrissende helderheid met zich mee. Toen Habib haar vertelde dat ze om een gesprek af te breken moest wachten tot er een stilte viel in plaats van gewoon te zeggen 'Ik wil nu weg' en te vertrekken, ging er bij haar dochter een lampje branden.

'Nu snap ik het,' antwoordde de dochter. 'Je doet gewoon alsof. Niemand kan echt geïnteresseerd zijn in alles wat iemand zegt. Je hoeft alleen maar te wachten op de pauze en dan kan je weg.'

Deze ontwapenend eerlijke opinies brengen Habibs dochter keer op keer in moeilijkheden. 'Ik moet haar strategieën leren om met mensen om te gaan,' vertelt Habib. 'Ze moet leugentjes om bestwil leren gebruiken om andermans gevoelens niet te kwetsen.'

Habib, die sociale vaardigheden onderwijst aan groepen kinderen met een handicap als die van haar eigen dochter, zegt dat het beheersen van deze basisvaardigheden hen helpt om 'een plek in de wereld te vinden in plaats van zich af te blijven zonderen in hun eigen wereld'. Waar leden van het Duistere Driemanschap sociale regels onder de loep nemen om anderen te manipuleren, bestuderen mensen met Asperger ze alleen om zich te kunnen redden.

In de groep van Habib leren kinderen met Asperger en autisme bijvoorbeeld om op een beleefde manier aansluiting te zoeken bij een gesprek. In plaats van gewoon over hun favoriete onderwerp te beginnen, leert Habib hen om eerst te luisteren, zodat ze een indruk krijgen van waar het gesprek over gaat, en dan mee te praten over hetzelfde onderwerp.

Dit probleem om zich staande te houden in de interpersoonlijke wereld komt voort uit een meer fundamenteel probleem bij Asperger, zoals duidelijk wordt aan de hand van het volgende voorbeeld:

Marie had er een hekel aan om bij de familie van haar man op bezoek te gaan omdat ze zo saai waren. Het grootste deel van de tijd zaten ze met zijn allen in een ongemakkelijke stilte bij elkaar en dit keer was dat niet anders.

Op de terugweg vroeg Marie's man haar hoe ze het bezoek gevonden had, waarop Marie zei: 'O, fantastisch. Ik kreeg er geen speld tussen.'[11]

Wat bewoog Marie om dat te zeggen?

Het voor de hand liggende antwoord is dat Marie sarcastisch was en eigenlijk het tegenovergestelde bedoelde van wat ze zei. Maar die ogenschijnlijk vanzelfsprekende deductie ontgaat mensen met autisme of het syndroom van Asperger. Om een sarcastische opmerking te snappen, moeten we een subtiel sociaal rekensommetje oplossen gebaseerd op het besef dat wat de spreker zegt niet hetzelfde is als wat hij bedoelt, maar voor mensen met autisme betekent hun gebrek aan mindsight dat zelfs het eenvoudigste sociale optelsommetje, zoals waarom iemand zich rot voelt als hij is afgeblaft, een raadsel blijft.[12]

Hersenscans van mensen met autisme hebben uitgewezen dat er geen activiteit is in een gebied dat bekendstaat als de *facial fusiform area* (FFA) wanneer ze naar iemands gezicht kijken. De FFA registreert niet alleen gezichten, maar alles wat ons zeer vertrouwd is of ons fascineert. Bij vogelaars betekent dit dat de FFA oplicht als er een kardinaalvink voorbij vliegt; bij autoliefhebbers als er een BMW passeert.

Bij autistische mensen wordt dit gebied niet actief wanneer ze naar een ge-

zicht kijken, zelfs niet bij de gezichten van familieleden, maar alleen wanneer ze kijken naar iets dat hen fascineert, zoals de nummers in het tele-
foonboek. Uit onderzoek naar mensen met autisme is één simpele vuistregel af te leiden: hoe minder activiteit in het gebied dat gezichten leest, hoe
groter de interpersoonlijke moeilijkheden.

Voorboden van dit sociale gebrek treden al op in de babytijd. Bij de meeste kinderen is er sprake van activiteit in de FFA wanneer ze in iemands ogen
kijken, maar bij autistische kinderen is dat niet zo. Autistische kinderen vertonen activiteit in de FFA wanneer ze naar een favoriet object of zelfs gewoon
naar patronen kijken, zoals de manier waarop ze hun videobanden hebben
gerangschikt.

Van de bijna tweehonderd gezichtsspieren zijn vooral die rond de ogen
afgestemd op het uitdrukken van gevoelens. Normaliter concentreren mensen zich op het gebied rond de ogen wanneer ze naar iemands gezicht kijken, maar autisten doen dit juist niet, waardoor ze cruciale emotionele informatie missen. Het ontwijken van oogcontact zou een van de eerste
indicatoren kunnen zijn dat een baby autisme ontwikkelt.

In hun onverschilligheid tegenover menselijke interactie maken ze weinig
of geen oogcontact met wie dan ook, en daardoor missen ze de bouwstenen
voor het ontwikkelen van een emotionele band en empathie. Oogcontact lijkt
misschien niet zo'n zwaarwegende vaardigheid, maar het is van doorslaggevend belang voor het aanleren van de beginselen van het omgaan met anderen. De lacune in sociale ontwikkeling die daar het gevolg van is, draagt
bij aan het enorme onvermogen van autisten om aan te voelen hoe anderen
zich voelen en wat ze zouden kunnen denken.

Blinde kinderen compenseren hun gebrek aan gezichtsvermogen door een
sterke gevoeligheid voor de emotionele signalen in stemmen te ontwikkelen.
Dat is mogelijk doordat hun auditieve schors het ongebruikte visuele gebied
overneemt; sommigen, zoals Ray Charles, worden op die manier voortreffe-
lijke musici.[13] Hun hyperbewustzijn voor vocale gevoelsuitingen maakt dat
blinde kinderen normaal kunnen socialiseren, terwijl autistische kinderen
toondoof blijven voor emotie.

Een van de redenen dat autistische kinderen oogcontact vermijden, is dat
ze er angstig van lijken te worden: wanneer ze naar ogen kijken, geeft hun
amygdala een felle reactie die wijst op intense angst.[14] Dus in plaats van naar
iemands ogen te kijken, kijkt het autistische kind naar de mond van de ander, die maar weinig laat zien van iemands innerlijke toestand. Deze tactiek
vermindert de angst, maar betekent tegelijkertijd dat autistische kinderen de
rudimenten van de synchronie van gezichtsuitdrukkingen niet leren, om over
mindsight maar te zwijgen.

Dit specifieke gebrek in het interpreteren van emoties, zo redeneerde Ba-

ron-Cohen, kan misschien helpen aan het licht te brengen welke hersencircuits die soepel werken bij gewone mensen, slecht functioneren bij mensen
met autisme. In een fMRI-onderzoek liet zijn onderzoeksteam aan mensen
met autisme en gewone mensen via kleine videomonitoren een reeks foto's
van mensenogen zien zoals die in Hoofdstuk 6. De vrijwilligers moesten door
op een knopje te drukken kiezen tussen twee opties voor wat de ogen uitdrukten, zoals 'sympathiek' of 'onsympathiek'.

Zoals te verwachten hadden de autisten het meestal bij het verkeerde eind.
Maar interessant was, dat dit eenvoudige taakje liet zien welke delen van het
brein betrokken zijn bij deze kleine oefening in mindsight. Naast de OFC waren dat vooral het bovenste gedeelte van de temporaalkwab en de amygdala, gebieden die, naast een aantal andere, keer op keer opduiken in vergelijkbare studies.

Paradoxaal genoeg, levert onderzoek naar de hersenen van mensen zonder sociale verfijning aanwijzingen op over de plattegrond van het sociale
brein. Door de verschillen tussen normale en autistische hersenactiviteit te
vergelijken, aldus Baron-Cohen, krijgen we inzicht in de circuits die ten
grondslag liggen aan een groot deel van onze sociale intelligentie.[15]

Zoals we zullen zien zijn deze neurale vermogens enorm belangrijk, niet
alleen voor de rijkdom van ons interpersoonlijke leven, maar ook voor het
welzijn van onze kinderen, voor ons vermogen om werkelijk lief te hebben
en zelfs voor onze gezondheid.

DEEL DRIE

AANLEG EN OPVOEDING

HOOFDSTUK 10

Genen bepalen niet alles

Neem een vier maanden oude baby, zet hem in zijn babyzitje en laat hem een speeltje zien dat hij nog nooit eerder heeft gezien. Laat hem na twintig seconden nog een speeltje zien, twintig seconden later weer één en na nog eens twintig seconden weer één.

Sommige baby's zijn gek op al die nieuwigheid. Andere haten het en zetten het op een huilen.

Baby's die dit spelletje niet leuk vinden, hebben een karaktertrek gemeen die al meer dan drie decennia bestudeerd wordt door Jerome Kagan, psycholoog aan Harvard. Als peuter zijn deze kinderen op hun hoede bij vreemde mensen en op plaatsen die ze niet kennen. 'Geremd' noemt Kagan hen. Tegen de tijd dat ze naar school gaan, neemt hun geremdheid de vorm aan van verlegenheid. De verlegenheid van deze kinderen is, denkt Kagan, te wijten aan een erfelijk neurotransmitterpatroon waardoor hun amygdala sneller geprikkeld raakt. Deze kinderen worden overgestimuleerd door verrassende dingen en nieuwe gebeurtenissen.

Kagan is een van de meest invloedrijke ontwikkelingspsychologen sinds Jean Piaget als eerste de veranderingen in cognitieve vaardigheden opmerkte die zijn eigen opgroeiende kinderen doormaakten. Kagan heeft terecht de reputatie een eersteklas methodoloog en denker te zijn. Daarnaast beschikt hij over het zeldzame talent te schrijven als een humanist. Zijn boeken, met titels als *Galen's Prophecy*, geven blijk van zijn vertrouwdheid met zowel filosofische als wetenschappelijke kwesties.

Toen Kagan aan het eind van de jaren zeventig voor het eerst opperde dat een karaktertrek als geremdheid biologische oorzaken had, waarschijnlijk van genetische aard, slaakten vele ouders een zucht van verlichting. Het ethos van die tijd was dat ongeveer elk probleem dat een kind vertoonde te herleiden was tot fouten in de opvoeding. Een verlegen kind was gekoeioneerd door dominante ouders; een pestkop probeerde zijn door kleinerende ouders veroorzaakte schaamte te verbergen achter een harde buitenkant. Zelfs schizofrenie zou veroorzaakt worden door tegenstrijdige boodschappen van de ouders, waardoor een kind het gevoel kreeg het nooit goed te doen.

Kagan was hoogleraar aan de psychologische faculteit van Harvard toen ik daar promovendus was. De suggestie, van een vermaard wetenschapper als hij, dat biologische invloeden een grotere invloed hebben op het temperament dan psychologische, was een openbaring en in bepaalde kringen op Harvard ook behoorlijk controversieel. Ik herinner me dat ik mensen in de lift van William James Hall, waar de psychologische faculteit van Harvard gevestigd is, hoorde fluisteren dat Kagan was overgelopen naar de biologische denkers, die in diezelfde tijd het monopolie van psychotherapeuten op de behandeling van stoornissen als depressies uitholden door te suggereren dat ook die biologische oorzaken hebben.[1]

Nu, decennia later, lijkt dat debat niet meer dan een curieuze episode uit een naïef tijdperk. Bijna dagelijks komt de genetica met nieuwe bevindingen van mentale of gedragsmatige gewoonten die geregeerd worden door een stukje DNA, en ook de neurowetenschap blijft maar ontdekkingen doen over neurale circuits die vastlopen bij de een of andere mentale stoornis, en over welke neurotransmitters niet goed afgesteld staan bij kinderen met een extreem temperament, of het nu om overgevoeligheid gaat, of om een psychopaat in de dop. En toch, zoals Kagan altijd graag opmerkt, is het allemaal niet zo eenvoudig.

Het geval van de alcoholistische knaagdieren

Mijn beste vriend in de derde klas heette John Crabbe, een onvermoeibaar, slim jochie met een hoornen, Harry Potter-achtige bril. Vaak fietste ik naar zijn huis aan het einde van de straat en speelden we heerlijke, luie middagen lang eindeloze spelletjes Monopoly. Na een jaar verhuisde hij en verloren we elkaar uit het oog.

Op een middag, een halve eeuw later, belde ik hem op. Ik had ontdekt dat diezelfde John Crabbe nu gedragsgeneticus was aan Oregon Health and Science University en het Portland VA Medical Center, en nota bene vermaard was om zijn onderzoek naar alcoholistische knaagdieren. Crabbe doet al jarenlang onderzoek naar muizen uit de familie C57BL/6J, die zich onderscheiden door een niet te stillen behoefte aan alcohol. Met dit onderzoek hoopt men meer inzicht te krijgen in de oorzaken van alcoholisme bij mensen en misschien zelfs remedies te vinden.

Deze familie van alcoholminnende muizen is één van de ongeveer honderd muizenfamilies die geschikt zijn voor medisch onderzoek, bijvoorbeeld vanwege een aanleg voor diabetes of hartfalen. Iedere muis in een bepaalde gefokte familie is in feite een kloon van iedere andere muis in dezelfde familie. Net als eeneiige tweelingen hebben ze identieke genen. Een wetenschappelijk voordeel van het werken met deze families is hun stabiliteit: een muis van een bepaalde familie kan wereldwijd in verschillende laboratoria getest worden en zou altijd moeten reageren als iedere andere muis uit dezelfde familie. Maar het is exact deze veronderstelde stabiliteit die door Crabbe in een eenvoudig en inmiddels beroemd experiment ter discussie is gesteld.[2]

'We vroegen ons af hoe stabiel "stabiel" precies is,' vertelde Crabbe me toen ik hem belde. 'We voerden in verschillende laboratoria identieke tests uit, waarbij we probeerden om ieder aspect van de omgeving exact overeen te laten stemmen, van het merk muizenvoer dat ze kregen en hun leeftijd, tot hun transportgeschiedenis. We testten ze op dezelfde dag, op hetzelfde tijdstip met identieke apparatuur.'

Op 20 april 1998 tussen 8.30 en 9.00 uur plaatselijke tijd werden alle muizen uit acht verschillende gefokte families getest, inclusief C57BL/6J. Een van de tests bestond uit een keus tussen het drinken van gewoon water of een alcoholoplossing. Geheel volgens de verwachtingen, verkozen de drankliefhebbers de knaagdierenmartini veel vaker dan de andere muizenfamilies.

Daarna volgde een gestandaardiseerde test naar angst bij muizen. Een muis wordt ongeveer een meter boven de grond op een kruispunt van twee paadjes geplaatst. Twee armen van de kruising hebben muurtjes, de andere twee zijn open, wat eng kan zijn. Angstige muizen bewegen zich langs de muren, terwijl het meer avontuurlijke type de open paden kiest.

Tot grote verbazing van degenen die geloven dat alleen genen het gedrag bepalen, bleek dat er binnen een bepaalde familie van lab tot lab een aantal duidelijke verschillen optrad in de angsttest. De familie BALB/cByJ was bijvoorbeeld zeer angstig in Portland, maar behoorlijk avontuurlijk in Albany.

Zoals Crabbe opmerkte: 'Als genen allesbepalend zouden zijn, zou je verwachten geen enkel verschil te vinden.' Wat zou de verschillen veroorzaakt hebben? Een aantal variabelen waren van lab tot lab niet te controleren, zoals de vochtigheidsgraad en het water dat de muizen dronken, en misschien nog wel belangrijker: de mensen die met de muizen werkten. Een van de onderzoeksassistenten was bijvoorbeeld allergisch voor muizen en droeg een masker als hij de diertjes vasthield.

'Sommige mensen zijn zelfverzekerd en handig met muizen, anderen zijn bang of hardhandig,' vertelde Crabbe. 'Ik gok dat muizen de emotionele toestand van de persoon met wie ze te maken hebben aanvoelen en dat dat weer een invloed heeft op het gedrag van de muis.'

Zijn onderzoek, gepubliceerd in het toonaangevende tijdschrift *Science*, bracht onder neurowetenschappers een storm van discussie teweeg. Men worstelde met het verontrustende nieuws dat kleine verschillen van laboratorium tot laboratorium, zoals hoe de muizen behandeld werden, verschillen veroorzaakten in het gedrag van de muizen en dat er dus verschillen waren in de werking van identieke genen.[3]

Crabbes experiment en vergelijkbare bevindingen uit andere laboratoria lijken erop te wijzen dat genen dynamischer zijn dan de meeste mensen (en de wetenschap gedurende meer dan een eeuw) hebben aangenomen. Het gaat er niet alleen om met welke genen we geboren zijn, maar ook om de manier waarop ze zich 'uitdrukken'.

Om te begrijpen hoe onze genen werken, moeten we rekening houden met het verschil tussen het bezit van een bepaald gen en de mate waarin dat gen zijn kenmerkende proteïnen uitdrukt. Genetische expressie betekent kort gezegd dat een stukje DNA de stof RNA aanmaakt, die op zijn beurt een proteïne maakt die ervoor zorgt dat er iets gebeurt in onze biologie. Van de ongeveer dertigduizend genen in het menselijk lichaam komen sommige alleen tot expressie tijdens de ontwikkeling van het embryo en sluiten zich dan voorgoed af. Andere gaan voortdurend aan en uit. Sommige drukken zich alleen uit in de lever, andere alleen in het brein.

Crabbes ontdekking betekende een mijlpaal in de 'epigenetica', het onderzoek naar de manieren waarop onze ervaringen de werking van onze genen beïnvloeden zonder ook maar iets aan onze DNA-sequentie te veranderen. Alleen wanneer een gen zorgt voor de aanmaak van RNA, heeft dat gen daadwerkelijk invloed op het lichaam. De epigenetica laat zien hoe onze omgeving, herleid tot de directe chemische omgeving van een bepaalde cel, de mate van activiteit van onze genen programmeert.

Onderzoek in de epigenetica heeft veel van de biologische mechanismen geïdentificeerd die een rol spelen bij genetische expressie. Een van die processen, waarbij het molecuul methyl betrokken is, zet genen aan en uit, en vertraagt of versnelt bovendien hun activiteit.[4] Methylactiviteit bepaalt ook gedeeltelijk waar in de hersenen de ongeveer 100 miljard neuronen terechtkomen en op welke andere neuronen hun tienduizend verbindingen zullen aanhaken. Het methylmolecuul geeft vorm aan het lichaam, inclusief het brein.

Zulke inzichten maken een eind aan het eeuwenoude debat over 'nature' versus 'nurture', 'aanleg' versus 'opvoeding': bepalen onze genen of onze ervaring wie we worden? Het blijkt een zinloos debat, gebaseerd op de onjuiste gedachte dat onze genen en onze omgeving onafhankelijk van elkaar zijn. Het is als ruziën over wie er meer bijdraagt aan de vorm van een rechthoek, de lengte of de breedte.[5]

Het feit dat we een bepaald gen bezitten, zegt niet alles over de biologische waarde ervan. Het voedsel dat we eten bevat bijvoorbeeld honderden stoffen die een scala aan genen reguleren, en ze uit en aan zetten als knipperlichtjes in een kerstboom. Als we een aantal jaren achter elkaar slecht eten, kunnen we een combinatie van genen activeren die resulteren in dichtge-slibde aderen. Aan de andere kant krijgen we met een hapje broccoli een do-sis vitamine B6 binnen dat het tryptofaan hydroxylase-gen aanzet tot de pro-ductie van het aminozuur L-tryptofaan. Dat is weer belangrijk voor de aanmaak van dopamine, een neurotransmitter die onder andere onze stem-ming stabiliseert.

Het is voor een gen niet mogelijk om onafhankelijk van de omgeving te functioneren: genen zijn ontworpen om gereguleerd te worden door signa-len uit hun onmiddellijke nabijheid, zoals de hormonen van het endocriene systeem en neurotransmitters in de hersenen, die op hun beurt soms weer diepgaand beïnvloed worden door onze sociale interacties.[6] Net zoals ons dieet bepaalde genen reguleert, zo bepalen onze sociale ervaringen een sub-stantieel deel van dergelijke genomische aan-uitschakelaars.

Onze genen zijn dus op zichzelf niet voldoende om een optimaal functio-nerend zenuwstelsel te produceren.[7] Een kind opvoeden tot een zelfverze-kerd of empathisch mens vereist vanuit deze optiek niet alleen de noodza-kelijke verzameling genen, maar ook goed ouderschap en andere nuttige sociale ervaringen. Zoals we zullen zien garandeert alleen deze combinatie dat de juiste genen ook optimaal werken. Vanuit dit perspectief is opvoeding illustratief voor wat we 'sociale epigenetica' zouden kunnen noemen.

'Sociale epigenetica is een volgend gebied om te ontginnen in de genomi-ca' zegt Crabbe. 'De nieuwe technische uitdaging is hoe we de invloed van de omgeving op verschillen in genetische expressie in het onderzoek kunnen betrekken. Het is wéér een klap voor het naïeve perspectief van het genetisch determinisme, dat zegt dat onze ervaringen niet belangrijk zijn, maar dat ge-nen alles bepalen.'

Genen moeten zich uitdrukken

James Watson, die samen met Francis Crick de Nobelprijs won voor hun baanbrekende ontdekking dat DNA gevormd is als een dubbele spiraal, maakt er geen geheim van dat hij licht ontvlambaar is. Maar, zo zegt hij, het is ook snel weer over. Dat snelle herstel is volgens hem een van de meer positieve uitingen van de genen die met agressie geassocieerd worden.

Het gen in kwestie helpt om woede te remmen en kan op twee manieren opereren. In de eerste, zwakkere vorm drukt het gen bijzonder kleine hoe-veelheden uit van het enzym dat agressie reguleert, waardoor iemand snel boos wordt, veel bozer blijft dan de meeste mensen, en meer geneigd is tot geweld. Mensen die hiermee behept zijn, lopen een groot risico om in de ge-vangenis belanden.

In de andere vorm drukt het gen juist veel van dit enzym uit. Hierdoor kan het gebeuren dat iemand, net als Watson, snel boos wordt, maar ook snel weer herstelt. Het tweede patroon van genexpressie maakt het leven iets plezieriger, omdat momenten van irritatie niet zo lang duren. Je kunt met dit patroon dus zelfs de Nobelprijs winnen.

Als een gen nooit de proteïnen uitdrukt die ons lichamelijk functioneren kunnen beïnvloeden, dan zouden we dat gen net zo goed niet kunnen hebben. Als het er een beetje van uitdrukt, dan is het van weinig belang en als er volledige expressie plaatsvindt, dat is het gen van maximaal belang.

Het menselijk brein is zo ontworpen, dat het zichzelf verandert in reactie op onze verzamelde ervaringen. Opgesloten in zijn benige kooi, met een consistentie van boter op kamertemperatuur, is het brein even fragiel als complex. Een gedeelte van deze fragiliteit is het gevolg van onze verfijnde afstemming op de omgeving.

Lang ging men ervan uit dat genregulerende gebeurtenissen strikt biochemisch van aard waren, zoals een goede voeding of, in het slechtste geval, blootstelling aan industriële vergiften. Nu kijken epigenetische studies ook naar de manier waarop ouders omgaan met een opgroeiend kind en laten zien hoe de opvoeding de hersenontwikkeling van dat kind beïnvloedt.

Een kinderbrein is voorgeprogrammeerd op groei, maar daar is meer dan twintig jaar van ons leven voor nodig. Het brein is dan ook het laatste orgaan in ons lichaam dat anatomisch volwassen wordt. In die periode leveren alle belangrijke figuren in het leven van een kind (ouders, broers en zussen, grootouders, leraren en vrienden) een actieve bijdrage aan de groei van de hersenen dankzij hun rol in de sociaalemotionele omstandigheden die ten grondslag liggen aan de neurale ontwikkeling. Als een plant die zich aanpast aan een rijke of arme bodem vormt het kinderbrein zich naar de sociale ecologie en met name naar het emotionele klimaat dat geschapen wordt door de belangrijkste personen in haar leven.

Sommige hersensystemen zijn veel ontvankelijker voor deze sociale invloeden dan andere en ieder netwerk van hersencircuits heeft een eigen kritische periode waarin het gevormd kan worden door sociale krachten. Een aantal van de meest diepgaande ontwikkelingen schijnt plaats te vinden in de eerste twee levensjaren, de periode waarin de hersenen de grootste groei doormaken: van nauwelijks 400 gram bij de geboorte tot een fikse 1000 gram na vierentwintig maanden (volwassen hersenen wegen gemiddeld 1400 gram).

Na dit stadium lijken de belangrijke persoonlijke ervaringen biologische regelsystemen in werking te stellen voor het activiteitsniveau van de genen die zowel de hersenfunctie als andere biologische systemen reguleren. De sociale epigenetica breidt het spectrum van genregulerende factoren uit tot relaties.

Adoptie kunnen we opvatten als een uniek natuurlijk experiment waarbij we de invloed kunnen evalueren van de adoptiefouders op de genen van het kind. Een onderzoek naar agressie bij geadopteerde kinderen vergeleek de sfeer in het gezin van de biologische ouders met die bij de adoptiefouders. Van de kinderen uit een familie met een geschiedenis van agressie, ruzie en geweld die geadopteerd waren door liefdevolle gezinnen, vertoonde slechts 13 procent van de adoptiefkinderen antisociale trekken, maar van de kinderen die in een 'slecht' gezin terechtkwamen, waarin agressie heel gewoon was, werd maar liefst 45 procent zelf gewelddadig.[8]

Het gezinsleven lijkt niet alleen de genetische activiteit bij agressie te veranderen, maar ook bij andere karaktertrekken. Van groot belang is waarschijnlijk de hoeveelheid liefdevolle aandacht (of kille verwaarlozing) die een jongere krijgt. Michael Meaney, neurowetenschapper aan McGill University in Montreal, is een gepassioneerd onderzoeker naar de implicaties van de epigenetica voor menselijk contact. Meaney, tenger gebouwd en een charmante spreker, toont wetenschappelijk lef in zijn bereidheid conclusies te trekken over de mens op grond van zijn uitgebreide onderzoek naar laboratoriummuizen.

Meaney heeft een zeer belangrijk proces geïdentificeerd waarin ouderschap de chemie van de genen van het nageslacht blijkt te beïnvloeden, althans bij muizen.[9] Uit zijn onderzoek bleek dat er een korte periode is in de ontwikkeling van een knaagdier, namelijk de eerste twaalf uur na de geboorte, waarop er een beslissend methylproces plaatsvindt. De mate waarin een moederrat haar jongen gedurende deze periode likt en verzorgt, bepaalt hoe de hersenchemicaliën die reageren op stress voortaan bij dat jong zullen worden aangemaakt.

Hoe zorgzamer de moeder, hoe slimmer, zelfverzekerder en onverschrokkener het jong zal zijn; hoe minder zorgzaam, hoe langzamer het jong leert en hoe sneller het zich door dreiging zal laten overweldigen. Voor vrouwtjes geldt bovendien dat hoe meer hun moeder hen likt en verzorgt, hoe meer zij hun eigen jongen zullen likken en verzorgen.

Bij de jongen die geboren worden uit toegewijde moeders die het veel likken en verzorgen, is de dichtheid van de connecties tussen hersencellen aanzienlijk hoger, vooral in de hippocampus, waar het geheugen en de leervermogens gelokaliseerd zijn. Deze jongen waren bijzonder goed in een van de belangrijkste vermogens van een knaagdier: zich oriënteren in een fysieke omgeving. Bovendien raakten ze minder snel van slag in potentieel stressvolle situaties en áls ze een stressreactie hadden, herstelden ze daar beter van.

Bij het nageslacht van minder zorgzame en aandachtige moeders was de dichtheid van de connecties tussen neuronen daarentegen minder hoog. Ze

scoorden ook slecht bij het oplossen van een doolhof, de IQ-test voor muizen.

De grootste neurale ramp voor rattenjongen is als ze op jonge leeftijd volledig van hun moeder gescheiden worden. Deze crisis schakelt een aantal beschermende genen uit, waardoor de diertjes gevoelig zijn voor een biologische kettingreactie die hun hersenen overspoelt met toxische, door stress
opgewekte moleculen. Deze jonge knaagdieren ontwikkelen zich tot angstige en schrikachtige dieren.

Empathie, afstemming en aanraking lijken het menselijk equivalent van
likken en verzorgen. Als Meaneys werk zich naar mensen laat vertalen, wat
hij vermoedt, dan verleent de manier waarop onze ouders met ons omgaan
ons een genetische blauwdruk die uitstijgt boven het DNA dat ze aan ons hebben overgedragen. En de manier waarop wij onze kinderen behandelen zal
weer het niveau van activiteit van hún genen bepalen. Deze ontdekking suggereert dat kleine, zorgzame ouderlijke handelingen van blijvend belang kunnen zijn en dat relaties een rol spelen in de voortdurende aanpassing van onze hersenen.

De nature-nurturepuzzel

Het is één ding om over epigenetica te spreken wanneer het gaat om genetisch hybride muizen in zorgvuldig gecontroleerde laboratoria, maar hoe
krijgen we inzicht in de onoverzichtelijke wereld waarin wíj leven?

Dit was de enorme uitdaging van een grootscheeps onderzoek onder leiding van David Reiss van George Washington University. In dit onderzoek
bundelde Reiss, befaamd om zijn heldere onderzoek naar familiedynamiek,
zijn krachten met Mavis Heatherington, een expert op het gebied van stiefgezinnen, en Robert Plomin, een toonaangevend onderzoeker op het terrein
van de gedragsgenetica.

De gouden standaard voor onderzoek naar *nature* versus *nurture*, aanleg
tegenover opvoeding, is het vergelijken van geadopteerde kinderen met kinderen die zijn opgevoed door hun biologische ouders. Dit stelt onderzoekers
in staat om vast te stellen in hoeverre een karaktertrek als agressie te wijten
zou kunnen zijn aan gezinsinvloeden en in hoeverre alleen aan biologische
factoren.

In de jaren tachtig verraste Plomin de wetenschappelijke wereld met gegevens over geadopteerde tweelingen die uitwezen in hoeverre een karaktertrek of een vaardigheid voortkwam uit de genen en in hoeverre uit de opvoeding. De schoolse vaardigheden van tieners komen voor ongeveer 60
procent voort uit de genen, stelde hij vast, terwijl hun gevoel van eigenwaarde

slechts voor 30 procent genetisch bepaald is en hun moraal maar voor 25 procent.[10] Maar Plomin en anderen die deze methode gebruikten, kwamen wetenschappelijk onder vuur te liggen omdat ze deze invloeden bestudeerden binnen een beperkte reeks gezinnen; meestal vergeleek men tweelingen die werden opgevoed door hun biologische ouders met tweelingen die werden opgevoed door stiefouders.

De groep rond Reiss besloot daarom veel meer variabelen op te nemen met betrekking tot de stiefgezinnen, zodat de vergelijking veel specifieker zou worden. Hun rigoureuze onderzoeksplan vereiste dat ze 720 tieners zouden vinden die tezamen het volledige scala aan genetische verwantschappen zouden vertegenwoordigen, van identieke tweelingen tot stiefbroers en -zussen.[11]

De groep zocht stad en land af naar gezinnen met hooguit twee tienerkinderen in één uit zes mogelijke configuraties. Het vinden van gezinnen met identieke en twee-eiige tweelingen, de standaardprocedure in het vakgebied, was geen probleem. Veel moeilijker was het om gezinnen te vinden waarin elk van de ouders niet meer dan één kind in de tienerleeftijd meebracht uit een vorige relatie. Nog lastiger was het, dat de stiefouders minstens vijf jaar getrouwd moesten zijn.

Na deze uitputtende zoektocht om de juiste gezinnen te vinden en te mobiliseren, waren de onderzoekers jaren bezig om de enorme hoeveelheid onderzoeksgegevens te analyseren. Er volgden meer frustraties. Zo ontdekte men bijvoorbeeld onverwacht dat ieder kind hetzelfde gezin op een geheel eigen wijze ervaart.[12] Onderzoek naar tweelingen die afzonderlijk werden opgevoed ging er altijd als vanzelfsprekend vanuit dat ieder kind in een bepaald gezin dat gezin op dezelfde manier ervaart. Net zoals Crabbe met zijn onderzoek naar de genetica van laboratoriummuizen de fundamenten van zijn vakgebied onderuit had gehaald, liet het groepsonderzoek van Reiss niets van die aanname heel.

Neem bijvoorbeeld een ouder en een jonger kind uit één gezin. In eerste instantie heeft het oudste kind vanaf de geboorte geen rivaal wat betreft de liefde en aandacht van de ouders. Dan komt er nog een kind. Het jongere kind moet vanaf het eerste ogenblik strategieën ontwikkelen in de strijd om tijd en aandacht van de ouders. Kinderen streven naar uniciteit en dat heeft tot gevolg dat ze verschillend behandeld worden. Deze ontdekking betekende het einde van de school van denken die uitging van één gezin, één omgeving.

Erger nog, de unieke ervaring van het gezinsleven bleek van groot belang voor de ontwikkeling van het temperament van een kind, meer dan welke genetische invloed dan ook. De manier waarop een kind zijn speciale plek in het gezin definieert kan dus talloze vormen aannemen, wat hen tot epigenetische wildcards maakt.

Bovendien zijn ouders niet de enigen die invloed uitoefenen op het temperament van hun kind. Een grote groep andere mensen doet dat ook, met name broers en zussen, en vrienden.

Om de vergelijking nog verder te compliceren dook er een verrassingsfactor op die een onafhankelijke en krachtige vormgever bleek te zijn van het lot van een kind, namelijk de manier waarop het over zichzelf gaat denken. Uiteraard is het algemene gevoel van eigenwaarde van een tiener voor een groot deel afhankelijk van hoe deze als kind behandeld is en vrijwel niet van de genen. Zodra dit zelfbeeld echter gevormd is, is het grotendeels bepalend voor het gedrag van een kind, onafhankelijk van goedbedoelde raadgevingen van ouders, de druk van leeftijdgenoten of een of ander genetisch feit.[13]

Nu neemt het hele verhaal van de sociale impact op de genen een andere wending: de genetische constellatie van een kind bepaalt ook weer hoe iedereen het behandelt. Ouders knuffelen spontaan met baby's die terugflirten en -knuffelen, terwijl lastige of onverschillige baby's minder knuffels krijgen. In het slechtste geval reageren ouders op een kind dat genetisch gauw geprikkeld, agressief en lastig is door het hard aan te pakken, scherp terecht te wijzen, en kritiek en woede niet te schuwen. Die aanpak maakt een kind alleen maar lastiger, wat weer meer negativiteit bij de ouders oproept, en zo ontstaat er een neerwaartse spiraal.[14]

De warmte van de ouders, hoe ze grenzen stellen en al die ontelbare andere manieren waarop een gezin functioneert, zo concludeerden de onderzoekers, dragen bij aan de manier waarop veel van onze genen tot expressie komen. Daarnaast zijn echter ook een bazig broertje of een raar vriendje van invloed.

Het oude, ooit ogenschijnlijk heldere onderscheid tussen de aspecten van het gedrag van een kind die voortkomen uit de genen en de aspecten die voortkomen uit de sociale omgeving is behoorlijk vervaagd. Ondanks de miljoenen dollars aan onderzoeksgelden en de uitputtende zoektocht naar precies de goede gezinnen, riep het onderzoek van de groep rond Reiss uiteindelijk meer vragen op over de ontelbare complexe interacties tussen het gezinsleven en onze genen, dan dat het resultaten opleverde.

De tijd binnen het vakgebied lijkt nog niet rijp om iedere epigenetische route in de chaotische mist van het gezinsleven te traceren. Desalniettemin komen er uit deze nevelen een aantal glasheldere gegevens naar voren. Eén daarvan lijkt erop te wijzen dat levenservaringen het vermogen hebben om genetische 'gegevenheden' in het gedrag te veranderen.

Het scheppen van neurale paden

De inmiddels overleden hypnotherapeut Milton Erickson vertelde graag over zijn jeugd in een klein dorpje in Nevada, aan het begin van de twintigste eeuw. De winters waren er streng en hij vond het geweldig om 's morgens wakker te worden en te merken dat het 's nachts gesneeuwd had.

Op die dagen stond de kleine Milton snel op, om als eerste een pad naar school te maken. Hij liep altijd expres zigzaggend en rondjes draaiend door de verse sneeuw, maar hoeveel rare bochten en kronkels hij ook maakte, het kind achter hem volgde altijd in zijn voetspoor, net als de volgende en de daaropvolgende. Tegen het einde van de dag was het pad een vaste route geworden die door iedereen werd gevolgd.

Erickson gebruikte het verhaal als een metafoor voor de manier waarop gewoontes zich vormen, maar zijn beeld van dat eerste pad door de sneeuw dat steeds maar weer gebruikt wordt, geeft ook goed aan hoe neurale paden in het brein worden uitgezet. De eerste verbindingen in het neurale circuit worden iedere keer dat dezelfde sequentie gevolgd wordt sterker, totdat de route geautomatiseerd is en er een nieuw circuit is ontstaan.

Het menselijk brein beschikt maar over een beperkte ruimte voor de enorme hoeveelheid circuits. Hierdoor ontstaat er een constante druk om connecties te verwijderen die niet langer nodig zijn, zodat er ruimte vrijkomt voor wat wel nodig is. Het motto *'use it or lose it'* of 'als je het niet gebruiken kan, loos het dan' verwijst naar dit meedogenloze neurale darwinisme, waarin hersencircuits met elkaar wedijveren om te overleven. De neuronen die we niet gebruiken worden 'gesnoeid' als twijgen van een boom.

Als de klomp klei waar een beeldhouwer mee begint, genereert het brein meer materiaal dan het nodig heeft om zijn uiteindelijke vorm aan te nemen. In de loop van onze kindertijd en tienerjaren ontdoet het zich selectief van de helft van deze overdaad aan neuronen. Het behoudt de neuronen die het gebruikt en verwijdert neuronen die in onbruik raken op basis van de levenservaringen van het kind, inclusief diens relaties.

Relaties zijn niet alleen medebepalend voor welke connecties behouden blijven, maar beïnvloeden ook de connecties die door nieuwe neuronen worden gemaakt. Ook hier blijken oude aannames uit de neurowetenschap geen stand te houden. Zelfs tegenwoordig leren studenten nog wel dat we na onze geboorte geen nieuwe hersencellen meer aanmaken, maar die theorie is inmiddels volledig achterhaald.[15] We weten nu zelfs dat de hersenen en de ruggengraat stamcellen bevatten die zich met duizenden per dag tot nieuwe neuronen ontwikkelen. Het tempo waarin neuronen zich vormen, piekt in de kindertijd, maar blijft tot op hoge leeftijd doorgaan.

Zodra een nieuw neuron ontstaat, verplaatst het zich naar zijn positie in het brein. Daar ontwikkelt het in de loop van een maand ongeveer tienduizend verbindingen met andere neuronen overal in de hersenen. In de volgende vier maanden verfijnt het neuron zijn verbindingen. Zijn de routes eenmaal met elkaar verbonden, dan worden ze vastgelegd of, zoals neurowetenschappers graag zeggen: *cells that fire together wire together* (als twee cellen samen vuren, wordt de verbinding tussen die cellen sterker).

Gedurende deze periode van vijf tot zes maanden dicteert onze persoonlijke ervaring met welke andere neuronen de nieuwe cel zich zal verbinden.[16] Hoe vaker een ervaring zich herhaalt, hoe sterker de gewoonte wordt, en hoe groter de dichtheid zal zijn van de neurale verbindingen. Meaney heeft ontdekt dat herhaald leren bij muizen het tempo versnelt waarop nieuwe neuronen integreren in circuits met andere neuronen. Op deze manier blijft het brein zich herprogrammeren.

Dat geldt misschien voor muizen, maar hoe zit dat met ons mensen? Ook op ons lijkt deze dynamiek van toepassing en dat heeft verreikende implicaties voor de vorming van het sociale brein.

Ieder gespecialiseerd hersensysteem kent een kritische periode waarin ervaringen een maximale invloed hebben op de vorming van de hersencircuits van dat systeem. Zintuiglijke systemen worden bijvoorbeeld grotendeels gevormd in de vroege kindertijd, gevolgd door de systemen voor taal.[17] Sommige systemen, zoals de hippocampus (zowel bij mensen als bij ratten de locatie van leren en geheugen), laten zich een leven lang sterk door ervaring beïnvloeden. Onderzoek bij apen heeft uitgewezen dat specifieke cellen in de hippocampus die zich alleen tijdens de kindertijd ontwikkelen, onder invloed van extreme stress tijdens die kritieke periode soms niet de aangewezen plek bereiken.[18] Omgekeerd kan liefdevolle ouderlijke zorg de migratie van die cellen bevorderen.

Bij mensen geldt de langste vormingsperiode de prefrontale schors, die zich tot in de vroege volwassenheid anatomisch ontwikkelt. Dientengevolge kunnen de mensen die een rol spelen in het leven van een kind decennialang invloed uitoefenen op de neurale circuits van de hoge route van dat kind.

Hoe vaker een bepaalde interactie in de kindertijd voorkomt, hoe dieper die in de hersencircuits wordt gegroefd en hoe meer hij 'blijft hangen' wanneer het kind volwassen is. Die terugkerende momenten uit onze jeugd ontwikkelen zich tot automatische routes in ons brein, als Milton Ericksons paden door de sneeuw.[19]

Spindle-cellen, de supersnelle verbindingscellen van het sociale brein, zijn een goed voorbeeld. Onderzoekers hebben ontdekt dat deze cellen bij mensen naar de aangewezen plaats migreren (hoofdzakelijk de OFC en de ACC) als we een maand of vier zijn en zich vanaf dat moment verbinden met duizenden andere cellen. Deze neurowetenschappers denken dat de plaats en de reikwijdte van de verbindingen van een spindle-cel afhankelijk zijn van invloeden als stress binnen het gezin (als het tegenzit) of een warme en liefdevolle omgeving (als het meezit).[20]

We hebben gezien dat spindle-cellen de hoge en de lage route met elkaar verbinden en ons helpen onze emoties en onze reacties op elkaar af te stemmen. Die neurale connecties liggen ten grondslag aan een uiterst belangrijke verzameling sociaal intelligente vaardigheden. In de woorden van Richard Davidson, de neurowetenschapper die we zijn tegengekomen in hoofdstuk 6: 'Nadat onze hersenen emotionele informatie hebben geregistreerd, levert de prefrontale schors een bijdrage tot een adequate respons. Deze circuits worden gevormd door genen die in wisselwerking staan met onze ervaringen en dat bepaalt weer onze affectieve stijl: hoe snel en hoe sterk we op een emotionele prikkel reageren, en hoe snel we daar weer van herstellen.'

Over het aanleren van de zelfregulerende vaardigheden die zo beslissend zijn voor soepele sociale interacties zegt Davidson: 'Aan het begin van ons leven is onze plasticiteit vele malen groter dan later. Uit dieronderzoek blijkt dat sommige effecten van vroege ervaringen onomkeerbaar zijn. In dat geval blijft een circuit dat in de kindertijd door de omgeving is gevormd verder vrij stabiel.'[21]

Neem een moeder en kind die een onschuldig spelletje kiekeboe spelen. Hoe vaker de moeder haar gezicht verstopt en weer laat zien, hoe opgewondener de baby wordt; als de intensiteit een hoogtepunt bereikt, keert de baby zich abrupt af, stopt zijn duim in zijn mond en kijkt glazig voor zich uit.

Op deze manier geeft de baby aan dat hij even tijd nodig heeft om tot rust te komen. De moeder gunt hem die tijd en wacht tot hij klaar is om verder te spelen. Een paar seconden later keert hij zich weer naar haar toe en kijken ze elkaar stralend aan.

Laten we het scenario nu eens een beetje veranderen: weer bereikt het spelletje zijn hoogtepunt, het moment waarop de baby zich afwendt en zijn duim in zijn mond steekt om rustig te worden voordat hij weer contact zoekt met zijn moeder. Dit keer wacht de moeder echter niet tot het kind zich terugdraait. In plaats daarvan buigt ze zich zo ver naar hem toe dat hij haar weer ziet en klikt met haar tong om zijn aandacht op te eisen.

De baby blijft de andere kant op kijken en negeert zijn moeder. Onverstoorbaar beweegt die haar hoofd nog verder naar hem toe, waarop het kind gaat dreinen en probeert haar gezicht weg te duwen. Uiteindelijk keert hij zich nog verder van zijn moeder af en begint koortsachtig op zijn duim te zuigen.

Maakt het uit dat de ene moeder zich afstemt op het signaal van haar baby, terwijl de ander die boodschap negeert?

Een enkel spelletje kiekeboe bewijst niets, maar als een verzorger er herhaaldelijk (en dikwijls) niet in slaagt om zich af te stemmen, zo blijkt uit veel onderzoek, kan dat blijvende gevolgen hebben. Als dit soort patronen zich de gehele jeugd lang herhalen, vormen ze het sociale brein. Zo ontwikkelt de één zich tot een levensblij, aanhankelijk en open kind, terwijl de ander neerslachtig en teruggetrokken wordt, of agressief en uitdagend. Ooit zouden dit soort verschillen misschien toegeschreven zijn aan het 'temperament', dat even onveranderlijk werd geacht als later de genen van het kind. Tegenwoordig concentreert het wetenschappelijk onderzoek zich op de manier waarop de genen van een kind kunnen worden ingesteld door de duizenden routinematige interacties die het tijdens het opgroeien meemaakt.

Hoop op verandering

Ik weet nog dat Jerome Kagan in de jaren tachtig vertelde over onderzoek waar hij mee bezig was in Boston en het verre China. Door te kijken naar de reactie van baby's op nieuwe dingen hoopte hij te kunnen vaststellen welke kinderen zich zouden ontwikkelen tot timide en verlegen mensen. Kagan, die nu gedeeltelijk met pensioen is, houdt zich nog altijd met soortgelijk onderzoek bezig en volgt een aantal van de 'Kaganbaby's' ook nu ze volwassen zijn.[22] Om de paar jaar val ik zijn oude kantoor binnen op de bovenste verdieping van William James Hall, de hoogste toren op het terrein van Harvard.

Tijdens mijn laatste bezoek vertelde hij me over zijn meest recente ontdekking uit fMRI-onderzoek naar de Kagankinderen. Kagan, die altijd gebruik maakt van de nieuwste onderzoeksmethodes, had de fMRI ontdekt. Hij vertelde me dat een onderzoek onder tweeëntwintig voormalige Kaganbaby's die als kind het predicaat 'geremd' hadden gekregen, net had uitgewezen dat hun amygdala's nog altijd buitengewoon sterk reageerden op ongewone dingen.[23]

Een van de neurologische indicatoren van dit timiditeitsprofiel is, naar het zich laat aanzien, een verhoogde activiteit van de colliculus, een deel van de zintuiglijke schors dat geprikkeld wordt zodra de amygdala iets bijzonders en potentieel gevaarlijks opmerkt. Dit neurale circuit reageert zodra we een discrepantie waarnemen, zoals een plaatje van een babyhoofd op een giraffelichaam. De plaatjes hoeven niet direct bedreigend te zijn om de colliculus te activeren; het is voldoende dat iets er vreemd of 'gek' uitziet.

Kinderen waarbij deze circuits traag reageren, zijn meestal extravert en sociaal. Jongeren met een gemakkelijk geprikkelde colliculus daarentegen, schrikken terug voor alles wat ongebruikelijk is en zijn bang voor nieuwe dingen. Een dergelijke predispositie bij een jong kind is vaak zelfversterkend, omdat beschermende ouders hun timide peuters afschermen voor juist die confrontaties die hen kunnen helpen een alternatieve reactie te ontwikkelen.

In eerder onderzoek ontdekte Kagan dat timide kinderen vaak hun genetische aanleg tot verlegenheid overwinnen wanneer ze door hun ouders gedwongen worden tijd door te brengen met leeftijdgenootjes, iets wat deze kinderen uit zichzelf niet snel zouden doen. Ouders moeten soms dus krachtdadig optreden. Na tientallen jaren onderzoek heeft Kagan vastgesteld dat slechts een derde van de kinderen die kort na de geboorte als 'geremd' werden aangemerkt, nog altijd timide gedrag vertoonde tegen de tijd dat ze volwassen waren.

Nu beseft hij dat het niet zozeer de onderliggende neurale hyperactiviteit is die verandert (de amygdala en de colliculus reageren nog altijd te sterk), maar wat de hersenen met de impuls doen. Kinderen die leren de drang om zich terug te trekken te weerstaan, zijn na verloop van tijd beter in staat om dingen aan te gaan, zonder nog uiterlijke signalen van geremdheid te vertonen.

Neurowetenschappers gebruiken de term *neural scaffolding* (letterlijk: neurale steigerconstructie) om te beschrijven hoe de connecties van een aangelegd hersencircuit door herhaaldelijk gebruik sterker worden, als een steiger die wordt opgebouwd op een bouwplaats. Neural scaffolding verklaart waarom het moeite kost een gedragspatroon te veranderen als het eenmaal gevestigd is. Door nieuwe kansen, of misschien gewoon door inspanning en oplettendheid, kunnen we echter een nieuwe route uitzetten en bekrachtigen.

Kagan vertelde over de geremde kinderen: '70 procent ontwikkelt zich voorspoedig. Temperament kan mogelijkheden beperken, maar is niet bepalend. Deze kinderen zijn niet langer angstig of hyperreactief.'

Een jongetje bij wie als baby geremdheid was vastgesteld, had bijvoorbeeld tegen de tijd dat hij een tiener was geleerd om ook als hij bang was gewoon dingen te doen. Nu realiseerde niemand zich meer, zei hij, dat hij zich nog altijd verlegen voelde. Er was wel wat hulp en inspanning voor nodig geweest, en een aantal kleine overwinningen waarbij hij klaarblijkelijk de hoge route had kunnen gebruiken om de lage te temmen.

Een van de triomfen die hij zich herinnert, was het overwinnen van zijn angst voor injecties. In zijn jeugd was die zo groot, dat hij weigerde naar de tandarts te gaan, totdat hij uiteindelijk een tandarts vond die zijn vertrouwen won. Door zijn zusje in het zwembad te zien springen vond hij de moed te leren zwemmen, terwijl hij altijd bang was geweest voor water op zijn gezicht. Riep hij steevast om zijn ouders als hij een nare droom had, na verloop van tijd leerde hij hoe hij zichzelf kon kalmeren.

'Ik was in staat mijn angsten de baas te worden,' schreef het ooit zorgelij-ke jochie in een schoolopstel. 'En omdat ik nu mijn angstige aard begrijp, ben ik in staat om mijzelf eenvoudige angsten uit het hoofd te praten.'[24]

Met een beetje hulp kan er dus bij veel van deze geremde kinderen op een natuurlijke manier een positieve verandering optreden. De juiste stimulans van familie en anderen helpt, net als weten hoe je met je eigen terughou-dendheid om moet gaan. Ook kan een kind alledaagse 'gevaren' als een uit-daging gebruiken om de eigen geremdheid te overwinnen.

Kagan vertelt dat zijn eigen kleindochter, die op zesjarige leeftijd erg ver-legen was, tegen hem zei: 'Als jij nou net doet alsof ik je niet ken, dan kan ik oefenen om niet verlegen te zijn.'

Hij voegt eraan toe: 'Ouders realiseren zich niet dat onze biologie mis-schien bepaalde uitkomsten bemoeilijkt, maar niet bepaalt wat er zou kún-nen gebeuren.'

Opvoeding kan niet ieder gen veranderen of iedere neurologische tic af-zwakken; desalniettemin worden de neurale circuits van kinderen gevormd door wat ze van dag tot dag meemaken. De neurowetenschap begint met op-merkelijke precisie vast te stellen hoe sommige van die processen werken.

HOOFDSTUK 11

Een veilige basis

Op drieëntwintigjarige leeftijd had hij net zijn opleiding aan een bekende universiteit afgerond, in het Engeland van die dagen de garantie voor een succesvolle carrière. Toch was hij zo depressief dat hij aan zelfmoord dacht.

Zijn jeugd was één grote ellende, vertelde hij zijn therapeut. Als oudste van een groot gezin had hij al twee kinderen onder zich toen hij drie jaar oud was.

Zijn ouders maakten vaak ruzie en dan konden er klappen vallen. Zijn vader was vanwege zijn werk maar weinig thuis en zijn moeder sloot zichzelf uren, soms zelfs dagen, op in haar slaapkamer omdat ze het gekibbel van haar kinderen niet kon verdragen.

Als klein kind lieten zijn ouders hem vaak uren huilen; ze dachten dat kindergehuil alleen een vorm van aandachttrekkerij was. Hij had het gevoel dat zijn meest basale gevoelens en behoeftes genegeerd werden.

De meest aangrijpende herinnering uit zijn kindertijd was de nacht dat hij een blindedarmontsteking kreeg en tot de vroege morgen kreunend en alleen wakker lag. Hij herinnerde zich ook hoe zijn jongere broers en zusjes huilden en huilden tot ze uitgeput waren, zonder dat zijn ouders reageerden. En hij herinnerde zich dat hij hen daarom haatte.

Zijn eerste schooldag was de ellendigste dag van zijn leven. Dat hij daar door haar werd afgeleverd betekende voor hem de ultieme afwijzing door zijn moeder. Wanhopig huilde hij de hele dag.

Naarmate hij ouder werd, ging hij zijn hunkering naar liefde verbergen en weigerde hij nog langer iets aan zijn ouders te vragen. Tijdens de therapie was hij doodsbang dat zijn therapeut hem, als hij zijn gevoelens zou tonen en zou gaan huilen, zou zien als een aandachtvragende lastpost en zich in een andere kamer zou opsluiten totdat hij weg was.

Deze casestudy is ontleend aan het werk van de Britse psychoanalyticus John Bowlby, de meest invloedrijke denker uit de school van Freud op het gebied van de ontwikkeling van het kind.[1] Bowlby hield zich bezig met grote menselijke thema's als verlating en verlies, en met de emotionele banden waaraan deze ervaringen hun kracht ontlenen.

Als psychoanalyticus was Bowlby getraind in de klassieke methode met de patiënt op de sofa, maar hij koos een voor zijn tijd (ongeveer vanaf de jaren vijftig) revolutionaire onderzoeksmethode: hij begon moeders en kinderen direct te observeren, in plaats van zich uitsluitend te verlaten op de niet te verifiëren herinneringen van patiënten in psychoanalyse, en hij bleef de kinderen volgen om te kijken hoe hun vroege interacties hun interpersoonlijke gewoontes vormden.

Bowlby stelde vast dat een gezonde gehechtheid aan de ouders de belangrijkste factor was in het welzijn van een kind. Wanneer ouders empathisch handelen en ontvankelijk zijn voor de behoeftes van het kind, geven ze het een fundamenteel gevoel van veiligheid. Deze consistente empathie en sensitiviteit was precies waar het de suïcidale patiënt aan had ontbroken en omdat de man zijn latere relaties zag door de lens van zijn problematische jeugd, bleef hij daaronder lijden.

Om in het leven te gedijen heeft elk kind in zijn jeugd een overwicht aan Ik-Jij-contacten nodig. Goed afgestemde ouders geven een kind een 'veilige basis': mensen op wie ze kunnen rekenen wanneer ze overstuur zijn en aandacht, liefde en troost nodig hebben.

Het concept gehechtheid en een veilige basis werd verder uitgewerkt door Bowlby's belangrijkste Amerikaanse leerling, de minstens zo invloedrijke ontwikkelingspsycholoog Mary Ainsworth.[2] Rijen onderzoekers hebben in haar voetsporen inmiddels enorme hoeveelheden gegevens verzameld en ontdekt dat de subtiliteiten van de eerste interacties tussen ouder en kind van groot belang zijn om een levenslang gevoel van veiligheid te creëren.

Baby's zijn niet zomaar passieve wezens; vrijwel vanaf de geboorte zijn het actief communicerende mensjes die hun eigen zeer urgente doelen nastreven. Het wederzijdse emotionele boodschappensysteem tussen een baby en haar verzorgers is voor het kind van levensbelang. Via deze route loopt al het verkeer dat haar basale behoeftes moet vervullen. Baby's moeten heel goed weten hoe zij hun verzorgers kunnen bereiken. Hiervoor beschikken ze over een verfijnd ingebouwd systeem van oogcontact, lachjes en kreetjes. Zonder die sociale intercom kan een baby diep ongelukkig worden en zelfs sterven door verwaarlozing.

Als je een protoconversatie tussen moeder en baby bekijkt, zie je een zorgvuldig georkestreerde emotionele dans waarin beide partners om de beurt de leiding nemen. Wanneer de baby lacht of huilt, geeft de moeder de gepaste reactie; de emoties van het kind sturen de handelingen van de moeder net zo goed als de moeder het kind stuurt. Hun delicate ontvankelijkheid voor elkaar laat zien dat hier sprake is van een wederzijdse feedback loop, een primaire emotionele snelweg.

Deze feedback loop tussen ouder en kind is de voornaamste weg die ouders ter beschikking staat om hun kinderen de grondregels van relaties bij te brengen: hoe je een ander benadert, hoe je het tempo van een interactie bepaalt, hoe je een gesprek voert, hoe je afstemt op andermans gevoelens en hoe je in een uitwisseling met iemand anders met je eigen gevoelens omgaat. Deze fundamentele lessen vormen de grondslag voor een competent sociaal leven. Verrassend genoeg lijken ze ook van invloed op de intellectuele ontwikkeling. De intuïtieve emotionele lessen uit de woordeloze protoconversatie van het eerste levensjaar vormen de mentale ondergrond voor daadwerkelijke gesprekjes op tweejarige leeftijd, en wanneer een kind leert praten, zet het ook de innerlijke conversatie in gang die wij 'denken' noemen.[3]

Onderzoek heeft bovendien uitgewezen dat een veilige basis meer genereert dan alleen een emotionele cocon: het lijkt de hersenen ook te prikkelen tot het afscheiden van neurotransmitters die een scheutje genot toevoegen aan het gevoel dat we bemind worden en bewerkstelligt hetzelfde bij degenen die ons die liefde geven. Jaren nadat Bowlby en Ainsworth hun theorieën ontwikkelden hebben neurowetenschappers twee genotprikkelende neurotransmitters geïdentificeerd, oxytocine en de endorfinen, die door feedback loops geactiveerd worden.[4]

Oxytocine genereert een gevoel van voldane ontspanning; de endorfinen bootsen het verslavende genot van heroïne na in de hersenen (zij het lang niet zo intens). Een peuter kan voor dit heerlijke gevoel van veiligheid terecht bij ouders en familie. Speelkameraadjes en later vriendschappen en romantiek activeren dezelfde circuits. Onder de systemen die verantwoordelijk zijn voor de afscheiding van deze chemicaliën voor koesterende liefde, vinden we vertrouwde onderdelen van het sociale brein.

Beschadigingen in de gebieden met de meeste oxytocinereceptoren brengen ernstige schade toe aan de koesterende vermogens van een moeder.[5] De systemen lijken bij moeder en kind op vrijwel gelijke manier te functioneren en iets van het neurale cement aan te leveren voor de liefdevolle band tussen beiden. Mede doordat deze hersenchemicaliën het gevoel oproepen dat 'alles in orde is', beschikken kinderen die goed verzorgd worden over een basaal gevoel van veiligheid. (Mogelijk is dit de biochemische basis voor wat Eric Erikson opvatte als het fundamentele gevoel van vertrouwen in de wereld van een baby.)

Moeders wier kinderen onbezorgd opgroeien zijn ontvankelijker voor het gehuil van hun kind. Daarnaast zijn ze liever en warmer, en houden ze meer van knuffelen. Deze afgestemde moeders ervaren dikwijls een feedback loop met hun kind.[6] Kinderen van moeders die zich slecht afstemmen, worden juist onzeker, en wel op één van twee mogelijke manieren. Als de moeder vaak opdringerig is, sluit het kind zich af om de interactie actief te beëindigen. Wanneer de moeder niet betrokken lijkt, reageert de baby met een hulpeloze passiviteit op zijn onvermogen om aansluiting te vinden, het patroon dat Bowlby's suïcidale patiënt ook in zijn volwassen leven liet zien.

Minder extreem dan moeders die hun kind daadwerkelijk verwaarlozen, zijn moeders die een emotionele afstand scheppen en zelfs fysiek afstand houden, door relatief weinig tegen het kind te praten en het weinig aan te raken. Deze kinderen trekken vaak een stalen gezicht en gedragen zich onverschillig, terwijl hun lichaam signalen afgeeft van nerveuze spanning. Ze verwachten dat anderen ongeïnteresseerd en afstandelijk zijn, en houden daarom hun emoties in. Eenmaal volwassen vermijden ze emotionele intimiteit en zijn ze geneigd zich terug te trekken.

Moeders die zenuwachtig en erg met zichzelf bezig zijn, zijn meestal niet afgestemd op de behoeftes van hun kind. Wanneer een moeder wisselvallig is in haar beschikbaarheid en aandacht, kunnen kinderen angstig en te aanhankelijk worden. Deze kinderen lopen op hun beurt het risico zo op te gaan in hun eigen angsten dat ze zich minder goed kunnen afstemmen. In volwassen relaties neigen ze tot angstig en afhankelijk gedrag.

Plezierige, afgestemde interacties zijn net zo belangrijk voor een baby als eten of boertjes laten. Zonder synchronie met de ouders lopen kinderen meer risico op verstoorde gehechtheidspatronen. Kortom, kinderen die veel empathie hebben ervaren, ontwikkelen zich veilig, nerveus ouderschap brengt nerveuze kinderen voort, en afstandelijke ouders maken hun kinderen schuw voor emoties en mensen. In de volwassenheid manifesteren deze patronen zich als een veilige, een onzekere of een afwerende gehechtheidsstijl.

De overdracht van deze patronen van ouder op kind lijkt hoofdzakelijk via de gedragsrelatie te gebeuren. Onderzoek naar tweelingen heeft uitgewezen dat een onbezorgd kind dat door een onzekere ouder wordt geadopteerd met grote waarschijnlijkheid dat onzekere patroon overneemt.[7] De gehechtheidsstijl van een ouder voorspelt die van het kind met een nauwkeurigheid van ongeveer 70 procent.[8]

Als een onzeker kind echter een veilige 'surrogaatouder' kan vinden, zoals een ouder broertje of zusje, een leraar of een familielid dat een deel van de zorg op zich neemt, kan zijn emotionele patroon een veiliger vorm aannemen.

Een uitdrukkingsloos gezicht

Een moeder deelt een paar plezierige ogenblikken met haar baby, maar plotseling treedt er een subtiele verandering op en wordt het gezicht van de moeder koel en nietszeggend.

De baby raakt lichtelijk in paniek en kijkt getroffen.

De moeder toont geen emotie en reageert niet op de ontreddering van het kind. Ze blijft ijzig.

De baby begint klaaglijk te huilen.

Psychologen noemen dit het *still face*-scenario en gebruiken het bewust om de basis van veerkracht te onderzoeken, het vermogen om te herstellen van ontreddering. Zelfs nadat de moeder weer contact heeft gemaakt, is de baby nog een tijdje van slag. De snelheid waarmee baby's herstellen geeft aan hoe goed ze de rudimenten van emotioneel zelfmanagement beheersen. Die basisvaardigheid ontwikkelt zich in de eerste twee levensjaren, waarin baby's zich onafgebroken oefenen in de overgang van overstuur naar kalm, van uit de pas naar afgestemd.

Wanneer het gezicht van de moeder alle uitdrukking verliest en ze plotseling afstandelijk wordt, probeert de baby altijd om het contact weer te herstellen. Baby's proberen alle signalen die ze kennen op hun moeder uit, van flirten tot huilen; sommigen geven het uiteindelijk op, keren zich af en steken bij wijze van troost hun duim in hun mond.

Volgens Edward Tronick, de psycholoog die de still face-methode heeft bedacht, wordt een kind steeds bedrevener in het herstellen van het verbroken contact naarmate het vaker succes heeft. Dit heeft als bijkomend voordeel dat deze kinderen overtuigd raken van de mogelijkheid om menselijke interacties te herstellen. Ze ontwikkelen het vertrouwen dat ze in staat zijn om de situatie te corrigeren wanneer het contact met iemand niet soepel verloopt.

Op die manier leggen ze de basis voor een sterk, levenslang bewustzijn van zichzelf en hun relaties. Deze kinderen zien zichzelf later als doeltreffend, in staat tot positieve interacties en in staat om die interacties te herstellen als er iets misgaat. Ze gaan ervan uit dat andere mensen betrouwbare partners zijn.

Zes maanden oude baby's hebben al een karakteristieke stijl ontwikkeld in hun interacties, plus een eigen manier van denken over zichzelf en anderen. Dit belangrijke leerproces is mogelijk dankzij het gevoel van veiligheid en vertrouwen (met andere woorden: het rapport) dat zich ontwikkelt met degene die het kind verzorgt. Deze Ik-Jij-relatie is fundamenteel voor de sociale ontwikkeling van een kind.

De synchronie tussen moeder en baby begint al op de dag dat een kind geboren wordt; hoe meer synchronie, hoe warmer en gelukkiger het merendeel van hun interacties.[9] Als de synchronie ontbreekt, worden pasgeborenen boos, gefrustreerd of verveeld. Als een baby voortdurend wordt blootgesteld aan gebrekkige synchronie en eenzaam verdriet, zal hij gaan vertrouwen op willekeurig welke kalmeringsstrategie hij vindt. Sommige kinderen lijken de hoop op hulp van buitenaf op te geven en concentreren zich op het vinden van een manier om zichzelf beter te voelen. Andere kinderen scheppen afstand door zich af te wenden of oogcontact te vermijden, en creëren daarmee ruimte om in hun eentje rustig te worden.

Deze strategie van afstand nemen kan het vermogen van een kind om contact te maken echter aantasten. Als een kind zich dit gedrag aanwent, kan het gaan denken dat het zelf niet goed functioneert in interacties en dat je van andere mensen geen steun kunt verwachten. Bij talloze volwassenen leidt deze houding ertoe dat ze, als ze neerslachtig zijn, troost zoeken in zaken als zich overeten, drinken of dwangmatig surfen op het internet.

Naarmate de tijd verstrijkt en het kind groter wordt, kan het dit soort strategieën automatisch en hardnekkig gaan toepassen, ongeacht de situatie. Hiermee schept het een verdedigingsmechanisme tegen geanticipeerde slechte ervaringen, of die anticipatie nu terecht is of niet. Dus in plaats van mensen met een open, positieve houding tegemoet te treden, kan het kind zich gaan terugtrekken in een beschermende cocon en een koude, afstandelijke indruk maken.

De gedeprimeerde feedback loop

Een Italiaanse moeder zingt een vrolijk liedje voor haar baby Fabiana: 'Klap eens in je handjes / Pappa komt gauw thuis / Hij neemt lekkere snoepjes mee / Fabiana, speciaal voor jou.'[10]

De moeder klinkt blij, het liedje is snel en opgewekt, en Fabiana kraait vrolijk mee.

Een andere moeder zingt precies hetzelfde liedje voor haar baby, maar monotoon, langzaam en laag. Haar kind reageert niet blij, maar vertoont tekenen van ontreddering.

Het verschil? De tweede moeder lijdt aan een klinische depressie, de eerste niet.

Deze eenvoudige discrepantie in de manier waarop moeders voor hun baby zingen, laat zien hoe groot de verschillen in emotionele omgeving kunnen zijn waarin kinderen opgroeien en hoe ze zich zullen voelen in iedere belangrijke relatie die ze nog in hun leven zullen hebben. Het is voor depressieve moeders uiteraard moeilijk om vrolijke protoconversaties te voeren met hun kind; ze hebben de energie niet voor de zangerige klanken van Moedertaal.[11]

In interacties met hun baby hebben depressieve moeders vaak last van slechte timing en afstemming, of zijn ze opdringerig, boos of verdrietig. Hun onvermogen tot synchroniseren maakt het ontstaan van een feedback loop onmogelijk, terwijl hun negatieve emoties het kind de boodschap geven dat het iets verkeerds heeft gedaan en moet veranderen. Van die boodschap raakt het kind op zijn beurt weer van slag, maar het kan zijn moeder niet bewegen om hem te kalmeren en kan dat zelf ook niet goed. Op die manier komen moeder en kind gemakkelijk in een neerwaartse spiraal te-recht van gebrekkige coördinatie, negativiteit en genegeerde boodschap-pen.[12]

Volgens gedragsgenetici kunnen depressies erfelijk zijn. Veel onderzoek heeft geprobeerd te berekenen hoe erfelijk een depressie feitelijk is. Hoe groot is de kans dat een kind later in het leven zelf met een klinische depressie te maken krijgt? Maar zoals Michael Meaney opmerkt, erven kinderen met een ouder die aan depressies lijdt niet alleen de genen van die ouder, maar ook de depressieve ouder zelf. Die zou zich zo kunnen gedragen dat het depres-sie-gen gestimuleerd wordt om zich uit te drukken.[13]

Uit onderzoek naar moeders met een klinische depressie en hun baby's is bijvoorbeeld gebleken dat depressieve moeders vaker dan andere moeders hun kind niet aankijken, boos worden, opdringerig zijn als hun kind een ti-me-out nodig heeft, en bovendien minder koesterend zijn. Baby's reageren met het enige protestmiddel dat ze kennen en gaan huilen, of ze trekken zich terug en worden apathisch.

Er zijn verschillen in de individuele reacties van de baby's. Als de moeder snel boos wordt, wordt de baby dat ook; als de moeder passief en teruggetrokken is, neemt de baby dat over. Baby's lijken deze interactiestijlen aan te leren door het voortdurende asynchrone contact met hun depressieve moe-der. Daarnaast lopen ze het risico een onjuist zelfbeeld te ontwikkelen, om-dat ze al vroeg leren dat ze zelf niet in staat zijn om te verhelpen dat ze on-gelukkig zijn. Ze krijgen de boodschap dat ze niet goed contact kunnen maken en dat ze niet op anderen kunnen rekenen voor hulp.

De depressie van de moeder kan zich ontwikkelen tot een overdrachts-route waarbij alle persoonlijke en sociale plagen waar de moeder onder lijdt hun weerslag hebben op het kind. Chronische somberheid bij de moeder heeft schadelijke hormonale effecten op een kind die al in de babytijd op-treden: bij baby's van depressieve moeders is het niveau van de stresshor-monen hoger en het dopamine- en serotoninenniveau lager, een chemisch profiel dat hoort bij een depressie.[14] Een peuter is zich waarschijnlijk niet be-wust van de grotere krachten waar het gezin onder gebukt gaat, maar die krachten verankeren zich wél in haar zenuwstelsel.

De sociale epigenetica biedt deze kinderen hoop. Ouders die enigszins neerslachtig zijn, maar desondanks de moed erin houden, lijken de sociale transmissie van depressie tot een minimum te beperken.[15] Ook andere ver-zorgers, die niet depressief zijn, kunnen een betrouwbaar veilige basis bie-den.

Sommige kinderen van depressieve moeders leren een les waar ze wat aan hebben. Deze kinderen raken enorm bedreven in het aanvoelen van de stem-mingswisselingen van hun moeder en zijn als volwassenen erg goed in staat hun interacties zo aangenaam mogelijk te laten verlopen. Die vaardigheden kunnen zich vertalen in een zuurverdiende sociale intelligentie.[16]

Vertekende empathie

Johnny leent zijn nieuwe bal uit aan zijn beste vriend, maar die raakt hem kwijt en wil Johnny geen nieuwe geven.

Het vriendje waar Johnny graag mee speelt, gaat verhuizen. Johnny kan niet meer met hem spelen.

Deze kleine melodrama's zijn enorm aangrijpende momenten in een kinderleven, maar welke emotie weerspiegelen ze?

De meeste kinderen leren om gevoelens van elkaar te onderscheiden en te snappen waar die gevoelens vandaan zijn gekomen. Voor kinderen die door hun ouders zwaar verwaarloosd worden, geldt dat niet. Verwaarloosde kleuters die deze verhaaltjes voorgelezen kregen, zaten er met hun antwoord de helft van de tijd naast, een veel lagere score dan die van hun leeftijdgenootjes uit stabiele gezinnen.[17]

Hoe meer een kind verstoken is geweest van de juiste interacties, hoe groter de schade aan zijn vermogen om emoties te interpreteren. Kinderen die het ontbroken heeft aan significant menselijk contact, zijn niet goed in staat om emoties van elkaar te onderscheiden. Hun inzicht in wat anderen voelen blijft vaag.[18]

Toen de twee bovenstaande verhaaltjes werden voorgelegd aan kleuters die mishandeld waren (die herhaaldelijk verwond of pijn gedaan waren door hun verzorgers), dachten ze woede te herkennen waar dat helemaal niet van toepassing was. Mishandelde kinderen bespeuren woede op gezichten die neutraal, ambigue of zelfs verdrietig zijn. Die overmatige perceptie van woede duidt op een hypergevoelig geworden amygdala. Deze verhoogde gevoeligheid lijkt alleen te gelden voor woede: wanneer mishandelde kinderen naar een boos gezicht kijken, reageert hun brein sterker dan dat van andere kinderen, terwijl ze normaal reageren op blije of bange gezichten.[19]

Deze vertekende empathie betekent dat mishandelde kinderen alert zijn op het geringste signaal dat iemand boos zou kunnen zijn. Meer dan andere kinderen scannen ze op woede, 'zien' ze woede als die er niet werkelijk is en blijven ze de signalen langer in de gaten houden.[20] Het kan voor deze kinderen erg belangrijk zijn om woede te bespeuren waar die niet bestaat; uiteindelijk staan ze thuis aan reële gevaren bloot. Als beschermende radar is hun hypergevoeligheid uiterst zinvol.

Het levert problemen op wanneer kinderen die verhoogde gevoeligheid ook in de wereld buitenshuis met zich meedragen. De pestkoppen op het schoolplein, die dikwijls zijn blootgesteld aan fysieke mishandeling, zien woede en vijandschap op gezichten die feitelijk neutraal zijn. Hun agressie tegen andere kinderen komt meestal voort uit dit soort misinterpretaties.

Het is voor iedere ouder een enorme uitdaging om adequaat te reageren op de woede-uitbarstingen van een kind, maar het is ook een kans. Idealiter wordt de ouder zelf niet boos en blijft ook niet passief, zodat het kind niet aan zijn lot wordt overgelaten. Wanneer een ouder de eigen woede in de hand heeft, zonder die weg te duwen of erin te zwelgen, en een feedback loop met het kind in stand houdt, schept ze een veilige ruimte waarin het kind met zijn irritaties kan leren omgaan. Dat betekent uiteraard niet dat de emotionele omgeving van het kind altijd rustig moet zijn. Het gaat erom, dat het gezin veerkrachtig genoeg is om van wanklanken te herstellen.

De gezinsomgeving schept de emotionele werkelijkheid van een jong kind. Een cocon van veiligheid die intact blijft, kan een kind zelfs beschermen tegen de meest vreselijke gebeurtenissen. Bij een grote crisis zijn kinderen vooral bezorgd over de gevolgen voor het gezin. Kinderen die in een oorlogsgebied wonen, ontwikkelen geen traumasymptomen of verhoogde angst als hun ouders in staat zijn om van dag tot dag een stabiele, geruststellende omgeving te scheppen.

Dat betekent niet dat ouders hun ontreddering moeten verbergen om 'de kinderen te beschermen'. David Spiegel, psychiater aan Stanford University, deed onderzoek naar de emotionele reacties van gezinnen op de aanslag op het World Trade Center. Kinderen, zo merkt Spiegel op, zijn zich hyperbewust van de emotionele stromingen binnen het gezin. Hij legt uit: 'De emotionele cocon functioneert niet wanneer ouders net doen alsof er niets aan de hand is, maar wanneer ze hun kinderen laten weten hoe wij gezamenlijk, als gezin, met onze emoties omgaan.'

De herstelervaring

Zijn vader had vaak woede-uitbarstingen, vooral als hij gedronken had en dat was vrijwel elke avond. In een aanval van razernij greep hij dan een van zijn vier zoons en gaf hem een flink pak slaag.

Jaren later bekende hij zijn vrouw dat hij nog steeds aan angsten leed. Alsof het gisteren was, herinnerde hij zich: 'Zodra we de ogen van mijn vader zagen versmallen, wisten wij kinderen dat we ons uit de voeten moesten maken.'

Zijn vrouw, die me dit verhaal vertelde, trok er een meer subtiele les uit:

'Ik realiseer me dat mijn man als kind nooit aandacht heeft gekregen, dus zelfs als ik hem steeds weer hetzelfde verhaal hoor vertellen, zeg ik tegen mezelf: "Blijf bij de les."

Als hij merkt dat ik mijn aandacht verlies, al is het maar een seconde, voelt hij zich enorm gekwetst. Hij is hypergevoelig voor de momenten waarop ik afdwaal. Zelfs wanneer het lijkt alsof ik luister, weet hij direct dat ik vanbinnen vertrokken ben.'

Vrijwel iedereen die in zijn jeugd door zijn verzorgers niet als een Jij, maar als een Het is behandeld, draagt dit soort gevoeligheden en emotionele wonden met zich mee. Die kwetsbare plekken komen vooral in intieme relaties naar boven, met een partner, kinderen of goede vrienden. Deze relaties bieden volwassenen echter een kans op genezing. In plaats van genegeerd te worden of erger, wordt de persoon als een Jij behandeld, zoals in het geval van de hypersensitieve man en zijn sterk afgestemde vrouw.

Net als een koesterende ouder of partner kan een psychotherapeut een veilige basis bieden voor mensen die verwaarloosd zijn. Allan Schore, psycholoog aan UCLA, is vermaard om zijn grootschalige overzichten van neurowetenschappelijk onderzoek naar de relatie tussen patiënt en therapeut.

Volgens de theorie van Schore bevindt de neurale locatie voor emotioneel onvermogen zich vooral in de OFC, de hoeksteen van de relationele routes in het brein.[21]

Zelfs de groei van de OFC, zo stelt hij, is afhankelijk van de ervaringen van het kind. Als de ouders zorgen voor afstemming en een veilige basis, dan komt de OFC tot bloei. Als ze onbereikbaar of gewelddadig zijn, hapert de ontwikkeling, waardoor iemand minder goed in staat is om de lengte, intensiteit of frequentie van pijnlijke emoties als woede, vrees of schaamte te reguleren.

Schores theorie besteedt veel aandacht aan de manier waarop onze interacties vormgeven aan ons brein door middel van neuroplasticiteit, de manier waarop herhaalde ervaringen de vorm, de afmetingen en het aantal van onze neuronen en hun synaptische verbindingen bepalen. Onze voornaamste relaties zijn bijzonder sterke vormende krachten omdat ze ons brein herhaaldelijk in een bepaald register manoeuvreren.

Dagelijks contact met iemand die ons chronisch kwetst en boos maakt, of ons juist emotioneel steunt, kan onze hersencircuits veranderen.

Schore beweert dat positieve relaties op latere leeftijd de neurale scripts uit onze jeugd gedeeltelijk kunnen herschrijven. In de psychotherapie zijn rapport en vertrouwen in een goed functionerende feedback loop tussen therapeut en patiënt de actieve ingrediënten voor deze emotionele herstelwerkzaamheden.

De therapeut, aldus Schore, dient als een projectiescherm voor het herbe-

leven van vroege relaties. Deze keer kan de patiënt die relaties echter vollediger en openlijker ervaren, zonder oordeel, schuld, verraad of verwaarlozing. Waar de vader afstandelijk was, kan de therapeut beschikbaar zijn; waar
de moeder hyperkritisch was, kan de therapeut tolerant zijn. Op die manier
biedt de therapeut de patiënt een herstelervaring waar deze misschien lang
naar heeft gehunkerd, maar die hij nooit heeft gekregen.

Een van de kenmerken van effectieve psychotherapie is dat er een vrijere
emotionele uitwisseling ontstaat tussen de therapeut en de cliënt, die leert
om deel uit te maken van een *feedback loop* zonder angst voor onaangename gevoelens of zonder deze te blokkeren.[22] De beste therapeuten scheppen
een veilige emotionele sfeer waarbinnen de cliënt al zijn gevoelens kan ervaren en uiten, van moorddadige woede tot diep verdriet. Door de feedback
loop met de therapeut en het heen-en-weerspel van gevoelens leert de cliënt
diezelfde emoties zelfstandig te verwerken.

Net zoals kinderen in een veilige omgeving leren om met hun gevoelens
om te gaan, bieden psychotherapeuten volwassenen de gelegenheid de klus
af te maken. Vergelijkbare hersteleffecten kunnen optreden bij een partner
of goede vriend die over de juiste eigenschappen beschikt. Als therapie, of
een willekeurige andere genezende relatie, effectief is, kan die ons vermogen
om contacten te leggen verrijken, en dat heeft ook weer een helende werking.

HOOFDSTUK 12

Het referentiepunt voor geluk

Een driejarige in een knorrige bui loopt op haar oom af, vastbesloten om hem de volle laag te geven.

'Ik vind jou stom,' zegt ze stellig.

'Maar ik vind jou lief,' glimlacht hij verbaasd terug.

'Ik vind jou stom,' herhaalt ze met stemverheffing.

'Ik vind jou nog steeds lief,' antwoordt hij warm.

'Ik vind jou stóm,' schreeuwt ze nu als een ware tragédienne.

'En ik vind jou nog stééds lief,' lacht hij en tilt haar in zijn armen.

'Ik vind jou ook lief,' geeft ze nu zachtjes toe en ze kruipt tegen hem aan.

Ontwikkelingspsychologen bestuderen de achterliggende emotionele communicatie in dit soort bondige interacties. De disconnectie 'ik-haat-je/ik-hou-van-je' is in deze visie een 'interactiefout', en weer op dezelfde emotionele golflengte komen betekent het 'herstel' van die fout.

Als dat herstel succesvol verloopt, zoals in het rapport dat uiteindelijk ontstond tussen de driejarige en haar oom, geeft dat beide partners een goed gevoel. Als de moeizame communicatie blijft voortduren, heeft dat het tegenovergestelde effect. Het vermogen van een kind om een disconnectie te herstellen, zich door een interpersoonlijke storm heen te slaan en weer contact te maken, is een van de sleutels tot een gelukkig leven. Het geheim zit hem niet in het vermijden van de onvermijdelijke frustraties en ergernissen in het leven, maar in leren daarvan te herstellen. Hoe sneller het herstel, hoe meer het kind in staat is tot blijdschap.

Net als voor zoveel sociale vaardigheden geldt, begint de ontwikkeling van dat vermogen al in de babytijd. Wanneer een baby en zijn verzorger op elkaar afgestemd zijn, reageren ze gecoördineerd op elkaars boodschappen. In het eerste levensjaar ontbreekt het een kind echter nog aan veel van de benodigde neurale verbindingen om die coördinatie in stand te houden. In een natuurlijke cyclus van afstemming en disconnectie blijft een zuigeling hooguit 30 procent van de tijd goed gecoördineerd.[1]

Baby's voelen zich ongelukkig als ze niet zijn afgestemd. Ze protesteren door hun frustratie te tonen, waarmee ze hulp vragen om het contact te herstellen. In feite zijn dit hun eerste pogingen tot herstel van de interactie. Beheersing van deze fundamentele menselijke vaardigheden lijkt te beginnen met kleine verschuivingen van het verdriet over disconnectie naar de kalmte van afstemming.

Het kind gebruikt iedereen in zijn omgeving als een model voor het omgaan met emotionele ontreddering, ongeacht of die ander dat goed doet of juist niet. Dit leerproces voltrekt zich impliciet en ongetwijfeld via spiegelneuronen. Een kind ziet hoe een ouder broertje of zusje, een speelkameraadje of een ouder de eigen emotionele stormen het hoofd biedt. Via dit passieve leren, 'repeteren' de circuits van de OFC die de amygdala kalmeren de strategie waar het kind getuige van is. Gedeeltelijk leert een kind ook expliciet, wanneer iemand het helpt om de eigen weerbarstige gevoelens in banen te leiden. Door tijd en oefening worden de circuits van de OFC die onze emotionele impulsen reguleren geleidelijk sterker.

Kinderen leren niet alleen om te kalmeren en hun emotionele impulsen te weerstaan, maar ook versterken ze hun repertoire aan manieren om anderen te beïnvloeden. Dat legt de basis voor hun ontwikkeling tot een volwassene die kan reageren als de oom aan het begin van het hoofdstuk, die liefdevol de knorrigheid van het kind als sneeuw voor de zon liet smelten, in plaats van streng op te treden tegen al die brutaliteit.

Tegen de tijd dat een kind vier of vijf jaar is, is het in staat tot groter inzicht in de oorzaak van zijn ontreddering en weet het beter wat het daaraan kan doen: een teken dat de hoge route tot wasdom komt. Coaching van de ouders in de eerste vier levensjaren, zo vermoeden psychologen, heeft waarschijnlijk een zeer grote invloed op de mate waarin het kind later in staat is met zijn emoties om te gaan en zich soepel door lastige confrontaties te bewegen.

Natuurlijk geven volwassenen niet altijd het beste voorbeeld. Een onderzoek bestudeerde ouders van kleuters tijdens een echtelijke onenigheid. Een aantal echtparen was duidelijk vijandig en kon elkaar niet vinden in pogingen hun meningsverschil op te lossen. Geen van beide partijen luisterde naar de ander. Ze waren boos en neerbuigend, en trokken zich steeds meer van elkaar terug naarmate de sfeer geprikkelder raakte. De kinderen van deze echtparen imiteerden dit patroon met hun speelkameraadjes en gedroegen zich veeleisend, kwaad, agressief en vijandig.[2]

De echtparen die tijdens hun meningsverschillen warmer, empathischer en begripvoller waren, waren eensgezinder en zelfs speelser in de opvoeding. Hun kinderen konden op hun beurt beter met hun speelkameraadjes overweg en waren beter in staat om meningsverschillen op een goede manier op te lossen. Hoe echtparen hun meningsverschillen uitwerken, voorspelt hoe hun kinderen zich zullen gedragen, ook jaren later nog.[3]

Als alles goed gaat, kan een kind omgaan met stress en is het in staat te herstellen van ontreddering en zich effectief af te stemmen. Er is een sociaal intelligent gezin nodig voor de opbouw van wat ontwikkelingspsychologen een 'positieve affectieve kern' noemen, met andere woorden: een gelukkig kind.[4]

Vier manieren om 'nee' te zeggen

Een jongetje van veertien maanden heeft zichzelf in een gevaarlijke positie gemanoeuvreerd. Onderzoekend als kinderen van die leeftijd zijn, probeert hij op een tafel te klimmen waar een lamp gevaarlijk overhelt.

Er zijn verschillende manieren waarop je als ouder kunt reageren:

> Zeg luid en duidelijk 'Nee!', vertel hem dat klimmen iets voor buiten is en neem hem dan ook mee naar buiten.

> Negeer wat het jongetje aan het doen is totdat de lamp omvalt. Zet de lamp weer recht, zeg het jongetje dat hij dat niet meer mag doen en besteed verder geen aandacht aan hem.

> Roep boos 'Nee!', maar geef hem uit schuldgevoel over die harde uitroep een geruststellende knuffel. Laat hem dan alleen omdat hij je teleurgesteld heeft.

Deze ouderlijke reacties, ook al lijken sommige nog zo onwaarschijnlijk, vertegenwoordigen stuk voor stuk opvoedingsstijlen die herhaaldelijk opduiken in observaties van ouders en kinderen. Daniel Siegel, kinderpsycholoog aan UCLA en de bron van deze scenario's, is een van de meest invloedrijke hedendaagse denkers in de psychotherapie en ontwikkelingspsychologie. Siegel beweert dat elk van deze ouderlijke reactietypes op een unieke manier vormgeeft aan centra in het sociale brein.[5]

Een van de momenten waarop dit proces plaatsvindt, is wanneer een kind oog in oog staat met iets schokkends of verwarrends. Het kind richt zich dan op de ouders om te kijken wat zij zeggen, maar ook om hun totale houding in zich op te nemen. Zo leert het hoe te voelen en te reageren. De boodschappen die ouders op dergelijke leermomenten overbrengen, vormen geleidelijk aan het zelfgevoel van het kind en de manier waarop het omgaat met (en wat het verwacht van) de omgeving.

Neem de ouder die nee zei tegen het klimmende jongetje en het kind mee naar buiten nam om zijn energie in andere banen te leiden. Volgens Siegels collega Allan Schore heeft de interactie een optimale invloed op de orbitofrontale cortex van het jongetje doordat het de emotionele 'rem' van de OFC bekrachtigt. Hier brengt het neurale verloop de aanvankelijke opwinding van het jongetje tot bedaren en leert hem hoe hij zijn impulsiviteit beter in de hand kan houden.[6] Zodra het kind die neurale rem toepast, kan de ouder het bijbrengen dat er een leuk alternatief is: op de tafel mag níet, maar op het klimrek mag wél geklommen worden.

Wat het jongetje feitelijk leert is: 'Mijn ouders vinden niet alles leuk wat ik doe, maar als ik ermee stop en iets beters te doen vind, dan is alles in orde.' Deze benadering, waarbij de ouder een grens stelt en dan het kind een meer geschikte uitlaatklep aanbiedt, is kenmerkend voor de opvoedingsstijl die leidt tot veilige gehechtheid. Veilig gehechte kinderen ervaren afstemming van hun ouders, ook als ze stout zijn geweest.

De peuterpuberteit, wanneer kinderen tegen hun ouders in opstand komen door op alles 'Nee!' te zeggen, is een mijlpaal in de ontwikkeling van de hersenen. De hersenen krijgen dan het vermogen om impulsen af te remmen (nee te zeggen tegen aandriften), een vaardigheid die zich gedurende de rest van hun kinder- en tienerjaren verfijnt.[7] Zowel apen als zeer jonge kinderen hebben grote moeite met dit aspect van het sociale leven, en wel om dezelfde neurale reden: de neuronen in hun OFC die kunnen verhinderen dat een impuls wordt uitgevoerd, zijn onderontwikkeld.

In de loop van de kindertijd komt de OFC geleidelijk aan anatomisch tot rijping. Rond het vijfde jaar begint er een neurale groeispurt die maakt dat de neurale circuits van het kind precies op tijd klaar zijn om met school te kunnen beginnen. Deze groeispurt duurt ongeveer tot het zevende jaar. De zelfbeheersing van het kind neemt enorm toe, waardoor het in groep vier beduidend rustiger is dan in groep één. Ieder stadium in de intellectuele, sociale en emotionele ontwikkeling van een opgroeiend kind markeert een vergelijkbare stap in de rijping van bepaalde hersengebieden; dit anatomische proces duurt tot we halverwege de twintig zijn.

Wat er in een kinderbrein gebeurt wanneer ouders er steeds maar niet in slagen om zich goed af te stemmen, is afhankelijk van de aard van hun falen. Daniel Siegel heeft beschreven hoe ouders tekort kunnen schieten en wat voor problemen hun kinderen daaraan kunnen overhouden.[8]

Neem bijvoorbeeld de ouder die het klimmende peutertje negeerde. Die reactie is karakteristiek voor een ouder-kindrelatie waarin er zelden sprake is van wat voor afstemming dan ook en de ouders emotioneel niet bij het kind betrokken zijn. Wanneer deze kinderen de empathische aandacht van hun ouders zoeken, stuiten ze alleen op frustratie.

Bij gebrek aan een feedback loop, en daarmee aan gedeelde momenten van pret en blijdschap, stijgt de kans dat een kind opgroeit met een verminderd vermogen tot positieve emoties. Mogelijk vindt zo'n kind het op latere leeftijd moeilijk om aansluiting te vinden bij anderen. Kinderen van afwezige ouders groeien schichtig op; eenmaal volwassen, kunnen ze hun emoties niet goed uiten, vooral niet de emoties die belangrijk zijn om een band met een partner op te bouwen. In overeenstemming met het model van de ouders, vermijden ze het niet alleen om hun gevoelens te uiten, maar houden ze zich ook ver van emotioneel intieme relaties.

De derde ouder reageerde op het klimmen op tafel door eerst boos te worden, zich dan schuldig te voelen en uiteindelijk teleurgesteld te zijn in het kind. Siegel noemt dit soort ouders 'ambivalent'. Af en toe zijn ze warm en zorgzaam, maar vaker sturen ze hun kinderen signalen van afkeuring of afwijzing: gezichtsuitdrukkingen van walging of minachting, het afwenden van de blik en lichaamstaal waaruit woede of desinteresse spreekt. Door deze emotionele houding zal het kind zich met regelmaat gekwetst en vernederd voelen.

Kinderen reageren vaak met onbeheersbare emotionele stemmingswisselingen op dit soort ouderschap. Hun impulsen zijn ongecontroleerd of gaan zelfs alle perken te buiten, zoals in het klassieke geval van de jongen 'die niet wil deugen' en altijd in de problemen raakt. Siegel oppert dat achter dit ongecontroleerde gedrag een kinderbrein schuilgaat dat niet geleerd heeft hoe het 'nee' kan zeggen tegen impulsen, een van de taken van de OFC.

Soms leidt dit gevoel van onbemind zijn of 'wat ik ook doe, het is altijd verkeerd' ertoe, dat een kind wanhopig wordt, terwijl het tegelijkertijd naar positieve aandacht van de ouders blijft hunkeren. Deze kinderen gaan denken dat er met hen iets fundamenteel niet in orde is. Als ze volwassen zijn, vertonen ze in hun intieme relaties vaak dezelfde ambivalente combinatie van hunkering naar affectie en de intense angst dat ze die niet zullen krijgen, plus een nog diepere angst om verlaten te worden.[9]

Hoe spelen werkt

Zelfs nu, op middelbare leeftijd, weet dichteres Emily Fox Gordon nog precies hoe 'onstuimig en stormachtig' gelukkig ze was als jong meisje. Ze groeide op in een liefdevol gezin in een klein stadje in New England. Het hele stadje leek Emily en haar broertje te omhelzen wanneer ze op hun fiets door de straten reden: 'De olmen hielden de wacht, de plaatselijke honden groetten ons en zelfs de telefonisten wisten wie we waren.'

Zorgeloos slenterend door de achtertuinen of racend over de campus van de plaatselijke universiteit, voelde ze zich alsof ze door een liefelijke paradijstuin dwaalde.[10]

Wanneer een kind zich bemind en gekoesterd voelt, en de moeite waard in de ogen van belangrijke figuren in haar leven, schept dat gevoel van welzijn een reservoir van positiviteit. Dat lijkt weer een andere basale impuls te voeden: de drang om de wereld te verkennen.

Kinderen hebben meer nodig dan een veilige basis en een relatie waarin ze troost vinden. Mary Ainsworth, de belangrijkste Amerikaanse leerling van John Bowlby, stelde dat ze ook een 'veilige haven' nodig hebben, zoals hun huis of een eigen kamer, waar ze zich na hun ontdekkingstochten in de wereld kunnen terugtrekken.[11] Die verkenningen kunnen fysiek zijn (op de fiets door de buurt), maar ook interpersoonlijk (ontmoetingen met nieuwe mensen en het maken van vrienden) of zelfs intellectueel (je nieuwsgierigheid volgen).

Een eenvoudig teken dat een kind het gevoel heeft over een veilige haven te beschikken, is dat het buiten gaat spelen. Speels plezier heeft een aantal serieuze voordelen; door jarenlang ijverig te spelen, bouwen kinderen een behoorlijke sociale expertise op. Ze verkrijgen bijvoorbeeld een zekere sociale gewiekstheid doordat ze leren hoe ze machtsstrijdjes moeten beslechten, hoe ze moeten samenwerken en teams moeten vormen, en hoe ze zich een waardig verliezer kunnen tonen.

Al die oefening gebeurt gewoon tijdens het spelen, met een ontspannen gevoel van veiligheid. Zelfs als je iets fout doet, kun je de lachers op je hand krijgen, terwijl eenzelfde vergissing op school je duur kan komen te staan. Spelen biedt kinderen een veilige ruimte om met een minimum aan angst iets nieuws in hun repertoire uit te proberen.

Waarom spelen nu precies zo leuk is, is duidelijker geworden sinds de ontdekking dat de hersencircuits die ons aanzetten tot spelen ook blijdschap opwekken. Identieke circuits voor speelsheid zijn bij alle zoogdieren te vinden, inclusief de onvermijdelijke laboratoriummuizen. Dit gebied ligt verborgen in de oudste neurale zones van de hersenstam, een plek in de buurt van de ruggengraat die onze reflexen en onze meest primaire reacties beheerst.[12]

Waarschijnlijk is Jaak Panksepp van Ohios Bowling Green State University de onderzoeker die zich het meest verdiept heeft in de neurale circuits van spel. In zijn meesterwerk *Affective Neuroscience* exploreert Panksepp de neurale oorsprong van alle belangrijke menselijke drijfveren, inclusief speelsheid, volgens hem de bron die ons brein aanboort voor het voelen van vreugde.[13] De voornaamste subcorticale circuits die alle zoogdierjongen aanzetten tot stoeien en spelen, aldus Panksepp, lijken een vitale rol te spelen in de neurale groei van een kind, en de emotionele brandstof voor die hele neurale ontwikkeling is waarschijnlijk niets anders dan puur plezier.

Tijdens onderzoek naar knaagdieren in het lab heeft de groep van Panksepp ontdekt dat ook spel een interessant onderzoeksgebied is voor de sociale epigenetica, omdat spelen de groei van circuits in de amygdala en frontale cortex stimuleert. Zijn werk heeft een specifieke chemische verbinding geïdentificeerd die bij het spelen aangemaakt wordt en die het aflezen van DNA en de vorming van RNA activeert in deze zich snel ontwikkelende gebieden in het sociale brein van een jong, een proces dat 'transcriptie' wordt genoemd.[14] Zijn bevindingen, die waarschijnlijk ook gelden voor andere zoogdieren met een vergelijkbaar neuraal landschap, zoals mensen, geven een nieuwe lading aan die universele kinderverzuchting 'Ik heb zin om te spelen.'

Spelen gaat het gemakkelijkst wanneer het kind het gevoel heeft dat het een veilige haven heeft en kan ontspannen in de wetenschap dat er een betrouwbare verzorger in de buurt is. Om zich in zijn eigen wereldje te kunnen verliezen, hoeft een kind alleen maar te weten dat mama of die lieve babysitter thuis is.

Kinderspel vraagt niet alleen, maar schept ook een eigen veilige ruimte. Het kind kan bedreigingen, angsten en gevaren het hoofd bieden en daar altijd weer ongeschonden uit tevoorschijn komen. Op die manier kan spel therapeutisch zijn. Alles wat tijdens het spelen gebeurt, is een 'doen alsof'. Spelen biedt kinderen bijvoorbeeld een natuurlijke manier om met hun angst voor scheiding en verlating om te leren gaan, en geeft hen de kans om zich te ontwikkelen en zichzelf te ontdekken. Bovendien kunnen ze zonder angst of remmingen verlangens en impulsen op laten komen die te gevaarlijk zijn om echt uit te voeren.

Een van de redenen dat we graag met iemand anders spelen, heeft te maken met onze neurale gevoeligheid voor kietelen. Alle zoogdieren zijn gevoelig voor kietelen, omdat de huid is uitgerust met speciale receptoren die het signaal voor speelsheid naar de hersenen zenden. Kietelen prikkelt de buiklach, waarbij een ander circuit in actie komt dan bij glimlachen. De menselijke buiklach heeft, net als het spelen zelf, parallellen in vele zoogdieren en wordt altijd geprikkeld door kietelen.

Panksepp heeft zelfs ontdekt dat jonge ratjes zich net als peuters aangetrokken voelen tot volwassenen die hen kietelen. De gekietelde rat geeft een kreetje van plezier dat evolutionair verwant lijkt aan het verrukte lachen van een driejarig kind dat gekieteld wordt. (Bij ratten is het een heel hoog kreetje van ongeveer 50 kilohertz, buiten bereik van het menselijk gehoor.)

Bij mensen loopt de kietelzone van de achterkant van de nek rond de ribbenkast, het gemakkelijkste stukje huid om aan een kind een ongecontroleerde lachstuip te ontlokken. Om die reflex te activeren heb je een ander nodig. De reden dat we onszelf niet kunnen kietelen is waarschijnlijk dat de 'kietelneuronen' afgestemd zijn op onvoorspelbaarheid. Daarom hoef je maar met je vingers te wiebelen en 'kiele, kiele kiele' te zeggen om een lachbui op te wekken: de oudste grap ter wereld.[15]

De circuits voor speels plezier zijn nauw verbonden met de neurale netwerken die een kittelig kind aan het lachen maken.[16] Zo blijkt ons brein uitgerust met een drang tot spelen die ons ook nog eens sociabel maakt.

Panksepps onderzoek roept een intrigerende vraag op: hoe noem je een kind dat hyperactief, impulsief en niet gefocust is, en snel van de ene activiteit op de andere overgaat? Sommigen zouden beginnen over ADHD, of *attention-deficit/hyperactivity disorder*, dat in elk geval in de Verenigde Staten epidemische vormen heeft aangenomen onder schoolgaande kinderen.

Panksepp daarentegen extrapoleert zijn werk met knaagdieren naar mensen en vat de snelle overgangen in activiteit op als tekenen van een actief neuraal systeem voor spelen. Hij merkt op dat de psychostimulerende medicijnen voor kinderen met ADHD altijd de activiteit in de spelcircuits van de hersenen reduceren wanneer ze aan dieren gegeven worden, net zoals ze de speelsheid van kinderen lijken te onderdrukken. Hij komt met een radicaal, maar nog niet nader onderzocht voorstel: laat jonge kinderen vroeg op de ochtend vrijelijk en fysiek intensief spelen, en laat ze pas als hun drang tot spelen verzadigd is naar het klaslokaal gaan. Op die manier valt het hen gemakkelijker om op te letten.[17] (En nu ik erover nadenk, ging het op mijn oude school precies zo, lang voordat iemand ooit van ADHD gehoord had.)

Op het niveau van de hersenen betaalt tijd om te spelen zich terug in neurale en synaptische groei; al die oefening versterkt onze hersenroutes. Bovendien verleent speelsheid mensen ook een zeker charisma. Volwassenen, kinderen en zelfs laboratoriumratten brengen graag tijd door met anderen die flinke ervaring hebben met spelen.[18] Een aantal van de primitieve wortels van sociale intelligentie zijn ongetwijfeld naar deze circuits van de lage route te herleiden.

In de wisselwerking tussen de ontelbare controlesystemen in de hersenen buigen de spelcircuits voor onaangename gevoelens. Angst, woede en verdriet onderdrukken stuk voor stuk onze speelsheid. Een kind voelt de drang om te gaan spelen inderdaad pas als het zich beschermd weet, op zijn gemak met nieuwe speelkameraadjes en vertrouwd met een nieuwe speelomgeving. Alle zoogdieren kennen die rem op speelsheid bij angst. Waarschijnlijk is het een fundamenteel neuraal overlevingsmechanisme.

Naarmate een kind groter wordt, gaat het circuit voor emotionele controle langzaam de uitgelaten drang tot giechelen en stoeien onderdrukken. De ontwikkeling van de regelcircuits van de prefrontale cortex in de late kindertijd en vroege adolescentie, maakt dat kinderen beter in staat zijn om aan de sociale eis te voldoen 'eens een beetje serieus te worden'. Langzaam wordt deze energie gekanaliseerd in meer 'volwassen' manieren om plezier te maken en blijft er van ons kinderspel niet meer over dan een herinnering.

Het vermogen tot vreugde

Als het gaat om het vermogen tot vreugde dan scoort Richard Davidson hoog. Hij is zonder twijfel zo ongeveer de vrolijkste persoon die ik ken.

Jaren geleden studeerden Davidson en ik samen voor ons doctoraal en inmiddels heeft hij een prachtige carrière als onderzoeker opgebouwd. Toen ik wetenschapsjournalist werd, klopte ik vaak bij hem aan voor uitleg over nieuwe, voor mij raadselachtige ontdekkingen in de neurowetenschap. Net zoals ik zijn onderzoek onmisbaar vond toen ik aan *Emotionele Intelligentie* werkte, maakte ik opnieuw van zijn werk gebruik voor mijn verkenningen in de sociale neurowetenschap. (Zijn lab ontdekte bijvoorbeeld dat hoe actiever de OFC is van een moeder die naar een foto van haar pasgeboren baby'tje kijkt, hoe sterker haar gevoelens van liefde en warmte zijn.)

Als een van de grondleggers van de affectieve neurowetenschap, het onderzoek naar emoties en de hersenen, heeft Davidsons onderzoek de neurale centra in kaart gebracht die ons allemaal voorzien van een uniek emotioneel referentiepunt. Dit centrale neurale punt bepaalt het veld waarbinnen onze emoties zich gewoonlijk bewegen.[19]

Of het nu op somber of vrolijk is ingesteld, dat referentiepunt is opmerkelijk stabiel. Onderzoek heeft bijvoorbeeld uitgewezen dat de opgetogenheid die mensen voelen als ze de loterij gewonnen hebben, na ongeveer een jaar weer plaats maakt voor het humeur dat de mensen daarvoor hadden. Hetzelfde geldt voor mensen die door een ongeluk verlamd raken: ongeveer een jaar na de eerste ellende hebben de meesten weer dezelfde dagelijkse stemmingen als voor het ongeval.

Wanneer mensen in de greep zijn van emoties van ontreddering, zijn vooral de amygdala en de rechter prefrontale cortex actief, ontdekte Davidson. Wanneer we opgewekt zijn, zijn deze gebieden rustig en licht de linker prefrontale cortex op.

De activiteit van het prefrontale gebied geeft aan in welke stemming we zijn: de rechterkant wordt actief als we overstuur zijn, de linkerkant als we ons lekker voelen.

Zelfs als onze stemming neutraal is, is de verhouding tussen de achtergrondactiviteit van het rechter en het linker prefrontale gebied een behoorlijk nauwkeurige afspiegeling van het scala aan emoties dat kenmerkend is voor ons. Mensen met een grotere activiteit aan de linkerkant zijn gauw neerslachtig of overstuur, terwijl mensen met meer activiteit aan de rechterkant zich over het algemeen beter voelen.

Het goede nieuws is, dat onze emotionele thermostaat waarschijnlijk niet al bij de geboorte staat ingesteld. Natuurlijk hebben we allemaal een aangeboren temperament dat ons meer of minder gevoelig maakt voor geluk of somberheid, maar onderzoek wijst uit dat er desondanks een verband bestaat tussen de zorg die we krijgen als kind en het vermogen tot het opwekken van vreugde van ons brein als we volwassen zijn. Geluk gedijt dankzij veerkracht, de capaciteit om van een emotionele schok te herstellen en weer kalm te worden. Er lijkt een rechtstreeks verband te bestaan tussen stressbestendigheid en dat vermogen tot geluk.

'Veel gegevens uit dieronderzoek,' observeert Davidson, 'tonen aan dat zorgzame ouders, zoals een knaagdiermoeder die haar jongen likt en verzorgt, geluk en stressbestendigheid in hun jongen stimuleren. Zowel bij dieren als bij mensen zijn nieuwsgierigheid en sociabiliteit in een "jong" een aanwijzing van positief affect, vooral in stressvolle situaties als een onbekende omgeving. Nieuwe dingen kunnen opgevat worden als een bedreiging of als een kans. Dieren die meer gekoesterd zijn als jong, zullen een vreemde plek als een kans zien. Ze gaan meer onbevangen op onderzoek uit en zijn extraverter.'

Die bevinding bij dieren sluit aan op een ontdekking die Davidson deed in onderzoek naar mensen, om precies te zijn naar volwassenen tussen de vijfenvijftig en de zestig die sinds hun eindexamen om de paar jaar getest werden. Degenen met de grootste veerkracht en het beste humeur vertoonden een veelzeggend patroon van hersenactiviteit toen Davidsons onderzoeksgroep hun referentiepunt voor geluk ging meten. Het viel op dat de volwassenen die in hun herinnering als kind met de meeste zorg waren omringd over het algemeen een vrolijker patroon te zien gaven.[20]

Hadden die warme jeugdherinneringen te maken met de roze bril waardoor goedgeluimde mensen het leven bekijken? Misschien. Maar zoals Davidson me zei: 'De hoeveelheid vreugde in de relaties van een peuter lijkt van kritiek belang voor het instellen van de neurale routes voor geluk.'

Veerkracht

Ik ken een rijk echtpaar uit New York dat op latere leeftijd een dochter kreeg. Ze zijn dol op hun kind en hebben een heel team van kinderjuffen ingehuurd zodat ze nooit aandacht tekortkomt. Bovendien hebben ze zoveel speelgoed aangeschaft, dat je er een warenhuis mee zou kunnen vullen.

Maar ondanks het enorme poppenhuis, het klimrek en de kamers vol speeltjes, maakt het geheel een wat troosteloze indruk: er komt nooit iemand bij het vierjarige meisje spelen. Waarom niet? De ouders zijn bang dat een ander kind hun dochtertje van streek zal maken.

Het echtpaar gaat uit van de misplaatste gedachte dat hun kind een gelukkiger mens wordt als het stressvolle situaties kan vermijden.

Die notie is een verkeerde interpretatie van de gegevens over veerkracht en geluk. Angstvallige bescherming is in feite een vorm van deprivatie. Het idee dat een kind zich nooit ellendig mag voelen, is zowel een vertekening van hoe het leven in elkaar steekt, als van de manier waarop een kind leert gelukkig te zijn.

Veel belangrijker voor een kind dan het streven naar een of andere ongrijpbare vorm van eeuwig geluk, zo hebben onderzoekers aangetoond, is dat het leert emotionele stormen het hoofd te bieden. Ouders zouden niet moeten streven naar een breekbare 'positieve' psychologie, waarbij ze zich focussen op een toestand van voortdurende vreugde bij hun kinderen, maar zouden hun kind moeten leren om wat er ook gebeurt zelfstandig een toestand van tevredenheid te bereiken.

Ouders die bijvoorbeeld in staat zijn om een vervelend moment in een ander kader te plaatsen, vanuit de gedachte 'gedane zaken nemen geen keer', leren hun kinderen een universele methode om zich van zorgelijke emoties te ontdoen. Deze kleine interventies verlenen het kind de mogelijkheid om de dingen van de zonnige kant te bekijken. Op neuraal niveau wortelen deze lessen zich diep in de circuits van de OFC voor het omgaan met ontreddering.[21]

Als we in onze jeugd niet leren om het leven in al zijn volheid te aanvaarden, groeien we emotioneel slecht voorbereid op. We bouwen deze innerlijke hulpbronnen voor een gelukkig leven op door ook de harde klappen op de speelplaats te ondergaan, de ultieme testgrond voor de onvermijdelijke dips in onze relaties. Gezien de manier waarop het brein zich sociale veerkracht aanleert, moeten kinderen zich oefenen in de pieken en dalen van het sociale leven. Een voortdurende staat van verrukking volstaat niet.

Wanneer een kind overstuur raakt, is het van belang dat het die reactie enigszins leert beheersen. In hoeverre een kind daarin slaagt, is af te lezen aan de hoeveelheid stresshormonen in zijn lichaam. Tijdens de eerste weken van het nieuwe schooljaar bijvoorbeeld, vertonen de meest extraverte, sociaal vaardige en populaire kleuters een grote activiteit in het hersencircuit dat de afscheiding van stresshormonen prikkelt. Dit weerspiegelt hun fysiologische inspanning om aansluiting te vinden bij een nieuwe sociale groep, hun klasgenootjes.

Bij deze sociaal vaardige kleuters neemt de hoeveelheid stresshormonen af naarmate het jaar vordert en ze zich een comfortabele plek verwerven in hun kleine gemeenschap. De kleuters daarentegen die ongelukkig en sociaal geïsoleerd blijven, blijven dezelfde grote hoeveelheid stresshormonen produceren of zien dat niveau gedurende het jaar zelfs nog verder oplopen.[22]

De toename van stresshormonen in die onzekere eerste week is een handige metabolische respons, die het lichaam mobiliseert voor een lastige situatie. De biologische cyclus van prikkeling en terug naar normaal wanneer een uitdaging achter de rug is, groeft zich in het brein als de sinuscurve van veerkracht. Kinderen daarentegen die niet gemakkelijk leren om hun ontreddering de baas te worden, vertonen een totaal ander patroon. Hun biologie lijkt inflexibel, met een prikkeling die is vastgelopen in een hoge versnelling.[23]

Net eng genoeg

Toen ze twee was, was mijn kleindochter een paar maanden lang in de ban van de tekenfilm *Chicken Run*, een enigszins zwarte komedie over pluimvee dat probeert te ontsnappen van de boerderij waar ze wachten om geslacht te worden. Sommige stukken hebben meer weg van een gevangenisfilm dan van een tekenfilm voor kinderen. Een aantal van de griezelige scènes is ronduit angstaanjagend voor een kind van twee.

Toch wilde mijn kleindochter die film keer op keer zien. Ze gaf openhartig toe dat ze *Chicken Run* 'heel eng' vond, maar zei dan meteen daarna dat het haar lievelingsfilm was.

Waarom zou zo'n enge film zo'n aantrekkingskracht op haar uitoefenen? Het antwoord zat hem misschien in het neurale leerproces dat iedere keer plaatsvond wanneer ze naar die angstaanjagende scènes keek, een verrukkelijke mengeling van nog steeds een beetje bang zijn, maar weten dat het goed afloopt.

Zeer overtuigende neurowetenschappelijke gegevens over de voordelen van net bang genoeg worden, danken we aan onderzoek naar doodshoofdaapjes.[24] Vanaf het moment dat ze zeventien weken oud waren (bij apen het equivalent van een jong kind) werden de aapjes tien weken lang eenmaal per week uit hun knusse kooi gehaald en in een andere kooi gestopt vol volwassen apen die ze niet kenden. Voor de aapjes was dit een angstaanjagende ervaring.

Later, toen ze net gespeend waren, maar nog steeds emotioneel afhankelijk van hun moeder, werden diezelfde aapjes met hun moeder in een vreemde kooi geplaatst. Er waren geen andere apen in de kooi, maar er lag allerlei lekkers en er was veel te ontdekken.

De aapjes die eerder waren blootgesteld aan de stressopwekkende kooien bleken veel dapperder en nieuwsgieriger dan aapjes van dezelfde leeftijd die nooit bij hun moeder vandaan waren geweest. Ze gingen onbevangen op onderzoek uit en aten hun buikje vol aan lekkere hapjes; de aapjes die nooit de veilige omgeving van de moeder verlaten hadden, bleven bedeesd bij haar in de buurt.

Opmerkelijk genoeg gaven de onafhankelijke jongen geen biologische tekenen van vreesprikkeling te zien, hoewel ze dat toen ze kleiner waren in de vreemde kooi wél gedaan hadden. De regelmatige uitstapjes naar een enge plek hadden gewerkt als een inenting tegen stress.

Mits op de juiste manier toegediend, lijken dit soort doses stress het zich ontwikkelende brein in de gelegenheid te stellen om bedreigende situaties meester te worden en manieren te vinden om te kalmeren. Zowel voor mensen als voor apen, concluderen neurowetenschappers, geldt dat als ze in hun jeugd zijn blootgesteld aan stress en daarmee om hebben leren gaan, die vaardigheid in hun neurale circuits wordt ingegroefd. Hierdoor zijn ze als volwassenen veerkrachtiger. Door de sequentie van angst naar kalmte te herhalen, ontstaan er neurale circuits voor veerkracht, een zeer belangrijke emotionele vaardigheid.

Richard Davidson legt het als volgt uit: 'We kunnen leren om veerkrachtig te worden door blootstelling aan bedreigingen of stress op een niveau dat we kunnen hanteren.' Als de stress te laag is, leren we niets; als er te veel stress is, zouden we wel eens een verkeerde les in onze neurale circuits voor vrees op kunnen slaan. Een van de signalen dat een film te eng is voor een kind, is de snelheid van zijn fysiologische herstel. Als zijn brein (en zijn lichaam) zorgwekkend lang in vreesprikkeling blijft hangen, dan wordt niet zijn veerkracht getraind, maar zijn onvermogen om te herstellen.

Bewegen de 'bedreigingen' waar een kind mee geconfronteerd wordt zich echter binnen een optimale marge, waarbij de hersenen tijdelijk tot een volledige vreesrespons komen en dan weer herstellen, dan kunnen we aannemen dat er een andere neurale sequentie heeft plaatsgevonden. Dit zou wel eens kunnen verklaren waarom mijn tweejarige kleindochter zo'n plezier had in die enge film, en waarom zoveel mensen (vooral pre-tieners en tieners) gek zijn op films die hen bang maken.

Afhankelijk van de leeftijd van het kind en van het kind zelf, kan zelfs een klein beetje 'eng' te veel zijn. De oude Disneyklassieker *Bambi*, waarin een hertje zijn moeder verliest, was traumatisch voor veel van de kinderen die naar de bioscoop stroomden. Een peuter zou uiteraard niet naar horrorfilms als *Nightmare on Elm Street* moeten kijken, maar diezelfde film zou het brein van een tiener een lesje in veerkracht kunnen geven. Waar de peuter overweldigd zou raken, geniet de tiener misschien van een spannende mengeling van gevaar en plezier.

Als een veel te enge film een kind nog maandenlang teistert met nachtmerries en angsten, dan is het brein niet in staat geweest om de angst de baas te worden. In plaats daarvan is de vreesrespons alleen maar geprikkeld en misschien zelfs versterkt. Onderzoekers vermoeden dat bij kinderen die herhaaldelijk zijn blootgesteld aan overweldigende stress, en dan niet de beeldschermvariant, maar de veel angstaanjagendere rauwe werkelijkheid van een problematisch gezinsleven, deze neurale route op latere leeftijd in bepaalde gevallen zou kunnen leiden tot depressies of angststoornissen.

Het sociale brein leert goed door modellen te imiteren, bijvoorbeeld een ouder die kalmpjes kijkt naar iets wat een kind de stuipen op het lijf jaagt. Als mijn kleindochter bij een heel eng stukje van de film kwam en haar moeder zei 'Het loopt goed af' (of als ze dezelfde boodschap stilzwijgend kreeg van de geruststellende aanwezigheid van haar vader als ze bij hem op schoot zat), dan voelde ze zich veilig en de baas over haar gevoelens, een gewaarwording waar ze op andere moeilijke momenten op kan teruggrijpen.

Deze basale lessen in de kindertijd blijven een leven lang van invloed, niet alleen in een fundamentele houding tegenover de sociale wereld, maar ook in ons vermogen om ons staande te houden in de draaikolken van de volwassen liefde. En de liefde zorgt weer voor eigen biologische imprints.

DEEL VIER

LIEFDE EN HAAR VARIATIES

HOOFDSTUK 13

Netwerken van genegenheid

Op het gebied van het menselijk hart, zo vertelt de wetenschap, spelen minimaal drie onafhankelijke, maar onderling verbonden hersensystemen een rol, elk op zijn eigen manier. Om de raadselen van de liefde te ontsluieren, maken neurowetenschappers onderscheid tussen neurale netwerken voor gehechtheid, zorgzaamheid en seks. Elk wordt gevoed door andere hersenchemicaliën en hormonen, en elk maakt gebruik van een ander neuraal circuit. Elk verleent zijn eigen chemische aroma aan de vele variaties van de liefde.

Gehechtheid bepaalt bij wie we onze toevlucht zoeken; dit zijn de mensen die we het meest missen als ze er niet zijn. Zorgzaamheid prikkelt ons om de mensen bij wie we ons het meest betrokken voelen te koesteren. Wanneer we gehecht zijn, houden we vast; wanneer we zorgzaam zijn, geven we. En seks is natuurlijk seks.

Het drietal vermengt zich tot een elegant evenwicht in een samenspel dat, als alles goed gaat, de natuur helpt om de soort in stand te houden. Gehechtheid is de lijm die niet alleen een stel, maar een heel gezin verbindt en zorgzaamheid voegt daar de impuls aan toe om voor het nageslacht te zorgen, zodat onze kinderen later zelf weer kinderen kunnen voortbrengen. Elk van deze drie elementen van affectie verbindt mensen op een andere manier.[1] Wanneer gehechtheid zich verweeft met zorgzaamheid en seksuele aantrekkingskracht, zijn we verwikkeld in een ware romance, maar wanneer een van de drie verdwijnt, gaat de romantische liefde ter ziele.

Deze neurale netwerken werken in de vele varianten van de liefde in steeds andere combinaties samen. Ze zijn van primair belang voor ons vermogen om contact te maken, of het nu gaat om vriendschap, compassie, of gewoon dol zijn op een kat. Waarschijnlijk zijn deze circuits tot op zekere hoogte ook werkzaam op een veel groter gebied, zoals het verlangen naar spiritualiteit of een voorliefde voor weidse luchten en stille stranden.

Veel van de wegen der liefde lopen via de lage route; iemand die sociaal intelligent is volgens de beperkte, op cognitie gebaseerde definitie, zou zich hier geen raad weten. De verbindende krachten van affectie gaan aan het rationele brein vooraf. De redenen van het hart zijn altijd subcorticaal, hoewel het in de praktijk brengen van die liefde soms zorgvuldige planning vereist. Om werkelijk lief te hebben, moet onze sociale intelligentie dus volledig ontwikkeld zijn in een huwelijk tussen de hoge en de lage route. Op zichzelf is geen van beide in staat om sterke, bevredigende banden te smeden.

Als we het complexe neurale web voor affectie ontwarren, leggen we misschien iets van onze eigen verwarring en problemen bloot. De drie belangrijkste systemen voor liefhebben (gehechtheid, zorgzaamheid en seksualiteit) volgen elk hun eigen complexe regels. Op ieder moment kan een van de drie dominant zijn, als een stel zich hecht met elkaar verbonden voelt bijvoorbeeld, of als ze hun baby knuffelen of de liefde bedrijven. Wanneer alle drie de systemen actief zijn, is de romantische liefde op haar top en ontstaat er een ontspannen, liefhebbend en sensueel contact waarbinnen rapport tot bloei komt.

De eerste stap om tot zo'n verbintenis te komen steunt op de zoekfunctie van het gehechtheidsysteem. Zoals we hebben gezien, helpt dit systeem een kind al aan het prille begin van zijn leven om zorg en bescherming te zoeken bij anderen, met name bij de moeder of andere verzorgers.[2] Er bestaan fascinerende parallellen tussen hoe we onze eerste emotionele banden smeden in het leven en hoe we later aansluiting zoeken bij een romantische partner.

De kunst van het flirten

Het is vrijdagavond. Een bar aan de Upper East Side van New York zit vol met goed geklede mannen en vrouwen. Het is vrijgezellenavond en overal wordt geflirt.

Een vrouw paradeert heupwiegend en harenschuddend langs de bar, op weg naar het toilet. Er zit een leuke man aan de bar die ze even in de ogen kijkt, maar zodra hij terugkijkt, wendt ze haar blik weer af.

Haar onuitgesproken boodschap: Kijk naar me.

Die uitnodigende blik en de ingetogenheid daarna is illustratief voor de sequentie van toenadering en vermijding die te vinden is bij de meeste zoogdiersoorten waarbij voor het overleven van pasgeborenen de hulp van de vader nodig is. Het vrouwtje moet testen of het mannetje bereid is om achter haar aan te komen en zich aan haar te binden. Dit flirtgedrag is zo universeel, dat ethologen het zelfs bij ratten hebben waargenomen: het vrouwtje rent herhaaldelijk op het mannetje af en weer terug, of scheert langs hem heen, wiebelt met haar hoofd en stoot dezelfde hoge kreetjes uit die jonge ratjes maken als ze spelen.[3]

Het flirterige lachje is een van de achttien door Paul Ekman beschreven vormen van lachen. De flirtster lacht terwijl ze ergens anders naar kijkt, staart dan net lang genoeg naar het doelwit om opgemerkt te worden en kijkt ver-

volgens snel weer de andere kant op. Die ingetogenheid speelt in op een ingenieus neuraal circuit dat speciaal voor de gelegenheid in het mannelijke
brein lijkt ingeplant. Een team van neurowetenschappers uit Londen heeft
ontdekt dat als een man direct wordt aangekeken door een vrouw die hij
aantrekkelijk vindt, het dopaminecircuit in zijn brein actief wordt, wat hem
een gevoel van genot schenkt. Dit circuit wordt niet actief als hij gewoon
naar een mooie vrouw kijkt of als hij oogcontact maakt met iemand die hij
niet aantrekkelijk vindt.

Of een man een bepaalde vrouw nu wel of niet aantrekkelijk vindt, flirten
zelf loont de moeite: mannen benaderen eerder vrouwen die veel flirten dan
mooiere vrouwen die dat niet doen.

Flirten is van alle culturen, zoals een onderzoeker van Samoa tot Parijs
met een speciale camera heeft vastgelegd.[5] Flirten is de openingszet in de onafgebroken reeks stilzwijgende onderhandelingen bij iedere stap van de hofmakerij. De eerste strategische actie is het uitzetten van een groot net door
roekeloos uit te stralen dat je beschikbaar bent.

Heel jonge baby's doen precies hetzelfde. Onbevangen geven ze aan dat ze
bereid zijn tot interacties met zo ongeveer ieder vriendelijke persoon die zich
aandient en stralen ze degene die hun roep beantwoordt tegemoet.[6] De parallel in volwassen flirtgedrag geldt niet alleen dat flirterige lachje, maar ook
het maken van oogcontact en het met overdreven gebaren geanimeerd en
met hoge stem praten.

Daarna komt het Gesprek. In elk geval in de Amerikaanse cultuur heeft
deze essentiële stap in een beginnende vrijage een bijna mythische kwaliteit.
Het is een conversatie met de achterliggende intentie om vast te stellen of de
mogelijke partner werkelijk de moeite waard is. Deze stap kent een centrale
rol toe aan de hoge route in wat tot dan toe grotendeels een proces is geweest van de lage route. De hoge route werkt hier als een bezorgde ouder die
wil weten met wie zijn of haar puberkind een afspraakje heeft.

Waar de lage route ons in elkaars armen drijft, neemt de hoge route de
mogelijke partner de maat; vandaar het belang van een kop koffie en een
goed gesprek na het rendez-vous van de vorige avond. Als de vrijage langer
duurt, krijgen de partners de gelegenheid om uit te zoeken of deze romantische partner attent en begripvol, ontvankelijk en competent is en dus een
grotere betrokkenheid waard.

De verschillende stadia van hofmakerij geven beide partijen de kans om
te ontdekken of de ander een goede partner is, een positieve indicatie dat iemand op een dag misschien ook een goede ouder zal zijn.[7] Tijdens die eerste gesprekken richten mensen zich op warmte, ontvankelijkheid en op de
mate van wederkerigheid, en maken dan een voorzichtige keuze. Op dezelfde manier worden baby's als ze een maand of drie zijn selectiever in hun

contacten en gaan ze zich richten op degenen bij wie ze zich het veiligst voelen.

Zodra een partner voor deze test geslaagd is, markeert synchronie de overgang van aantrekkingskracht naar romantische verlangens. Het groeiend gevoel van ongedwongenheid dat voortkomt uit synchronie, zowel bij baby's als bij flirtende volwassenen, laat zich zien in liefhebbende blikken, knuffels en geflikflooi, stuk voor stuk signalen van een toenemende intimiteit. In dit stadium gedragen geliefden zich vaak daadwerkelijk babyachtig. Ze praten in babytaal, geven elkaar koosnaampjes, fluisteren zoete woordjes en raken elkaar teder aan. Deze fysieke ongedwongenheid markeert het punt waarop elk voor de ander een veilige basis is geworden, ook weer een echo uit de babytijd.

Natuurlijk kan een vrijage net zo heftig zijn als een peuter met een woedeaanval. Kleine kinderen zijn tenslotte net zo egocentrisch als geliefden kunnen zijn. Dit algemene feit laat ruimte voor alle mogelijke manieren waarop risico en angst mensen samen kunnen brengen, van oorlogsromances en geheime affaires tot vrouwen die vallen voor de 'verkeerde' mannen.

Neurowetenschapper Jaak Panksepp huldigt de opvatting dat een stel dat verliefd wordt letterlijk verslaafd raakt aan elkaar.[8] Volgens Panksepp bestaat er een neuraal verband tussen de dynamiek van een verslaving aan opiaten en onze afhankelijkheid van de mensen waar we ons het meest mee verbonden voelen. Alle positieve interacties tussen mensen, zo stelt hij, danken een deel van het plezier dat ze schenken aan het opioïde systeem, hetzelfde circuit dat aangesproken wordt door heroïne en andere verslavende stoffen.

Het blijkt dat twee van de voornaamste structuren van het sociale brein tot dit circuit behoren, namelijk de orbitofrontale cortex en de anterieure cingulate cortex. De OFC en de ACC van verslaafden zijn actief tijdens de hunkering, als ze onder invloed zijn en als ze zich te buiten gaan. Als een verslaafde afkickt, worden deze gebieden gedeactiveerd. Dit systeem verklaart zowel waarom een verslaafde zo op zijn favoriete drug gefixeerd is, als waarom hij geen remmingen kent in de jacht erop.[9] Datzelfde geldt waarschijnlijk voor het object van onze hartstocht op het moment dat we verliefd worden.

Panksepp denkt dat de bevrediging die een verslaafde aan zijn drugs ontleent een biologische nabootsing is van het natuurlijke genot dat we halen uit het contact met de mensen die we liefhebben; beide processen gebruiken vrijwel hetzelfde neurale circuit. Zelfs dieren, zo heeft hij ontdekt, verkeren het liefst in het gezelschap van mededieren bij wie ze eerder oxytocine en natuurlijke opiaten hebben uitgescheiden, stoffen die een ontspannen sereniteit opwekken. Dat zou betekenen dat deze hersenchemicaliën zowel onze familie- en vriendschapsbanden, als onze liefdesrelaties versterken.

De drie gehechtheidsstijlen

Het is nu bijna een jaar geleden dat het negen maanden oude dochtertje van Bob en Brenda in haar slaap overleed.

Brenda komt de kamer binnen waar Bob de krant zit te lezen. Ze heeft een paar foto's in haar hand en haar ogen zijn rood. Ze heeft gehuild.

Brenda zegt dat ze een paar foto's heeft gevonden van een dagje naar het strand met hun dochtertje.

Zonder zelfs maar op te kijken mompelt Bob: 'Ja.'

'Ze draagt dat hoedje dat ze van je moeder had gekregen,' begint Brenda.

'Hmmm,' murmelt Bob, nog steeds met zijn hoofd in de krant, zichtbaar ongeïnteresseerd.

Als Brenda hem vraagt of hij de foto's wil zien, zegt hij nee en slaat bruusk de pagina van de krant om.

Brenda kijkt hem stilletjes aan terwijl de tranen over haar wangen stromen. Plotseling zegt ze: 'Ik begrijp niets van jou. Ze was ons kind. Mis je haar dan niet? Kan het je niks schelen?'

'Natuurlijk mis ik haar! Ik wil er alleen niet over praten,' bijt Bob haar toe en hij stormt de kamer uit.

Deze schrijnende uitwisseling laat zien hoe verschillen in gehechtheidsstijl een stel kunnen opbreken, niet alleen in het omgaan met een gezamenlijk trauma, maar in vrijwel alles.[10] Brenda wil over haar gevoelens praten; Bob vermijdt zijn gevoelens. Zij vindt hem koud en hard; hij vindt haar opdringerig en veeleisend. Hoe meer zij probeert om met hem over zijn gevoelens te praten, hoe verder hij zich terugtrekt.

Over dit patroon van eisen en vermijden is veel geschreven door huwelijkstherapeuten, bij wie deze stellen soms aankloppen voor hulp. Nieuwe ontdekkingen suggereren echter dat deze klassieke discrepantie een basis heeft in de hersenen. Geen van beide houdingen is beter dan de andere, ze weerspiegelen alleen verschillende neurale patronen.

Het stempel dat onze jeugd op onze volwassen hartstocht drukt, is nergens duidelijker dan in ons 'gehechtheidssysteem', de neurale netwerken die operatief zijn wanneer we contact hebben met de mensen die het belangrijkst voor ons zijn. Zoals we hebben gezien, ontwikkelen kinderen die goed verzorgd zijn en het gevoel hebben dat hun verzorgers met hen empathiseren een veilige gehechtheid. Ze zijn afhankelijk noch afstandelijk. Maar kinderen van wie de gevoelens door de ouders verwaarloosd worden en die zich genegeerd voelen, ontwikkelen een vermijdende stijl, alsof ze de hoop hebben opgegeven ooit een liefhebbend contact tot stand te brengen. En kinderen met ambivalente ouders, die onvoorspelbaar zijn in hun buien van woede en tederheid, worden angstig en onzeker.

Bob belichaamt het vermijdende type; hij vindt intense emoties onplezierig en probeert ze tot een minimum te beperken. Brenda is een nerveus type. Ze is haar gevoelens niet de baas en heeft een sterke behoefte om te praten over wat haar bezighoudt.

Dan is er nog het zekere type, dat niet bang is voor emoties, maar zich er ook niet door laat opeten. Als Bob een zeker type was geweest, dan was hij waarschijnlijk in staat geweest om Brenda de emotionele steun te geven die ze nodig had. Als Brenda een zeker type was geweest, dan had ze niet zo wanhopig gehengeld naar Bobs empathie.

Zodra de manier waarop we ons hechten in onze jeugd gevormd is, blijf die opmerkelijk constant. De verschillende gehechtheidsstijlen zijn in zekere mate in iedere hechte relatie te onderscheiden en nergens zo duidelijk als in onze romantische banden. Elk brengt duidelijke consequenties met zich mee voor het relationele leven van een persoon, zoals blijkt uit een reeks onderzoeken door Phillip Shaver, psycholoog aan de Universiteit van Californië. Veel van het onderzoek naar gehechtheid en relaties staat op zijn naam.[11]

Shaver heeft de toorts overgenomen van John Bowlby en diens Amerikaanse leerling Mary Ainsworth, wier baanbrekende onderzoek naar de reacties van negen maanden oude baby's op een korte scheiding van hun moeder voor het eerst aantoonde dat sommige baby's een zekere gehechtheidsstijl hebben, terwijl andere op verschillende manieren onzeker zijn. Shaver heeft Ainsworths inzichten toegepast op de wereld van volwassen relaties. Hij heeft de verschillende gehechtheidsstijlen geïdentificeerd in hechte relaties van allerlei aard, van vriendschap en huwelijk tot ouder-kindrelaties.[12]

Shavers groep heeft ontdekt dat 55 procent van de Amerikanen (zowel baby's als kinderen en volwassenen) tot de categorie 'zeker' behoort. Ze gaan gemakkelijk een hechte band aan en vinden hun afhankelijkheid van die banden niet problematisch. Zekere mensen beginnen aan een romantische relatie in de verwachting dat hun partner emotioneel beschikbaar en afgestemd is. Ze gaan ervan uit dat de ander er is in moeilijke tijden, zoals zij er ook voor de ander zullen zijn. Ze voelen zich op hun gemak in intieme contacten. Mensen met een zekere gehechtheid vinden dat ze zorg en affectie waard zijn en zien anderen als toegankelijk, betrouwbaar en welwillend. Als gevolg daarvan zijn hun relaties meestal intiem en vol vertrouwen.

Twintig procent van de volwassenen is daarentegen angstig in zijn liefdesrelaties. Ze maken zich zorgen over de vraag of hun partner wel echt van hen houdt en bij hen blijft. Soms kan hun zorgelijke aanhankelijkheid en hun behoefte aan bevestiging een ander ongewild afstoten. Deze volwassenen denken vaak dat ze geen liefde en zorgzaamheid waard zijn, terwijl ze geneigd zijn hun romantische partners te idealiseren.

Zodra ze een relatie aangaan, vallen deze types gemakkelijk ten prooi aan de angst dat ze verlaten of niet goed genoeg bevonden worden. Ze zijn ont-vankelijk voor alle symptomen van een 'liefdesverslaving': obsessieve gepre-occupeerdheid, angstige onzekerheid en emotionele afhankelijkheid. Ze zijn zo vervuld van existentiële angst, dat ze zich om alles in de relatie zorgen maken. Of ze zijn extreem oplettend en jaloers om vermeende flirts. Vaak zijn ze ook in vriendschappen overbezorgd.

Ongeveer 25 procent van de volwassenen is 'vermijdend'. Ze voelen zich niet prettig in intieme contacten, vinden het moeilijk om hun partner te ver-trouwen en hun gevoelens te delen, en raken nerveus wanneer hun partner vraagt om grotere emotionele intimiteit. Ze neigen ernaar hun eigen emo-ties te onderdrukken, met name hun gevoelens van ontreddering. Omdat ze verwachten dat hun partner emotioneel onbetrouwbaar is, hebben ze moei-te met intieme relaties.

De achterliggende moeilijkheid bij het angstige en het vermijdende type is hun starheid. Beide vertegenwoordigen een strategie die in een specifieke situatie zinvol kan zijn, maar die ze ook volhouden wanneer dat contrapro-ductief is. Als er sprake is van werkelijk gevaar, maakt angst ons alert, maar wanneer angst niet op zijn plaats is, verstart het de relatie.

Ieder type hanteert een specifieke strategie om zichzelf te kalmeren bij ont-reddering. Angstige mensen, zoals Brenda, richten zich op anderen in de hoop op een troostend contact. Vermijdende mensen, zoals haar echtgenoot Bob, blijven sterk onafhankelijk en geven er de voorkeur aan hun emoties alleen te verwerken.

Zekere romantische partners lijken in staat om de beroering van een ang-stige partner op te vangen, zodat de relatie niet al te zeer aan het wankelen wordt gebracht. Als een van de partners een zeker patroon heeft, is er rela-tief weinig sprake van conflicten en crises. Maar wanneer beide partners ang-stig zijn, zijn ze geneigd tot uitbarstingen en ruzietjes, en is de relatie be-hoorlijk veeleisend.[13] Ongerustheid, rancune en ontreddering zijn tenslotte besmettelijk.

De neurale basis

Elk van de drie stijlen weerspiegelt een specifieke variant van de manier waarop ons gehechtheidssysteem is uitgerust, zoals blijkt uit fMRI-onder-zoek door Shaver en neurowetenschappers van de Universiteit van Californ-ië.[14] Die verschillen steken vooral de kop op tijdens onaangename ge-beurtenissen als ruzie, of wanneer we ons verliezen in angstig gepieker over zo'n ruzie, of, erger nog, wanneer we ons obsessief afvragen of we de rela-tie moeten beëindigen.

Bij dit soort gepieker gaven fMRI-scans een ander patroon aan voor elk van de drie voornaamste gehechtheidsstijlen. (Hoewel het onderzoek alleen bij vrouwen is gedaan, geldt het resultaat hoogstwaarschijnlijk ook voor mannen, maar dat zal toekomstig onderzoek moeten uitwijzen.)[15]

De neiging van angstige types om zich te veel zorgen te maken, over het verliezen van de partner bijvoorbeeld, deed zones van de lage route oplichten, waaronder de anterieure temporale pool (ATP) die actief wordt bij verdriet, de ACC, waar emoties opvlammen, en de hippocampus, een belangrijke locatie voor het geheugen.[16] Veelzeggend genoeg waren de angstige vrouwen niet in staat om dit circuit voor relatieonrust af te sluiten, ook niet wanneer ze daar hun best voor deden: hun obsessieve gepieker was sterker dan het vermogen van hun brein om daarmee te stoppen. Maar hun circuits voor het bedaren van angst functioneerden uitstekend bij andere zorgen.

De zekere vrouwen hadden er daarentegen geen enkel probleem mee om de angst voor een breuk uit te schakelen. Hun verdrietgenererende ATP werd rustig zodra ze hun aandacht op iets anders richtten. Het belangrijkste verschil was dat deze vrouwen gemakkelijk de neurale schakelaar van de OFC konden activeren voor het kalmeren van de ontreddering van de ATP.

Evenzo konden angstige vrouwen gemakkelijker een bepaald problematisch moment uit hun romantische relatie ophalen dan de andere vrouwen.[17] Hun geneigdheid om zich bezig te houden met relatieproblemen, suggereert Shaver, zou wel eens hun vermogen tot constructief handelen kunnen beperken.

Vermijdende vrouwen gaven een totaal ander neuraal beeld te zien; bij hen vond de voornaamste activiteit plaats in een gebied van de ACC dat actief wordt bij het onderdrukken van verontrustende gedachten.[18] Bij deze vrouwen lijkt de neurale rem op emoties vast te zitten; net zoals angstige vrouwen niet in staat waren om te stoppen met piekeren, konden de vermijdende vrouwen niet stoppen met het onderdrukken van gepieker, zelfs niet wanneer hen dat gevraagd werd. De andere vrouwen hadden er daarentegen geen enkele moeite mee om de ACC in en uit te schakelen wanneer hen gevraagd werd aan iets verdrietigs te denken en daar vervolgens weer mee te stoppen.

Dit neurale patroon van voortdurende onderdrukking verklaart waarom mensen met een vermijdende stijl geneigd zijn tot emotionele afstandelijkheid en een gebrekkige betrokkenheid bij het leven. Wanneer een relatie eindigt of iemand sterft, rouwen ze maar weinig en ze voelen zich emotioneel niet betrokken bij sociale interacties.[19] Enige mate van angst lijkt de prijs die we allemaal betalen voor werkelijke emotionele intimiteit, al was het maar omdat er relatieproblemen opduiken die we zullen moeten oplossen.[20] Shavers vermijdende types lijken een rijker emotioneel contact met anderen te

hebben ingeruild voor een beschermende ontkoppeling van hun eigen verontrustende gevoelens. Het is dan ook veelzeggend dat Shaver het vooral
moeilijk vond om vermijdende vrouwen voor zijn onderzoek te rekruteren.
Een van de eisen was namelijk betrokkenheid in een langdurige romantische
relatie, en dat waren er maar weinig.

Laten we niet vergeten dat deze stijlen tijdens de jeugd gevormd worden
en dus waarschijnlijk niet genetisch bepaald zijn. Als ze aangeleerd zouden
zijn, dan zouden ze ook gedeeltelijk te veranderen moeten zijn door juiste
ervaringen, of dat nu in psychotherapie is of in een helende relatie. Aan de
andere kant is een begripvolle partner misschien in staat om deze eigenaardigheden op te vangen, mits ze binnen de perken blijven.

We kunnen onze neurale systemen voor gehechtheid, seks en zorgzaamheid opvatten als onderdelen van een van de kinetische mobiles van Alex-
ander Calder, waarbij beweging in een van de vertakkingen doortrilt in alle
andere. Onze gehechtheidsstijl is bijvoorbeeld ook van invloed op onze seksualiteit. Vermijdende types hebben meer seksuele partners en one-night-
stands dan angstige of zekere mensen. Geheel in overeenstemming met hun
voorkeur voor emotionele afstandelijkheid zijn ze tevreden met seks zonder
liefde of intimiteit. Als ze toch verzeild raken in een langdurige relatie, neigen ze ertoe zich te bewegen tussen afstandelijkheid en dwingelandij. De kans
dat ze gaan scheiden of uit elkaar gaan is dan ook groter. Vreemd genoeg
geldt dat ook voor de kans dat ze hun partner terug willen.[21]

De uitdagingen die onze gehechtheidsstijlen aan een liefdesverbintenis
stellen zijn nog maar het begin van het verhaal. En dan is er seks.

HOOFDSTUK 14

Verlangen: het zijne en het hare

Een van mijn beste vrienden tijdens mijn eerste jaar aan de universiteit was een briljante beer van een rugbyspeler die we 'De Hulk' noemden. Tot op de dag van vandaag herinner ik me het advies dat zijn Duitse vader hem gegeven had toen hij op het punt stond het huis uit te gaan.

Het was een stelregel met een Brechtiaans, enigszins cynisch tintje. Grofweg vertaald uit het Duits betekende het: 'Als de penis hard wordt, wordt het brein week.'

Technisch gezien bevinden de neurale circuits voor seks zich in de subcorticale regionen van de lage route, buiten het bereik van het denkende brein. Hoe sterker deze laaggelegen systemen ons prikkelen, hoe minder we ons gelegen laten liggen aan het advies dat de rationele centra van de hoge route ons kunnen geven.

In meer algemene zin is deze neurale landkaart verantwoordelijk voor de irrationaliteit van veel van onze romantische keuzes: onze logische circuits hebben niets met deze zaken te maken. Het sociale brein bemint en is zorgzaam, maar lust beweegt zich langs de laagste paden van de lage route.

Verlangen lijkt twee vormen te hebben, het zijne en het hare. Wanneer verliefde stelletjes naar een foto van hun partner staren, zo bleek uit brain imaging-onderzoek, geven hun hersenen opmerkelijke verschillen te zien. Bij verliefde mannen, maar niet bij vrouwen, lichtten de centra voor visuele prikkelverwerking en seksuele opwinding op. Zo prikkelt het uiterlijk van zijn geliefde de hartstocht van de man. Geen wonder dus dat mannen overal ter wereld aangetrokken worden door visuele pornografie, zoals antropologe Helen Fisher opmerkt, en dat vrouwen gevoelens van eigenwaarde ontlenen aan hun uiterlijk en daar veel tijd in steken, 'om hun sterke punten goed uit te laten komen', zoals zij het formuleert.[1]

Maar bij verliefde vrouwen activeert het kijken naar hun geliefde totaal andere centra van het sociale brein, namelijk de cognitieve centra voor geheugen en aandacht.[2] Dit verschil suggereert dat vrouwen hun gevoelens zorgvuldiger afwegen en een man beoordelen als mogelijke levensgezel en kostwinner. Vrouwen die aan een romance beginnen, zijn daar vaak veel pragmatischer in dan mannen en worden daardoor ook minder snel verliefd.

'Vluchtige seks', zo merkt Fisher op, 'is voor vrouwen vaak niet zo vluchtig als voor mannen.'[3]

Onze hersenradar voor gehechtheid heeft toch een aantal ontmoetingen nodig om tot een beslissing te komen over een eventuele verbintenis. Als mannen verliefd worden, storten ze zich halsoverkop op de lage route. Natuurlijk bereizen vrouwen de lage route ook, maar ze bewegen zich over de hoge route weer terug.

Een meer cynische visie luidt, dat mannen op zoek zijn naar lustobjecten en vrouwen naar statusobjecten. Maar hoewel vrouwen zich aangetrokken voelen door tekenen van macht en rijkdom bij een man, en mannen door de fysieke aantrekkelijkheid van een vrouw, zijn dit voor geen van beide seksen de belangrijkste attracties, alleen die waarin ze het meest verschillen.[4] Bij zowel mannen als vrouwen staat vriendelijkheid boven aan het wenslijstje.

Om ons liefdesleven nog meer in de war te sturen, trachten bepaalde circuits van de hoge route, misschien op grond van verheven gevoelens, misschien op grond van puriteinse normen, resoluut de vurige golven van de lust in te dammen. Altijd en overal hebben culturen de remmende werking van de hoge route ingezet tegen de driften van de lage route. Om met Freud te spreken: de maatschappij heeft haar ongenoegens altijd bevochten. Zo waren huwelijken in de Europese bovenklasse er eeuwenlang slechts op gericht de bezittingen van een bepaalde familie voor het nageslacht te behouden; huwelijken werden door families gearrangeerd. Niemand maalde om lust en liefde. Er was altijd nog overspel.

Sociaal historici zijn van mening dat, in elk geval in Europa, pas tijdens de Reformatie de moderne romantische notie is ontstaan van een lustvolle, liefhebbende en betrokken emotionele band tussen man en vrouw. Hiermee kwam er een einde aan het middeleeuwse kuisheidsideaal, dat het huwelijk opvatte als een noodzakelijk kwaad. Pas rond de Industriële Revolutie en de opkomt van de middenklasse werd de notie van de romantische liefde zo populair in het Westen, dat verliefdheid gezien werd als een goede reden voor een stel om te trouwen. En natuurlijk is het in culturen als de Indiase, die zich bewegen op het breukvlak tussen traditie en moderniteit, nog altijd zo dat stellen die alleen trouwen uit liefde een kleine minderheid vormen en dikwijls te maken krijgen met heftige bezwaren van hun familie, die de voorkeur geeft aan een gearrangeerd huwelijk.

Aan de andere kant werkt onze biologie niet altijd mee aan het moderne huwelijksideaal, dat een levenslang partnerschap en zorgzaamheid combineert met de vluchtiger pleziertjes van romantische hartstocht. Jaren van gewenning gaan maar al te vaak ten koste van ons seksuele verlangen. Soms verdwijnt de lust zelfs al als we ons zeker voelen van onze partner.

Om het verhaal nog ingewikkelder te maken: de natuur heeft in al haar

wijsheid besloten om mannen en vrouwen zelfs in hun liefdeschemie andere eigenschappen toe te kennen. Mannen hebben meestal meer stoffen die
hun lust prikkelen dan vrouwen en minder stoffen die zorgen voor gehechtheid. Deze biologische eigenaardigheden zijn verantwoordelijk voor
veel van de klassieke problemen tussen mannen en vrouwen in de arena van
de hartstocht.

Cultuur en sekse buiten beschouwing gelaten, komt misschien wel het
meest fundamentele dilemma van de romantische liefde voort uit de elementaire spanning tussen de hersensystemen voor veilige gehechtheid en die
voor zorgzaamheid en seks. Elk van deze neurale netwerken werkt vanuit
zijn eigen motieven en behoeftes, en die kunnen zowel conflicterend als ver-
enigbaar zijn. Als ze strijdig zijn, dan leidt de liefde schipbreuk; gaan ze harmonieus samen, dan kan de liefde bloeien.

Een listig trucje van de natuur

Een schrijfster reisde altijd met een sloop waar haar man op had geslapen.
Waar ze ook was, trok ze dat sloop gewoon over een van de hotelkussens.
Niet dat ze niet onafhankelijk en ondernemend was, maar, zoals ze zelf zei,
met zijn geur in haar neus viel ze gemakkelijker in slaap in een vreemd bed.

Biologisch gezien is dat niet onlogisch en het onthult ook iets over een van
de trucjes die de natuur gebruikt voor het voortbestaan van de soort. De allereerste prikkels van seksuele attractie, of op zijn minst belangstelling, komen van de lage route: ze zijn zintuiglijk en niet cognitief, of zelfs maar emotioneel. Voor vrouwen ontstaat die eerste subliminale interesse vaak door
een geur, bij mannen door een visuele prikkel.

Wetenschappers hebben ontdekt dat de geur van mannenzweet een opmerkelijke uitwerking kan hebben op de emoties van vrouwen: hun stemming klaart op, ze ontspannen en de spiegel van het luteïniserend hormoon,
dat de ovulatie opwekt, stijgt.

Bovenstaand onderzoek werd echter uitgevoerd in een laboratorium, onder bijzonder klinische (en bepaald onromantische) omstandigheden. Van
zweetmonsters uit de oksels van mannen die vier weken lang geen deodo-
rant hadden gebruikt was een mengsel gemaakt dat op de bovenlip van een
jonge vrouw werd aangebracht. De vrouwen dachten dat ze meewerkten aan
een onderzoek naar de geur van bepaalde producten, zoals vloerwas.[5] Wanneer de geur onder hun neus die van mannenzweet was en niet van iets anders, voelden de vrouwen zich meer ontspannen en gelukkig.

In een meer romantische omgeving, zo vermoeden de onderzoekers, zouden deze geuren ook seksuele gevoelens kunnen opwekken. Zo denkt men

ook dat de hormonale omarming van dansende paren stilletjes de weg pla-
veit voor seksuele opwinding, doordat hun lichamen subliminaal de condities arrangeren die gunstig zijn voor reproductie. Het onderzoek maakte in
feite deel uit van een zoektocht naar nieuwe vruchtbaarheidstherapieën,
waarbij men wilde kijken of het actieve ingrediënt in het zweet geïsoleerd
kon worden. De resultaten werden gepubliceerd in het tijdschrift *Biology of
Reproduction.*

De mannelijke tegenhanger is waarschijnlijk de impact dat het beeld van
een vrouwenlichaam heeft op de genotscentra in de hersenen. Het mannelijke brein bevat naar het zich laat aanzien ingebouwde detectoren voor bepaalde sleutelaspecten van het vrouwelijk lichaam, met name voor de 'zand-
loper'-verhouding tussen borsten, taille en heupen, een teken van jeugdige
schoonheid dat op zichzelf genoeg is om een man seksueel te prikkelen.[6]
Toen mannen uit alle hoeken van de wereld gevraagd werd om aan de hand
van silhouettekeningen aan te geven welke verhoudingen ze aantrekkelijk
vonden, kozen de meesten voor vrouwen met een tailleomvang die ongeveer
70 procent was van die van de heupen.[7]

Waarom het mannelijke brein zo werkt, is al jarenlang een onderwerp van
heftige discussies. Sommigen denken dat dit neurale netwerkje een manier
is om de biologische kenmerken van vruchtbaarheid voor mannen aantrekkelijk te maken, zodat hun sperma niet verloren gaat.

Wat de reden ook moge zijn, dit zijn elegante ontwerpen in de menselijke biologie: haar aanblik brengt hem in verrukking en zijn geur brengt haar
in de stemming voor de liefde. Die tactiek werkte ongetwijfeld uitstekend in
de vroege prehistorie, maar in het moderne leven zijn er in de neurobiologie van de liefde een aantal complicaties opgetreden.

Het libidineuze brein

'Hartstochtelijk en vurig' verliefd zijn was het enige selectiecriterium voor
een onderzoek onder mannen en vrouwen aan het University College in Londen. De zeventien vrijwilligers ondergingen eerst een brain imaging terwijl
ze naar een foto van hun geliefde keken en daarna bij het kijken naar foto's
van vrienden. De conclusie: ze leken verslaafd aan de liefde.

Zowel bij mannen als bij vrouwen zorgde het onderwerp van hun hartstocht, in tegenstelling tot de vrienden, voor vuurwerk in sectoren van het
brein die zich anders niet met elkaar verbinden. Deze circuits zijn zo specifiek, dat ze gespecialiseerd lijken in de romantische liefde.[8] Een groot deel
van dit systeem licht ook op tijdens een andere toestand van euforie, namelijk bij het gebruik van cocaïne of opiaten, zoals neurowetenschapper Jaak

Panksepp heeft aangetoond. Deze ontdekking suggereert dat de verslavend extatische aard van een intense romance een neurale basis heeft. Opmerkelijk genoeg gebeurt er bij mannen in dit liefdescircuit niet altijd veel als ze seksueel opgewonden zijn. Gebieden naast die voor romantiek worden in dat geval wél geprikkeld, wat erop wijst dat als lust en liefde samengaan, de anatomische link gemakkelijk te maken is.[9]

Door middel van dit soort onderzoek is de neurowetenschap doorgedrongen tot het mysterie van de seksuele passie. Het is de mengeling van hormonen en neurochemicaliën die lust zo pikant maakt. Natuurlijk zijn er tussen de seksen wat verschillen in het recept voor verlangen, maar de ingrediënten en hun timing tijdens de seksuele daad getuigen van een ingenieus plan dat het in stand houden van de soort tot een bijzonder plezierige aangelegenheid maakt.

Het systeem voor lust, waar het libido regeert, beslaat een groot deel van het limbische brein.[10] De seksen delen veel van deze circuits voor seksuele hartstocht, maar er zijn een paar duidelijke verschillen. Die verschillen veroorzaken differentiaties in de manier waarop elke sekse de liefdesdaad ervaart en in de waarde die ze toekennen aan de verschillende aspecten van een romantisch samenzijn.

Voor mannen geldt dat zowel hun seksualiteit als hun agressie groeit door het sekshormoon testosteron, dat actief is in onderling verbonden hersengebieden.[11] Wanneer mannen seksueel opgewonden raken, stijgt hun testosteronspiegel enorm. Het mannelijke hormoon zorgt ook voor een seksuele prikkel bij vrouwen, zij het minder sterk.

En dan is er die verslaving. Zowel bij mannen als bij vrouwen stijgt de dopaminespiegel (een chemische stof die intens genot verleent aan de meest uiteenlopende activiteiten, van gokken tot drugsgebruik) tijdens een seksuele ontmoeting tot recordhoogten. De dopaminespiegel stijgt niet alleen bij seksuele opwinding, maar neemt ook toe met de frequentie van seksueel contact en de intensiteit van iemands libido.[12]

Oxytocine, een chemische bron van zorgzaamheid, is in het brein van vrouwen beter vertegenwoordigd dan in dat van mannen en heeft dan ook meer invloed op de manier waarop vrouwen seksuele verbintenissen aangaan. Vasopressine, een hormoon dat nauw verwant is aan oxytocine, kan ook een rol spelen bij binding.[13] Het is opmerkelijk dat spindle-cellen, de supersnelle verbindingscellen van het sociale brein, rijk zijn aan receptoren voor vasopressine. Spindle-cellen zijn bijvoorbeeld betrokken bij de razendvlugge intuïtieve oordelen die we vellen als we iemand voor het eerst ontmoeten. Hoewel geen enkel onderzoek het nog met zekerheid heeft uitgewezen, lijken deze cellen een waarschijnlijke kandidaat voor een gedeelte van het hersensysteem dat verantwoordelijk is voor liefde, of in elk geval verlangen, 'op het eerste gezicht'.

In de aanloop naar de liefdesdaad stijgt de oxytocinespiegel in het brein van de man tot grote hoogten, net als de hormonale honger die wordt aangedreven door arginine en vasopressine (samen ook wel AVP genoemd). Het mannelijke brein heeft meer AVP-receptoren dan het vrouwelijke en die bevinden zich vrijwel allemaal in het seksuele circuit. AVP, dat vanaf de puberteit overvloedig wordt aangemaakt, voedt de seksuele hunkering bij mannen, bouwt op wanneer de ejaculatie nadert en neemt na het orgasme snel weer af.

Bij zowel mannen als vrouwen zorgt oxytocine voor de gevoelens van tederheid en verrukking bij het seksuele contact. Bij het orgasme komen er overvloedige doses vrij, wat dat heerlijke gevoel van warmte en affectie achteraf lijkt te stimuleren, en waardoor mannen en vrouwen in elk geval voor een tijdje op dezelfde tedere hormonale golflengte terechtkomen.[14] De uitscheiding van oxytocine blijft ook na de climax hevig, vooral tijdens het 'naspel', het knuffelen na de geslachtsgemeenschap.[15]

Oxytocine welt vooral bij mannen sterk op in deze 'refractaire' periode na het orgasme, wanneer ze meestal geen erectie kunnen krijgen. Opmerkelijk is dat in elk geval bij knaagdieren (en mogelijk ook bij mensen) een grote seksuele bevrediging bij mannetjes tot een drievoudige stijging van de oxytocinespiegel leidt, een hersenverandering waardoor het mannelijke brein in elk geval tijdelijk beter is afgestemd op het vrouwelijke. Hoe het ook zij, dat uitgekiende chemische eindspel zorgt voor de nodige ontspanning om de gehechtheid te versterken, wat een andere functie is van oxytocine.

Het lustcircuit zet een stel ook aan tot een volgend rendez-vous. In de hippocampus, de belangrijkste hersenstructuur voor de opslag van herinneringen, bevinden zich neuronen die rijk zijn aan zowel receptoren voor AVP als voor oxytocine. Vooral bij een man lijkt AVP het beeld van de passie van zijn partner bijzonder krachtig in het geheugen te griffen. De oxytocine die vrijkomt bij een orgasme, geeft ook het geheugen een opkikker, waardoor het beeld van de geliefde nog eens wordt ingeprent.

Terwijl deze primaire biochemie onze seksuele activiteit prikkelt, oefenen hersencircuits van de hoge route hun eigen invloed uit, maar dat gaat niet altijd goed samen. Hersensystemen die eeuwen en eeuwen het menselijk voortbestaan grote diensten hebben bewezen, lijken nu gevoelig voor conflicten en spanningen die de liefde bedreigen.

Meedogenloos verlangen

Een mooie en onafhankelijke jonge advocate woonde samen met een schrijver die vanuit huis werkte. Zodra ze thuiskwam, stopte haar vriend altijd onmiddellijk met zijn eigen bezigheden en begon om haar heen te draaien. Op een avond wilde ze in bed stappen, maar nog voor dat ze de lakens had aangeraakt, had hij haar al gretig naar zich toe getrokken.[16]

'Geef me alsjeblieft een grammetje ruimte om je te beminnen,' zei ze tegen hem. Dat kwetste zijn gevoelens zo, dat hij dreigde op de bank te gaan slapen.

Haar opmerking laat zien wat het gevaar is van een te benauwde *feedback loop*: het kan verstikkend werken. Het doel van afstemming is niet om voortdurend samen te smelten en iedere gedachte en elk gevoel te delen; het is ook belangrijk om elkaar de ruimte te geven om alleen te zijn. Die cyclus van verbondenheid zorgt voor evenwicht tussen wat we nodig hebben als individu en als stel. In de woorden van een gezinstherapeut: 'Hoe beter een stel in staat is om op zichzelf te zijn, hoe beter ze samen kunnen zijn.'

De belangrijkste uitingen van liefde, gehechtheid, verlangen en zorgzaamheid, hebben elk een specifieke chemische lijm die ontworpen is om partners op een bepaalde wijze met elkaar te laten resoneren. Wanneer ze alle drie op één lijn zitten, dan groeit de liefde. Zitten ze elkaar in de weg, dan kan de liefde teloorgaan.

Het is een enorme uitdaging voor elke verhouding wanneer de drie biologische systemen elkaar dwarsbomen, zoals vaak gebeurt in de spanning tussen gehechtheid en seks. Je ziet het wanneer een van de partners zich onzeker voelt of, erger nog, jaloers is en bang om verlaten te worden. Vanuit een neuraal perspectief blokkeert het systeem voor gehechtheid in de angststand het functioneren van de andere twee. Die knagende ongerustheid kan de seksuele drang gemakkelijk blussen en tedere zorgzaamheid doven, in elk geval tijdelijk.

De eenzijdige fixatie van de vriend op de advocate als seksueel object is verwant aan het meedogenloze verlangen van een kind dat aan de borst ligt en zich niet bekommert om de gevoelens en behoeftes van de moeder. Die archaïsche verlangens worden ook ingebracht in het liefdesspel, wanneer twee hartstochtelijke volwassenen zich in elkaars lichaam verliezen met het vuur van een baby.

Zoals we al hebben opgemerkt, zien we de intimiteit uit onze jeugd terug in het gebruik van kinderlijke hoge stemmetjes of koosnaampjes door geliefden. Ethologen denken dat dit in het brein van de geliefde de ouderlijke respons tot zorgzaamheid en tederheid opwekt. Het verschil tussen het verlangen van een baby en dat van een volwassene zit hem echter in het vermogen tot empathie, zodat passie versmelt met compassie, of minimaal met zorgzaamheid.

Mark Epstein, de psychiater van de advocate, bedacht een alternatief voor de vriend: loop minder hard van stapel, zodat je je emotioneel kunt afstemmen. Zo schep je de psychologische ruimte die haar in contact houdt met haar eigen verlangen. Die wederkerigheid van verlangen, plus het handhaven van de feedback loop, biedt een mogelijkheid om de passie die ze aan het verliezen is weer terug te vinden.

En zo komen we bij Freuds beroemde vraag: 'Wat wil de vrouw?' Het antwoord van Epstein luidt: 'Ze wil een partner die hart heeft voor wat ze wil.'

'Het' op afspraak

Anne Rice, schrijfster van populaire vampierromans en, onder pseudoniem, van erotica, had als kind al levendige sadomasochistische fantasieën.

Haar eerste fantasieën betroffen ingewikkelde scenario's waarin jonge mannen in het oude Griekenland als seksslaven werden verkocht; ze was gefascineerd door mannelijke homoseksualiteit. Als volwassene ontwikkelde ze vriendschappen met homoseksuele mannen en voelde ze zich aangetrokken tot de homocultuur.[17]

Het was een bron van inspiratie voor haar schrijverschap. Rices vampierromans, die bol staan van de homo-erotische subthema's, zijn van grote invloed geweest op de subcultuur van de *Gothics*. In de prikkelende verhalen die ze onder pseudoniem publiceerde, beschrijft ze tot in de details sadomasochistische activiteiten van beide seksen. Hoewel lang niet iedereen zich tot die fantasieën voelt aangetrokken, gaan ze nooit verder dan wat volgens onderzoekers kenmerkend is voor de erotische dagdromen van gewone mensen.

Rices flamboyante seksscènes zijn in normatieve zin niet 'afwijkend'; het zijn eerder thema's die in onderzoek na onderzoek dikwijls uit de mond van zowel mannen als vrouwen worden opgetekend. Uit een onderzoek bleek bijvoorbeeld dat de meest gebruikelijke seksuele fantasieën onder andere zijn: het opnieuw beleven van een opwindende seksuele ervaring, de gedachte aan seks met de eigen partner of iemand anders, orale seks, seks op een romantisch plekje, onweerstaanbaar zijn, en gedwongen worden tot seksuele onderdanigheid.[18]

Een uitgebreide variatie aan seksuele fantasieën kan een teken zijn van een gezonde seksualiteit die een bron is voor meer opwinding en genot.[19] Wanneer beide partijen daarmee instemmen, kan dat zelfs gelden voor meer bizarre fantasieën die op het eerste gezicht misschien wreed lijken, zoals die van Rice.

Er is veel veranderd sinds Freud een eeuw geleden beweerde dat alleen onbevredigde mensen fantaseren en gelukkige niet.[20] Maar een fantasie is niet meer dan gewoon een levendige verbeelding. Zoals Rice nadrukkelijk opmerkt, heeft ze haar fantasieën nooit uitgeleefd, ook niet als ze daartoe in de gelegenheid was. Seksuele fantasieën hoeven niet met een ander in praktijk gebracht te worden, maar toch hebben ze hun nut. In Alfred Kinseys baanbrekende onderzoek (dat achteraf een vertekend beeld bleek te geven) zei 89 procent van de mannen en 64 procent van de vrouwen seksuele fantasieën te hebben tijdens het masturberen. Nu kijken we daar niet meer van op, maar in de preutse jaren vijftig was dat een schokkende onthulling. Zoals de goede professor Kinsey als eerste meer dan duidelijk maakte, is heel veel seksueel gedrag bij mannen en vrouwen veel gebruikelijker dan men openlijk wil toegeven.

De sociale taboes die ook vandaag nog gelden, ondanks *The Jerry Springer Show* en alle pornosites op het internet, maken duidelijk dat de werkelijke frequentie van mogelijke seksuele voorkeuren steevast hoger is dan mensen bereid zijn toe te geven. Mensen die onderzoek doen naar seks gaan er dan ook altijd vanuit dat alle statistieken die gebaseerd zijn op wat mensen zelf aangeven over hun seksuele gedrag lager uitvallen dan de werkelijkheid. Toen vrouwen en mannen aan een universiteit gevraagd werd om in een dagboek iedere seksuele fantasie of gedachte die ze in de loop van de dag hadden op te schrijven, kwamen mannen op een aantal van zeven per dag en vrouwen tussen de vier en de vijf, maar in onderzoeken waarin studenten gevraagd werd om zich diezelfde informatie te herinneren, schatten de mannen dat ze ongeveer één fantasie per dag hadden en vrouwen ongeveer één per week.

Laten we eens kijken naar mannen en vrouwen die toegeven seksuele fantasieën te hebben tijdens het vrijen. Voor vrijwel alle vormen van seksueel gedrag scoren mannen hoger dan vrouwen, maar wanneer het gaat om fantasieën bij het vrijen lijkt er een evenwicht te bestaan: ongeveer 94 procent van de vrouwen en 92 procent van de mannen geeft aan dat ooit wel eens gedaan te hebben (hoewel sommige onderzoeken veel lagere cijfers geven, zoals 47 procent voor mannen en 34 procent voor vrouwen).

Uit een onderzoek bleek dat mensen graag fantaseren over seks met hun huidige partner als ze niet aan het vrijen zijn, maar tijdens het vrijen denkt men weer graag aan seks met iemand anders.[21] Dat bracht een grappenmaker ertoe op te merken dat er in het liefdesspel eigenlijk vier mensen meedoen: de twee echte mensen en de twee in hun hoofd.

In de meeste seksuele fantasieën is de ander een object, een wezen dat speciaal gemaakt is om aan de wensen van de bedenker te voldoen, zonder enige zorg voor wat die ander zelf in die situatie zou willen. Maar in fantasieën mag alles.

Wanneer we bereid zijn een fantasie te delen en daadwerkelijk uit te leven, laten we alles samenkomen: het script 'spelen' met een willige partner zonder de fantasie aan de ander op te dringen en de ander tot een Het te re-

duceren, maakt alle verschil.[22] Als de partners het eens zijn en hetzelfde verlangen, kan zelfs een ogenschijnlijk Ik-Het-scenario een groter gevoel van
intimiteit genereren. Onder de juiste omstandigheden en met wederzijds
goedvinden kan het een deel van het seksuele spel zijn om de partner als een
Het te behandelen.

'Een goede seksuele relatie,' aldus een psychotherapeut, 'is als een goede
seksuele fantasie': opwindend, maar veilig. Wanneer de emotionele behoeftes van de partners complementair zijn, zo voegt hij eraan toe, kan de chemie die daaruit voortvloeit een opwinding genereren die voorkomt dat de
seksuele interesse afneemt, zoals zo vaak gebeurt bij stellen die lang samen
zijn.[23]

Empathie en begrip tussen partners maken het verschil tussen een speel-
se en een kwetsende Het-fantasie. Als beiden het liefdesspel ook echt als een
spel zien, creëert hun ongedwongenheid met betrekking tot de fantasie een
geruststellende empathie. Wanneer ze hun fantasiewereld binnengaan, verhoogt hun afstemming op elkaar het wederzijdse genot en is er sprake van
radicale acceptatie, een impliciete daad van tederheid.

Wanneer seks objectiveert

Laten we eens kijken naar het liefdesleven van een pathologische narcist zoals beschreven in het rapport van zijn psychotherapeut:

De man is vijfentwintig en single. Hij wordt gemakkelijk verliefd op de
vrouwen die hij tegenkomt en heeft over iedere vrouw obsessieve fantasieën,
maar na een aantal seksuele ontmoetingen met een partner is hij altijd weer
teleurgesteld. Ze is te dom, of te afhankelijk, of fysiek afstotelijk.

Met kerst probeerde hij bijvoorbeeld de vriendin die hij op dat moment
had (en die hij pas een paar weken kende) over te halen om bij hem te blijven in plaats van naar haar familie te gaan. Toen ze weigerde, noemde hij
haar egoïstisch en besloot woedend dat hij haar nooit meer wilde zien.

Het idee van de narcist dat hij overal recht op heeft, geeft hem het gevoel
dat gewone regels en grenzen voor hem niet gelden. Zoals we eerder gezien
hebben, vindt hij dat hij recht heeft op seks als een vrouw hem aanmoedigt
en opwindt, zelfs wanneer ze duidelijk aangeeft dat ze niet verder wil gaan.
Hij zal zich daar dan ook niet aan storen, ook al moet hij geweld gebruiken.

Belangrijke kenmerken van de narcist waren een gebrekkige empathie, de
neiging om anderen te gebruiken en ijdel egocentrisme. Het is dan ook niet
vreemd dat narcistische mannen weinig moeite hebben met uitingen van seksuele dwang, zoals de gedachte dat verkrachtingsslachtoffers 'erom vragen',

of dat een vrouw eigenlijk 'ja' bedoelt als ze 'nee' zegt tegen seks.[24] Narcistische Amerikaanse studenten zijn het vaak eens met uitspraken als: 'Wanneer een meisje zich laat zoenen en betasten, en ze laat de zaak uit de hand lopen, dan is het haar eigen schuld als haar partner haar dwingt tot seks.' Voor sommige mannen is die overtuiging een expliciete rationalisatie van date rape, waarbij een man een vrouw waarmee hij gezoend heeft dwingt tot seks, terwijl zij wil stoppen.

Dat dit soort overtuigingen bij sommige mannen opgeld doet, zou gedeeltelijk kunnen verklaren waarom in de Verenigde Staten 20 procent van de vrouwen beweert dat ze, ondanks hun verzet, gedwongen zijn tot seksuele activiteit, meestal door hun echtgenoot, partner of iemand op wie ze indertijd verliefd waren.[25] Als vrouwen tot seks gedwongen worden, is dat maar liefst tien keer vaker door iemand die ze liefhebben dan door een vreemde. Een onderzoek onder date rapists die dat zelf toegaven, wees uit dat de gedwongen seks altijd voortkwam uit een seksueel getint contact met wederzijdse instemming, maar dat de verkrachter negeerde dat de vrouw niet verder wilde gaan.[26]

Anders dan de meeste mannen raken narcisten seksueel opgewonden van films waarin een stel een beetje aan het vrijen is, de vrouw plotseling wil stoppen en de man haar vervolgens, ondanks haar duidelijke pijn en walging, dwingt tot seks.[27] Bij het kijken naar zo'n scène sluiten narcisten zich af voor wat er met de vrouw gebeurt en richten zich volledig op de bevrediging van de agressor. Opmerkelijk was dat de narcisten uit dit onderzoek geen plezier beleefden aan de verkrachtingsscène alleen, zonder het voorspel en de weigering.

Door hun gebrek aan empathie staan narcisten onverschillig tegenover het lijden dat ze hun 'afspraakje' aandoen. Waar zij de gedwongen seks ervaart als een walgelijke daad van geweld, is hij niet in staat haar ongenoegen te begrijpen, laat staan compassie te voelen. Hoe empathischer een man is, hoe kleiner de kans dat hij zich gedraagt als een seksuele agressor of daar zelfs maar over fantaseert.[28]

Waarschijnlijk is er bij gedwongen seks ook sprake van hormonale invloeden. Uit onderzoeken blijkt dat een zeer hoge testosteronspiegel de kans vergroot dat mannen een ander alleen zien als seksueel object. Het maakt dit soort mannen tot lastige huwelijkspartners.

Uit een onderzoek naar de testosteronspiegel bij 4 462 Amerikaanse mannen bleek dat er een alarmerend gedragspatroon bestond bij mannen met de allerhoogste testosteronspiegels.[29] Ze waren over het algemeen agressiever, vaker in contact geweest met de politie en meer betrokken bij vechtpartijen. Ook als echtgenoot deden ze het niet goed: ze waren geneigd om te gaan slaan of dingen naar hun vrouw te gooien, om buitenechtelijke seks te hebben en ze waren uiteraard ook vaker gescheiden. Hoe hoger de testosteron-spiegel, hoe slechter het beeld.

Aan de andere kant bleek uit het onderzoek dat veel mannen met een hoge testosteronspiegel gelukkig getrouwd zijn. Het verschil zit hem volgens de onderzoekers waarschijnlijk in de mate waarin de mannen geleerd hebben hun wildere, door testosteron gedreven impulsen te beheersen. De sleutel tot het beheersen van alle mogelijke impulsen, of ze nu seksueel zijn of agressief, ligt bij de prefrontale systemen. Hiermee zijn we weer terug bij het belang van de hoge route en zijn vermogen om de lage route aan banden te leggen, als een tegenwicht tegen puur libido.

Jaren geleden, toen ik als wetenschapsjournalist werkzaam was voor *The New York Times*, sprak ik een gedragsdeskundige van de FBI die gespecialiseerd was in de psychologische analyse van seriemoordenaars. Hij vertelde me dat dit soort moordenaars vrijwel altijd pervers wrede seksuele fantasieën uitleven, waarin ze zelfs opgewonden raken van de smeekbeden van hun slachtoffers. Inderdaad raakt een (gelukkig) zeer klein groepje mannen sterker seksueel geprikkeld door het beeld van een verkrachting dan door erotische scènes van seks tussen gelijkwaardige partners.[30] Hun merkwaardige honger naar lijden onderscheidt deze groep van de overgrote meerderheid van de mannen: zelfs de narcisten die een date rape gepleegd hadden, raakten niet opgewonden van de gedachte aan een regelrechte verkrachting.

Dit volslagen gebrek aan empathie lijkt te verklaren waarom serieverkrachters zich niet laten weerhouden door de tranen en kreten van hun slachtoffers. Een groot aantal veroordeelde verkrachters zegt later dat ze tijdens de verkrachting niets voelden voor hun slachtoffer en niet wisten hoe zij zich voelde, of daar niet in geïnteresseerd waren. Bijna de helft had zichzelf ervan overtuigd dat zij het 'lekker' vond, ondanks het feit dat ze zo overstuur was geraakt dat ze ervoor had gezorgd dat de verkrachter in de gevangenis was beland.[31]

Uit een onderzoek onder mannen die wegens verkrachting gevangenzaten, bleek dat ze in de meeste situaties in staat waren om anderen te begrijpen, met één duidelijke uitzondering: ze waren niet in staat om negatieve uitlatingen van vrouwen waar te nemen (maar positieve weer wél).[32] Dus terwijl ze over een algemeen vermogen tot empathie beschikken, lijken deze verkrachters niet in staat of bereid om de signalen op te pikken die hen zouden kunnen stoppen. Dit soort agressors zou wel eens selectief ongevoelig kunnen zijn; de signalen die ze niet willen zien, namelijk de weigering of ontreddering van een vrouw, vatten ze verkeerd op.

Zeer problematisch zijn de sterk afwijkende mannen die hun Ik-Het-fantasieën compulsief uitleven, een patroon dat karakteristiek is voor gedetineerde zedendelinquenten, vooral serieverkrachters, kindermisbruikers en

exhibitionisten. Dit soort mannen raakt veel meer opgewonden door fantasieën over misbruik dan door meer gebruikelijke seksuele handelingen.[33] Natuurlijk impliceert het hebben van een fantasie allerminst dat iemand een
ander tot seks zal dwingen, maar wie een ander deze fantasieën daadwerkelijk opdringt, heeft de neurale barrière overschreden tussen denken en doen.

Als de lage route de barrière van de hoge route tegen het daadwerkelijk
uitvoeren van een impuls tot misbruik eenmaal doorbroken heeft, worden
fantasieën een bron van kwaad. Het onbeteugelde libido (of de lust tot macht,
zoals sommigen zeggen) drijft mensen dan herhaaldelijk tot zedendelicten.
In die gevallen zijn fantasieën een teken van gevaar, zeker wanneer het de
man ontbreekt aan empathie voor zijn slachtoffers, denkt dat zijn slachtoffers het 'lekker' vinden, zich vijandig voelt tegenover zijn slachtoffers en
emotioneel eenzaam is.[34] Die explosieve combinatie staat garant voor moeilijkheden.

Laten we de kille dissociatie van Ik-Het-seksualiteit vergelijken met de verbondenheid en warmte van een Ik-Jij-ontmoeting. De romantische liefde
staat of valt met resonantie; zonder deze intieme verbinding rest alleen de
lust. Bij volledige wederzijdse empathie is de partner ook een subject, iemand
die door de geliefde gevoeld wordt als een Jij, en neemt de erotische lading
sterk toe. Wanneer een stel bij fysieke intimiteit ook emotioneel één wordt,
verliezen beiden hun gevoel van afgescheidenheid in wat ook wel een 'ego-
orgasme' wordt genoemd: een ontmoeting niet alleen van lichamen, maar
van hun hele wezen.[35]

Toch biedt zelfs het meest spectaculaire orgasme geen garantie dat minnaars ook de volgende morgen nog echt om elkaar geven. Zorgzaamheid kent
zijn eigen neurale logica.

HOOFDSTUK 15

De biologie van compassie

In een klassiek nummer van de Rolling Stones belooft Mick Jagger een geliefde 'I'll come to your emotional rescue' (Ik schiet je emotioneel te hulp). Daarmee drukte hij een gevoel uit dat geldt voor romantische partners overal ter wereld. Een stel blijft niet alleen bij elkaar vanwege de aantrekkingskracht, ook wederzijdse zorgzaamheid speelt een rol. Die emotionele zorg kan zich in iedere relatie manifesteren.

Een moeder die haar kind zoogt is het oervoorbeeld van dit soort koesterende relaties. John Bowlby stelde dat hetzelfde aangeboren zorgsysteem actief wordt wanneer we de drang voelen om iemand in nood te hulp te schieten, of dat nu onze geliefde, ons kind, onze vriend of een vreemde is.

Zorgzaamheid tussen geliefden neemt twee vormen aan: het zorgen voor een veilige basis, waar een partner zich beschermd weet, en voor een veilige haven, vanwaaruit die partner de wereld aankan. Idealiter zijn beide partners in staat om soepeltjes van de ene rol in de andere over te gaan, en troost of een thuis te bieden (of te ontvangen) al naar gelang de situatie vereist. Die wederkerigheid staat garant voor een gezonde relatie.

We zorgen voor een veilige basis wanneer we onze partner emotioneel helpen een lastig probleem op te lossen, hem troosten of gewoon een luisterend oor bieden. Hebben we eenmaal het gevoel dat een relatie ons een veilige basis biedt, dan kunnen we onze energie gebruiken om uitdagingen aan te gaan. Zoals John Bowlby het formuleerde: 'We zijn allemaal, vanaf de wieg tot het graf, het gelukkigst wanneer het leven ons een reeks langere of kortere uitstapjes biedt vanuit een veilige basis.'[1]

Die excursies kunnen eenvoudig zijn, zoals een dagje op kantoor, maar ook zo complex als het leveren van een uitzonderlijke prestatie. Je hoeft maar te luisteren naar het dankwoord van mensen die een prijs in ontvangst nemen: ze bedanken altijd degene die hun een veilige basis verschaft. Dat laat ook zien hoe belangrijk een gevoel van veiligheid en zelfvertrouwen is voor ons prestatievermogen.

Ons gevoel van veiligheid en onze drang om op onderzoek uit te gaan zijn met elkaar verstrengeld. Hoe meer onze partner ons een thuis en zekerheid biedt, zo luidt Bowlby's theorie, hoe meer we op onderzoek uit kunnen gaan en hoe grootser het doel van onze verkenningen, hoe meer we de steun van het thuisfont nodig kunnen hebben om onze energie, focus, zelfvertrouwen en moed een oppepper te geven. Deze hypothesen werden getoetst bij 116 stellen die minstens vier jaar een liefdesrelatie hadden.[2] Zoals voorspeld, waren mensen meer bereid om vol vertrouwen nieuwe kansen aan te grijpen naarmate ze hun partner meer beschouwden als een betrouwbaar 'thuishonk'.

Uit videotapes waarin de stellen elkaars levensdoel bespraken, bleek dat ook de manier waarop ze spraken van belang was. Als de ene partner zich gevoelig, warm en positief opstelde bij het bespreken van de doelen van de ander, voelde die ander zich aan het eind van hun gesprek logischerwijs zelfverzekerder en schroefde zijn ambities vaak nog wat op.

Als een partner daarentegen weinig ruimte liet en zich overheersend gedroeg, voelde de ander zich pessimistischer en onzekerder over het doel. Vaak stelde die partner zijn aspiraties dan wat bij en daalde zijn of haar gevoel van eigenwaarde. Overheersende partners werden door de andere als bot en kritisch ervaren, en hun advies werd meestal verworpen.[3] Pogingen om de situatie te beheersen schenden de kardinale regel voor het scheppen van een veilige basis: grijp alleen in als daarom gevraagd wordt of als het absoluut noodzakelijk is. Een partner zijn eigen weg laten bepalen is een stilzwijgend teken van vertrouwen; hoe meer controle we uit proberen te oefenen, hoe meer we dat vertrouwen ondermijnen. Opdringerigheid werkt als een rem op de verkenningsdrift.

Partners verschillen in de manier waarop ze steun verlenen en zich hechten. Mensen met een angstig gehechtheidspatroon kunnen het moeilijk vinden om de partner op een ontspannen manier ruimte te geven voor zijn of haar verkenningen. Ze willen dat de ander in de buurt blijft, net als angstige moeders doen. Zulke sterk aanhankelijke partners bieden misschien een prima veilige basis, maar ze functioneren niet als veilige haven. Vermijdende types vinden het daarentegen meestal geen probleem als hun partner de hort op gaat, maar zijn weer niet goed in het bieden van troost en een veilige basis. Bovendien schieten ze vrijwel nooit emotioneel te hulp.

Arme Liat

Het had een scène kunnen zijn uit het televisieprogramma *Fear Factor*. Liat, studente aan een universiteit, moest een aantal beproevingen doorstaan, de ene nog erger dan de andere. Haar eerste taak joeg haar al de stuipen op het lijf: ze moest onsmakelijke foto's bekijken van een man met vreselijke brandwonden en een afschuwelijk verminkt gezicht.

Toen ze daarna een rat moest vasthouden en aaien, voelde Liat zich zo beroerd dat ze het beest bijna liet vallen. Vervolgens moest ze haar arm tot aan haar elleboog in ijswater steken en dat dertig seconden volhouden. De pijn was zo hevig dat ze het niet langer dan twintig seconden uithield.

Als laatste werd haar gevraagd een tarantula in een glazen terrarium te aaien. Dat was haar te veel en ze schreeuwde het uit: 'Ik kan niet meer!'

De vraag is nu: zou je zelf hebben aangeboden om Liat te helpen door haar plaats in te nemen?

Diezelfde vraag werd gesteld aan haar medestudenten, die als vrijwilligers meewerkten aan een onderzoek naar de invloed van angst op compassie, dat nobele uitvloeisel van ons instinct voor zorgzaamheid. Uit hun antwoorden blijkt dat gehechtheidsstijlen niet alleen onze seksualiteit kunnen vertekenen, maar ook een eigen draai geven aan onze empathie.

Mario Mikulincer, een Israëlische collega van Phillip Shaver in het onderzoek naar gehechtheidsstijlen, beweert dat de aangeboren altruïstische impuls, die voortkomt uit empathie met iemand in nood, vertroebeld, onderdrukt of genegeerd kan worden wanneer mensen de angst voelen van een onzekere gehechtheid. Door middel van uitgekiende experimenten heeft Mikulincer aangetoond dat elk van de drie verschillende gehechtheidsstijlen een eigen impact heeft op het vermogen tot empathie.[4]

Mensen met uiteenlopende gehechtheidsstijlen werd gevraagd om naar de arme Liat te komen kijken, die natuurlijk in het complot zat en alleen een rol speelde. De zekere mensen hadden de meeste compassie. Ze voelden Liats ontreddering het beste aan en boden ook vaker aan om haar plaats in te nemen. Angstige mensen verloren zich daarentegen in hun eigen ontreddering en konden zichzelf er niet toe brengen haar te hulp te schieten. Vermijdende mensen raakten niet van streek en boden ook niet aan om te helpen.

De veilige stijl lijkt optimaal voor altruïsme; deze mensen stemmen gemakkelijk af op het verdriet van anderen en schieten te hulp. Zekere mensen zijn meer dan anderen geneigd tot actieve zorgzaamheid in hun relaties, of het nu moeders zijn met kinderen, romantische partners die hun geliefde emotioneel steunen, of mensen die voor oudere familieleden zorgen of een vreemde uit de brand helpen.

Angstige mensen stemmen zich echter af met een overgevoeligheid die hen extra bevattelijk maakt voor besmetting, zodat ze door de ellende van anderen nog meer van slag raken. Ze voelen de pijn van de ander, maar die kan doorslaan tot 'empathische ontreddering', een angst die zo groot is dat ze erdoor overweldigd worden. Angstige mensen zijn bijzonder gevoelig voor compassiemoeheid; ze branden op door de pijn die ze voelen van de eindeloze parade van menselijk leed die aan hun ogen voorbijtrekt.

Ook vermijdende mensen hebben moeite met compassie. Zij beschermen zichzelf door pijnlijke emoties te onderdrukken; uit zelfverdediging sluiten ze zich af tegen emotionele besmetting door andermans ontreddering. Daar ze maar weinig empathie hebben, komen ze een ander niet vaak te hulp, behalve als ze daar zelf voordeel van hebben. Hun momenten van compassie zijn doordrongen van de gedachte 'wat levert het mij op'.

Zorgzaamheid komt echt tot bloei wanneer we ons zeker voelen. We beschikken over een stabiele basis, waardoor we niet door onze empathie overweldigd worden. Als we onszelf gekoesterd voelen, zijn we vrij ons om anderen te bekommeren. En als we ons niet zo voelen, neemt onze bekommernis om anderen af. Op basis van dat inzicht besloot Mikulincer te onderzoeken of mensen beter in staat zijn tot zorgzaamheid als je hen zekerder maakt.

Stel dat je in de plaatselijke krant een bericht leest over het droeve lot van een vrouw met drie jonge kinderen. Ze heeft geen man, geen werk en geen geld. Elke dag moet ze met haar hongerige kroost naar de gaarkeuken. Zonder die karige maaltijd zouden ze helemaal niets te eten hebben. Ze zouden ondervoed kunnen raken en misschien zelfs sterven.

Zou je bereid zijn om haar eenmaal per maand eten te doneren? Haar te helpen om een vacature te vinden in de krant? Of zelfs met haar naar een sollicitatiegesprek te gaan?

Dit waren de vragen die Mikulincer zijn vrijwilligers voorlegde in weer een ander onderzoek naar compassie. Voor dit experiment werd eerst het gevoel van zekerheid van de vrijwilligers gestimuleerd: onbewust werden ze kort (een vijftigste van een seconde) blootgesteld aan de namen van mensen die hun een gevoel van zekerheid gaven (zoals degene met wie ze altijd hun problemen bespraken). Ze kregen ook het verzoek zich die mensen bewust voor de geest te halen en hun gezicht te visualiseren.

Opmerkelijk was, dat angstige mensen hun empathische ontreddering en hun gebruikelijke tegenzin om te hulp te komen overwonnen. Deze korte oppepper was al voldoende om hen als zekere mensen te laten reageren en meer compassie te laten tonen. Een groter gevoel van zekerheid lijkt ruimte te maken voor een overvloedige hoeveelheid aandacht en ruimte voor de behoeftes van anderen.

Vermijdende mensen waren nog steeds niet in staat tot empathie en onderdrukten dus hun altruïstische impuls, tenzij er voor hen iets te halen viel. Hun cynische houding sluit aan op de theorie dat werkelijk altruïsme niet bestaat en dat daden van compassie altijd ook voortkomen uit eigenbelang, of zelfs egocentrisme.[5] Mikulincer stelt dat hier iets van waarheid in schuilt, maar vooral voor mensen die vermijdend zijn en dus sowieso al niet sterk zijn in empathie.[6]

Van de drie gehechtheidsstijlen waren de zekere mensen nog altijd meer dan de anderen bereid een helpende hand te bieden. Hun compassie lijkt direct evenredig aan de behoefte die ze waarnemen: hoe groter het leed, hoe meer ze helpen.

De lage route naar compassie

Dit soort empathie, zo beweert Jaak Panksepp, is geworteld in het neurale systeem van de lage route voor moederlijke koestering dat we delen met veel andere diersoorten. Empathie lijkt een primaire respons van dit systeem. Zoals elke moeder weet, gaat er een dwingende kracht uit van het gehuil van haar baby. Uit laboratoriumonderzoek is gebleken dat de fysiologische prikkeling vele malen sterker is wanneer een vrouw haar eigen baby hoort huilen dan wanneer het een andere baby is.[7]

Het vermogen van een baby om bij de moeder een emotie te wekken die lijkt op wat hijzelf voelt, geeft de moeder inzicht in wat haar kind nodig heeft. Dat de kreten van een jong de moeder prikkelen tot dit soort doeltreffende zorg, een verschijnsel dat niet alleen bij zoogdieren, maar zelfs bij vogels voorkomt, suggereert dat dit een universele blauwdruk is in de natuur met een immense en overduidelijke overlevingswaarde.

Empathie is de bron van zorgzaamheid; het gaat tenslotte om onze respons op de behoeftes van anderen, niet op die van onszelf. Compassie, een groot woord, kan zich in alledaagse vorm aandienen als beschikbaarheid, gevoeligheid of ontvankelijkheid, stuk voor stuk tekenen van goed ouderschap of goede vriendschap. En laten we niet vergeten dat zowel mannen als vrouwen in een partner in eerste instantie op zoek zijn naar vriendelijkheid.

Freud merkte een opmerkelijke overeenkomst op in de fysieke intimiteit tussen geliefden en die tussen een moeder en haar baby. Net als moeders en baby's kijken geliefden elkaar voortdurend in de ogen, knuffelen en kroelen ze, kussen ze elkaar en is er veel huidcontact, en in beide gevallen biedt het contact een gevoel van tevreden gelukzaligheid.

Seks buiten beschouwing gelaten, ligt de neurochemische sleutel tot het genot in dit soort contacten in oxytocine, het molecuul van moederliefde. Oxytocine, dat in het vrouwelijk lichaam zowel vrijkomt bij een bevalling en bij borstvoeding als bij een orgasme, genereert de stroom van tedere gevoelens die iedere moeder voor haar kind voelt, en is daarmee het primaire biochemische mechanisme voor bescherming en zorgzaamheid.

Wanneer een moeder borstvoeding geeft, stroomt de oxytocine door haar gehele lichaam en dat heeft vele effecten. De melkproductie wordt in gang gezet en de bloedvaten in de huid rond de borstklieren verwijden, waardoor ze de baby warm houdt. Omdat ze zich ontspant, daalt de bloeddruk van de moeder. Ze voelt zich niet alleen vrediger, maar ook extraverter en heeft meer behoefte aan mensen om zich heen: hoe meer oxytocine ze heeft, hoe groter haar sociabiliteit.

Kerstin Uvnäs-Moberg, een Zweedse neuro-endocrinoloog die uitgebreid onderzoek gedaan heeft naar oxytocine, meent dat deze chemische stroom steeds op gang komt wanneer we warm contact hebben met iemand om wie we geven. De neurale circuits voor oxytocine zijn verbonden met een groot aantal knooppunten langs de lage route van het sociale brein.[8]

De baten van oxytocine ondervinden we in uiteenlopende plezierige sociale interacties waarbij mensen emotionele energie uitwisselen, met name in alle vormen van zorgzaamheid; we kunnen daadwerkelijk bij elkaar de prettige gevoelens opwekken die dit molecuul ons schenkt. Uvnäs-Moberg beweert dat als we regelmatig omgaan met mensen met wie we ons nauw verbonden voelen, dit de uitscheiding van oxytocine kan conditioneren. We hoeven dan alleen maar in hun nabijheid te zijn, of zelfs maar aan hen te denken, om een aangename dosis vrij te maken. Niet zo vreemd dus dat zelfs de meest kille kantoorruimtes vol staan met foto's van onze beminden.

Oxytocine speelt mogelijk een neurochemische sleutelrol in betrokken, liefhebbende relaties. Uit onderzoek is gebleken dat het verantwoordelijk is voor de levenslange monogamie van een bepaald soort prairiewoelmuis. Een ander soort woelmuis die deze uitscheiding van oxytocine niet kent, is promiscue en heeft nooit een vaste partner. In experimenten waarbij het hormoon geblokkeerd werd, verloren monogame woelmuizen die al gepaard hadden plotseling alle belangstelling voor elkaar, maar toen het hormoon werd toegediend aan de promiscue woelmuizen, begonnen ze paren te vormen.[9]

Bij mensen zou oxytocine wel eens een paradoxale uitwerking kunnen hebben: de chemie van de langdurige liefde kan de chemie van de lust onderdrukken. De details zijn bijzonder complex, maar in de ene interactie onderdrukt vasopressine, dat nauw verwant is aan oxytocine, de testosteronspiegel, terwijl in de andere testosteron de oxytocine onderdrukt. De wetenschappelijke details moeten nog nader gespecificeerd worden, maar het blijkt dat testosteron de oxytocinespiegel soms juist stimuleert. Dat zou betekenen dat in elk geval op hormonaal niveau de passie in een vaste relatie niet hoeft uit te doven.[10]

Sociale allergieën

'Plotseling zie je alleen nog maar dat er te veel natte handdoeken op de grond liggen, dat hij op de bank ligt te zappen en dat hij zijn rug krabt met een vork. Op dat moment sta je oog in oog met de keiharde realiteit dat het vrijwel on-

mogelijk is om te tongzoenen met iemand die een nieuwe rol toiletpapier pakt en die boven op het kartonnetje van de oude zet.'

Die litanie van klachten is tekenend voor een bloeiende 'sociale allergie', een sterke aversie tegen de gewoontes van een romantische partner. Net als bij een fysieke allergie treedt er bij een eerste contact geen reactie op, en zal dat bij de meeste mensen ook later niet gebeuren, maar bij ieder volgend contact wordt de gevoeligheid groter.[11] Sociale allergieën dienen zich meestal aan wanneer een pas verliefd stel meer tijd met elkaar gaat doorbrengen en elkaar 'met puistjes en al' gaat leren kennen. De door een sociale allergie veroorzaakte irritatie groeit naarmate de betovering van het romantische ideaal afneemt.

Uit onderzoek onder Amerikaanse studenten blijkt dat bij vrouwen de meeste sociale allergieën zich ontwikkelen in reactie op grof of onbehouwen gedrag van hun vriendje, zoals in het voorbeeld van de toiletrol. Mannen gaan zich ergeren wanneer hun vriendin te bazig of te veel op zichzelf gericht is. Sociale allergieën verergeren bij elke confrontatie. Een vrouw die het boerse gedrag van haar vriend in de tweede maand nog wegwuift, kan hem na een jaar misschien bijna niet meer verdragen. Of deze overgevoeligheden gevolgen hebben, is afhankelijk van de mate van woede en frustratie die ze opwekken: hoe meer iemand van streek raakt, hoe groter de kans dat het stel uit elkaar gaat.

Psychoanalytici vertellen ons steeds weer dat het onmogelijk is om het oerverlangen naar de 'perfecte' partner te bevredigen, iemand die aan al onze verwachtingen voldoet en al onze noden aanvoelt. Wanneer we onder ogen zien dat geen enkele geliefde of echtgenoot ooit alle onvervulde behoeftes uit onze jeugd kan bevredigen, kunnen we de bril van onze projecties en wensen afzetten, en een vollediger en realistischer beeld van onze partner ontwikkelen.

Neurowetenschappers zullen daaraan toevoegen dat gehechtheid, zorgzaamheid en seksueel verlangen maar drie van de zeven voornaamste neurologische systemen zijn die bepalen wat we willen en doen. Andere zijn bijvoorbeeld onze behoefte om op onderzoek uit te gaan en het vormen van sociale verbindingen.[12] Ieder van ons brengt zijn eigen hiërarchie aan in deze neurale drijfveren: sommige mensen leven om te zwerven, anderen om te socialiseren. En wanneer het op liefde aankomt, staan gehechtheid, zorgzaamheid en seks boven aan het lijstje, in welke volgorde dan ook.

John Gottman, pionier in het onderzoek naar emoties binnen het huwelijk, stelt dat de mate waarin iemand tegemoet komt aan de belangrijkste behoeften van het dominante neurale systeem van de ander voorspelt of hun verhouding standhoudt.[13] Gottman, psycholoog aan de Universiteit van Washington, weet alles over de redenen waarom huwelijken slagen of mislukken. Ooit ontwierp hij een methode op basis waarvan hij met meer dan 90 procent zekerheid kon voorspellen of een echtpaar drie jaar later nog bij elkaar zou zijn.[14]

Tegenwoordig beweert Gottman dat we ons blijvend ontevreden voelen wanneer een primaire behoefte niet bevredigd wordt, aan seksueel contact of zorgzaamheid bijvoorbeeld. Die ontevredenheid kan zich subtiel manifesteren als een vaag gevoel van frustratie, maar ook uiterst zichtbaar worden in aanhoudende rancune. Wanneer onze behoeftes steeds gefrustreerd worden, gaan ze etteren. De tekenen van dit neurale ongenoegen zijn de vroege waarschuwingssignalen dat een relatie in gevaar is.

Aan de andere kant lijkt er ook iets opmerkelijks te gebeuren met mensen die al tientallen jaren gelukkig samenleven. Hun voortdurende rapport lijkt zelfs een stempel te drukken op hun gezichten, die steeds meer op elkaar gaan lijken. Waarschijnlijk komt dat doordat ze al jarenlang hun emoties delen en dus dezelfde gezichtsspieren gebruiken.[15] Aangezien voor iedere emotie specifieke gezichtsspieren zich aanspannen en ontspannen, trainen partners identieke spieren wanneer ze samen lachen of huilen. Zo ontwikkelen ze geleidelijk vergelijkbare rimpels en lijntjes.

Dit wonderlijke verschijnsel kwam naar voren uit een onderzoek waarin mensen twee reeksen foto's van een aantal echtparen te zien kregen, één van hun trouwdag en een andere van vijfentwintig jaar later. De vrijwilligers kregen het verzoek aan te geven welke echtparen ze onderling de meeste gelijkenis vonden vertonen. Het bleek dat de echtparen niet alleen meer op elkaar waren gaan lijken, maar ook dat de gelijkenis groter was naarmate ze gelukkiger waren met elkaar.

In zeker opzicht vormen de partners elkaar in de loop van een relatie op nog subtielere wijze. Via talloze kleine interacties versterken ze wenselijke patronen in de ander. Dit proces, zo laat een aantal onderzoeken zien, maakt dat mensen zich ontwikkelen naar het ideaalbeeld van de partner. Die stilzwijgende druk om uiteindelijk toch de liefde te krijgen die we willen, wordt wel het Michelangelo-effect genoemd.[16]

De hoeveelheid tijd die een echtpaar gedurende de dag of in de loop van jaren verbonden is in een positieve feedback loop, is waarschijnlijk de beste graadmeter voor de staat van hun huwelijk. In een onderzoek ondergingen stellen die op het punt stonden te gaan trouwen een gedetailleerde analyse van hun interactiepatronen bij meningsverschillen.[17] In de vijf jaar die volgden werd er nog een aantal vervolgsessies gehouden. Hun interacties tijdens die eerste sessie, voor hun huwelijk, bleek verrassend goed te voorspellen hoe hun relatie zich in de loop der jaren zou ontwikkelen.

Uiteraard voorspelde een negatieve feedback loop weinig goeds. De minder tevreden stellen waren geneigd hun emoties vooral bij ruzies op elkaar af te stemmen. Hoe negatiever de partners bij dat eerste onderzoek werden, hoe onstabieler de combinatie bleek te zijn. Vooral uitingen van walging en minachting bleken veel schade aan te richten.[18] Als kritiek escaleert tot minachting, bereikt de negativiteit een dieptepunt. Minachting is beledigend omdat het de ander behandelt als iemand van een lager niveau. Minachting geeft aan de ander de boodschap dat die geen empathie waard is, om over liefde nog maar te zwijgen.

Dit soort toxische feedback loops zijn nog schadelijker wanneer de echtelieden een accuraat empathisch vermogen hebben. Ze weten precies hoe slecht de ander zich voelt, maar voelen desondanks niet de behoefte om in te grijpen. Zoals een doorgewinterde echtscheidingsadvocaat het formuleerde: 'Onverschilligheid, als je niet om je partner geeft of hem of haar links laat liggen, is een van de ergste vormen van wreedheid binnen een huwelijk.'

Problematisch was ook een patroon waarin het ene verwijt het andere losmaakte, en woede, gekwetstheid en verdriet elkaar afwisselden. De partners daagden elkaar op hoge toon uit ('Hoe kun je zoiets nou zeggen!') en vielen elkaar voortdurend in de rede. Dit patroon voorspelde sterker dan welk ander patroon dan ook dat het stel uit elkaar zou gaan, hetzij voor, hetzij na het huwelijk. Bij de meeste gebeurde dat binnen anderhalf jaar na de eerste sessie.

John Gottman zegt daarover: 'Bij ongetrouwde, niet samenwonende stellen voorspelt vooral de hoeveelheid aangename gevoelens die het stel deelt of de relatie kans van slagen heeft. Bij huwelijken draait het om de manier waarop mensen met hun conflicten omgaan. En als een huwelijk lang duurt, wordt de hoeveelheid goede gevoelens die het paar deelt opnieuw het belangrijkst.'

Wanneer echtgenoten van boven de zestig over iets praten dat ze leuk vinden, worden ze allebei steeds vrolijker, zo wijzen fysiologische metingen uit, maar bij stellen van in de veertig is die fysiologische resonantie lager. Dat zou verklaren waarom tevreden echtparen van in de zestig hun affectie openlijker tonen dan stellen van middelbare leeftijd.[19]

Uit zijn uitputtende onderzoek onder echtparen heeft Gottman een bedrieglijk simpele maatstaf gedestilleerd: de verhouding tussen stimulerende en toxische ogenblikken in een relatie heeft een sterk voorspellende waarde. Een verhouding van vijf op één, dus veel meer positieve dan negatieve momenten, geeft aan dat een stel beschikt over een stevig positief emotioneel saldo, en een robuuste relatie heeft die heel lang kan duren.[20]

Die verhouding voorspelt waarschijnlijk nog meer dan alleen de duur van een relatie: het zou ook wel eens inzicht kunnen geven in de fysieke gezondheid van de partners. Zoals we zullen zien, scheppen onze relaties leefklimaten die bepaalde genen in en uit kunnen schakelen. Plotseling moeten we onze relaties in een totaal ander licht bekijken. In het onzichtbare netwerk van contacten hebben onze meest intieme banden opmerkelijke biologische consequenties.

DEEL VIJF

GEZONDE CONTACTEN

HOOFDSTUK 16

Stress is sociaal

Een week voor hun huwelijk liet de Russische schrijver Leo Tolstoj, toen vier-endertig, zijn dagboek lezen aan zijn pas zeventienjarige verloofde Sonja. Zij was diep geschokt door Leo's lichtzinnige en problematische seksuele ge-schiedenis, zoals de hartstochtelijke affaire met een vrouw uit de omgeving, bij wie hij een onwettig kind had verwekt.[1]

Sonja schreef in haar eigen dagboek: 'Hij geniet ervan om me te kwellen en me te zien huilen ... Wat doet hij met me? Stukje bij beetje zal ik me voor hem afsluiten en zijn leven vergiftigen.' Dit besloot ze op het moment dat de voorbereidingen voor het huwelijk in volle gang waren.

Dat onheilspellende begin was het emotionele voorspel van een huwelijk dat achtenveertig jaar zou duren. De tumultueuze en heroïsche huwelijks-strijd van de Toltojs kende lange periodes van wapenstilstand, waarin Son-ja dertien kinderen baarde en plichtsgetrouw eenentwintigduizend roman-pagina's in Leo's slordige handschrift, waaronder *Oorlog en Vrede* en *Anna Karenina*, in het net overschreef.

Maar ondanks haar toewijding schreef Leo in die jaren over Sonja in zijn dagboek: 'Haar onredelijkheid en stil egoïsme maken me bang en kwellen me.' En Sonja schreef op haar beurt over Leo: 'Hoe kan men houden van een insect dat nooit stopt met steken?'

Halverwege hun leven was hun huwelijk, zoals dat naar voren komt uit hun dagboeken, voor beiden verworden tot een ondraaglijke hel en leefden ze als vijanden in hetzelfde huis. Tegen het eind van hun leven, kort voor-dat Leo in het holst van de nacht zijn huis ontvluchtte en stierf, schreef Son-ja: 'Iedere dag zijn er weer nieuwe slagen die mijn hart verpletteren.' En die 'verpletterende slagen', voegde ze eraan toe, 'bekorten mijn leven'.

Is het mogelijk dat Sonja het bij het rechte eind had? Kan een stormach-tige relatie als die van de Tolstojs het leven bekorten? Voor hen gold dat in elk geval niet: Leo werd tweeëntachtig en Sonja leefde na zijn dood nog ne-gen jaar, tot haar vierenzeventigste.

Hoe 'zachte' epigenetische factoren als relaties onze gezondheid beïnvloe-den, is altijd een ongrijpbare wetenschappelijke vraag geweest. De vraag of ze dat überhaupt doen en in hoeverre, kunnen we het best beantwoorden door duizenden mensen vele jaren te volgen. Een aantal invloedrijke onderzoeken lijkt te aan te geven dat onze gezondheid toeneemt naarmate er meer mensen in ons leven zijn, maar die zien over het hoofd dat het niet gaat om kwantiteit maar om kwaliteit. Hoogstwaarschijnlijk zegt de emotionele lading van onze relaties veel meer over onze gezondheid dan het absolute aantal sociale contacten dat we hebben.

Zoals de Tolstojs ons laten zien, kunnen relaties net zo gemakkelijk een bron van levensangst als van vreugde zijn. In positieve zin heeft het gevoel dat de mensen in ons leven ons emotioneel tot steun zijn een gunstige uitwerking op onze gezondheid. Dit verband is vooral sterk zichtbaar bij mensen die fysiek toch al fragiel zijn. Uit een onderzoek naar oudere mensen die met hartproblemen in het ziekenhuis lagen, bleek dat degenen die niemand hadden om emotioneel op terug te vallen drie keer zo vaak opnieuw met hartklachten moesten worden opgenomen als mensen met warme relaties.[2]

Liefde lijkt medisch een verschil te kunnen maken. Van een groep mannen met coronaire hartziekte die een angiografie moesten ondergaan, bleek dat degenen uit de minst liefdevolle omgeving 40 procent meer blokkades hadden dan de patiënten met de meest zorgzame relaties.[3] Omgekeerd wijzen de resultaten van een aantal grote epidemiologische onderzoeken erop, dat toxische relaties een even grote risicofactor zijn voor ziekte en dood als roken, hoge bloeddruk of cholesterol, overgewicht en fysieke inactiviteit.[4] Relaties zijn een tweesnijdend zwaard: ze kunnen ons voor kwalen behoeden of de ravage van ouderdom en ziekte versterken.

Uiteraard vertellen relaties maar een deel van het verhaal. Andere risicofactoren, van genetische aanleg tot roken, spelen allemaal een rol. Uit gegevens blijkt echter dat onze relaties ook tot de risicofactoren gerekend moeten worden. En nu, met het sociale brein als de ontbrekende biologische schakel, begint de medische wetenschap de biologische routes in kaart te brengen waardoor anderen vat op ons krijgen, in positieve of in negatieve zin.[5]

Een oorlog van allen tegen allen

'Hobbes' werd het macho bavianenmannetje genoemd door de onderzoekers die hem observeerden terwijl hij probeerde binnen te dringen in een groep apen in de oerwouden van Kenia. Geheel in de grimmige geest van zijn naamgenoot, de zeventiende-eeuwse filosoof Thomas Hobbes, die schreef dat onder een dun laagje beschaving het leven 'akelig, primitief en kort' is, zette deze baviaan alle mogelijke middelen in om de top van de groepshiërarchie te bereiken.

De impact van Hobbes op de andere mannetjes werd gemeten door de hoeveelheid cortisol in hun bloed te vast te stellen. Algauw werd duidelijk dat de pure agressie van Hobbes het endocriene systeem van de gehele groep doorsijpelde.

Onder stress scheiden de adrenalineklieren cortisol uit, een van de hormonen die het lichaam mobiliseert bij noodgevallen.[6] Die hormonen hebben wijdverbreide effecten op onze biologie, onder andere op de snelheid waarmee lichamelijk letsel geneest.

Onder normale omstandigheden hebben we een bescheiden hoeveelheid cortisol nodig, dat dient als biologische 'brandstof' voor ons metabolisme en een bijdrage levert aan de regulatie van het immuunsysteem. Maar als onze cortisolspiegel langere tijd te hoog is, gaat dat ten koste van onze gezondheid. De chronische uitscheiding van cortisol (en vergelijkbare hormonen) speelt een rol bij hart- en vaatziekten en bij een verstoorde immuunfunctie, wat weer kan leiden tot diabetes en hypertensie. Het kan zelfs neuronen in de hippocampus vernietigen en daarmee ons geheugen beschadigen.

Op het moment dat cortisol de hippocampus uitschakelt, stookt het ook de amygdala op en stimuleert het de groei van zenuwcellen in deze angstlocatie. Bovendien blokkeert een verhoogde hoeveelheid cortisol het vermogen van belangrijke gebieden in de prefrontale schors om angstsignalen vanuit de amygdala te reguleren.[7]

De neurale impact van een teveel aan cortisol is drievoudig: de beschadigde hippocampus leert onzorgvuldig en bestempelt zelfs de meest irrelevante details als angstgenererend, zoals een opvallend stemgeluid. De circuits van de amygdala slaan op hol en het prefrontale gebied is niet in staat om de signalen van de overactieve amygdala bij te stellen. Het resultaat: de amygdala slaat door in zijn angstsignalen, terwijl de hippocampus bij vergissing te veel oorzaken voor die angst waarneemt.

Bij apen blijft het brein altijd op zijn hoede voor een Hobbesachtige vreemdeling. Bij mensen wordt die toestand van waakzaamheid en bovenmatige reactiviteit posttraumatische stressstoornis genoemd.

Voor het verband tussen stress en gezondheid moeten we kijken naar het sympathisch zenuwstelsel (szs) en de hypothalamus-hypofyse-bijnier-as (HPA-as). Wanneer we ontreddering voelen, beginnen zowel het szs als de HPA-as hormonen uit te scheiden die ons voorbereiden om een noodsituatie of bedreiging het hoofd te bieden. Ze doen dat echter door gebruik te maken van de hulpbronnen van onder andere het immuunsysteem en het endocriene systeem. Hierdoor worden deze systemen, die zo belangrijk zijn voor onze gezondheid, aangetast, soms voor een ogenblik, maar soms ook jarenlang.

De circuits van de szs en de HPA-as worden in- en uitgeschakeld al naar gelang onze emotionele toestand: ontreddering in het slechtste, en geluk in

het beste geval. Daar anderen zo'n krachtige invloed hebben op onze emoties (door emotionele besmetting bijvoorbeeld), geldt dit causale verband
niet alleen binnen ons lichaam, maar ook binnen onze relaties.[8]

De fysiologische veranderingen die verband houden met de gebruikelijke
pieken en dalen van een relatie, zijn van niet al te groot belang, maar als die
dalen jaren duren ontstaat er een niveau van biologische stress (technisch
ook wel 'allostatische lading' genoemd) die het ontstaan van ziekte kan bevorderen of de symptomen ervan verergeren.[9]

Wat het effect van een bepaalde relatie is op onze gezondheid, is afhankelijk van de totale emotionele toxiciteit of ondersteuning die de relatie ons
in de loop der maanden en jaren gebracht heeft. Hoe kwetsbaarder onze conditie, door een ernstige ziekte, na een hartaanval of omdat we op leeftijd zijn,
hoe sterker de invloed van onze relaties op onze gezondheid.

De gekwelde, door langdurig leed geteisterde, maar oud geworden Tolstoj
lijkt hierop een opvallende uitzondering, zoals de honderdjarige die haar hoge leeftijd toeschrijft aan het eten van heel veel slagroom en het roken van
een pakje sigaretten per dag.

Het gif van beledigingen

Elysa Yanowitz bleef bij haar principes, ook al kostte dat haar haar baan en
kreeg ze er hoge bloeddruk van. Op een dag bracht een topmanager van het
cosmeticabedrijf waarvoor ze werkte een bezoek aan de parfumafdeling van
een groot warenhuis in San Francisco. Hij beval Yanowitz, het hoofd van de
plaatselijke verkoopafdeling, om een van haar beste verkoopsters te ontslaan.

De reden? Hij vond de verkoopster niet aantrekkelijk, of, zoals hij het zelf
zei, 'sexy' genoeg. Yanowitz, die van mening was dat de werkneemster niet
alleen uitstekend werk leverde, maar er ook nog eens zeer representatief uit-
zag, vond de eis van haar meerdere ongegrond en walgelijk. Ze weigerde om
de vrouw te ontslaan.

Kort daarna begonnen Yanowitz' superieuren haar het leven zuur te maken. Hoewel ze net tot salesmanager van het jaar was verkozen, kreeg ze nu
te horen dat ze fout na fout maakte. Ze ging vrezen dat er een dossier over
haar werd opgebouwd om haar te kunnen ontslaan. In die moeilijke periode kreeg Yanowitz last van hoge bloeddruk. Toen ze met ziekteverzuim ging,
besloot het bedrijf haar te vervangen.[10]

Yanowitz begon een rechtszaak tegen haar vroegere werkgever. Hoe dat
ook mag aflopen (op het moment van schrijven was er nog geen uitspraak
gedaan), de vraag blijft of haar hypertensie gedeeltelijk te wijten zou kunnen
zijn aan de manier waarop ze door haar superieuren behandeld werd.[11]

In Engeland is ooit onderzoek gedaan onder werknemers in de zorg die twee verschillende supervisors hadden die op wisselende dagen werkten. Aan de één had iedereen een hekel, de ander vonden ze aardig.[12] Op de dagen dat de onaangename baas werkte, steeg de systolische bloeddruk met gemiddeld 13 punten en de diastolische met 6 punten (van 113/75 tot 126/81). Hoewel de metingen nog niet zorgwekkend waren, kan een dergelijke verhoging, als die een tijdlang aanhoudt, een klinisch significante invloed hebben; dat wil zeggen dat er een te hoge bloeddruk zou kunnen ontstaan bij iemand die daar aanleg voor heeft.[13]

Zweeds onderzoek naar werknemers op verschillende niveaus in een organisatie en Brits onderzoek onder ambtenaren heeft uitgewezen dat mensen in lagere posities vier keer zoveel kans lopen op hart- en vaatziekten als mensen in de topregionen, die geen last hebben van de grillen van bazen als zijzelf.[14] Bij werknemers die zich onterecht bekritiseerd voelen of die een baas hebben die niet naar hen luistert, ligt het aantal gevallen van coronaire hartziekte 30 procent hoger dan bij werknemers die zich goed behandeld voelen.[15]

In sterk hiërarchische bedrijven zijn bazen vaak autoritair. Ze laten zich vaker minachtend uit over hun ondergeschikten, die op hun beurt een verwarrende mengeling voelen van vijandigheid, angst en onzekerheid.[16] Beledigingen, voor dit soort autoritaire managers vaak de normaalste zaak van de wereld, dienen om de macht van de baas te bevestigen en geven hun ondergeschikten een gevoel van machteloosheid en kwetsbaarheid.[17] En omdat hun salaris en arbeidszekerheid van de baas afhankelijk zijn, zijn werknemers geneigd om over hun interacties te piekeren en zelfs matig negatieve uitwisselingen een enorme lading toe te kennen. Door de bank genomen, stijgt in vrijwel ieder gesprek met iemand in een hogere positie op het werk de bloeddruk meer dan in een vergelijkbaar gesprek met een collega.[18]

We hoeven maar te kijken naar de manier waarop we met beledigingen omgaan. In een relatie tussen gelijken is het mogelijk om een krenking aan de kaak te stellen en een verontschuldiging te eisen, maar wanneer de belediging afkomstig is van iemand in een machtspositie, onderdrukken ondergeschikten (misschien wijselijk) hun woede en reageren met gelatenheid. Toch is het juist die passiviteit, waarbij de belediging niet wordt weersproken, die een superieur stilzwijgend permissie geeft om op dezelfde manier door te gaan.

Mensen die met stilte reageren op beledigingen, krijgen significante bloeddrukstijgingen. Als de minachtende boodschappen blijven aanhouden, gaat degene die er het zwijgen toe doet zich steeds machtelozer, angstiger en uiteindelijk gedeprimeerder voelen. Hoe langer de situatie voortduurt, hoe groter de kans op hart- en vaatziekten.[19]

In een onderzoek kregen honderd mannen en vrouwen een apparaatje dat hun bloeddruk opmat tijdens hun interacties met anderen.[20] Bij familie en aardige vrienden daalde hun bloeddruk: de interacties waren plezierig en geruststellend. In moeizame contacten was er een stijging te zien, maar de grootste sprong gaf het contact met mensen waar ze ambivalente gevoelens over hadden: een bemoeizieke ouder, een drammerige partner, een competitieve vriend. Een rad van de tongriem gesneden baas is het gevreesde archetype, maar we vinden deze dynamiek in al onze relaties terug.

We proberen uit de buurt te blijven van mensen die we onaangenaam vinden, maar veel mensen die we niet kunnen ontlopen vallen in een 'gemengde' categorie: soms geven ze ons een goed gevoel, en soms weer helemaal niet. Ambivalente relaties zijn emotioneel veeleisend; iedere interactie is onvoorspelbaar, mogelijk zelfs explosief, en vraagt daarom om extra waakzaamheid en inspanning.

De medische wetenschap heeft een biologisch mechanisme gevonden dat een direct verband legt tussen een toxische relatie en hartkwalen. Vrijwilligers in een onderzoek naar stress werden valselijk beschuldigd van winkeldiefstal.[21] Terwijl ze zich probeerden te verdedigen, mobiliseerden hun immuunsysteem en hun cardiovasculaire systeem zich in een potentieel dodelijke combinatie. Het immuunsysteem begon T-lymfocyten uit te scheiden, terwijl de wanden van de bloedvaten een substantie gingen produceren die zich aan die T-cellen bindt, wat uiteindelijk leidt tot het dichtslibben van aderen door plaquevorming op het endothelium.[22]

Vanuit medisch oogpunt was het vooral verrassend dat dit mechanisme zelfs in werking bleek te treden bij relatief onbelangrijke voorvallen. Waarschijnlijk verhoogt de kettingreactie van ontreddering tot plaquevorming het risico op hart- en vaatziekten als we dit soort stressvolle gebeurtenissen in ons dagelijks leven regelmatig meemaken.

Oorzaak en gevolg

Het is heel aardig om een algemene correlatie te signaleren tussen stressvolle relaties en een slechte gezondheid, en om een of twee routes te identificeren in een mogelijke ketting van causale factoren. Maar ondanks incidenteel onderzoek dat in de richting wijst van het bestaan van biologische mechanismen, beweren sceptici vaak dat er mogelijk totaal andere factoren een rol spelen. Als iemand door een slechte relatie gaat drinken of roken, of er slecht van slaapt, dan is dat een veel directere oorzaak van een slechte gezondheid. Wetenschappers bleven dus zoeken naar een onmiskenbare biologische link die duidelijk van deze andere redenen te onderscheiden is.

En toen was daar Sheldon Cohen, psycholoog aan de Carnegie Mellon University, een man die honderden mensen bewust kou heeft laten vatten.[23] Niet dat Cohen een slechte inborst heeft: het is allemaal in het belang van de wetenschap. Onder zorgvuldig gereguleerde omstandigheden stelt hij vrijwilligers systematisch bloot aan een rhinovirus dat een gewone verkoudheid veroorzaakt. Ongeveer een derde van de mensen die aan het virus worden blootgesteld, ontwikkelt alle symptomen. De rest komt er met een lichte loopneus vanaf. Dankzij de nauwkeurig gereguleerde omstandigheden is hij in staat vast te stellen waarom.

Zijn methodes zijn veeleisend. De deelnemers aan het experiment gaan vierentwintig uur voordat ze aan het virus worden blootgesteld in quarantaine, om er zeker van te zijn dat ze niet elders een koutje hebben gepakt. Ze worden voor vijf dagen – en 800 dollar – ondergebracht in een speciale eenheid. Daar worden ze op minimaal een meter afstand van elkaar gehouden, zodat ze elkaar niet opnieuw kunnen infecteren.

Tijdens die vijf dagen wordt hun snot onderzocht op technische tekenen van een verkoudheid (zoals het totaalgewicht van hun slijm) en op de aanwezigheid van het specifieke rhinovirus. Bovendien wordt hun bloed getest op antilichamen. Op die manier houdt Cohen de verkoudheid in de gaten met een precisie die ver uitstijgt boven het tellen van loopneuzen en niesbuien.

We weten allemaal dat een tekort aan vitamine C, roken en slaapgebrek stuk voor stuk de kans op besmetting verhogen. De vraag is, doet een stressvolle relatie dat ook? Het antwoord van Cohen luidt: absoluut.

Cohen kent precieze numerieke waarden toe aan de factoren die de ene persoon met een kou opzadelen, terwijl een ander gezond blijft. Mensen die verwikkeld waren in een slepend persoonlijk conflict, liepen 2,5 keer zoveel risico om kou te vatten als anderen. Problematische relaties kwamen hierdoor op hetzelfde causale niveau als een gebrek aan vitamine C en slaaptekort. (Roken, de meest schadelijke ongezonde gewoonte, maakte de kans op een verkoudheid drie keer zo groot.) Conflicten die een maand of langer duurden, maakten iemand gevoeliger, maar een incidentele ruzie vormde geen gezondheidsrisico.[24]

Hoewel voortdurende ruzies slecht zijn voor de gezondheid, is het nog slechter om je af te zonderen. Vergeleken met mensen met een rijk sociaal leven, liepen de mensen met het laagste aantal hechte relaties een 4,2 keer zo grote kans om kou te vatten. Eenzaamheid is een groter risico dan roken.

Hoe meer we socialiseren, hoe minder gevoelig we zijn voor verkoudheden. Die gedachte lijkt tegen de intuïtie in te gaan: vergroten we de kans om blootgesteld te worden aan een verkoudheidsvirus niet juist als we met meer mensen omgaan? Zeker wel. Maar een levendig sociaal netwerk doet won-

deren voor ons humeur en dat onderdrukt weer onze cortisolspiegel en versterkt de immuunfunctie bij stress.[25] Relaties zelf lijken ons te beschermen
tegen het risico door eventuele blootstelling aan een verkoudheidsvirus.

De perceptie van boosaardigheid

Elysa Yanowitz is niet de enige die zich krenkingen moet laten welgevallen
op het werk. Een vrouw die werkt bij een farmaceutisch bedrijf stuurde me
de volgende e-mail: 'Ik heb voortdurend persoonlijke conflicten met mijn
baas, die niet erg aardig is. Voor het eerst in mijn professionele carrière heeft
mijn zelfvertrouwen een deuk opgelopen. En omdat ze vriendjes is met iedereen in het bedrijf die iets in de melk te brokkelen heeft, kan ik nergens
terecht. Ik voel me fysiek ziek van de stress.'

Verbeeldt ze zich alleen dat er een verband bestaat tussen haar toxische
baas en haar fysieke klachten? Het zou kunnen.

Aan de andere kant sluit haar verhaal goed aan op de resultaten van een
analyse van 208 onderzoeken onder in totaal 6153 mensen die blootgesteld
waren aan stressoren, van luidruchtige, hinderlijke geluiden tot confrontaties met even hinderlijke mensen.[26] Van alle mogelijke soorten stress bleken
mensen het meest te lijden onder hardvochtige kritiek waar ze niets tegen
konden doen, zoals gold voor zowel Yanowitz als de werkneemster bij het
farmaceutische bedrijf die problemen had met haar baas.

Waarom dat zo is, werd ontdekt door Margaret Kemeny, een deskundige
op het gebied van de gedragsgeneeskunde aan de geneeskundefaculteit van
de Universiteit van Californië in San Francisco. Samen met haar collega Sally Dickerson heeft ze honderden stressonderzoeken geanalyseerd. Bedreigingen en uitdagingen, zo vertelde Kemeny me, zijn vooral stressvol 'wanneer je publiek hebt en het gevoel dat je beoordeeld wordt'.

In alle onderzoeken werden de stressreacties gemeten op grond van een
stijging van de cortisolspiegel.[27] De grootste cortisolpieken traden op wanneer de stressbron interpersoonlijk was, bijvoorbeeld wanneer een vrijwilliger het getal 17 hardop moest aftrekken van 1242, dan steeds zo snel mogelijk van de uitkomst weer 17 moest aftrekken en daarop beoordeeld werd. Als
iemand zo'n lastig taakje moest uitvoeren met een beoordelaar erbij, was het
effect op het cortisolniveau ongeveer drie keer zo groot als wanneer de stress
vergelijkbaar, maar onpersoonlijk was.[28]

Stel nu dat je een sollicitatiegesprek hebt. Terwijl je zit te praten over de
talenten en expertise die je geschikt maken voor het werk, gebeurt er iets
wat je in de war brengt. De interviewer tegenover je blijft onbewogen en
maakt alleen wat aantekeningen. Om de zaak nog erger te maken, plaatst

hij daarna een aantal kritische opmerkingen en stelt vraagtekens bij wat je kunt.

Deze zenuwslopende confrontatie maakte deel uit van een duivels experiment naar sociale stress. De vrijwilligers waren allemaal verwikkeld in sollicitatieprocedures en waren gekomen voor een oefengesprek, maar die 'oefensessies' waren eigenlijk een stresstest. Ontwikkeld door onderzoekers in Duitsland, is deze experimentele beproeving in laboratoria overal ter wereld uitgevoerd omdat het zulke sterke resultaten oplevert. Kemeny's lab heeft herhaaldelijk een variatie op deze test gebruikt om de biologische impact van sociale stress vast te stellen.

Dickerson en Kemeny beweren dat geëvalueerd worden een bedreiging vormt voor het 'sociale zelf', de manier waarop we onszelf zien door andermans ogen. Dit besef van onze sociale waarde en status, en daarmee van onze eigenwaarde, ontlenen we aan alle boodschappen die we van anderen krijgen over hoe zij ons zien. Als onze reputatie op het spel staat, heeft dat een opmerkelijk krachtige biologische uitwerking, bijna net zo sterk als wanneer ons leven gevaar loopt. Onbewust denken we dat we misschien niet alleen schaamte voelen als mensen ons niet zien zitten, maar totale afwijzing.[29]

Een tergende, vijandige reactie van een interviewer stimuleert de HPA-as vrijwel altijd tot het uitscheiden van de grootste hoeveelheden cortisol die ooit in een stresssimulatietest gemeten zijn. De test naar sociale stress jaagt het cortisolniveau veel meer op dan de klassieke laboratoriumbeproeving waarin vrijwilligers onder sterke tijdsdruk en met hinderlijke geluiden op de achtergrond steeds moeilijkere sommen moeten oplossen. Bij elk verkeerd antwoord gaat er een vervelende zoemer af, maar niemand velt een onaangenaam oordeel.[30] Onpersoonlijke beproevingen zijn snel weer vergeten, maar een kritische blik veroorzaakt een krachtige en aanhoudende aanval van schaamte.[31]

Verrassend genoeg veroorzaakt een symbolische criticus die alleen in ons hoofd bestaat een even grote dosis levensangst. Een virtueel publiek kan het HPA-systeem zeker zo sterk beïnvloeden als een echt, legt Kemeny uit, want 'op het moment dat je ergens aan denkt, creëer je een innerlijke representatie die invloed uitoefent op het brein' en wel op dezelfde manier als de werkelijkheid dat zou doen.

Gevoelens van hulpeloosheid maken de stress nog erger. Uit de cortisolonderzoeken die door Dickerson en Kemeny zijn geanalyseerd, bleek dat bedreigingen veel sterker gevoeld werden als iemand niet in staat was om er iets aan te doen. Wanneer een bedreiging ondanks alles wat we eraan doen blijft bestaan, rijst het cortisol de pan uit. Een goed voorbeeld is iemand die het doelwit is van wrede vooroordelen, of de twee op de proef gestelde vrouwen die problemen hadden met hun baas. Relaties die voortdurend kritisch, afwijzend of kwetsend zijn, overstimuleren de HPA-as.

Wanneer de stressbron onpersoonlijk is, zoals een hinderlijk autoalarm dat we niet uit kunnen zetten, heeft dat geen invloed op onze basale behoefte aan acceptatie en het gevoel erbij te horen. Kemeny ontdekte dat het lichaam binnen veertig minuten over de onontkoombare cortisolstijging heen is die door dit soort stress veroorzaakt wordt. Maar als de stress veroorzaakt werd door een negatief sociaal oordeel, hield de cortisolstijging 50 procent langer aan en duurde het een uur of meer voordat het normale niveau weer was bereikt.

Brain imaging-onderzoek geeft indicaties welke hersengebieden zo sterk reageren op de perceptie van boosaardigheid. In Hoofdstuk 5 kwam de computersimulatie aan de orde in het lab van Jonathan Cohen in Princeton, waarbij twee vrijwilligers in een MRI-scanner het Ultimatumspel speelden. Het spel vereist dat de partners een geldbedrag verdelen, waarbij de één een aanbod doet dat de ander kan accepteren of afwijzen.

Wanneer een vrijwilliger het gevoel had dat de ander hem een onredelijk aanbod had gedaan, ontstond er activiteit in de anterieure insula, de zetel van woede en walging. De vrijwilligers vertoonden dan ook tekenen van bitterheid en waren geneigd om niet alleen dit aanbod, maar ook het volgende af te wijzen, hoe dat ook luidde. Maar wanneer ze dachten dat de andere 'partner' in het spel een computerprogramma was, bleef hun insula rustig, hoe eenzijdig het aanbod ook was. Het sociale brein maakt een cruciaal onderscheid tussen onbedoelde en moedwillige benadeling, en reageert sterker als er boze opzet in het spel lijkt.

Deze ontdekking zou wel eens het antwoord kunnen zijn op een raadsel waar therapeuten op het gebied van posttraumatische stressstoornissen zich mee geconfronteerd zien: waarom veroorzaken rampen van een vergelijkbare intensiteit vaker blijvend leed als mensen het gevoel hebben dat het trauma hun bewust is aangedaan, dan wanneer het gaat om een willekeurig natuurverschijnsel? Orkanen, aardbevingen en andere natuurrampen geven veel minder vaak aanleiding tot een PTSS dan misdaden als verkrachting en mishandeling. De nawerking van een trauma is erger naarmate iemand het persoonlijker opvat.

De klas van 1957

In 1957 verwierf Elvis Presley zich een plek in het Amerikaanse nationale bewustzijn door zijn verschijning in de *Ed Sullivan Show*, het meest bekeken televisieprogramma uit die tijd. De Amerikaanse naoorlogse economie beleefde een langdurige hausse, Dwight D. Eisenhower was president, auto's hadden enorme staartvleugels en tieners ontmoetten elkaar op zwaar gechaperonneerde schoolfeesten, de zogenaamde *sock hops*.

In datzelfde jaar begonnen onderzoekers aan de Universiteit van Wisconsin een onderzoek onder ongeveer tienduizend eindexamenleerlingen, bijna een derde van alle eindexamenleerlingen in de gehele staat. De tieners werden rond hun veertigste opnieuw geïnterviewd en nogmaals toen ze halverwege de vijftig waren. Rond hun vijfenzestigste werd een aantal van deze mensen door Richard Davidson van de Universiteit van Wisconsin gerekruteerd voor een vervolgonderzoek in het W.M. Keck Laboratory for Functional Brain Imaging and Behavior. Met behulp van onderzoeksmethoden die vele malen verfijnder waren dan wat er in 1957 beschikbaar was, probeerde Davidson een correlatie vast te stellen tussen hun sociale geschiedenis, hun hersenactiviteit en hun immuunfunctie.

De kwaliteit van de relaties van de proefpersonen was in de eerdere interviews aan de orde gekomen. Nu werd die informatie vergeleken met de slijtage van hun lichaam. De proefpersonen werden getest op de chronische activiteit van systemen die fluctueren onder stress, zoals bloeddruk, cholesterol en het niveau van het cortisol en andere stresshormonen. De som van deze en vergelijkbare metingen voorspelt niet alleen de kans op hart- en vaatziekten, maar ook de mentale en fysieke achteruitgang op hoge leeftijd. Een zeer hoge totaalscore betekent een lagere levensverwachting.[32] De onderzoekers ontdekten dat relaties belangrijk waren: er bestond een sterk verband tussen een risicovol fysiek profiel en een ongunstig cumulatief profiel van emotionele ervaringen in de belangrijkste relaties in het leven van de eindexamenleerlingen.[33]

Laten we als voorbeeld een anonieme leerling uit de klas van 1957 nemen die ik voor het gemak Jane zal noemen. Haar relationele leven was moeilijk geweest, een aaneenschakeling van teleurstellingen. Janes ouders waren allebei alcoholist. Tijdens haar kindertijd zag ze haar vader maar weinig, maar toen ze op de middelbare school zat, misbruikte hij haar. Als volwassene was ze extreem bang voor mensen en gedroeg ze zich tegenover haar naasten afwisselend boos of onzeker. Jane trouwde, maar scheidde ook weer snel. Ze vond maar weinig troost in haar magere sociale leven. Uit het medische gedeelte van Davidsons onderzoek bleek dat ze leed aan negen van tweeëntwintig veelvoorkomende medische klachten.

Jill daarentegen, een van Janes oude klasgenootjes, was het toonbeeld van iemand met een rijke relationele geschiedenis. Hoewel haar vader was overleden toen ze pas negen jaar oud was, had ze haar moeder als bijzonder liefdevol ervaren. Jill had een goede band met haar echtgenoot en haar vier zoons, en vond haar gezinsleven uiterst bevredigend. Daarnaast had ze een actief sociaal leven, met veel goede vrienden en vertrouwelijke relaties. Toen

Jill boven de zestig was, had ze maar drie van de tweeëntwintig sympto-men.

Nogmaals, correlatie is niet hetzelfde als een oorzakelijk verband. Om een causale link tussen de kwaliteit van onze relaties en onze gezondheid aan te tonen zullen we de specifieke biologische mechanismen die daarbij betrok-ken zijn moeten identificeren. Hier leverden Davidsons tests naar de her-senactiviteit van de Klas van 1957 een aantal sprekende resultaten op.

Jill, de vrouw met de liefhebbende moeder, de bevredigende relaties en het geringe aantal medische klachten, gaf van alle proefpersonen uit de Klas van 1957 de grootste activiteit in de linker prefrontale cortex te zien ten opzich-te van de rechter. Dat patroon, heeft Davidson ontdekt, betekent dat Jill meestal een goede stemming had.

Jane, van de alcoholistische ouders, de scheiding en de vele medische kwa-len op haar zestigste, had het tegenovergestelde hersenpatroon. Bij haar was de activiteit van de rechter prefrontale cortex ten opzichte van de linker gro-ter dan bij al haar voormalige klasgenoten. Dat patroon wil zeggen dat Jane vaak met intense ontreddering op het leven reageerde en minder snel her-stelde van emotionele teleurstellingen.

De sleutel tot het omgaan met de turbulentie van de lage route ligt bij een hersenmechanisme van de hoge route. In eerder onderzoek had Davidson ontdekt dat het linker prefrontale gebied een aaneenschakeling van hersen-circuits in de lagere hersengebieden reguleert die verantwoordelijk zijn voor de herstelperiode van emotionele ontreddering en dus voor onze veer-kracht.[34] Hoe meer activiteit in het linker prefrontale gebied ten opzichte van de rechterkant, hoe beter we zijn in het ontwikkelen van cognitieve strate-gieën voor het reguleren van emoties en hoe sneller ons emotionele herstel. En dat bepaalt weer hoe vlug onze cortisolspiegel terugzakt naar een nor-maal niveau.

Een robuuste gezondheid is gedeeltelijk afhankelijk van de mate waarin de hoge route geleerd heeft de lage in toom te houden.

Davidsons eerdere onderzoek ging nog een stap verder. Zijn ondezoeks-groep ontdekte dat de activiteit in ditzelfde linker prefrontale gebied sterk correleerde met het reactievermogen van het immuunsysteem op een griep-prik. Mensen met de meeste activiteit links hadden een immuunsysteem dat drie keer zoveel griepantilichamen aanmaakte.[35] Davidson gelooft dat deze verschillen klinisch significant zijn, met andere woorden: dat mensen met veel activiteit in het linker prefrontale gebied minder snel griep krijgen als ze aan het virus worden blootgesteld.

Volgens Davidson geven dit soort data iets bloot van de anatomie van veer-kracht. Een geschiedenis van gezonde, veilige relaties, zo luidt zijn theorie, geeft mensen de innerlijke kracht om te herstellen van emotionele klappen en verliezen, zoals dat gold voor Jill, die op negenjarige leeftijd haar vader verloor maar een liefhebbende moeder had.

De eindexamenkandidaten uit Wisconsin die in hun jeugd voortdurend aan stress waren blootgesteld, waren in hun volwassenheid minder goed in staat om van stress te herstellen. Mensen die daarentegen in hun kindertijd hanteerbare hoeveelheden stress ervaren hadden, hadden als volwassenen meestal een betere prefrontale links-rechtsverhouding. Voor deze uitkomst lijkt een liefdevolle volwassene die een veilige basis biedt voor emotioneel herstel van primair belang.[36]

Sociale epigenetica

Laura Hillenbrand, schrijfster van de bestseller *Seabiscuit*, lijdt al jaren aan het chronisch vermoeidheidssyndroom, een slopende aandoening die haar koortsig en uitgeput maakt, en waardoor ze soms maandenlang ononderbroken zorg nodig heeft. Toen ze *Seabiscuit* schreef, kreeg ze die zorg van haar toegewijde echtgenoot Borden. Ondanks zijn studie vond hij de tijd om haar te helpen met eten en drinken, haar te ondersteunen als ze een stukje moest lopen en haar voor te lezen.

Maar op een avond, herinnert Hillenbrand zich, hoorde ze vanuit haar slaapkamer 'een zacht, laag geluid'. Toen ze langs de trap omlaag keek zag ze Borden snikkend in de gang op en neer lopen. Ze wilde hem roepen, tot ze zich realiseerde dat hij alleen wilde zijn.

De volgende dag stond Borden weer voor haar klaar, 'vrolijk en stabiel als altijd'.[37]

Borden deed zijn best om zijn kwetsbare vrouw zijn eigen verdriet te besparen, maar net als iedereen die een geliefde dag en nacht moet verplegen, leed Borden onder enorme, onafgebroken stress en die spanning gaat onvermijdelijk ten koste van de gezondheid en het welzijn van zelfs de meest toegewijde verzorger.

De meest indrukwekkende gegevens over dit onderwerp danken we aan een opmerkelijke interdisciplinaire onderzoeksgroep van de Ohio State University onder leiding van psychologe Janice Kiecolt-Glaser en haar man, immunoloog Ronald Glaser.[38] In een aantal elegante onderzoeken hebben ze aangetoond dat de effecten van continue stress doorwerken tot op het niveau van de genetische expressie in immuuncellen die van fundamenteel belang zijn voor het bestrijden van infecties en het helen van wonden.

De groep van Ohio State onderzocht tien vrouwen van in de zestig die alle tien zorgden voor een echtgenoot met de ziekte van Alzheimer.[39] De vrouwen stonden onder voortdurende druk, waren vierentwintig uur per dag in de weer, en voelden zich verschrikkelijk geïsoleerd en eenzaam. Uit een eerder onderzoek naar vrouwen met vergelijkbare stress was gebleken dat ze vrijwel niet reageerden op een griepprik: hun immuunsysteem was niet in staat om de antilichamen aan te maken die gewoonlijk door de prik gestimuleerd worden.[40] Dit keer deden de onderzoekers uitgebreidere tests naar de immuunfunctie, waaruit bleek dat de vrouwen slecht scoorden op veel verschillende indicatoren.

Vooral de genetische data sprongen in het oog. De expressie van een bepaald gen dat een reeks cruciale immuunmechanismen reguleert, was bij de proefpersonen 50 procent lager dan bij andere vrouwen van hun leeftijd. GHMRNA, het betreffende gen, stimuleert de productie van lymfocyten en bevordert ook de activiteit van *natural killer*-cellen en macrofagen, die binnendringende bacteriën vernietigen. Dat laatste feit zou ook een andere bevinding kunnen verklaren: de gestreste vrouwen hadden negen dagen langer nodig om van een kleine steekwond te genezen dan vrouwen uit een niet gestreste controlegroep.

Waarschijnlijk speelt ACTH een sleutelrol in deze aantasting van de immuunfunctie. ACTH is een voorstof van cortisol en een van de hormonen die worden uitgescheiden wanneer de HPA-as op tilt slaat. ACTH blokkeert de productie van het voor het immuunsysteem zo belangrijke interferon en vermindert de reactiviteit van de lymfocyten, de witte bloedcellen die de aanval op binnendringende bacteriën aanvoeren. De einduitkomst: de continue stress van het voortdurende zorgen voor een ander in een sociaal isolement vermindert de controle van het brein over de HPA-as, wat vervolgens het functioneren van de genen van het immuunsysteem, zoals GHMRNA, weer aantast.

De tol van onafgebroken stress lijkt zelfs door te dringen tot het DNA van de verzorgers, waardoor hun cellen veel sneller degenereren en er jaren bij hun biologische leeftijd opgeteld moeten worden. Genetisch onderzoek onder moeders die de zorg hadden voor een chronisch ziek kind, heeft uitgewezen dat hoe langer ze hiermee belast waren, hoe meer ze op cellulair niveau verouderd waren.

De snelheid van het verouderingsproces werd vastgesteld door de lengte te meten van de telomeren op de witte bloedcellen van de moeders. Telomeren zijn stukjes DNA aan het eind van een chromosoom. Iedere keer dat een cel zich deelt, krimpen die stukjes een beetje. Cellen reproduceren zich gedurende hun leven herhaaldelijk om weefsels te herstellen of, zoals bij witte bloedcellen, om ziektes te bestrijden. Na ongeveer tien tot vijftig delingen (afhankelijk van het celtype) wordt de telomeer te kort om nog te delen. De cel gaat dan op non-actief, een genetische maatstaf voor het verlies van vitaliteit.[41]

Volgens deze maatstaf waren de moeders die voor een chronisch ziek kind zorgden biologisch gemiddeld tien jaar ouder dan vrouwen van dezelfde chronologische leeftijd. Een uitzondering werd gevormd door de moeders die zich ondanks hun overbelasting door anderen ondersteund voelden. Zij hadden jongere cellen, ook als ze de zorg hadden voor een gehandicapt kind.

Collectieve sociale intelligentie kan een alternatief bieden voor de over- weldigende tol die mantelzorg van ons eist, getuige het geval van Philip Sim- mons. Op een mooie herfstdag in Sandwich, New Hampshire zat hij buiten in zijn rolstoel, omringd door vrienden en buren. Toen hij vijfendertig jaar oud was had Simmons, docent Engels aan een universiteit en vader van twee kleine kinderen, te horen gekregen dat hij leed aan de ziekte van Lou Geh- rig, een slopende neurologische aandoening, en hooguit nog twee tot vijf jaar te leven had. Die prognose had hij overleefd, maar nu breidde de verlam- ming zich uit van zijn onderlichaam naar zijn armen, waardoor hij zelfs rou- tineklusjes niet meer kon uitvoeren. Op dat moment in zijn leven gaf hij een van zijn vrienden het boek *Share the Care*, dat beschrijft hoe je een steun- groep kunt vormen voor iemand met een ernstige ziekte.

Vijfendertig buren besloten Simmons en zijn gezin te helpen. Via de tele- foon en de e-mail stelden ze roosters op om hun taken als kok, chauffeur, babysitter, huishoudelijke hulp en, zoals op die dag in de herfst, tuinlieden te coördineren. Dit hielden ze vol tot Simmons uiteindelijk op vijfenveer- tigjarige leeftijd stierf. Deze virtuele uitgebreide familie was van doorslagge- vend belang voor Simmons en zijn vrouw Kathryn Field. Field was in staat om haar werk als professioneel kunstenaar voort te zetten, wat de financië- le druk op het gezin verminderde. Bovendien, zo vertelde Field, gaf het haar gezin het gevoel dat ze 'bemind werden door de hele gemeenschap'.[42]

De mensen die samen de FOPAK (Friends of Phil and Kathryn) vormden, zoals ze zichzelf noemden, waren het erover eens dat zijzelf het grootste ge- schenk hadden ontvangen.

HOOFDSTUK 17

Biologische bondgenoten

Toen mijn moeder, die sociologie doceerde aan de universiteit, met pensioen ging, zat ze plotseling alleen in een groot leeg huis. Haar kinderen woonden verspreid over het land en mijn vader was al jaren eerder gestorven. Ze besloot toen tot wat achteraf een slimme sociale zet bleek te zijn: ze bood een gratis kamer aan voor doctoraalstudenten van haar oude universiteit, met een voorkeur voor mensen met een Oost-Aziatische achtergrond, omdat ouderen daar in hoog aanzien staan.

Mijn moeder is nu meer dan dertig jaar met pensioen en de regeling werkt nog altijd. Ze heeft steeds weer nieuwe huisgenoten uit landen als Japan, Taiwan en momenteel uit Beijing in China, en dat lijkt haar welzijn enorm ten goede te komen. Toen een stel dat bij haar woonde een baby kreeg, zag hun dochtertje mijn moeder als haar oma. Als peutertje van twee wandelde het meisje elke morgen mijn moeders slaapkamer binnen om te kijken of ze wakker was en kwam haar steeds even knuffelen.

Dat baby'tje werd geboren toen mijn moeder al bijna negentig was. Met dat lieve kleine wezentje in huis was het net of ze een paar jaar lang zowel fysiek als mentaal alleen maar jonger werd. We zullen nooit weten in hoeverre haar hoge leeftijd te maken heeft met haar leefsituatie, maar zo op het oog lijkt haar besluit een wijs staaltje sociale organisatie.

De sociale netwerken van ouderen worden steeds kleiner naarmate oude vrienden een voor een sterven of verhuizen. Tegelijkertijd zijn ouderen geneigd om zelf in hun sociale netwerk te snoeien en alleen de prettige relaties te behouden.[1] Die strategie is vanuit biologisch oogpunt zeker zinvol. Hoe ouder we worden, hoe fragieler onze gezondheid; cellen verouderen en sterven, ons immuunsysteem en andere bolwerken voor een goede gezondheid gaan steeds minder goed functioneren. Het laten vallen van sociale connecties die de moeite niet lonen, zou wel eens een preventieve zet kunnen zijn om onze eigen emotionele toestand te verbeteren. Een baanbrekend onderzoek onder bejaarde Amerikanen die probleemloos ouder werden, wees inderdaad uit dat hoe emotioneel lonender hun relaties waren, hoe lager het niveau van hun biologische stressindicatoren, zoals cortisol.[2]

Uiteraard zijn onze meest betekenisvolle relaties niet noodzakelijkerwijs de meest plezierige of positieve: soms worden we juist gek in plaats van blij van onze naaste familie. Het is misschien maar goed dat veel oudere mensen bij het opschonen van hun sociale netwerk een groter vermogen lijken te ontwikkelen om met emotionele complicaties om te gaan, zoals de mix van positieve en negatieve gevoelens die een bepaalde relatie oproept.[3]

Een onderzoek wees uit dat oudere mensen met een leuk en stimulerend sociaal leven zeven jaar later betere cognitieve vermogens hadden dan hun meer geïsoleerde leeftijdgenoten.[4] Paradoxaal genoeg heeft eenzaamheid weinig of niets te maken met de hoeveelheid tijd die mensen daadwerkelijk alleen doorbrengen. Het is juist een gebrek aan intieme vriendschappelijke contacten dat mensen eenzaam maakt. Van belang is de kwaliteit van onze interacties, hun warmte of emotionele distantie, hun steun of hun negativiteit. Het gevoel van eenzaamheid en niet zozeer het aantal kennissen en connecties dat iemand heeft, correleert het meest direct met de gezondheid. Hoe eenzamer iemand zich voelt, hoe slechter zijn immuun- en zijn cardiovasculaire functie meestal zijn.[5]

Er is nog een biologisch argument om bewuster met onze interpersoonlijke wereld om te gaan naarmate we ouder worden. Neurogenese, de dagelijkse aanmaak van nieuwe neuronen in de hersenen, gaat tot op hoge leeftijd door, zij het minder snel dan daarvoor. Zelfs die vertraging hoeft niet onvermijdelijk te zijn, zo oppert een aantal neurowetenschappers, maar is mogelijk een bijwerking van monotonie. De complexiteit van de sociale omgeving genereert nieuwe leerprocessen, waardoor de snelheid waarmee de hersenen nieuwe cellen aanmaken gestimuleerd wordt. Om die redenen is een aantal neurowetenschappers met architecten in zee gegaan om bejaardenwoningen te ontwerpen waar de bewoners gedurende de dag meer contact hebben met hun medebewoners, iets wat mijn moeder voor zichzelf al wist te regelen.[6]

Het echtelijk strijdperk

Als ik de supermarkt van een klein stadje uitloop, hoor ik twee oudere heren die buiten op een bankje met elkaar zitten te praten. De een vraagt hoe het met een echtpaar is dat ze allebei kennen.

'Ach, je weet hoe het is,' luidt het laconieke antwoord. 'Ze hebben ooit een keer ruzie gekregen en daar zijn ze nog steeds niet mee klaar.'

Zoals we hebben gezien, eist die emotionele slijtageslag in een huwelijk zijn biologische tol. Waarom een slecht huwelijk ten koste kan gaan van onze gezondheid werd ontdekt in een onderzoek waarin pasgetrouwde stellen, die zelf vonden dat ze 'erg gelukkig' waren samen, geobserveerd werden tijdens een confrontatie van een half uur over een meningsverschil.[7]

Tijdens de ruzie veranderde het niveau van vijf van de zes hormonen die getest werden, waaronder de ACTH-spiegel, die aangeeft dat de HPA-as gemobiliseerd is. De bloeddruk steeg snel en indicatoren van de immuunfunctie waren een paar uur lang beduidend lager.

Een paar uur later waren er ongewenste langetermijnverschuivingen opgetreden in het vermogen van het immuunsysteem om het lichaam te beschermen tegen ziekteverwekkers. Hoe verbetener het meningsverschil was geweest, hoe groter de veranderingen. Het endocriene systeem, zo concluderen de onderzoekers, 'werkt als een belangrijke poort tussen persoonlijke relaties en gezondheid', door stresshormonen uit te scheiden die zowel de cardiovasculaire als de immuunfunctie kunnen schaden.[8] Wanneer een stel ruziemaakt, heeft zowel hun endocriene systeem als hun immuunsysteem daarvan te lijden, en als die ruzies jaren doorgaan, lijkt de schade cumulatief.

Voor het onderzoek naar echtelijke conflicten werden ook stellen van in de zestig (gemiddeld tweeënveertig jaar getrouwd) uitgenodigd voor een nauwkeurig geobserveerd meningsverschil. Ook hier leidde de ruzie tot een ongezonde terugval van het endocriene en het immuunsysteem: hoe meer rancune, hoe groter de achteruitgang. Aangezien ook ouderdom het cardiovasculaire en het immuunsysteem verzwakt, kan vijandigheid tussen oudere partners nog meer van de gezondheid vergen. En inderdaad waren de negatieve biologische veranderingen tijdens de echtelijke strijd bij de oudere stellen nog sterker dan bij de pasgehuwden – maar alleen bij de vrouwen.[9]

Dit verrassende effect bleek te gelden voor zowel de pasgetrouwde als voor de oudere getrouwde vrouwen. Uiteraard waren de pasgetrouwde vrouwen die tijdens en na de 'ruzie' de grootste terugval in de immuunfunctie te zien gaven na een jaar het meest ontevreden over hun huwelijk.

Bij vrouwen stegen de waarden van de stresshormonen tot grote hoogte wanneer hun man zich tijdens het meningsverschil boos terugtrok. Bij vrouwen van wie de mannen vriendelijk en empathisch reageerden, was de opluchting af te lezen aan een lager niveau van dezelfde hormonen. Bij de mannen maakte het voor hun endocriene systeem echter geen verschil of het gesprek aangenaam of hard was geweest. De enige uitzondering gold extreme gevallen, die meldden ook thuis vreselijke ruzies te hebben. Bij deze getergde echtparen was de immuunrespons van beiden permanent lager dan bij meer harmonieuze stellen.

Gegevens uit meerdere bronnen lijken erop te wijzen dat de gezondheid van vrouwen meer te lijden heeft van een slecht huwelijk dan die van hun echtgenoten. Toch lijken vrouwen in het algemeen biologisch niet reactiever dan mannen.[10]

Een mogelijke verklaring is, dat vrouwen meer emotionele waarde hechten aan hun intieme relaties.[11] Uit een groot aantal onderzoeken onder Amerikaanse vrouwen blijkt, dat positieve relaties hun leven lang de voornaamste bron van tevredenheid en welbevinden zijn. Amerikaanse mannen daarentegen vinden positieve relaties minder belangrijk dan bijvoorbeeld hun persoonlijke groei of een gevoel van onafhankelijkheid.

Daar komt nog bij dat het vrouwelijke instinct voor zorgzaamheid maakt, dat ze zich meer persoonlijk verantwoordelijk voelen voor het lot van de mensen om wie ze geven. Ze raken dan ook eerder dan mannen van slag als een geliefde in de problemen zit.[12] Vrouwen zijn bovendien meer gericht op de ups en downs van hun relatie en komen daardoor gemakkelijker in een emotionele achtbaan terecht.[13]

Nog een feit is, dat vrouwen veel meer dan hun mannen geneigd zijn om te piekeren over vervelende confrontaties en zich die confrontaties veel levendiger herinneren. (Ze herinneren zich ook de leuke dingen beter en denken daar vaker aan terug.) Daar slechte herinneringen zich vaak opdringen en herhaaldelijk ongevraagd opduiken, en omdat de herinnering aan een conflict genoeg kan zijn om de bijbehorende biologische veranderingen teweeg te brengen, eist de neiging om over moeilijkheden te blijven tobben een fysieke tol.[14]

Vanwege al die redenen veroorzaken relatieproblemen sterkere negatieve biologische reacties bij vrouwen dan bij mannen.[15] Het Wisconsinonderzoek signaleerde bijvoorbeeld een direct verband tussen het cholesterolpeil van vrouwen en de hoeveelheid stress in hun huwelijk, veel meer dan bij de mannen uit de Klas van 1957 het geval was.

Uit een onderzoek naar patiënten met congestief hartfalen bleek dat een stormachtig huwelijk bij vrouwen sneller tot een vroegtijdige dood leidde dan bij mannen.[16] Vrouwen lopen ook meer kans op een hartaanval door de emotionele stress van een zware relatiecrisis, zoals een scheiding of een sterfgeval, terwijl mannen eerder een hartaanval krijgen door fysieke uitputting. Oudere vrouwen zijn daarnaast gevoeliger dan mannen voor levensbedreigende stijgingen van stresshormonen in reactie op een plotselinge emotionele schok, zoals de onverwachte dood van een geliefde, een conditie die artsen het 'gebrokenhartsyndroom' noemen.[17]

De grotere biologische reactiviteit van vrouwen op de ups en downs van een relatie verklaart iets van het aloude wetenschappelijke raadsel waarom de gezondheid van mannen, en niet die van vrouwen, baat lijkt te hebben bij getrouwd zijn. Dat gegeven duikt steeds weer op in onderzoeken naar huwelijk en gezondheid, maar het is niet noodzakelijkerwijs waar. Onze blik is gewoon vertroebeld door een tekort aan wetenschappelijke verbeeldingskracht.

Er kwam een ander beeld tevoorschijn toen een onderzoek van dertien jaar onder bijna vijfhonderd getrouwde vrouwen van in de vijftig de eenvoudige vraag stelde: 'Hoe tevreden bent u met uw huwelijk?' De resultaten waren glashelder: hoe gelukkiger een vrouw met haar huwelijk was, hoe beter haar gezondheid.[18] Wanneer een vrouw een leuke tijd had met haar partner, het gevoel had dat ze goed communiceerden en dat ze het eens waren over onderwerpen als de financiën, plezier had in haar seksleven, en interesse en smaak deelde met haar echtgenoot, was dat te zien aan haar medische gegevens. De bloeddruk en de waarden voor glucose en slechte cholesterol waren bij tevreden vrouwen lager dan bij vrouwen die ongelukkig waren in hun huwelijk.

Al die andere onderzoeken hadden de gegevens van ongelukkige en gelukkige vrouwen op een grote hoop gegooid. Dus terwijl vrouwen biologisch gevoeliger zijn voor de ups en downs in hun huwelijk, zijn de gevolgen van de emotionele achtbaan afhankelijk van de aard van de rit. Wanneer een vrouw in haar huwelijk meer dalen dan pieken ervaart, heeft haar gezondheid daaronder te lijden, maar als er meer pieken zijn, dan komt dat haar gezondheid, en die van haar man, ten goede.

Emotionele redders

Een vrouw ligt op haar rug in de muil van een MRI. Er is maar een paar centimeter ruimte tussen de onderzoekstafel en de enorme machine. Rondom hoort ze het klaaglijke geluid van enorme elektromagneten. Haar ogen zijn gericht op een monitor die vlak boven haar gezicht is bevestigd.

Op het scherm flitsen met tussenpozen van twaalf seconden gekleurde geometrische figuren voorbij: een groen vierkant, een rode driehoek. De vrouw heeft te horen gekregen dat ze bij een bepaalde vorm en kleur een elektrische schok krijgt toegediend, niet heel pijnlijk, maar wel onaangenaam.

Van tijd tot tijd ondergaat ze de beproeving alleen. Soms houdt een vreemde haar hand vast en soms voelt ze de geruststellende aanraking van de hand van haar man.

Acht vrouwen werkten als vrijwilliger mee aan dit experiment in het laboratorium van Richard Davidson. Doel van het onderzoek was, vast te stellen in hoeverre de mensen die we liefhebben ons biologisch kunnen bijstaan in stressvolle en angstige ogenblikken. Het resultaat: als een vrouw de hand van haar man vasthield, was ze veel minder angstig dan wanneer ze de schok alleen afwachtte.[19]

Het hielp een beetje om de hand van een vreemde vast te houden, maar lang niet zoveel. Tot hun verrassing merkten Davidsons en zijn groep dat het onmogelijk was om het onderzoek zo uit te voeren, dat de vrouw niet wist wiens hand ze vasthield. Bij de voorbereidingen bleek de vrouw altijd precies te weten of het de hand van haar man was of die van een vreemde.

Wanneer de vrouwen de schok alleen afwachtten, gaf de fMRI-analyse activiteit aan in de hersenregionen die de HPA-as aanzetten tot een noodrespons en stresshormonen door het lichaam laat pompen.[20] Als de dreiging persoonlijk was geweest, bijvoorbeeld een vervelende interviewer tijdens een sollicitatiegesprek, en niet slechts een lichte schok, dan was de prikkeling van deze gebieden ongetwijfeld nog groter geweest.

Toch kwam dit prikkelbare circuit opmerkelijk gemakkelijk tot rust door de kalmerende greep van de hand van de echtgenoot. Dit onderzoek vult een belangrijke lacune in ons inzicht in de invloed van relaties op onze biologie. We beschikken nu over een plaatje van emotionele reddingsacties in de hersenen.

Een andere ontdekking was zeker zo veelzeggend: hoe tevredener een vrouw over haar huwelijk was, hoe groter het biologische profijt van het handcontact. Dat gegeven onderschrijft het antwoord op het oude wetenschappelijke raadsel dat sommige huwelijken nadelige gevolgen hebben voor de gezondheid van vrouwen en andere juist een gunstige uitwerking hebben.

Huidcontact is bijzonder geruststellend omdat het, net als warmte en trilling, de aanmaak van oxytocine bevordert (wat misschien verklaart waarom massage of een knuffel zo goed werken bij stress). Oxytocine onderdrukt stresshormonen door de gevaarlijke activiteit van de HPA en het SZS te reduceren.[21]

Wanneer er oxytocine vrijkomt, vindt er in het lichaam een reeks heilzame veranderingen plaats.[22] We komen terecht in de ontspanning van parasympatische activiteit, waardoor de bloeddruk zakt. Hierdoor verschuift ons metabolisme van stressalertheid, waarbij al onze grote spiergroepen klaar staan om in actie te komen, naar een herstelmodus, waarbij energie geïnvesteerd wordt in de opslag van voedingsstoffen, in groei en in genezing. De cortisolspiegel daalt significant, wat wijst op een vermindering van HPA-activiteit, en onze pijngrens stijgt, waardoor we minder gevoelig zijn voor ongemak. Zelfs wonden genezen sneller.

Oxytocine is maar een korte periode actief: na een paar minuten is het alweer uit het lichaam verdwenen. Maar hechte, positieve, langdurige relaties zouden ons wel eens een relatief stabiele bron van oxytocine-uitscheiding kunnen bieden; elke knuffel, elke lieve aanraking en elk teder moment kan een beetje van deze neurochemische balsem opwekken. Wanneer er steeds weer oxytocine vrijkomt, wat inderdaad gebeurt als we het leuk hebben met mensen die we liefhebben, plukt onze gezondheid op lange termijn de vruchten van menselijke affectie. Dezelfde substantie die ons aantrekt tot de mensen die we liefhebben, zet dat warme contact vervolgens om in biologisch welzijn.[23]

Terug naar de Tolstojs. Ondanks alle rancune waar ze in hun dagboeken van reppen, zetten ze toch dertien kinderen op de wereld. Dat betekent dat ze in een huishouden leefden vol van mogelijkheden tot affectie. Sonja en Leo waren niet van elkaar afhankelijk: ze werden omgeven door emotionele redders.

Positieve besmetting

Pas eenenveertig jaar oud, lag Anthony Radziwill op zijn sterfbed in een ziekenhuis in New York. Hij leed aan fibrosarcoom, een dodelijke vorm van kanker. Zijn weduwe Caroline vertelt hoe zijn neef John F. Kennedy junior, die een paar maanden later zelf omkwam in een vliegtuigongeluk bij Martha's Vineyard, hem daar kwam opzoeken.

John kwam net van een feest en was nog in smoking. Op de intensive care hoorde hij dat zijn neef nog hooguit een paar uur te leven had.

John pakte de hand van zijn neef en zong zachtjes *The Teddy Bears' Picnic*, een liedje dat zijn moeder, Jackie Onassis, vroeger altijd voor de jongetjes zong voordat ze gingen slapen.

Anthony, al bijna dood, zong met hem mee.

John, zo herinnert Radziwill zich, 'had hem naar de veiligste plek gebracht die hij kon vinden'.[24]

Dat lieve gebaar maakte Radziwills laatste ogenblikken ongetwijfeld gemakkelijker. Het is precies het soort contact dat intuïtief de beste manier lijkt om iemand die we liefhebben te helpen.

Die intuïtie wordt nu ondersteund door solide data: fysiologen hebben aangetoond dat mensen een rol gaan spelen in elkaars fysiologie zodra ze onderling afhankelijk worden. Die biologische link betekent dat de prikkels die de ene partner van de andere krijgt, een uitwerking hebben op processen in het eigen lichaam, zowel in positieve als in negatieve zin.

In een zorgzame relatie helpen de partners elkaar met hun gevoelens van ontreddering om te gaan, net zoals zorgzame ouders dat doen voor hun kinderen. Als we gespannen of overstuur zijn, kan onze partner ons helpen de oorzaak van onze gevoelens te bepalen, zodat we beter kunnen reageren of de zaken in perspectief kunnen plaatsen, en in elk geval de negatieve neuro-endocriene ontlading kunnen kortsluiten.

Wanneer we lange tijd gescheiden zijn van de mensen die we liefhebben, zijn we van deze intieme hulp verstoken; het verlangen naar mensen die we missen komt gedeeltelijk voort uit een hunkering naar een biologisch behulpzame connectie. Iets van de volslagen chaos die we voelen na de dood van een geliefde, weerspiegelt ongetwijfeld de afwezigheid van dit virtuele deel van onszelf. Het verlies van een belangrijke biologische bondgenoot zou deels het hogere risico op ziekte en dood na het overlijden van de partner kunnen verklaren.

Opnieuw is er sprake van een intrigerend verschil tussen de seksen. Onder stress scheiden de hersenen van een vrouw meer oxytocine af dan die van een man. Dat heeft een kalmerend uitwerking en maakt dat vrouwen contact zoeken met anderen, door te zorgen voor de kinderen bijvoorbeeld, of te praten met een vriendin. Terwijl vrouwen bezig zijn met zorgen en vriendschappen sluiten, zo ontdekte psychologe Shelley Taylor van UCLA, komt er in hun lichaam nog meer oxytocine vrij, waardoor ze nog rustiger worden.²⁵ Deze impuls tot zorgen en vriendschappelijk contact zou wel eens specifiek vrouwelijk kunnen zijn. Androgenen, de mannelijke geslachtshormonen, onderdrukken de kalmerende werking van oxytocine. Oestrogeen, het vrouwelijke geslachtshormoon, stimuleert het juist. Dit verschil zorgt er waarschijnlijk voor dat mannen en vrouwen totaal anders reageren op een bedreiging: vrouwen zoeken gezelschap en mannen gaan de confrontatie alleen aan. Toen vrouwen bijvoorbeeld te horen kregen dat ze een elektrische schok toegediend zouden krijgen, kozen ze ervoor om met de andere deelnemers hun beurt af te wachten, terwijl mannen dat liever alleen deden. Mannen lijken beter in staat om hun emotionele ontreddering te kalmeren door afleiding: tv en een biertje zijn vaak genoeg.

Hoe meer hechte vriendschappen een vrouw heeft, hoe kleiner de kans dat ze fysieke kwalen ontwikkelt bij het ouder worden en hoe vaker ze op latere leeftijd een plezierig leven leidt. De invloed van vriendschap lijkt zo groot, dat geen vrienden hebben waarschijnlijk net zo schadelijk is voor de gezondheid van een vrouw als roken of overgewicht. Zelfs na een grote klap, zoals de dood van de partner, lopen vrouwen met een intieme vriend of vriendin minder kans op nieuwe fysieke kwalen of verlies van hun vitaliteit.

In iedere hechte relatie wordt onze eigen gereedschapskist voor het hanteren van onze emoties, van het zoeken naar troost tot het overdenken van de reden dat we van slag raken, door de ander aangevuld. Die ander kan ons adviseren en bemoedigen, of ons op een meer directe manier helpen door een positieve emotionele besmetting. De blauwdruk voor het vormen van een sterke biologische link met onze naasten ontstaat in de vroege babytijd, in de intieme fysiologie van onze eerste interacties. Deze mechanismen tussen twee breinen vergezellen ons de rest van ons leven en verbinden ons biologische systeem met dat van de mensen aan wie we het meest gehecht zijn.

De psychologie kent een ongelukkige term voor dit samensmelten van twee tot één, namelijk 'wederzijds regulerende psychobiologische eenheid', een radicale ontspanning van de gebruikelijke psychologische en fysiologische grens tussen Ik en Jij, het zelf en de ander.[26] De plooibaarheid van de grenzen tussen mensen die zich verbonden voelen, maakt een wederzijdse coregulatie mogelijk waarbij elk van de twee de biologie van de ander beïnvloedt. Kortom, we helpen (of schaden) elkaar niet alleen emotioneel, maar ook op fysiek niveau. Door jouw vijandigheid schiet mijn bloeddruk omhoog; jouw koesterende liefde zorgt dat hij laag blijft.[27]

Als we een levenspartner, een goede vriend of een warm familielid hebben die ons een veilige basis biedt, beschikken we over een biologische bondgenoot. Gegeven de nieuwe medische inzichten in het belang van relaties voor onze gezondheid, zouden patiënten met een ernstige of chronische ziekte er waarschijnlijk veel baat bij hebben om hun emotionele connecties te stimuleren. Naast de voorgeschreven medische behandeling, zijn biologische bondgenoten een goed medicijn.

Een helende aanwezigheid

In de tijd dat ik op het platteland van India woonde, vele jaren geleden, verbaasde het me dat de ziekenhuizen in het gebied nooit voor eten zorgden voor de patiënten. De reden verbaasde me nog meer: als er een patiënt werd opgenomen, kwam de familie mee. Ze kampeerden in de kamer, kookten en namen een groot deel van de zorg op zich.

Wat fantastisch, dacht ik, dat er dag en nacht mensen bij een patiënt zijn die van hem houden en de emotionele last van het fysieke leed kunnen verlichten. Wat een grimmig contrast met de sociale afzondering die je zo vaak tegenkomt in de westerse medische zorg.

Een medisch systeem dat gebruikmaakt van sociale steun en zorg om de levenskwaliteit van de patiënt te verhogen, zou ook het vermogen van die patiënt om te genezen wel eens kunnen stimuleren. Een patiënt die in een ziekenhuisbed ligt te wachten op een grote operatie, ligt uiteraard alleen maar te piekeren. In iedere situatie is het zo, dat sterke gevoelens gemakkelijk overspringen op een ander, en hoe gespannener en kwetsbaarder iemand is, hoe gevoeliger hij is voor emotionele besmetting.[28] Als de piekerende patiënt een kamer deelt met een ander die ook op het punt staat geopereerd te worden, kunnen de twee elkaar steeds nerveuzer en angstiger maken. Maar als hij een kamer deelt met iemand die al met succes geopereerd is en zich relatief opgelucht en kalm voelt, zal dat een geruststellende emotionele uitwerking hebben.[29]

Toen ik Sheldon Cohen, van het onderzoek naar rhinovirusbesmetting, vroeg wat hij ziekenhuispatiënten aanraadde, vond hij dat ze bewust biologische bondgenoten moesten zoeken. Hij zei bijvoorbeeld dat het de moeite kan lonen om 'nieuwe mensen aan je sociale netwerk toe te voegen, vooral mensen met wie je kunt praten'. Toen een vriend van mij te horen kreeg dat hij aan kanker leed en daar waarschijnlijk aan zou sterven, nam hij een slim medisch besluit: hij zocht een psychotherapeut om mee te praten over de angsten waar hij en zijn gezin mee werden geconfronteerd.

Zoals Cohen me zei: 'Het meest opmerkelijke gegeven over relaties en fysieke gezondheid is, dat sociaal geïntegreerde mensen, die getrouwd zijn, hechte familie- en vriendschapsbanden hebben, tot sociale en religieuze groepen behoren en in al deze netwerken actief participeren, sneller van ziektes herstellen en langer leven. Uit ongeveer achttien onderzoeken komt een sterk verband naar voren tussen sociale contacten en sterftecijfers.'

Het is goed voor onze gezondheid, aldus Cohen, om meer tijd en energie te investeren in de mensen in ons leven met wie we een liefdevolle relatie hebben.[30] Hij dringt er bij patiënten dan ook op aan dat ze het aantal emotioneel toxische interacties terugdringen en het aantal koesterende vergroten.

Ziekenhuizen zouden er beter aan doen de persoonlijke netwerken van patiënten in te schakelen en mensen uit de directe omgeving te leren hoe ze de patiënt kunnen helpen bij het doorvoeren van de noodzakelijke veranderingen in zijn leven, in plaats van dit door een vreemde te laten uitleggen.

Sociale steun mag dan belangrijk zijn voor ouderen en zieken, er zijn ook krachten aan het werk die de vervulling van de behoefte aan warm contact in de weg staan. We moeten vooral niet onderschatten hoe ongemakkelijk en angstig familie en vrienden zich vaak voelen aan een ziekbed. Vooral wanneer de patiënt aan een ziekte lijdt waar een sociaal stigma op rust, of wanneer de patiënt gaat sterven, kunnen mensen die normaliter een hechte band met de zieke hebben het niet altijd opbrengen hulp te bieden of zelfs maar op bezoek te komen.

'De meeste mensen uit mijn omgeving trokken zich terug,' herinnert Laura Hillenbrand zich, de schrijfster die maanden achtereen bedlegerig was vanwege het chronisch vermoeidheidssyndroom. Vrienden vroegen weer aan andere vrienden hoe het met haar ging, maar 'na een of twee beterschapkaartjes hoorde ik niets meer van hen'. Wanneer ze het initiatief nam om oude vrienden op te bellen, waren de gesprekken vaak ongemakkelijk en voelde zij zich achteraf dom dat ze gebeld had.

Maar net als iedereen die door ziekte in een isolement terechtkomt, hunkerde Hillenbrand naar contact, naar een connectie met die verdwenen biologische bondgenoten. Sheldon Cohen zegt dat de wetenschappelijke gegevens 'vrienden en familie van patiënten de duidelijke boodschap geven hen niet te negeren of te isoleren. Zelfs als je niet weet wat je moet zeggen, is het belangrijk dat je blijft langskomen.'

Dat advies is bestemd voor iedereen die van iemand met een ziekte houdt: we kunnen altijd onze liefdevolle aanwezigheid schenken, ook als we geen woorden hebben. Het is opmerkelijk hoe belangrijk het kan zijn om er alleen maar te zijn, zelfs voor patiënten in een vegetatieve toestand met zwaar hersenletsel, die zich totaal niet bewust lijken van wat er tegen hen gezegd wordt en, in medische termen, in een 'toestand van minimaal bewustzijn' verkeren. Wanneer iemand die emotioneel hecht met de patiënt verbonden is, herinneringen ophaalt of hem zachtjes aanraakt, worden bij de patiënt dezelfde hersencircuits actief als bij mensen met onbeschadigde hersenen.[31] Toch lijken ze volkomen onbereikbaar, omdat ze niet in staat zijn om met blikken of woorden te reageren.

Een vriendin vertelde me dat ze toevallig een artikel had gelezen over mensen die hersteld waren van een coma; vaak bleken ze te kunnen horen en begrijpen wat de mensen om hen heen allemaal zeiden, ook al waren ze niet in staat om ook maar een spier te vertrekken. Ze las dat artikel in de bus op weg naar haar moeder, die minimaal bewust was nadat ze gereanimeerd was bij een hartinfarct. Dat inzicht veranderde de manier waarop ze naast het bed van haar langzaam wegdrijvende moeder zat.

Emotionele intimiteit werkt vooral wanneer mensen medisch erg fragiel zijn, als ze een chronische ziekte hebben, als hun immuunsysteem niet goed werkt of als ze erg oud zijn. Dit soort zorgzaamheid is zeker geen panacee, maar kan klinisch een groot verschil uitmaken. Liefde is meer dan een manier om de emotionele toestand van een patiënt te verbeteren: het is een biologisch actief ingrediënt in de medische verzorging.

Om die reden spoort de arts Mark Pettus ons aan om de subtiele boodschappen te leren herkennen waarmee patiënten aangeven dat ze behoefte hebben aan een moment van contact en gehoor te geven aan 'uitnodigingen' in de vorm van 'een traan, een lach, een blik of zelfs stilte'.

Pettus eigen zoontje moest ooit geopereerd worden. Het kind was overweldigd, bang en verward, en omdat hij een ontwikkelingsachterstand had waardoor hij nog niet kon praten, was hij ook niet in staat om te begrijpen wat er aan de hand was.[32] Na de operatie lag het jongetje in het grote ziekenhuisbed met overal slangen in zijn lichaampje: een intraveneus infuus in zijn arm, dat vastgetapet zat aan een stuk board, een slang die door zijn neus naar zijn maag liep, een andere slang die pijnstillers in zijn ruggengraat inbracht en weer een andere die door zijn penis naar zijn blaas liep.

Pettus en zijn vrouw voelden zich doodongelukkig om wat hun kind allemaal moest doorstaan. Toch konden ze aan zijn ogen zien dat ze hem konden helpen met kleine lieve gebaren, geruststellende aanrakingen, warme blikken, er gewoon zijn.

In de woorden van Pettus: 'We spraken de taal van de liefde.'

HOOFDSTUK 18

Menselijkheid op recept

Een arts-assistent in de rugkliniek van een van de beste ziekenhuizen ter wereld was in gesprek met een vrouw van in de vijftig die enorme pijnen leed vanwege ernstige slijtage van de nekwervels. Ze kampte al jaren met het probleem, maar was nooit eerder bij een arts geweest. De chiropractor bij wie ze onder behandeling was, bracht alleen tijdelijke verlichting van haar klachten. De pijn werd langzaam erger en ze was bang.

De vrouw en haar dochter bestookten de arts-assistent met hun vragen, twijfels en angsten. Een minuut of twintig probeerde de arts-assistent hun vragen te beantwoorden en hun angsten weg te nemen, maar hij was daar nog niet echt in geslaagd.

Op dat moment kwam de dienstdoende arts de spreekkamer binnen en beschreef kortaf welke facetgewrichtinjecties ze aanraadde tegen de ontsteking en met welke fysieke therapie ze vervolgens de nekspieren zou moeten stretchen en versterken. De dochter begreep het nut van de behandeling niet en richtte een spervuur van vragen op de arts, die inmiddels was opgestaan en zich naar de deur bewoog.

De dochter negeerde het stilzwijgende signaal van de arts dat het gesprek ten einde liep en bleef de ene vraag na de andere stellen. Nadat de arts de spreekkamer had verlaten, bleef de assistent nog tien minuten praten totdat de patiënt eindelijk toestemming gaf voor de injecties.

Kort daarna nam de arts de arts-assistent apart en zei: 'Dat was erg aardig van je, maar je kunt je geen lange gesprekken met patiënten permitteren. We hebben een kwartier per patiënt en dat is inclusief de tijd die we nodig hebben om aantekeningen te maken. Wacht maar tot je een paar slapeloze nachten aantekeningen hebt moeten maken en dan de volgende dag weer vroeg op moet voor een hele dag op de kliniek. Dan is het zo over.'

'Maar ik vind het contact met patiënten belangrijk,' protesteerde de arts-assistent. 'Ik wil rapport opbouwen en ze echt begrijpen. Het liefst zou ik voor iedereen een half uur uittrekken.'

Daarop sloot de dienstdoend arts enigszins geïrriteerd de deur, zodat ze onder vier ogen verder konden praten. 'Kijk,' zei ze, 'er zaten acht andere patiënten te wachten. Het was egocentrisch van die vrouw om zoveel tijd op te eisen. We hebben gewoon niet meer dan tien minuten per patiënt.'

Vervolgens rekende ze de arts-assistent voor hoeveel patiënten hoeveel geld binnenbrachten en hoeveel van dat geld er als salaris overbleef na aftrek van kosten als belastingen, verzekering voor medische kosten, overhead van het ziekenhuis, enzovoort. Een arts moet zijn patiënten elk jaar 300 000 dollar in rekening brengen om er als salaris 70 000 aan over te houden, zo luidde de boodschap. De enige manier om meer geld te verdienen, is meer patiënten in minder tijd te proppen.

Niemand is blij met de te lange wachttijden en te korte consulten die zo kenmerkend zijn voor de medische zorg. En niet alleen de patiënten lijden onder de boekhoudersmentaliteit die steeds meer vat krijgt op de geneeskunde. Ook artsen klagen dat ze te weinig tijd hebben voor hun patiënten. Het probleem beperkt zich niet tot de Verenigde Staten. Een Europese neuroloog die voor de nationale gezondheidsdienst in zijn land werkt, klaagde: 'Ze behandelen mensen als machines. Wij geven aan welke procedures we wanneer uitvoeren, en zij berekenen dan hoeveel tijd we aan een patiënt mogen besteden. Maar er wordt geen tijd uitgetrokken om met de patiënten te praten, contact te leggen en ze gerust te stellen. Veel artsen voelen zich gefrustreerd. Ze willen de tijd om de patiënt te behandelen, niet alleen de kwaal.'

Een arts krijgt het recept voor een burn-out al uitgeschreven tijdens zijn opleiding, waar hij als coassistent en arts-assistent akelig lange uren moet maken. Tel die enorme werkdruk op bij de medische economie die steeds meer van artsen vergt, en geen wonder dat mensen in deze sector de wanhoop bekruipt. Uit onderzoek blijkt dat minstens 80 tot 90 procent van de praktiserend artsen tekenen van een burn-out vertoont, een stille epidemie.[1] De symptomen zijn duidelijk: werkgerelateerde emotionele uitputting, intense gevoelens van ontevredenheid en een gedepersonaliseerde Ik-Het-houding.

Georganiseerde liefdeloosheid

De patiënte in 4D was opgenomen wegens een multiresistente longontsteking. Gegeven haar gevorderde leeftijd en een reeks andere medische problemen, zag het er somber uit.

In de loop der weken had de vrouw een min of meer vriendschappelijk contact opgebouwd met de nachthulp. Verder kreeg ze nooit bezoek, stond er geen contactpersoon geregistreerd in geval van overlijden en had ze naar men wist geen vrienden of familie. De enige die op bezoek kwam was de nachthulp, als hij zijn ronde maakte, en die bezoekjes beperkten zich tot korte gesprekjes, het enige waartoe ze nog in staat was.

Op een gegeven moment begonnen haar vitale signalen af te nemen. De nachthulp begreep dat de patiënte in 4D op het punt stond te sterven en pro-beerde ieder vrij moment bij haar te zijn. Hij hield haar hand vast in de laat-ste ogenblikken van haar leven.

Hoe reageerde zijn supervisor op dit gebaar van menselijke warmte?

Ze gaf hem een berisping wegens tijdverspilling en zorgde ervoor dat haar klacht werd opgenomen in zijn persoonlijke dossier.

'Onze instellingen zijn georganiseerde liefdeloosheid,' schreef Aldous Huxley ooit zonder omhaal in *The Perennial Philosophy*. Deze uitspraak is van toepassing op ieder systeem dat de mensen die er deel van uitmaken al-leen vanuit een Ik-Het-perspectief benadert. Wanneer mensen behandeld worden als genummerde eenheden, uitwisselbare delen zonder enige per-soonlijke waarde, wordt empathie opgeofferd in de naam van efficiency en rendement.

Een veelvoorkomende situatie geldt bijvoorbeeld de ziekenhuispatiënt die op een röntgenfoto ligt te wachten en te horen krijgt dat hij als eerste aan de beurt is.

Wat ze hem niet vertellen, is dat het ziekenhuis meer geld verdient (al-thans in de Verenigde Staten) aan röntgenfoto's van poliklinische patiënten dan van patiënten die zijn opgenomen, omdat de foto's van die laatsten deel uitmaken van het verzekeringspakket. Het ziekenhuis moet met het geld uit dat pakket de totale behandeling bekostigen. Zo'n röntgenfoto zou het zie-kenhuis dus wel eens geld kunnen kosten.

Patiënten die zijn opgenomen, komen dus als laatste aan de buurt en moe-ten uren, vaak in angst, wachten op procedures waarvoor ze dachten met-een aan de beurt te zijn. Wat nog erger is: voor sommige tests mogen pa-tiënten al vanaf middernacht niet meer eten of drinken; als de test wordt uitgesteld tot de volgende middag, krijgt de patiënt ontbijt noch lunch.

'Onze dienstverlening richt zich op onze inkomsten,' vertelde een zieken-huismanager me. 'We vragen ons niet af hoe wij ons zouden voelen als we daar zaten te wachten. We besteden niet genoeg aandacht aan de verwach-tingen van patiënten, laat staan dat we ernaar handelen. Onze werkzaamhe-den en de informatiestroom zijn gericht op de wensen van de medische staf, niet op die van de patiënten.'

Maar onze kennis over de rol van emoties in onze gezondheid suggereert dat wanneer we patiënten niet als mens behandelen, ook al lijkt dat efficiënt, dat ons een potentiële biologische bondgenoot kost: menselijke betrokken-heid. Ik wil niet zeggen dat we ons allemaal 'soft' moeten gaan gedragen: een compassievolle chirurg moet gewoon snijden en een compassievolle ver-pleegkundige zal gewoon pijnlijke procedures moeten uitvoeren. Toch doen al die ingrepen minder pijn als ze op een aandachtige en liefdevolle manier worden uitgevoerd. Opgemerkt, aangevoeld en met zorg omringd worden, kan onze pijn aanzienlijk verlichten. Ontreddering en afwijzing maken het alleen maar erger.

Als we onze organisaties humaner willen maken, zijn er op twee niveaus veranderingen nodig: in de houding van de zorgverleners en in de basisregels van de instelling, zowel de expliciete als de verborgen. Er zijn meer dan genoeg tekenen dat mensen behoefte hebben aan zo'n verandering.

De erkenning van onze menselijkheid

Laten we een arts nemen, een succesvol hartchirurg, die emotioneel afstandelijk is tegenover zijn patiënten. Niet alleen heeft hij geen compassie, hij behandelt hen zelfs laatdunkend en minachtend. Een paar dagen geleden opereerde hij een man die in opperste wanhoop uit een raam van de vijfde verdieping naar beneden was gesprongen en zichzelf ernstig had verwond. Nu, waar alle coassistenten bij zijn, zegt de arts tegen de patiënt dat hij beter had kunnen gaan golfen als hij zichzelf had willen straffen. De coassistenten lachen, maar het gezicht van de patiënt is vertrokken van pijn en wanhoop.

Een paar dagen later is de chirurg zelf patiënt. Hij heeft last van een kriebel in zijn keel en geeft bloed op. De keelspecialist van het ziekenhuis onderzoekt hem. Hoe langer het onderzoek duurt, hoe meer angst, verwarring, ongemak en desoriëntatie er op het gezicht van de chirurg te lezen is. De keelchirurg zegt aan het einde van het onderzoek dat onze held een gezwel op zijn stembanden heeft, en een biopsie en een aantal andere tests zal moeten ondergaan.

Terwijl ze op weg gaat naar de volgende patiënt, mompelt de keelchirurg nog: 'Wat een drukke dag! Wat een drukke dag!'

Dit verhaal komt van wijlen Peter Frost, een hoogleraar management die een campagne voor medische compassie lanceerde na zijn eigen ervaringen op een oncologische afdeling.[2] Het belangrijkste element dat ontbreekt in dit scenario, aldus Frost, is de erkenning van de menselijkheid van de ander, die vecht voor zijn waardigheid en soms zelfs voor zijn leven.

Die menselijkheid gaat maar al te vaak verloren in de onpersoonlijke machine van de hedendaagse geneeskunde. Sommigen beweren dat deze mechanistische houding leidt tot nodeloos 'iatrogeen lijden', pijn die wordt veroorzaakt doordat het medisch personeel zijn hart thuis laat. Zelfs bij mensen die stervende zijn, veroorzaken ongevoeligheden van de artsen soms meer emotioneel leed dan de ziekte zelf.[3]

Sinds men dit in de gaten heeft, is er een beweging ontstaan voor een 'patiënt'- of 'relatiegerichte' geneeskunde, waarbij de focus van de medische aandacht het diagnostische niveau overstijgt, en zich richt op de patiënt onder behandeling en de relatie tussen arts en patiënt.

De aanzet om de plaats van communicatie en empathie binnen de geneeskunde te verruimen, benadrukt het verschil tussen een houding die men bepleit en de werkelijke praktijk. Het eerste uitgangspunt van de medisch-ethische code van de American Medical Association spoort artsen aan om competente medische zorg te verlenen met de nodige compassie. De meeste geneeskundefaculteiten onderwijzen een module arts-patiëntrelaties; praktiserende artsen en verpleegkundigen krijgen regelmatig een opfriscursus in interpersoonlijke en communicatieve vaardigheden. Toch hoeven artsen in de Verenigde Staten om hun bevoegdheid te verkrijgen pas sinds een paar jaar hun communicatieve vaardigheden met patiënten te demonstreren. —

De impuls tot deze strengere nieuwe standaard is gedeeltelijk defensief van aard. Uit een veelbesproken onderzoek dat in 1997 gepubliceerd werd in het *Journal of the American Medical Association* bleek dat gebrekkige communicatie veel meer dan het daadwerkelijke aantal medische blunders voorspelde of een bepaalde arts aangeklaagd zou worden voor medisch falen.[4]

Patiënten die meer rapport voelden bij hun arts, waren minder snel geneigd tot juridische acties. Het verschil zat hem in kleine dingen. Deze artsen vertelden hun patiënten wat ze van een consult of een behandeling konden verwachten, maakten een praatje, raakten hun patiënten geruststellend aan, kwamen even bij hen zitten en maakten grapjes: humor is een snel en effectief middel om rapport op te bouwen.[5] Bovendien zorgden ze dat patiënten begrepen wat er gezegd was, vroegen ze hun mening, beantwoordden ze vragen en moedigden ze de patiënten aan om te praten. Kortom, ze toonden belangstelling voor de persoon en niet alleen voor de diagnose.

Tijd is een van de belangrijkste ingrediënten in dit soort zorg: de consulten van deze artsen duurden gemiddeld drieënhalve minuut langer dan die van de artsen die meer risico liepen aangeklaagd te worden. Hoe korter het bezoek, hoe groter de kans op een aanklacht. Het kost een paar minuten om rapport op te bouwen en, gezien de groeiende economische druk op artsen om meer patiënten te behandelen in minder tijd, is dat een lastige observatie.

Desalniettemin wint het wetenschappelijke argument voor het opbouwen van rapport aan kracht. Een onderzoeksoverzicht heeft bijvoorbeeld uitgewezen dat patiënten zich vooral tevreden toonden als een arts empathisch was en nuttige informatie gaf.[6] Of patiënten het gevoel hadden dat een boodschap informatief was, was alleen niet zozeer afhankelijk van welke informatie ze van hun arts kregen, als wel van hoe die informatie gebracht werd. Als uit de stem van de arts bleek dat hij emotioneel betrokken was, maakten zijn woorden een waardevollere indruk. Een bonus was, dat hoe tevredener de patiënten waren, hoe beter ze zich de instructies van de arts herinnerden en hoe meer ze zich eraan hielden.[7]

Naast een medisch argument voor het nut van rapport, is er ook zakelijk iets voor te zeggen. In de Verenigde Staten, waar de medische markt steeds competitiever wordt, blijkt uit slotgesprekken met patiënten die besluiten hun behandeling te staken, dat 25 procent vertrekt omdat ze niet blij zijn met 'de manier waarop mijn arts met me communiceert'.[8]

Bij dokter Robin Youngson vond er een transformatie plaats toen zijn dochtertje met een gebroken nek in het ziekenhuis moest worden opgenomen. Negentig dagen lang leefden hij en zijn vrouw in angst, terwijl hun pas vijf jaar oude kind vastgebonden lag aan een bed en alleen maar naar het plafond kon kijken.

Die beproeving inspireerde Youngson, een anesthesist uit Auckland in Nieuw-Zeeland, tot een campagne om de patiëntenrechten in zijn land te veranderen. Hij wilde in de wet laten opnemen dat een patiënt niet alleen recht heeft op waardigheid en respect, maar ook op compassie.

'Het grootste deel van mijn loopbaan als arts,' bekende hij, 'reduceerde ik de mens tegenover mij tot een "fysiologisch preparaat".' Maar die Ik-Het-houding, zo realiseert hij zich nu, gaat ten koste van de mogelijkheid tot een helende relatie. De ziekenhuisopname van zijn dochtertje, zegt hij 'heeft me weer menselijk gemaakt'.

Natuurlijk vind je in ieder medisch systeem mensen met het hart op de juiste plaats, maar de cultuur binnen de geneeskunde zelf staat maar al te vaak uitingen van emotionele betrokkenheid in de weg. Zorgzaamheid valt niet alleen ten slachtoffer aan kosten en tijdsdruk, maar volgens Youngson ook aan 'de disfunctionele denkwijzen en overtuigingen van artsen. Die zijn lineair, reductionistisch, bovenmatig kritisch en pessimistisch, en accepteren geen ambiguïteit. Wij denken dat "klinische afstandelijkheid" de sleutel vormt tot heldere perceptie, en dat is een misvatting.'

Volgens Youngson lijdt zijn professie aan een aangeleerde handicap: 'We zijn onze compassie helemaal kwijtgeraakt.' De grootste vijand, zegt hij, is niet zozeer het hart van individuele artsen en verpleegkundigen: zijn eigen collega's zijn tot alle vriendelijkheid bereid. Het is eerder de onontkoombare druk om zich te verlaten op medische technologie. Voeg daar nog eens de fragmentarisering van de medische zorg aan toe, waarbij patiënten van specialist naar specialist verwezen worden, en de belasting van het verplegend personeel, dat met steeds minder mensen voor steeds meer patiënten moet zorgen. Vaak zijn de patiënten de enigen die nog overzicht hebben over hun medische situatie, of ze daar nu toe in staat zijn of niet.

Het woord 'helen' betekent letterlijk 'heel maken' of 'herstellen'. Helen

heeft een veel ruimere betekenis dan alleen het genezen van ziekte; het impliceert iemand een gevoel van heelheid en emotioneel welzijn terug te geven. Patiënten hebben naast medische zorg ook heling nodig; compassie heelt
zoals geen geneesmiddel of technologie dat kan.

Het stroomschema voor zorgzaamheid

Nancy Abernathy gaf colleges interpersoonlijke vaardigheden en besluitvorming voor eerstejaarsstudenten geneeskunde, toen haar een ramp overkwam:
haar man, net vijftig jaar oud, kreeg tijdens het skiën in de bossen achter hun
huis in Vermont een hartaanval en stierf. Het gebeurde tijdens de kerstva-
kantie.

Met twee tieners om voor te zorgen, worstelde Abernathy zich door het
volgende semester. Ze deelde haar gevoelens met haar studenten. In hun werk
zouden ze tenslotte regelmatig te maken krijgen met familie van gestorven
patiënten.

Op een gegeven moment vertelde Abernathy tijdens het college dat ze op-
zag tegen het volgende jaar, vooral tegen het college waarin iedereen foto's
van zijn familie zou moeten laten zien. Wat zou zij voor foto's meenemen,
vroeg ze zich af, en hoeveel van haar verdriet zou ze delen? Zou ze haar tranen kunnen bedwingen als ze over de dood van haar man moest vertellen?

Ze besloot desondanks het college in het nieuwe jaar gewoon te geven en
nam afscheid van haar huidige studenten.

Na de zomer, op de eerste dag van de gevreesde les, was Abernathy vroeg
in de collegezaal, die al half vol bleek te zitten. Tot haar verrassing waren de
stoelen bezet door studenten uit het voorgaande jaar.

De tweedejaars waren speciaal gekomen om haar tot steun te zijn.

'Dat is nu compassie,' aldus Abernathy, 'een simpele, persoonlijke connectie tussen iemand die lijdt en iemand die bereid is om heling te brengen.'[9]

Zorgverleners dragen niet alleen zorg voor de zieken en zwakken, maar
ook voor elkaar. In iedere zorgverlenende instelling is de onderlinge betrokkenheid van het personeel van invloed op de kwaliteit van de zorg die
men kan verlenen.

Personeelszorg is de volwassen versie van het bieden van een veilige basis.
Je vindt het terug in die kleine, alledaagse interacties die de stemming op de
werkvloer verbeteren, van het bieden van een luisterend oor tot het aanhoren van een klacht, maar ook in respect, een woord van bewondering, een
complimentje en waardering voor het werk dat iemand levert.

Wanneer mensen in de zorgsector van hun collega's of superieuren niet
of nauwelijks het gevoel krijgen dat er een veilige basis is, zijn ze gevoeliger

voor *compassion fatigue*, 'compassiemoeheid'.[10] De knuffel, het luisterend oor en de blik van medeleven zijn stuk voor stuk belangrijk, maar gaan gemakkelijk verloren in de hectische activiteit die zo typerend is voor de zorgsector.

Door zorgvuldige observatie kan deze onderlinge zorgzaamheid in kaart gebracht worden. William Kahn liet drie jaar lang zijn antropologische oog gaan over de dagelijkse uitwisselingen binnen een kleine instantie voor maatschappelijke dienstverlening en verwerkte de resultaten in een stroomschema.[11] De instantie had tot doel om dakloze kinderen te koppelen aan een volwassen vrijwilliger die zou kunnen optreden als vriend, mentor en rolmodel. Net als bij veel non-profitorganisaties was er een tekort aan geld en personeel.

Zorgzame interacties zijn niets bijzonders, ontdekte Kahn; in iedere werkomgeving zijn ze ingebed in de dagelijkse gang van zaken. Toen een nieuwe maatschappelijk werker op een weekbespreking bijvoorbeeld een moeilijk geval voorlegde, was er een meer ervaren collega die aandachtig luisterde, goede vragen stelde, heftige kritiek voor zich hield en zei dat ze erg onder de indruk was van de sensitiviteit van de nieuweling.

Een andere vergadering, waarop de supervisor van de maatschappelijk werkers geacht werd de moeilijke gevallen te bespreken, verliep echter totaal anders. De supervisor negeerde het doel van de bijeenkomst totaal en begon een monoloog over administratieve kwesties die ze veel belangrijker vond.

Ze maakte geen moment oogcontact, maar bleef strak naar haar aantekeningen kijken; ze gaf nauwelijks ruimte voor vragen of opmerkingen, en vroeg de maatschappelijk werkers geen enkele keer naar hun mening. Ze gaf geen blijk van empathie voor de enorme werkdruk van de maatschappelijk werkers en toen iemand haar een vraag stelde over de planning, had ze daar geen antwoord op. Zorgzaamheidsscore: nul.

Hoe verliep de zorgzaamheid nu binnen de organisatie als geheel? Laten we aan de top beginnen: de uitvoerend directeur kon terugvallen op een raad van bestuur die hem enthousiast steunde. De bestuursvoorzitter was het model van een veilige basis. Hij luisterde welwillend naar alle problemen en frustraties van de directeur, bood de hulp en steun aan van de raad van bestuur, en gaf hem de vrijheid om naar eigen inzicht te handelen.

De uitvoerend directeur daarentegen, gaf niets van die zorg aan zijn overbelaste maatschappelijk werkers, die het belangrijkste werk verrichtten. Hij vroeg niet hoe ze zich voelden, sprak nooit een bemoedigend woord en gaf geen enkel blijk van respect voor hun dappere inspanningen. Zijn relatie met hen was emotioneel onvruchtbaar: hij liet zich alleen in uiterst abstracte termen tegen hen uit, en trok zich niets aan van de frustratie en woede die ze lieten blijken als ze daartoe de kans kregen. Er was geen enkele connectie.

De enige ondergeschikte tegenover wie de uitvoerend directeur zich enigszins zorgzaam toonde was de fondsenwerver, en dat was wederzijds. Ze waren elkaars steun en toeverlaat, maar deelden niets van die zorg met anderen in de organisatie.

Paradoxaal genoeg gaf de supervisor van de maatschappelijk werkers, die direct onder de uitvoerend directeur stond, haar baas veel meer steun dan hij haar. Dit soort omgekeerde zorgzaamheid, die alleen van de kant van de ondergeschikte komt, komt opmerkelijk vaak voor. Deze opwaartse beweging doet denken aan de dynamiek in disfunctionele gezinnen, waar de ouders hun verantwoordelijkheden niet nemen en zorg vragen van hun kinderen.

Diezelfde rolomkering vond plaats tussen de supervisor en de maatschappelijk werkers: zij gaf geen zorg, maar vroeg er juist om. Tijdens een vergadering vroeg een maatschappelijk werker bijvoorbeeld aan de supervisor of ze al bij een andere organisatie had nagevraagd hoe ze de formulieren moesten verwerken waarin melding werd gemaakt van kindermishandeling. Haar antwoord luidde dat ze daar nog niet in geslaagd was. Daarop bood een andere maatschappelijk werker aan om de taak van haar over te nemen. De maatschappelijk werkers namen veel van de taken van hun supervisor over, waaronder de planning, en schermden haar af voor hun eigen spanningen.

De meeste zorgzaamheid bestond tussen de maatschappelijk werkers onderling. Emotioneel in de steek gelaten door hun supervisor, geconfronteerd met enorme druk en in een voortdurend gevecht tegen een burn-out, probeerden ze een emotionele cocon rond zichzelf op te bouwen. In vergaderingen waar de supervisor niet bij was, informeerden ze naar elkaars welzijn, luisterden en empathiseerden ze, boden ze emotionele en concrete steun, en hielpen ze elkaar waar nodig uit de brand.

Een groot aantal van de maatschappelijk werkers zei tegen Kahn dat hun bereidheid en vermogen tot actieve zorgverlening in hun werk groter was wanneer ze het gevoel hadden dat er ook zorg voor henzelf was. In de woorden van een van hen: 'Als ik het gevoel heb dat ik hier van waarde ben, stort ik me op de supervisie' van de kinderen die ze onder hun hoede hadden.

Maar al met al hadden de maatschappelijk werkers te kampen met een schrijnend gebrek aan emotioneel evenwicht: ze gaven veel meer dan ze ontvingen. Hun energie raakte uitgeput door het werk met de cliënten, ondanks hun pogingen om elkaar op te peppen. In de loop der maanden sloten de meesten zich emotioneel af van hun werk, kregen een burn-out en vertrokken. In tweeënhalf jaar namen veertien mensen ontslag uit de zes arbeidsplaatsen voor maatschappelijk werk.

Zonder emotionele stimulans raken zorgverleners leeg. Hoe meer mensen in de gezondheidszorg het gevoel hebben dat ze de emotionele steun krijgen die ze nodig hebben, hoe beter ze in staat zijn hun patiënten met diezelfde zorg te omringen. Maar een opgebrande maatschappelijk werker, arts of verpleegkundige heeft geen emotionele hulpbronnen meer om op terug te vallen.

De helers helen

Er bestaat nog een pragmatische reden om compassie in de gezondheidszorg te stimuleren: als het gaat om rendement, de doorslaggevende factor in zoveel organisatorische beslissingen, kun je goed personeel beter behouden. De gegevens zijn ontleend aan een onderzoek naar het 'emotionele werk' dat gedaan wordt door zorgverleners, en met name door verpleegkundigen.[12]

De verpleegkundigen die door hun werk van slag raakten, verloren het gevoel dat ze een roeping hadden en waren ook minder gezond. Bovendien verlangden ze meer dan anderen naar een andere baan. De onderzoekers concludeerden dat de problemen voortkwamen uit de gevoelens van ontreddering die de verpleegkundigen oppikten van hun patiënten. Die negativiteit dreigde door te werken in hun interacties met zowel patiënten als collega's.

Maar als een verpleegkundige een gezonde relatie onderhield met de patiënten en vaak het gevoel had hen op te beuren, had ze daar zelf emotioneel baat bij. Door warmte en affectie te schenken aan de patiënten, hadden de verpleegkundigen minder last van psychologische stress van hun werk. Deze emotioneel beter toegeruste verpleegkundigen waren gezonder en hadden vaker het gevoel betekenisvol werk te doen. Ook verlangden ze veel minder vaak naar een andere baan.

Hoe meer ontreddering een verpleegkundige bij patiënten oproept, hoe meer ze daar zelf last van krijgt; hoe beter ze met de gevoelens van patiënten en hun familie omgaat, hoe beter zij zichzelf voelt. In de loop van een werkdag doet iedere verpleegkundige het ongetwijfeld allebei, maar de onderzoeksgegevens wijzen uit dat ze zichzelf beter voelt naarmate ze anderen vaker een oppepper geeft. En die verhouding tussen positieve en negatieve emotionele interacties heeft de verpleegkundige voor een groot deel in eigen hand.

Een emotionele taak die dikwijls leidt tot het oppikken van onlustgevoelens, is het voortdurend luisteren naar andermans zorgen. Dit probleem, waarbij een hulpverlener zelf overweldigd raakt door het leed van degene die ze probeert te helpen, wordt ook wel *compassion fatigue* (compassiemoeheid) genoemd, zoals we eerder in dit hoofdstuk al zagen. Een oplossing voor de hulpverlener is niet zozeer te stoppen met luisteren, als wel het zoeken van emotionele ondersteuning. In een compassievolle medische omgeving hebben de mensen die het meest direct geconfronteerd worden met de pijn en wanhoop van anderen hulp nodig om dat onvermijdelijke lijden te verwerken, zodat ze emotioneel veerkrachtig blijven. Instellingen moeten ervoor zorgen dat verpleegkundigen en ander personeel zelf genoeg steun krijgen om empathisch te blijven zonder op te branden.

Net als mensen die door hun werk risico lopen om RSI te krijgen, kunnen mensen met stressvol emotioneel werk baat hebben bij regelmatige time-outs van hun hectische werkzaamheden. Maar zulke heilzame onderbrekingen zullen nooit gemeengoed worden, tenzij het emotionele werk van medische hulpverleners door bestuurders op waarde wordt geschat en beschouwd gaat worden als een onontbeerlijk onderdeel van het takenpakket.

Over het algemeen wordt de emotionele component van het werk in de gezondheidszorg niet als 'echt' werk gezien. Zou dat wel het geval zijn, dan zouden zorgverleners beter in staat zijn om hun taak te vervullen. Het directe probleem komt neer op het integreren van dit soort kwaliteiten in de geneeskundige praktijk. Emotioneel werk is in de taakomschrijvingen van zorgverleners niet opgenomen.

Erger nog is dat men in de medische sector geneigd is tot een van de meest voorkomende managementfouten, namelijk wat een cynicus ooit omschreef als de tendens om mensen te promoveren tot op het niveau dat ze het niet meer aankunnen. De kans is groot dat iemand het tot afdelingshoofd of leidinggevende schopt op basis van zijn individuele technische expertise, een briljant chirurg bijvoorbeeld, zonder dat men gekeken heeft naar onontbeerlijke vaardigheden als empathie.

'Wanneer mensen op basis van hun medische expertise en niet op grond van hun sociale vaardigheden tot manager gepromoveerd worden,' aldus Joan Strauss, senior project manager serviceverbetering van Massachusetts General, een befaamd ziekenhuis van de medische faculteit van Harvard, 'hebben ze soms begeleiding nodig. Het kan bijvoorbeeld zijn dat ze niet weten hoe ze mensen op een respectvolle en open manier op hun verantwoordelijkheden moeten wijzen. Ze doen verongelijkt of gedragen zich als Attila de Hun.'

Vergelijkend onderzoek naar uitstekende en middelmatige leidinggevenden heeft uitgewezen dat de vaardigheden waarmee de beste managers in de dienstverlening zich van de slechtste onderscheiden, weinig of niets van doen hebben met medische expertise of technische kennis, maar alles met sociale en emotionele intelligentie.[13] Natuurlijk is medische kennis voor managers in de gezondheidszorg van belang, maar dat is een vaststaand gegeven, een minimumeis die geldt voor iedere werknemer in die sector. Wat leidinggevenden in de medische sector onderscheidt van anderen, ontstijgt die kennis ver en heeft vooral te maken met interpersoonlijke vaardigheden als empathie, conflictbeheersing en *people development*. Een compassievolle geneeskunde heeft zorgzame leiders nodig, die zelf in staat zijn om de medische staf het gevoel te geven dat ze hun werk kunnen doen vanuit een veilige basis.

Helende relaties

Kenneth Schwartz, een succesvolle advocaat uit Boston, was veertig toen bij hem longkanker werd geconstateerd. De dag voordat hij geopereerd zou worden, zat hij te wachten in de overvolle wachtkamer van de opnameafdeling, terwijl zorgelijke verpleegsters gehaast heen en weer liepen.

Na een hele tijd werd hij omgeroepen en nam hij plaats in een spreekkamer voor een voorbereidend gesprek met een verpleegkundige. In eerste instantie leek ze nogal kortaf; Schwartz voelde zich een naamloze patiënt. Maar toen hij haar vertelde dat hij longkanker had, kreeg haar gezicht een zachte uitdrukking. Ze pakte zijn hand vast en vroeg hoe het met hem ging.

Plotseling stapten ze uit hun rol van verpleegkundige en patiënt. Schwartz vertelde haar over Ben, zijn zoontje van twee. Zij vertelde dat haar neefje ook Ben heette. Tegen het einde van het gesprek moest ze de tranen uit haar ogen vegen. Hoewel ze normaliter niet in de operatiekamer kwam, zei ze dat ze hem zou komen opzoeken.

De volgende dag, toen hij in een rolstoel zat te wachten om naar de operatiekamer te worden gebracht, was ze er opeens. Ze pakte zijn hand en wenste hem het allerbeste.

Voor Schwartz was dat de eerste van een reeks compassievolle ontmoetingen met het medisch personeel en die contacten, zoals hij het toen formuleerde 'maakten het ondraaglijke draaglijk'.[14]

Kort voor zijn dood, een paar maanden later, riep Schwartz het Kenneth B. Schwartz Center in het leven aan het Massachusetts General Hospital 'ter stimulering en bevordering van een compassievolle gezondheidszorg' die de patiënten hoop geeft en de zorgverleners ondersteunt, en die bijdraagt aan het genezingsproces.[15]

Het Schwartz Center reikt jaarlijks een prijs uit aan medisch personeel dat zich onderscheiden heeft door zorgzaamheid voor hun patiënten en daardoor als rolmodel kan dienen. Een ander veelbelovend initiatief van het centrum is een variant op de medische 'grote visite', waarbij het personeel op de hoogte wordt gesteld van nieuwe ontwikkelingen op hun vakgebied. In plaats daarvan stellen de 'Schwartz Center Visites' het ziekenhuispersoneel in de gelegenheid om hun zorgen en angsten te delen. De vooronderstelling is dat zorgverleners beter in staat zijn tot persoonlijk contact met hun patiënten wanneer ze meer inzicht krijgen in hun eigen reacties en gevoelens.[16]

'Op onze eerste Schwartz Center Visite,' aldus dokter Beth Lown van het Mount Auburn Hospital in Cambridge, Massachusetts, 'verwachtten we hooguit zestig tot zeventig mensen, wat een prima opkomst is. Maar tot onze stomme verbazing verscheen er maar liefst 160 man. Deze bijeenkomsten sluiten aan op een wezenlijke behoefte om eerlijk met elkaar te praten over hoe het is om dit werk te doen.'

Als vertegenwoordiger van de American Academy on Physician and Patient heeft Lown een uniek perspectief: 'De drijfveer om met mensen te werken, waardoor zovelen besluiten om arts te worden, wordt langzaam verdrongen door de ziekenhuiscultuur: een biomedische oriëntatie die drijft op technologie en erop gericht is patiënten zo vlug mogelijk te behandelen. De vraag is niet of empathie te leren valt, maar: Wat doen we dat studenten hun empathie verliezen?'

Dat een evaluatie van iemands interpersoonlijke vaardigheden nu deel uitmaakt van het artsexamen getuigt van het belang dat men tegenwoordig hecht aan kwaliteiten als de opbouw van rapport. De evaluatie richt zich onder andere op het medisch vraaggesprek, dat een arts in de loop van zijn carrière gemiddeld ongeveer tweehonderdduizend keer zal voeren.[17] Dit gesprek is de beste gelegenheid voor arts en patiënt om een goede werkrelatie op te bouwen.

Het altijd analytische medische denken heeft het patiëntengesprek in zeven afzonderlijke stukken opgedeeld, van het openen van het gesprek via het verzamelen en delen van informatie tot het maken van een behandelplan. De richtlijnen voor het gesprek leggen niet de nadruk op de medische aspecten, die als vanzelfsprekend gelden, maar op de menselijke kant.

Artsen worden bijvoorbeeld aangespoord om een patiënt in eerste instantie te laten uitspreken en niet vanaf de eerste paar seconden het gesprek te domineren. Het is de bedoeling dat de arts alle vragen en zorgen van de patiënt aan het licht brengt. Artsen moeten persoonlijk contact maken en begrijpen hoe de patiënt tegen zijn ziekte en behandeling aankijkt. Met andere woorden: ze moeten empathie tonen en rapport opbouwen.

Deze vaardigheden, aldus Lown, 'zijn te leren, maar net als iedere andere klinische vaardigheid zullen ze geoefend en ontwikkeld moeten worden'. En als we dat doen, beweert ze, zullen artsen niet alleen efficiënter worden, maar zullen patiënten ook beter meewerken en meer tevreden zijn over de zorg die ze ontvangen.

Een paar maanden voor zijn dood schreef Kenneth Schwartz in meer directe termen: 'Kleine gebaren van medemenselijkheid voelden veel heilza-

mer dan de bestralingen en chemotherapie, die nog hoop boden op genezing. Ik geloof niet dat hoop en troost alléén kanker kunnen genezen, maar
voor mij heeft het heel veel betekend.'

DEEL ZES

SOCIALE IMPLICATIES

HOOFDSTUK 19

De prikkel van succes

Je bent op weg naar je werk. Innerlijk bereid je je voor op een belangrijk gesprek met een collega en zo nu en dan bedenk je dat je dit keer bij het stoplicht naar links moet in plaats van naar rechts, zoals gewoonlijk, omdat je je pak naar de stomerij moet brengen.

Plotseling komt er van achteren een ambulance met gillende sirenes op je af. Je trapt het gaspedaal in om ruimte te maken. Je voelt je hart razen.

Je probeert weer aan het gesprek te denken, maar je bent je concentratie kwijt en krijgt je gedachten niet op een rijtje. Eenmaal op je werk, realiseer je je geïrriteerd dat je vergeten bent om je pak naar de stomerij te brengen.

Dit scenario komt niet uit een of ander managementboekje, maar uit het wetenschappelijk tijdschrift *Science*. Het is het begin van het artikel 'The Biology of Being Frazzled' (de biologie van verwarring).[1] Het artikel geeft een opsomming van de effecten van lichte verwarring op ons denken en presteren, die veroorzaakt wordt door alledaagse beslommeringen.

Verwarring is een neurale toestand waarin emotionele oprispingen het functioneren van het controlecentrum belemmeren. Als we verward zijn, kunnen we ons niet concentreren of helder denken. Die neurale waarheid heeft rechtstreekse gevolgen voor het bereiken van een optimale emotionele atmosfeer in zowel het klaslokaal als op de werkvloer.

Vanuit het perspectief van onze hersenen is succes op school en op het werk afhankelijk van een en dezelfde toestand: het 'lekkere plekje' in het brein voor prestatie. De biologie van angst sluit die zone voor uitmuntendheid af.

'Weg met angst', was de slogan van de inmiddels overleden kwaliteitscontrolegoeroe W. Edwards Deming. Hij zag dat angst een verlammend effect heeft op de werkvloer. Werknemers deden hun mond niet open, wisselden geen ideeën uit, werkten niet goed samen en waren totaal niet in staat om de kwaliteit van hun productie te vergroten. De slogan geldt ook in het klaslokaal: angst zaait verwarring in ons denken en verstoort ons leren.

De basale neurologie van verwarring weerspiegelt het plan dat ons lichaam heeft klaarliggen voor noodgevallen. Wanneer we onder druk staan, komt de HPA-as in actie en bereidt het lichaam voor op een crisis. Een van de biologische manoeuvres is dat de amygdala de prefrontale cortex rekruteert, het controlecentrum van de hersenen. Deze machtsovername van de lage route geeft voorrang aan automatismen, daar de amygdala om ons te redden de toevlucht neemt tot vaste responsen. Het denkende brein wordt zolang buiten spel gezet: de hoge route is te langzaam.[2]

Wanneer het brein de besluitvorming overdraagt aan de lage route, denken we minder goed. Hoe intenser de druk, hoe meer ons prestatievermogen en ons denken daaronder lijden.[3] Een dominante amygdala beperkt ons leervermogen, het vasthouden van informatie in het werkgeheugen, de flexibiliteit en creativiteit van onze reacties, het bewust richten van onze focus, en ons vermogen om efficiënt te plannen en te organiseren. We vallen ten prooi aan wat neurowetenschappers 'cognitieve disfunctie' noemen.[4]

'De ergste periode die ik ooit op mijn werk heb meegemaakt,' vertelde een vriend, 'was toen het bedrijf ging reorganiseren en er elke dag mensen "verdwenen", waarna er weer een leugenachtige memo volgde waarin stond dat ze om "persoonlijke redenen" ontslag hadden genomen. Niemand kon zich concentreren zolang die angst in de lucht hing. Er kwam nauwelijks iets uit onze handen.'

En dat is niet gek. Hoe angstiger we ons voelen, hoe gebrekkiger de cognitieve efficiëntie van ons brein. In deze zone van mentale ellende dringen zich allerlei gedachtes op die onze aandacht gevangen houden en onze cognitieve vermogens aantasten. Daar sterke angst onze aandachtsspanne reduceert, ondermijnt het ons vermogen om nieuwe informatie op te nemen, laat staan frisse ideeën te genereren. Bijna-paniek staat op voet van oorlog met ons leervermogen en onze creativiteit.

De neurale snelweg voor neerslachtigheid loopt van de amygdala naar de rechterkant van de prefrontale schors. Wanneer dit circuit actief wordt, fixeren onze gedachten zich op de oorzaak van de ontreddering. En naarmate we meer in beslag genomen worden door zorgen of rancune, verliezen we onze mentale scherpte. Als we verdrietig zijn, daalt de activiteit in de prefrontale schors en genereren we minder gedachten.[5] Uitzonderlijke angst en woede enerzijds, en verdriet anderzijds, maken onze hersenactiviteit minder effectief.

Verveling benevelt het brein met een geheel eigen vorm van inefficiëntie. Als onze gedachten afdwalen, verliezen we onze focus en verdwijnt onze motivatie. Bij iedere vergadering die te lang duurt (en dat geldt voor de meeste) verraden de lege ogen van de mensen die rond de tafel gevangenzitten deze innerlijke afwezigheid. En we kunnen ons allemaal dagen van pure verveling herinneren uit onze studententijd, waarop we alleen maar afwezig uit het raam staarden.

Een optimale toestand

Een middelbare schoolklas speelt een spelletje met kruiswoordpuzzels. De leerlingen werken in paren. Beide partners hebben dezelfde puzzel, maar die van de een is ingevuld en die van de ander is blanco. De opdracht luidt: help je partner de ontbrekende woorden te vinden door aanwijzingen te geven. En omdat dit een les Spaans is, moeten die aanwijzingen in het Spaans zijn, net als de woorden die geraden moeten worden.

De leerlingen gaan zo op in het spel, dat ze niet eens horen dat de bel het eind van de les aankondigt. Niemand staat op; iedereen wil aan zijn puzzel blijven werken. Het is geen toeval dat wanneer de kinderen de volgende dag een opstel in het Spaans moeten schrijven waarin de puzzelwoorden verwerkt zijn, ze hun nieuwe vocabulaire uitstekend blijken te begrijpen. De leerlingen hadden plezier in het leren en hebben het geleerde goed onder de knie. Deze ogenblikken van totale absorptie zouden wel eens kenmerkend kunnen zijn voor het optimale leerproces.

Dan nu een les Engels: het onderwerp van de dag is het gebruik van komma's. Een van de leerlingen is zo verveeld, dat ze voorzichtig een catalogus van een kledingzaak uit haar tas haalt. Het is alsof ze van de ene zaak in het winkelcentrum naar de andere loopt.

Onderwijsdeskundige Sam Intrator heeft een jaar lang lessen aan middelbare scholen geobserveerd.[6] Telkens wanneer hij een moment van absorptie signaleerde, zoals met de kruiswoordpuzzels in de Spaanse les, vroeg hij de leerlingen later naar wat ze op dat moment dachten en voelden.

Als de meeste leerlingen zeiden dat ze volkomen opgingen in wat er onderwezen werd, noemde hij dat moment 'geïnspireerd'. De geïnspireerde leermomenten hadden een aantal actieve ingrediënten gemeen: een effectieve combinatie van volledige aandacht, enthousiaste belangstelling en positieve emotionele intensiteit. Leerplezier ontstaat op deze momenten.

Plezierige ogenblikken als deze, zegt Antonio Damasio, neurowetenschapper aan de Universiteit van Southern Carolina, wijzen op 'een optimale fysiologische coördinatie en een soepel verloop van de dagelijkse handelingen.' Damasio, een van 's werelds meest vermaarde neurowetenschappers, verricht al sinds jaar en dag baanbrekend werk door resultaten uit de hersenwetenschap te koppelen aan de menselijke ervaring. Damasio beweert dat een toestand van vreugde ons niet alleen helpt de dagelijkse routine te overleven, maar ook zorgt dat we opbloeien, een prettig leven leiden en ons goed voelen.

Opgewektheid, zo merkt hij op, maakt dat we 'gemakkelijker handelen'. Ons functioneren is harmonieuzer, waardoor we ons sterker en vrijer voelen in alles wat we doen. Binnen de cognitiewetenschap, zegt Damasio, zijn er in het onderzoek naar de neurale netwerken achter ons mentale functioneren vergelijkbare omstandigheden ontdekt die men 'maximale harmonieuze bewustzijnstoestanden' noemt.

Wanneer we geestelijk die innerlijke harmonie bereiken, zijn gemak, efficiëntie, snelheid en kracht op hun top. We ervaren die momenten met een lichte opwinding. Brain-imagingonderzoek laat zien dat vooral de prefrontale schors, het middelpunt van de hoge route, actief is wanneer mensen zich in zo'n toestand van opgewektheid bevinden.

Verhoogde prefrontale activiteit stimuleert mentale vermogens als creatief denken, cognitieve flexibiliteit en informatieverwerking.[7] Zelfs artsen, die toonbeelden van rationaliteit, denken helderder als ze in een goede bui zijn. Radiologen (die röntgenfoto's lezen om artsen te helpen een diagnose te stellen) werken sneller en accurater als hun stemming een kleine oppepper heeft gekregen. Bovendien nemen ze in hun diagnostische aantekeningen dan meer goede suggesties op voor verdere behandeling en bieden ze vaker aan om de zaak nog eens uitgebreider te onderzoeken.[8]

Een omgekeerde U

Als we de relatie tussen mentaal vernuft (en prestaties in het algemeen) en het spectrum aan stemmingen in een grafiek verwerken, ontstaat er iets wat lijkt op een omgekeerde U met enigszins gespreide poten. Vreugde, cognitieve efficiëntie en uitstekende prestaties bevinden zich op de top van de omgekeerde U. Aan de onderkant van de ene poot ligt verveling, onder aan de andere poot angst. Hoe apathischer of angstiger we ons voelen, hoe slechter we presteren, of we nu een scriptie schrijven of een memo op kantoor.[9]

We worden opgetild uit de mist van onze verveling zodra een uitdaging onze belangstelling wekt. Onze motivatie stijgt en we focussen onze aandacht. We leveren een maximale cognitieve prestatie wanneer zowel onze motivatie als onze focus een piek bereikt, op het punt waar de moeilijkheid van de taak en ons vermogen om die taak te vervullen elkaar raken. Op het omslagpunt vlak na dit hoogtepunt van cognitieve efficiëntie, begint de uitdaging onze vermogens te boven te gaan en komen we op de omlaag lopende poot van de omgekeerde U terecht.

We proeven paniek zodra we ons bijvoorbeeld realiseren dat we het werk aan die scriptie of memo te lang voor ons uitgeschoven hebben. Vanaf dat punt breekt onze groeiende angst onze cognitieve efficiëntie af.[10] Naarmate onze taken moeilijker worden en de uitdaging ons overweldigt, neemt de activiteit van de lage route toe. Op de hoge route slaat de verwarring toe en het brein geeft de teugels uit handen aan de lage route. Deze neurale machtsver-

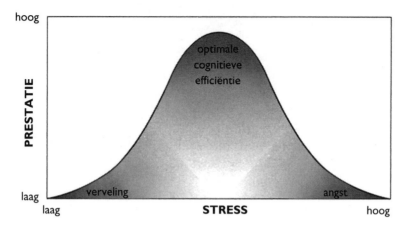

Een omgekeerde U geeft een grafische weergave van de relatie tussen stressniveau en mentale prestaties als leren of besluitvorming. De stress is afhankelijk van
de uitdaging; aan de lage kant veroorzaakt een geringe uitdaging verveling en desinteresse. Naarmate de uitdaging groeit, groeien ook de belangstelling, aandacht
en motivatie. Als die een optimaal niveau bereiken, zorgen ze voor een maximale cognitieve efficiëntie en resultaat. Naarmate de uitdaging onze vermogens te
boven gaat, intensiveert de stress; in het uiterste geval blijft er van onze prestaties en leervermogen niets over.

schuiving van de hoge naar de lage route is verantwoordelijk voor de vorm
van de omgekeerde U.[11]

De omgekeerde U weerspiegelt de impact van twee verschillende neurale systemen op leervermogen en prestaties. Beide nemen in kracht toe
naarmate onze groeiende aandacht en motivatie de activiteit van het glu-
cocorticoïdesysteem stimuleren; een gezonde cortisolspiegel geeft ons de
energie om in actie te komen.[12] Een positieve stemming prikkelt het lichte
tot gemiddelde cortisolniveau dat geassocieerd wordt met betere leerprestaties.

Maar als de stress blijft klimmen na dat optimale punt waarop mensen op
hun best leren en presteren, scheidt een tweede neuraal systeem de grote hoeveelheden norepinefrine uit die kenmerkend zijn voor pure angst.[13] Vanaf
dit punt (het begin van de neerwaartse beweging die uitmondt in paniek)
geldt dat hoe verder de stress escaleert, hoe slechter onze mentale efficiëntie
en prestaties worden.

Bij sterke angst scheidt het brein hoge concentraties cortisol en norepinefrine af, die het soepel functioneren van de neurale mechanismen voor leren en geheugen saboteren. Wanneer deze stresshormonen een kritiek niveau bereiken, stimuleren ze de amygdala, maar verzwakken ze de prefrontale

gebieden, die hun vermogens verliezen aan door de amygdala aangedreven impulsen.

Zoals iedere student weet die gemerkt heeft dat hij harder ging werken naarmate het tentamen dichterbij kwam, vergroot een lichte druk onze motivatie en focus. Tot op zekere hoogte groeit onze selectieve aandacht naarmate de druk wordt opgevoerd door een naderende deadline, de blik van de docent of een uitdagende opdracht. Als onze aandacht toeneemt, functioneert ons werkgeheugen met grotere cognitieve efficiëntie tot op het punt dat onze mentale flair een hoogtepunt bereikt.

Vlak na die optimale toestand is er echter een omslagpunt waarop de uitdaging groter wordt dan we aankunnen. Vanaf hier begint een groeiende angst onze cognitieve efficiëntie te ondermijnen. In deze zone van rampzalige prestaties hebben leerlingen met angst voor wiskunde minder aandacht over om een vraagstuk op te lossen, om maar een voorbeeld te noemen. Hun angstig gepieker neemt aandachtsruimte in beslag die ze hard nodig hebben om vraagstukken te beantwoorden of nieuwe concepten te begrijpen.[14]

Dit hele proces heeft directe gevolgen voor onze prestaties op school of op ons werk. Wanneer we van slag zijn, kunnen we niet helder denken en zijn we zelfs geneigd onze belangstelling te verliezen voor dingen die we graag willen bereiken.[15] Psychologen die het effect van stemmingen op het leervermogen bestudeerd hebben, concluderen dat leerlingen maar een fractie van de informatie opnemen die ze gepresenteerd krijgen wanneer ze tijdens de les niet gelukkig en aandachtig zijn.[16]

Die negatieve gevolgen gelden ook voor docenten en leidinggevenden. Onaangename gevoelens gaan ten koste van empathie en betrokkenheid. Managers die een slechte bui hebben, geven bijvoorbeeld meer negatieve kritiek doordat ze zich vooral op zwakke punten concentreren en ze zijn het vaker niet eens met de gang van zaken.[17] Hetzelfde geldt ongetwijfeld voor docenten.

De hoge route functioneert het best bij een gemiddeld tot stimulerend stressniveau, terwijl de lage route het overneemt als de druk extreem wordt.[18]

Een neurale sleutel tot ons leervermogen

We zijn in een scheikundeles op de middelbare school en de spanning is voelbaar. De leerlingen zitten op het puntje van hun stoel omdat ze weten dat de docent hen ieder moment voor het bord kan roepen om het antwoord te berekenen op een ingewikkeld chemisch vraagstuk. Alleen slimme scheikundigen in de dop zijn in staat om de vragen op te lossen. Voor hen is het een moment van trots; bij de anderen overheerst schaamte.

De soort stress met de grootste uitwerking op de stresshormonen, die de cortisolspiegel omhoogjaagt, ligt vooral op de loer in het klaslokaal, in de vorm van sociale dreigingen zoals het oordeel van de docent of een 'domme' indruk maken op de andere leerlingen. Dit soort sociale angsten hebben een sterk remmende werking op de hersenmechanismen van ons leervermogen.[19]

Mensen verschillen in het punt waarop de U omslaat. De leerlingen die de meeste stress kunnen verdragen zonder dat het de vermogens van de hoge route aantast, zullen voor het bord onverstoorbaar zijn, of ze de vraag nu goed of fout beantwoorden. (Eenmaal volwassen doen ze het ongetwijfeld goed als handelaar op Wall Street, waar je in een oogwenk een fortuin kunt winnen of verliezen.) Leerlingen die ontvankelijk zijn voor HPA-prikkeling zullen zelfs bij lichte ontreddering al mentaal dichtklappen, en als ze zich niet op de scheikundeles hebben voorbereid of moeilijk leren, levert de gang naar het bord hun alleen maar ellende op.

De hippocampus, in de middenhersenen vlak bij de amygdala, is het belangrijkste orgaan voor ons leervermogen. Dit hersengebied stelt ons in staat om de inhoud van het 'werkgeheugen' (nieuwe informatie die korte tijd wordt vastgehouden in de prefrontale schors) op te slaan voor de lange termijn. Deze neurale activiteit vormt de kern van het leerproces. Vanaf het moment dat we de nieuwe informatie uit het werkgeheugen verbinden met wat we al weten, kunnen we de nieuwe inzichten weken of jaren later weer oproepen.

Alles wat een leerling in de les te horen krijgt of wat hij leest in een boek beweegt zich via deze paden. Van alles wat we in dit leven meemaken, bepaalt de hippocampus of we het zullen onthouden. Het bewaren van herinneringen brengt een koortsachtige neurale activiteit met zich mee. Het is zelfs zo dat het grootste deel van de neurogenese (de productie van nieuwe neuronen in het brein en het tot stand brengen van verbindingen met andere neuronen) plaatsvindt in de hippocampus.

De hippocampus is bijzonder gevoelig voor onafgebroken emotionele spanning, vanwege de schadelijke effecten van cortisol. Onder voortdurende stress valt cortisol de neuronen van de hippocampus aan. Het remt de snelheid waarmee nieuwe neuronen toegevoegd worden of reduceert zelfs het totale aantal neuronen, met desastreuze gevolgen voor het leervermogen. Het daadwerkelijk afsterven van neuronen in de hippocampus gebeurt bij aanhoudend hoge concentraties cortisol, bijvoorbeeld onder invloed van een zware depressie of een diep trauma. (Bij herstel krijgt de hippocampus er echter weer nieuwe neuronen bij en wordt weer groter.)[20] Zelfs bij minder extreme stress lijken langere periodes waarin de cortisolconcentatie hoog is deze neuronen te schaden.

Cortisol zit de hippocampus dwars, maar stimuleert juist de amygdala.

Het dwingt ons onze aandacht te richten op onze emoties, terwijl ons vermogen om nieuwe informatie op te nemen wordt beperkt. In plaats daarvan slaan we de herinnering op aan wat ons overstuur heeft gemaakt. Een dag nadat een leerling in paniek is geraakt bij een plotselinge overhoring, zal hij zich de details van die paniek veel beter herinneren dan de inhoud van de vragen.

Voor een simulatie van de impact van cortisol op het leervermogen lieten studenten zich vrijwillig injecteren om hun cortisolspiegel te verhogen. Daarna moesten ze een aantal woorden en beelden uit het hoofd leren. Het resultaat weerspiegelde de omgekeerde U: in lichte tot gemiddelde hoeveelheden hielp cortisol de studenten onthouden wat ze bestudeerd hadden, zo bleek twee dagen later uit een test. Maar als de cortisol een extreem niveau bereikte, konden ze zich de stof minder makkelijk herinneren, waarschijnlijk wegens de remmende werking ervan op de cruciale functie van de hippocampus.[21]

Dit alles heeft vergaande implicaties voor de sfeer die in een klas moet heersen om het leerproces te bevorderen. Zoals we hebben gezien, beïnvloedt de sociale omgeving de snelheid waarmee nieuwe hersencellen gevormd worden en de plaats waar ze terechtkomen. Nieuwe cellen hebben een maand nodig om tot wasdom te komen en vervolgens nog eens vier maanden om zich volledig met andere neuronen te verbinden; tijdens deze periode is de omgeving gedeeltelijk bepalend voor de uiteindelijke vorm en functie van de cel. De nieuwe geheugencellen die in de loop van een semester ontstaan, zullen dat wat in die periode geleerd is in hun verbindingen coderen; en hoe stimulerender de omgeving is voor ons leervermogen, hoe beter de codering.

Emotionele ontreddering is dodelijk voor ons leervermogen. Bijna een halve eeuw geleden, in 1960, toonde Richard Alpert, toen nog verbonden aan Stanford University, in een inmiddels klassiek experiment aan wat iedere student allang wist: dat grote nervositeit ten koste gaat van ons vermogen om een test af te leggen.[22] Uit een meer recent onderzoek, onder universitaire studenten die een wiskundetentamen moesten maken, bleek dat de studenten 10 procent beter scoorden wanneer ze dachten dat het om een oefententamen ging, dan wanneer ze dachten dat ze deel uitmaakten van een team dat een geldprijs kon winnen als zij goed scoorden: de sociale stress tastte hun werkgeheugen aan. Opmerkelijk was, dat deze aantasting vooral gold voor de slimste studenten.[23]

Voor een onderzoek werd een groep zestienjarigen die bij een nationale test in wiskundig inzicht tot de beste 5 procent behoorde, nader bekeken.[24] Een aantal van hen deed het ook in de wiskundeles op school uitstekend, maar anderen deden het ondanks hun aanleg juist heel matig. Het cruciale verschil was, dat de leerlingen die goed presteerden vaker (ongeveer 40 procent van de tijd) geconcentreerd en met plezier zaten te werken dan dat ze nerveus waren (ongeveer 30 procent van de tijd). De leerlingen die slecht presteerden, verkeerden slechts 16 procent van de tijd in zo'n optimale toestand en waren 55 procent van de tijd enorm nerveus.

Gezien het effect van emoties op onze prestaties hebben docenten en leidinggevenden één belangrijke emotionele taak: zorgen dat mensen op de top van die omgekeerde U terechtkomen en daar nooit te ver van verwijderd raken.

Macht en emotionele flow

Telkens wanneer in een vergadering de malaise dreigde toe te slaan, plaatste de directeur van het bedrijf plotseling een aantal kritische opmerkingen aan het adres van iemand aan tafel. Meestal was dat het hoofd marketing, die tevens zijn beste vriend was. Als alle ogen weer op hem gericht waren, ging hij snel verder waar hij gebleven was. Die tactiek om iedereen weer bij de les te krijgen, werkte altijd. Zodra de aanwezigen in verveling vervielen, leidde de directeur hen weer naar de hogere regionen van de omgekeerde U.

Uitingen van ongenoegen door een leidinggevende maken gebruik van emotionele besmetting. Mits bekwaam uitgevoerd, kan zelfs een uitbarsting van wrevel ondergeschikten prikkelen tot aandacht en motivatie. Veel effectieve leidinggevenden voelen aan dat goed gedoseerde irritatie energie kan geven, terwijl een overdosis juist verlammend werkt. Of een blijk van ongenoegen goed geplaatst is, zou je kunnen bepalen op grond van het effect: motiveert het mensen tot een topprestatie of schieten ze voorbij het omslagpunt de zone in waar ontreddering het prestatievermogen gaat overheersen?

Niet alle emotionele partners zijn gelijk. Bij emotionele besmetting is er sprake van een machtsdynamiek die bepaalt wiens brein het best in staat is om de ander in zijn emotionele wereld te betrekken. Emoties bewegen zich met extra kracht van een sociaal meer dominante naar een minder dominante persoon.

Een van de redenen daarvoor is dat mensen in een groep vanzelf meer aandacht besteden en meer waarde hechten aan wat de machtigste persoon binnen de groep zegt en doet. Hierdoor wint de emotionele boodschap van de leider aan kracht, en dus aan besmettelijkheid. Zoals ik het hoofd van een kleine organisatie ooit eens meesmuilend hoorde zeggen: 'Als ik overloop van woede, pikken anderen dat even gemakkelijk op als een griepje.'

De emotionele toon van een leidinggevende kan een onverwacht krachtige invloed hebben. Een manager die vol warmte slecht nieuws bracht (teleurstelling dat een werknemer bepaalde doelstellingen niet had gehaald), gaf

mensen een positief gevoel over de interactie. Goed nieuws dat zonder enige emotie werd gebracht (genoegen over het halen van bepaalde doelstellingen), gaf mensen daarentegen juist een rotgevoel.[25]

Deze emotionele invloed werd getest door vijfenzestig hoofden van gele-
genheidsteams in een goede of slechte bui te brengen en vervolgens te kijken wat de emotionele impact was op hun team.[26] Teamleden met een opgewekt teamhoofd vertelden dat hun stemming beter was. Belangrijker nog
was dat ze hun werk beter coördineerden en meer gedaan kregen met minder inspanning. Teamleden met een knorrig teamhoofd waren daarentegen
niet op elkaar afgestemd en daardoor inefficiënt. Erger was dat hun panie-
kerige pogingen om de leidinggevende te plezieren leidden tot slechte beslissingen en gebrekkige strategische keuzes.

Terwijl kundig geformuleerd ongenoegen van hogerhand een effectieve
stimulans kan zijn, leidt fulmineren als managementtactiek tot niets. Wanneer leidinggevenden vaak hun toevlucht nemen tot uitingen van ontevredenheid om hun ondergeschikten te motiveren, wordt er schijnbaar harder
gewerkt, maar is het resultaat niet altijd beter van kwaliteit. Bovendien heeft
dat voortdurende ongenoegen een slechte uitwerking op het emotionele klimaat, wat weer ten koste gaat van onze mentale vermogens.

Zo bezien komt leiderschap neer op een reeks sociale uitwisselingen waarin de leidinggevende de emoties van de anderen in positieve of negatieve zin
kan beïnvloeden. In uitwisselingen van hoge kwaliteit is de ondergeschikte
zich bewust van de aandacht, empathie, steun en positiviteit van de leidinggevende. In kwalitatief zwakke interacties voelt hij zich geïsoleerd en bedreigd.

Het overslaan van de stemming van leidinggevenden op ondergeschikten
is karakteristiek voor iedere relatie waarin de ene persoon macht heeft over
de andere, zoals die tussen leraar en leerling, arts en patiënt, en ouder en
kind. Ondanks het machtsverschil zijn al die relaties in potentie verrijkend:
ze kunnen bijdragen aan de groei, opleiding of genezing van de minder machtige persoon.

Nog een overtuigende reden voor leidinggevenden om op hun woorden
te letten tegenover werknemers: mensen herinneren zich negatieve interacties met hun baas levendiger, in meer detail en vaker dan positieve. Het gemak waarmee een leidinggevende een gebrek aan motivatie kan verspreiden,
maakt het van nog groter belang dat hij zich zó gedraagt, dat hij vooral positieve emoties genereert.[27]

Zo'n gevoelloze houding brengt niet alleen het risico met zich mee dat
goed personeel vertrekt, het torpedeert ook de cognitieve efficiëntie. Een sociaal intelligente leidinggevende helpt mensen omgaan met emotionele ontreddering. Alleen al vanuit zakelijk oogpunt kan een leidinggevende beter

met empathie, dan met onverschilligheid reageren, en daar ook naar handelen.

Bazen: helden en schurken

Iedereen die werkt kan zich probleemloos twee soorten bazen herinneren: iemand voor wie ze graag werkten en iemand die ze vreselijk vonden. Ik heb tientallen groepen om lijstjes gevraagd, van algemeen directeuren tot docenten op middelbare scholen, in steden als São Paulo, Brussel en St. Louis. De lijstjes bleken allemaal sterk op het onderstaande lijstje te lijken, onafhankelijk door wie of waar ze waren opgesteld:

Goede baas	Slechte baas
Luistert goed	Blinde muur
Stimulerend	Twijfelaar
Communicatief	Gesloten
Moedig	Intimiderend
Gevoel voor humor	Slecht gehumeurd
Empathisch	Egocentrisch
Besluitvaardig	Besluiteloos
Verantwoordelijkheidsgevoel	Beschuldigend
Bescheiden	Arrogant
Deelt zijn autoriteit	Achterdochtig

De beste bazen zijn betrouwbaar, empathisch en betrokken. Ze geven ons een gevoel van rust, waardering en inspiratie. De slechtste zijn afstandelijk, moeilijk en arrogant. Bij hen voelen we ons in het beste geval ongemakkelijk en in het slechtste rancuneus.

Die lijst met contrasterende eigenschappen is waarschijnlijk ook van toepassing op ouders, met links degenen die zelfverzekerdheid stimuleren en rechts degenen die angst oproepen. De emotionele dynamiek van het werken met ondergeschikten vertoont veel overeenkomsten met ouderschap. Onze ouders geven vorm aan onze fundamentele blauwdruk voor een veilige basis, maar in de loop van ons leven leveren ook anderen een bijdrage. Op school zijn dat onze docenten, op de werkvloer is dat onze baas.

'Een veilige basis is een bron van bescherming, energie en comfort die ons in staat stelt om onze eigen energie vrij te maken,' aldus George Kohlrieser. Kohlrieser, psycholoog en managementdocent aan het International Institute for Management Development in Zwitserland, heeft opgemerkt dat het om goed te kunnen presteren van doorslaggevend belang is om een veilige basis te hebben op het werk.

Een gevoel van veiligheid, zo beweert Kohlrieser, maakt dat iemand zich beter op zijn taken kan concentreren, doelstellingen haalt, en obstakels opvat als uitdagingen en niet als bedreigingen. Angstige mensen maken zich daarentegen veel vaker druk over mogelijke mislukkingen, uit angst om afgewezen of verlaten (in deze context: ontslagen) te worden, en spelen daarom vaker op veilig.

Mensen die het gevoel hebben dat hun baas een veilige basis biedt, heeft Kohlrieser gemerkt, voelen zich vrijer om dingen te onderzoeken, speels te zijn, risico's te nemen, innovatief te zijn en nieuwe uitdagingen aan te gaan. Een ander zakelijk voordeel: als leidinggevenden die voor vertrouwen en veiligheid zorgen eens met harde feedback komen, zijn mensen niet alleen beter in staat om daarnaar te luisteren, maar zien ze ook de voordelen van het krijgen van moeilijk te verteren informatie.

Net als ouders moeten leidinggevenden hun werknemers niet tegen iedere spanning of druk in bescherming nemen; een licht gevoel van ongemak, gegenereerd door de druk die het werk met zich meebrengt, geeft mensen veerkracht. Maar omdat een teveel aan stress mensen overweldigt, gedraagt een goede leidinggevende zich als een veilige basis door, waar mogelijk, de overweldigende druk te verminderen of in elk geval niet erger te maken.

Een middenkaderfunctionaris vertelde me bijvoorbeeld: 'Mijn baas is een uitstekende buffer. Hoe groot de druk van de financiële prestaties die hij vanuit het hoofdkantoor krijgt opgelegd ook is, en die is aanzienlijk, hij houdt ons altijd uit de wind. Het hoofd van een zusterdivisie van het bedrijf doet dat niet en onderwerpt al zijn personeel ieder kwartaal aan een persoonlijke winst-en-verliesevaluatie, ook al duurt het twee tot drie jaar voordat de producten die ze ontwikkelen op de markt komen.'

Aan de andere kant, als de leden van een team veerkrachtig en sterk gemotiveerd zijn, en goed zijn in wat ze doen, dus als ze op de top van de omgekeerde U scoren, dan kan een leidinggevende kritisch en veeleisend zijn en nog altijd goede resultaten boeken. Mocht zo'n dynamische manager echter in een meer ontspannen bedrijfscultuur terechtkomen, dan kan dat een ramp opleveren. Van een beleggingsexpert hoorde ik het verhaal van een 'het onderste uit de kan eisende, resultaatgerichte, workaholic' van een leidinggevende die begon te schreeuwen als iets hem niet beviel. Toen zijn bedrijf met een ander bedrijf fuseerde 'joeg hij met zijn voorheen zo succesvolle aanpak alle managers uit het andere bedrijf op de vlucht omdat ze hem onverdraaglijk vonden. Twee jaar na de fusie waren de aandelen van het bedrijf nog altijd niet gestegen.'

Geen kind groeit op zonder emotionele pijn, en evenzo lijkt emotionele toxiciteit een normaal bijproduct van het leven in een organisatie: mensen worden ontslagen, het hoofdkantoor komt met een oneerlijk beleid, gefrustreerde werknemers keren zich tegen hun collega's. De oorzaken zijn legio: arrogante bazen of onaardige collega's, frustrerende procedures, chaotische veranderingen. De reacties verschillen van pijn en woede, tot een verlies van zelfvertrouwen en wanhoop.

Misschien is het maar goed dat we niet alleen afhankelijk zijn van de baas. Ook collega's, een team, vrienden op het werk en zelfs de organisatie zelf kunnen ons het gevoel van een veilige basis verschaffen. Iedereen op de werkvloer draagt bij aan de emotionele hutspot, de optelsom van de stemmingen die de ronde doen tijdens alle interacties op de werkvloer. Ongeacht de rol die we hebben, draagt de manier waarop we ons werk doen, met elkaar omgaan en het gevoel dat we elkaar geven bij aan de algemene emotionele sfeer.

Of het nu een superieur of een collega is bij wie we terechtkunnen als we overstuur zijn, alleen al het feit dat ze er zijn heeft een opbeurende werking. Voor veel mensen worden collega's een soort van 'familie', een groep waarvan de leden zich emotioneel sterk met elkaar verbonden voelen. Hierdoor zijn ze bijzonder loyaal ten opzichte van elkaar als team. Hoe sterker de emotionele band tussen werknemers, hoe gemotiveerder, productiever en tevredener ze met hun werk zijn.

Ons gevoel van betrokkenheid en tevredenheid op het werk komt grotendeels voort uit de vele honderden dagelijkse interacties op de werkvloer, of die nu plaatsvinden met onze superieuren, onze collega's of met klanten. De totale hoeveelheid positieve momenten en de frequentie ervan ten opzichte van negatieve momenten, zijn voor een groot deel bepalend voor onze tevredenheid en prestatievermogen; de kleine uitwisselingen (een compliment bij goed werk, een woord van steun na een tegenvaller) dragen samen bij aan hoe we ons voelen op het werk.[28]

Al is er maar één collega op wie we kunnen rekenen, dan voelen we ons toch al een stuk beter. In een onderzoek onder meer dan vijf miljoen mensen die werkzaam waren in bijna vijfhonderd organisaties gold de uitspraak 'Ik heb een goede vriend op het werk' als een van de beste indicators van hoe gelukkig iemand zich voelde op zijn werk.[29]

Hoe meer bronnen van emotionele steun we op ons werk hebben, hoe beter. Een samenhangende groep met een zelfverzekerde en zekerheid genererende leider schept een emotionele omgeving die zo besmettelijk kan zijn dat zelfs mensen die van nature erg nerveus zijn zich ontspannen gaan voelen.

Zoals het hoofd van een succesvol team van wetenschappers me vertelde: 'Ik haal nooit iemand het lab binnen die hier niet eerst een tijdje op proef heeft gewerkt. Na verloop van tijd vraag ik de andere mensen in het lab wat ze van die persoon vinden en daar conformeer ik me aan. Als de interper-

soonlijke chemie niet goed is, neem ik niet het risico om iemand aan te nemen, ook al is hij nog zo goed.'

De sociaal intelligente leidinggevende

De afdeling personeel en organisatie van een groot bedrijf organiseerde een
workshop van een dag met een beroemde deskundige op het gebied waarin
het bedrijf gespecialiseerd was. Er kwamen veel meer mensen opdagen dan
verwacht en op het laatste moment werd de bijeenkomst verplaatst naar een
grotere zaal waar iedereen in kon, maar die minder goed was uitgerust.

Als gevolg daarvan konden de mensen achter in de zaal de spreker niet
goed horen of zien. Tijdens de ochtendpauze stormde een vrouw, die ach-
terin had gezeten, woedend op het hoofd personeelszaken af, en klaagde dat
ze niets kon zien van het scherm waarop de spreker geprojecteerd werd en
ook niet verstond wat hij zei.

'Ik wist dat ik alleen maar kon luisteren, mee kon voelen, het probleem
kon onderkennen en zeggen dat ik mijn best zou doen om iets te regelen,'
hoorde ik van het hoofd personeelszaken. 'Tijdens de pauze zag ze dat ik de
mensen van de audiovisuele dienst benaderde om op zijn minst het scherm
hoger te krijgen. Aan de slechte akoestiek kon ik weinig veranderen.'

'Aan het eind van de dag sprak ik de vrouw weer. Ze zei dat ze niet veel
meer had kunnen zien of horen, maar dat ze daar nu niet zoveel moeite mee
had. Ze had het erg gewaardeerd dat ik naar haar geluisterd had en geprobeerd had om iets te doen.'

Wanneer mensen binnen een organisatie boos en overstuur zijn, kan een
leidinggevende, zoals dat hoofd personeelszaken, op zijn minst luisteren, zijn
betrokkenheid tonen en een poging wagen om de situatie te verbeteren. Of
die poging nu slaagt of niet, het kan emotioneel gezien wel wat uitmaken.
Door aandacht te schenken aan de gevoelens van mensen kan de leidinggevende hen helpen die gevoelens te verwerken, zodat ze weer verder kunnen
in plaats van in razernij te blijven steken.

De leidinggevende hoeft het niet per se eens te zijn met de mening of de
reactie van de ander. Door andermans standpunt simpelweg te erkennen en
vervolgens indien nodig excuses aan te bieden of een andere remedie te zoeken, lost de toxiciteit enigszins op en verliezen destructieve emoties iets van
hun schadelijkheid. In een onderzoek onder werknemers van zevenhonderd
bedrijven zei de meerderheid dat ze een zorgzame baas belangrijker vonden
dan de hoogte van hun salaris.[30] Die bevindingen hebben bedrijfsmatige implicaties die uitstijgen boven mensen een goed gevoel geven. Uit hetzelfde
onderzoek bleek, dat de sympathie die werknemers voor hun baas voelden

een belangrijke stimulans was voor zowel hun productiviteit als het aantal uren dat ze bereid waren te werken. Als ze de keus hebben, werken mensen voor vrijwel geen enkele prijs voor een toxische baas, behalve als de 'oprotpremie' groot genoeg is om veilig ontslag te kunnen nemen.

Sociaal intelligent leiderschap begint met volledige aanwezigheid en afstemming. Als een leidinggevende eenmaal betrokken is, kan het hele spectrum van sociale intelligentie zich ontvouwen, van aanvoelen hoe mensen zich voelen en waarom, tot het aangaan van soepele interacties waardoor mensen zich prettig voelen. Er bestaat geen magisch recept voor iedere situatie, geen vijfstappenplan voor sociale intelligentie op het werk. De enige maatstaf voor succes in onze contacten is op welk punt op de omgekeerde U de betrokkenen terechtkomen.

Het bedrijfsleven is een van de belangrijkste arena's voor het toepassen van sociale intelligentie. Naarmate mensen steeds meer uren maken, worden bedrijven een soort substituutfamilie en -dorp en een sociaal netwerk, en dat terwijl de meesten van ons met één vingerknip van het management weer op straat staan. Die inherente ambivalentie betekent dat in steeds meer organisaties angst en vrees de pan uit rijzen.

Uitmuntend *people management* kan deze verborgen affectieve bewegingen niet negeren: ze hebben reële menselijke consequenties en ze zijn van belang om mensen optimaal te laten presteren. En omdat emoties zo besmettelijk zijn, zou iedere baas op elk niveau moeten onthouden dat hij of zij een situatie zowel kan verbeteren als verslechteren.

Een speciaal contact

Maeva's school stond in een van de armste wijken van New York. Op haar dertiende zat ze pas in groep acht, twee groepen lager dan haar leeftijdgenootjes. Ze was twee keer blijven zitten.

Bovendien had Maeva een slechte reputatie. Bij de leraren op school stond ze erom bekend dat ze zomaar de klas uitrende en weigerde om weer binnen te komen. Ze dwaalde dan hele dagen door de gangen.

Voordat Pamela, Maeva's nieuwe lerares Engels, haar pupil voor het eerst ontmoette, was ze al gewaarschuwd dat Maeva een lastpak was. Tijdens de eerste les, waarin ze haar leerlingen de opdracht had gegeven om voor zichzelf de belangrijkste gedachte te destilleren uit een passage die ze hadden moeten lezen, ging Pamela speciaal naar Maeva toe om haar een beetje te helpen.

Al na twee minuten begreep Pamela wat Maeva dwarszat: ze las op het niveau van een kleuter.

'Gedragsproblemen ontstaan heel vaak omdat een leerling zich onzeker voelt over het werk dat hij moet doen,' vertelde Pamela me. 'Maeva kon niet eens hardop woordjes lezen. Ik vond het schokkend dat ze in groep acht was beland zonder te kunnen lezen.'

Die les hielp Pamela Maeva met het werkblad door de tekst voor te lezen. Diezelfde dag nog legde Pamela contact met een docent die tot taak had kinderen met een achterstand te begeleiden. De twee docenten dachten dat ze nog een kans hadden om te voorkomen dat Maeva de school vroegtijdig zou moeten verlaten. De begeleidend docent besloot Maeva dagelijks met lezen te helpen, vanaf het allerlaagste niveau.

Desondanks bleef Maeva zich problematisch gedragen, waarvoor de andere leraren al gewaarschuwd hadden. Ze praatte tijdens de les, was bot en vervelend tegen andere kinderen en lokte ruzies uit: alles om maar niet te hoeven lezen. En alsof dat nog niet genoeg was, riep ze regelmatig: 'Ik heb hier geen zin in!', stormde de klas uit en zwierf rond door de gangen van de school.

Ondanks die weerstand bleef Pamela Maeva in de klas trouw helpen met haar werk. Als Maeva uitviel tegen een andere leerling, nam Pamela haar apart in de gang en dan bedachten ze samen een betere manier om de situatie op te lossen.

Pamela liet Maeva vooral zien dat ze om haar gaf. 'We maakten grapjes met elkaar en brachten samen extra tijd door. Als ze klaar was met haar lunch, kwam ze me opzoeken in mijn lokaal. Ik leerde haar moeder kennen.'

Haar moeder was net zo verbaasd als Pamela geweest was toen ze hoorde dat Maeva niet kon lezen. Maar ze had nog zeven andere kinderen en in alle drukte was Maeva's probleem onopgemerkt gebleven, net zoals op school. Pamela kreeg Maeva's moeder zover, dat ze Maeva's gedrag in de gaten zou houden en haar wat extra aandacht en hulp met haar huiswerk zou geven.

Op Maeva's rapport na het eerste semester, toen ze nog een andere docent Engels had, prijkte voor bijna ieder vak een dikke onvoldoende, zoals al jaren het geval was. Na amper vier maanden met Pamela waren er echter duidelijke verbeteringen zichtbaar.

Tegen het eind van het semester probeerde ze niet langer haar frustraties te verbergen door over de gangen te dwalen, maar bleef ze in het klaslokaal. Belangrijker nog, uit Maeva's rapport bleek dat ze voor ieder vak een voldoende had, zij het een magere. Voor wiskunde had ze zelfs een verrassend hoog cijfer. In een paar maanden tijd had ze de eerste twee jaar leesonderwijs onder de knie gekregen.

Toen brak het moment aan dat Maeva zich realiseerde dat ze verder was dan een paar anderen in haar leesgroepje, onder wie een jongen die net uit West-Afrika was gekomen. Ze besloot hem in te wijden in de geheimen van het lezen.

Het speciale contact tussen Pamela en Maeva weerspiegelt een belangrijk instrument voor het helpen van kinderen bij het leren. Steeds meer onderzoek wijst uit dat leerlingen die zich betrokken voelen bij de school (bij de leraren, bij andere leerlingen, bij de school zelf) betere intellectuele prestaties leveren.[31] Ze zijn ook beter in staat om de gevaren van de moderne adolescentie te weerstaan. Emotioneel betrokken leerlingen hebben minder te maken met geweld, pesterijen en vandalisme, angst en depressie, drugsgebruik en zelfmoord, spijbelen en vroegtijdig schoolverlaten.

'Een gevoel van betrokkenheid' refereert hier niet aan een vage aardigheid, maar aan concrete emotionele banden tussen leerlingen en de mensen op school: andere kinderen, docenten, personeel. Een belangrijke manier om die banden te stimuleren is het soort afgestemde relatie tussen leerling en volwassene als Pamela bood aan Maeva. Pamela werd Maeva's veilige basis.

Het is goed om stil te staan bij wat dit kan betekenen voor de 10 procent leerlingen in de onderste regionen van het systeem, die net als Maeva een groot risico lopen om te mislukken. In een onderzoek onder 910 kinderen in groep drie, uit een nationale steekproef die representatief is voor de gehele Verenigde Staten, evalueerden getrainde waarnemers hun onderwijzers en stelden vast wat het effect van hun onderwijsstijl was op de leerprestaties van de risicokinderen.[32] De beste resultaten werden verkregen wanneer onderwijzers

Zich afstemden op het kind, reageerden op diens behoeftes, stemmingen, belangstelling en vaardigheden, en zich in hun interacties daardoor lieten leiden.

Een vrolijke sfeer creëerden in de klas met leuke gesprekken, veel plezier en opwinding.

Zich warm en positief opstelden tegenover de leerlingen.

De gang van zaken in de klas goed geregeld hadden, met duidelijke, maar flexibele verwachtingen en routines, zodat de leerlingen zich zelfstandig aan de regels konden houden.

In de slechtste gevallen namen onderwijzers een Ik-Het-houding aan en legden ze de leerlingen hun eigen agenda op zonder zich af te stemmen, of waren emotioneel afstandelijk en niet betrokken. Deze onderwijzers waren vaker boos en moesten ook vaker hun toevlucht nemen tot straf om de orde te bewaren.

Leerlingen die toch al goed waren, bleven dat ongeacht de omstandigheden. Risicokinderen met kille of overheersende onderwijzers zagen hun intellectuele prestaties afnemen, zelfs als hun docenten zich aan pedagogische richtlijnen voor goed onderwijs hielden. Uit het onderzoek bleek echter een opmerkelijk verschil tussen de risicokinderen: als ze een warme, ontvankelijke onderwijzer hadden, bloeiden ze op en presteerden ze net zo goed als de andere kinderen.

De invloed van een emotioneel betrokken leraar eindigt niet in groep drie. Kinderen die in groep acht zo'n onderwijzer hadden, haalden niet alleen dat jaar hogere cijfers, maar ook het jaar daarna.[33] Goede leraren zijn als goede ouders. Door een veilige basis te bieden, schept een leraar een omgeving waarin de hersenen van de leerlingen optimaal functioneren. Die basis ontwikkelt zich tot een veilige haven, een stimulerende plek vanwaaruit ze op ontdekkingsreis kunnen gaan om iets nieuws te leren en iets te bereiken.

Die veilige basis kan geïnternaliseerd worden als leerlingen geleerd wordt om met hun nervositeit om te gaan, zodat ze hun aandacht beter kunnen richten; zo groeit hun vermogen om die optimale leerzone te bereiken. Er bestaan tientallen programma's voor sociaal-emotioneel leren die zich hierop richten. De beste zijn zo ontworpen, dat ze naadloos aansluiten op het standaardcurriculum voor kinderen van elke leeftijd, en aandacht besteden aan vaardigheden als zelfbewustzijn, het omgaan met emotionele ontreddering, empathie en soepel gedrag binnen relaties. Een gezaghebbende meta-analyse van meer dan honderd van deze programma's wees uit dat leerlingen niet alleen vaardigheden leerden als zichzelf kalmeren en beter omgaan met anderen, maar dat ze ook effectiever leerden: hun cijfers werden beter en hun scores op tests naar cognitieve vaardigheden waren maar liefst 12 procent hoger dan die van vergelijkbare leerlingen die niet aan zo'n programma deelnamen.[34]

De programma's werken het best als leerlingen het gevoel hebben dat de leraren werkelijk betrokken zijn. Maar of een school nu wel of niet zo'n programma biedt, als een leraar in staat is om een empathische en ontvankelijke omgeving te creëren, dan behalen leerlingen niet alleen hogere cijfers en testscores, maar gaan ze leren ook leuk vinden.[35] Eén stimulerende volwassene op een school kan voor een leerling al de doorslag geven.[36]

Iedere Maeva heeft behoefte aan een Pamela.

HOOFDSTUK 20

De correctieve kracht van relaties

Hieronder volgt de lijst van de fysieke en psychische littekens die Martin, amper vijftien jaar oud, intekende op een schets van zijn eigen lichaam, van onderen naar boven:

Op elf- en twaalfjarige leeftijd waren zijn voeten gebroken. Beide handen zaten vol littekens van vechtpartijen en waren 'bezoedeld' doordat ze in contact waren geweest met drugs, gestolen goederen en 'negatieve seksuele relaties'. Op een van zijn armen had hij brandwonden van een joint, op de andere een litteken van een steekwond.

Rond Martins hoofd was het bijzonder onrustig; daar gonsden niet alleen de slapeloosheid waar hij al sinds zijn elfde aan leed, maar ook het emotionele trauma veroorzaakt door mishandeling en seksueel misbruik vanaf zijn tweede levensjaar (onder andere toen hij zeven was door zijn eigen vader) en de hersenbeschadigingen opgelopen bij een zelfmoordpoging op zijn elfde. Bovendien was zijn brein vanaf zijn achtste beneveld geweest door 'pillen, wiet, speed, alcohol, paddo's en opium'.

Martins onthutsende lijst van verwondingen is kenmerkend voor erg veel tieners die momenteel een straf uitzitten in een jeugdgevangenis. Jeugdgevangenissen lijken een onontkoombare stop te zijn geworden voor kinderen met een moeilijk bestaan, kinderen die mishandeld zijn, drugs gebruiken en in een sociale jungle leven.

In veel landen met een menselijker sociaal stelsel worden dit soort tieners behandeld in plaats van gestraft, maar in de Verenigde Staten krijgen ze hun 'zorg' maar al te vaak in de gevangenis: bij uitstek de minst geschikte plek om een beter mens te worden. Veel gevangenissen voor jongeren helpen kinderen de misdaad in, niet eruit.

Martin heeft geluk gehad: hij woont in Missouri, een staat die het voortouw heeft genomen bij de behandeling van jonge delinquenten. Er is in Missouri veel veranderd. Een federale rechtbank zei ooit over de belangrijkste justitiële jeugdinstelling daar dat er de sfeer hing van een militaire strafinstelling. Bovendien werd de instelling veroordeeld omdat er regelmatig opstandige gevangenen opgesloten werden in een donkere isoleercel die bekendstond als het Gat. Een voormalig opzichter van de faciliteit bekende: 'Ik zag blauwe ogen, kapotgeslagen gezichten en gebroken neuzen bij de jon-

gens. Om de jongens terecht te wijzen sloegen de bewakers hen meestal gewoon neer en trapten in hun kruis. Veel van de mannen waren sadisten.'[1]

Die beschrijving van tientallen jaren geleden geldt ongetwijfeld nog voor
veel gevangenissen, maar nu Missouri besloten heeft om jeugddelinquenten
te behandelen, biedt Martins instelling een hoopvol alternatief. Martin woont
in een kleine woongemeenschap binnen een groter netwerk voor problematische adolescente wetsovertreders als hijzelf. De woongemeenschappen dateren uit 1983 en zijn gevestigd in oude scholen of grote huizen; er is er een
in een verlaten klooster.

In iedere woongemeenschap wonen hooguit veertig tieners en een kleine
groep volwassen personeel. De tieners zijn geen anonieme radertjes in een
of andere enorme instelling; in elke gemeenschap kent iedereen elkaars naam.
De groepen leven als een 'gezin' waarin de tieners een constante een-op-een-
relatie kunnen ontwikkelen met een betrokken volwassene.

Er zijn geen tralies, geen cellen, niet meer dan een paar afgesloten deuren
en nauwelijks veiligheidsmateriaal, hoewel videocamera's in de gaten houden wat er gebeurt. De sfeer is eerder huiselijk dan die van een gevangenis.
De tieners zijn ingedeeld in groepen van een man of tien; de groepsleden
dragen samen de verantwoordelijkheid voor het handhaven van de huisre-
gels. De teams eten, slapen, studeren en douchen samen, altijd onder het toe-
ziend oog van twee jongerenwerkers.

Als een bewoner toch in opstand komt, zijn er geen isoleercellen, dwang-
buizen of handboeien, het karakteristieke gereedschap van jeugdgevangenissen. In plaats daarvan leren de teams hoe ze een groepslid dat een ander
bedreigt veilig in bedwang kunnen houden. Ze pakken zo iemand bij armen
en benen, en drukken hem tegen de grond. Dan houden ze hem gewoon vast
tot hij weer rustig wordt en bij zinnen komt. De directeur van het programma
zegt dat er bij zo'n groepsingrijpen nog nooit iemand serieus gewond is geraakt en dat er vrijwel nooit gevochten wordt.

Een keer of zes per dag komen de groepsleden in een kring samen en vertellen elkaar hoe ze zich voelen. Een groepslid kan altijd een extra kring bij elkaar roepen om een specifieke kwestie aan te kaarten of een klacht te bespreken, meestal over veiligheid, beleefdheid en respect. Op die manier kan de
focus zich verplaatsen van een les, oefening of schoonmaakactie naar de dwingende emotionele onderstroom die, als hij genegeerd wordt, kan ontaarden
in een uitbarsting. Iedere middag komt iedereen samen voor activiteiten die
gericht zijn op het bevorderen van kameraadschap en samenwerking, empathie en een juiste perceptie van elkaar, communicatieve vaardigheden en vertrouwen.

Al die elementen samen bewerkstelligen een veilige basis en brengt de bewoners de sociale vaardigheden bij die ze zo dringend nodig hebben. Het ge-

voel van veiligheid is van cruciaal belang, met name om de tieners over hun moeilijke verleden te laten praten. Vertrouwen is de sleutel: een voor een vertellen ze hun levensverhaal aan de rest van het team. Het zijn stuk voor stuk verhalen vol huiselijk geweld en seksueel misbruik, mishandeling en verwaarlozing. Daarnaast praten ze eerlijk over hun eigen fouten en de misdaden waardoor ze in de instelling zijn beland.

De behandeling eindigt niet op de dag dat de tieners vertrekken. In plaats van overgedragen te worden aan een overbelaste reclasseringsambtenaar, zoals meestal het geval is, maken de pubers al bij aankomst in de instelling kennis met hun ontslagcoördinator. Tegen de tijd dat ze ontslagen worden, hebben ze een lange relatie opgebouwd met degene die hen zal helpen bij hun herintegratie in de maatschappij.

Nazorg is een fundamenteel onderdeel van de formule in Missouri. Iedere tiener heeft regelmatig een gesprek met zijn coördinator en nog vaker met een *tracker*, iemand uit zijn woonplaats of een plaatselijke student, die zijn dagelijkse voortgang in de gaten houdt en hem helpt om werk te vinden.

Maakt deze uitgebreide behandeling nu een verschil? Vervolgonderzoek naar tieners die uit jeugdgevangenissen zijn ontslagen is zeldzaam. Uit een onderzoek uit 1999 bleek dat in de drie jaar na vrijlating de recidive van tieners uit het programma in Missouri maar 8 procent bedroeg, terwijl in Maryland 30 procent binnen drie jaar weer vastzat. Een andere vergelijking betrof het aantal tieners dat binnen een jaar weer vastzat in een jeugd- of gewone gevangenis, of een voorwaardelijke straf had gekregen. Dat percentage bedroeg in Missouri slechts 9 procent, in vergelijking met 29 procent in Florida.[2]

En dan hebben we het nog niet eens gehad over de mensenlevens die het kost wanneer we jongeren in verschrikkelijke gevangenissen opsluiten. In de loop van vier jaren in het recente verleden pleegden 110 tieners in jeugdinstellingen door het hele land zelfmoord. In de twintig jaar dat het programma in Missouri draait, heeft er nog niemand zelfmoord gepleegd.

Het Kalamazoomodel

Het stadje Kalamazoo in Michigan was in rep en roer; kiezers waren woedend over een referendum om 140 miljoen dollar vrij te maken voor een nieuwe jeugdgevangenis. Iedereen was het erover eens dat de oude overvol en onmenselijk was, dat was het punt niet. De ruzie ging over wat er voor het verouderde gebouw in de plaats moest komen.

Een aantal mensen vond dat het gebouw alleen gerenoveerd hoefde te worden: beter prikkeldraad, betere cellen en sloten, en een beetje meer ruimte. Tegenstanders vonden juist dat de gemeenschap zich moest concentreren op nieuwe manieren om jongeren ervan te weerhouden misdrijven te plegen.

Een van de plaatselijke rechters opperde dat beide partijen de zaak zouden bespreken tijdens een eendaagse retraite in het nabijgelegen Fetzer Instituut. Iedereen die bij het debat betrokken was kwam opdagen: kerkelijk leiders, belangengroepen voor gevangenen, de sheriff, rechters, de schoolinspecteur, zorgverleners in de psychiatrie en een aantal van de meest liberale Democraten en meest conservatieve Republikeinen.

Die bijeenkomst in Kalamazoo is symbolisch voor een beweging die overal in het land de kop opsteekt, nu verontruste burgers geconfronteerd worden met het onvermogen van het gevangeniswezen om hen te beschermen tegen misdadigers die blijven doen waar ze het meest vertrouwd mee zijn: misdaden plegen. Overal in het land denken groepen na over de betekenis van 'correctieve maatregelen'.

Een dominante filosofie binnen de gevangeniswereld luidt dat gedetineerden daden hebben begaan die hen buiten de maatschappij plaatsen en dus moeten boeten voor hun misdrijven. Natuurlijk wordt er onderscheid gemaakt binnen het spectrum van misdaden, en worden gevangenen op die gronden gegroepeerd en aan uiteenlopende omstandigheden van verschrikking blootgesteld. Voor velen is de gevangenis een hel waarin iedereen elkaar voortdurend naar het leven staat; elke gevangene vecht om respect te verwerven en hoe harder je bent, hoe groter je prestige. De luchtplaats is een jungle, waar alleen de machtigen standhouden en de angst regeert. Het is het paradijs van de psychopaat, waarin kille wreedheid de toon aangeeft.

De neurale lessen die mensen opdoen als ze gevangenzitten in een Ik-Het-universum zijn ongetwijfeld de meest vreselijke die er bestaan. Om daar te overleven, moet de amygdala ingesteld zijn op paranoïde hyperwaakzaamheid, gecombineerd met een beschermende emotionele afstandelijkheid of volledig wantrouwen, en een bereidheid om te vechten. We zouden geen betere broedplaats voor criminele instincten kunnen bedenken.

Zijn dit de beste 'scholen' voor een maatschappij om mensen naar toe te sturen, met name tieners of twintigers die nog een heel leven voor zich hebben? Als ze een aantal maanden of jaren in zo'n omgeving doorbrengen, is het niet gek dat ze, zodra ze vrij zijn, opnieuw in de misdaad belanden en rechtstreeks teruggestuurd worden naar die zieke plaatsen.

In plaats van onze toevlucht te blijven nemen tot benaderingen die alleen maar tot meer criminaliteit leiden, zouden we ons voordeel kunnen doen met wat 'correctie' betekent vanuit het perspectief van de sociale neuroplasticiteit, namelijk het vormgeven aan hersencircuits door opbouwende interacties. Een groot deel van de mensen in de gevangenis zit daar waarschijnlijk vanwege neurale handicaps in het sociale brein, zoals een gebrekkige empathie of impulsbeheersing.

Een van de neurale sleutels tot zelfbeheersing is de groep neuronen in de orbitofrontale schors die impulsen van woede vanuit de amygdala kan remmen. Mensen met beschadigingen in de OFC zijn geneigd om geweld te gebruiken, omdat hun gewelddadige neigingen vaak sterker zijn dan hun vermogen om die neigingen te bedwingen. Onze gevangenissen zitten vol met dat soort criminelen. Een van de neurale patronen die ten grondslag liggen aan deze ongecontroleerde agressie is waarschijnlijk een onderactivatie van de frontaalkwabben, die vaak weer het gevolg is van geweldletsel in de jeugd.[3]

De stoornis concentreert zich in de circuits tussen de OFC en de amygdala, de neurale link die als rem dient op onze destructieve aandriften.[4] Mensen met schade aan de frontaalkwabben zijn slecht in wat psychologen 'cognitieve controle' noemen: ze kunnen hun gedachten niet bewust richten, vooral niet wanneer ze overspoeld worden door sterke negatieve gevoelens.[5] Dit onvermogen maakt hen weerloos tegenover destructieve gevoelens. Daar hun neurale remmen kapot zijn, kunnen ze hun wrede impulsen niet inhouden.

Dit belangrijke hersencircuit ontwikkelt zich tot we halverwege de twintig zijn.[6] Vanuit een neuraal perspectief heeft de maatschappij in de tijd dat iemand gevangenzit de keuze tussen het versterken van zijn circuits voor vijandigheid, impulsiviteit en gewelddadigheid, of van zijn circuits voor zelfbeheersing, nadenken alvorens te handelen, en zelfs voor het vermogen om de wet te respecteren. Misschien is de grootste gemiste kans van het strafsysteem dat jonge gevangenen, die nog in een fase verkeren waarin het sociale brein erg plastisch is, niet behandeld worden. De lessen die ze in de gevangenis dagelijks leren, hebben ingrijpende en blijvende gevolgen voor hun neurale ontwikkeling, ten goede of ten kwade.

Momenteel is het ten kwade. Het is een dubbele tragedie: niet alleen verspillen we de kans om de neurale hersencircuits te helpen vormgeven die deze jonge levens weer op het juiste spoor kunnen krijgen, maar we veroordelen hen ook tot een opleiding in de misdaad. Nationaal is de cumulatieve recidive voor gevangenen van vijfentwintig en jonger, die net aan een carrière in de misdaad beginnen, hoger dan bij enig andere leeftijdsgroep.

Op elke willekeurige dag zijn meer dan twee miljoen mensen in de Verenigde Staten gedetineerd. Dat zijn 482 gevangenen per 100 000 inwoners, een van de hoogste percentages ter wereld, gevolgd door Groot-Brittannië, China, Frankrijk en Japan.[7] De gevangenispopulatie is op dit moment zeven keer zo groot als dertig jaar geleden. De kosten zijn nog meer gestegen, van ongeveer negen miljard dollar in de jaren 80 tot meer dan 60 miljard dollar in 2005; na de kosten van de gezondheidszorg zijn gevangeniskosten de snelst groeiende. Door de onafgebroken toename van het aantal gevangenen in Amerikaanse strafinrichtingen zijn de gevangenissen gevaarlijk overbevolkt. Staten en districten als Kalamazoo moeten alle zeilen bijzetten om de kosten te kunnen opbrengen.

Nog ernstiger dan de economische kosten is de menselijke prijs die we moeten betalen. Wanneer iemand eenmaal verstrikt is geraakt in het gevangenissysteem, is de kans dat hij er ooit weer uitkomt angstaanjagend klein. Twee derde van de gedetineerden wordt binnen drie jaar na hun vrijlating weer gearresteerd.[8]

Dit waren de harde feiten waar men zich in Kalamazoo over boog. Aan het eind van de retraite had men een gemeenschappelijk doel geformuleerd: 'om Kalamazoo de veiligste, rechtvaardigste gemeenschap in de Verenigde Staten te maken'. Met dat doel voor ogen ging men overal in het land op zoek naar wat werkt: benaderingen die de recidive daadwerkelijk verminderden of andere concrete voordelen hadden, met harde cijfers als bewijs.

Het resultaat is een zeldzaamheid, een op bewijzen gebaseerd plan om levens te veranderen. Het plan stoelt vooral op het herstel van de band tussen mensen in moeilijkheden en mensen die met hun lot begaan zijn.[9] Het voorstel van de groep uit Kalamazoo behelst een plan om criminaliteit te voorkomen, om gevangenistijd vruchtbaar te gebruiken en om ontslagen gevangenen te laten herintegreren in een netwerk van relaties die hen zullen helpen uit de gevangenis te blijven.

Het leidende principe is dat stimulerende contacten misdaad voorkomen. Die contacten moeten beginnen in de buurten waar jongeren wonen die het meeste risico lopen om in de misdaad te belanden.

Hechte gemeenschappen

In een vervallen buurt aan de zuidkant van Boston is op een onbebouwd stuk grond een buurttuin aangelegd. Iedere lente en zomer komen buurtbewoners er samen om kool en tomaten te verbouwen. Op de schutting is een met de hand geverfd bordje bevestigd waarop staat: 'Heb respect voor onze inspanning a.u.b.'

Die kleine hoopvolle boodschap is een oproep tot bereidheid om een buurtgenoot te helpen. Laten we toe dat een groep rondhangende jongeren een klein kind dat voorbijloopt intimideert? Of zegt een volwassene dat ze moeten maken dat ze wegkomen en belt misschien zelfs hun ouders op? Het verschil zit hem in respect en betrokkenheid. Zo kan een verlaten stuk grond vol afval waar drugsdealers rondhangen veranderen in een gemeenschappelijke groentetuin.[10]

Halverwege de jaren negentig trok een groep zwarte dominees de groot-ste achterstandswijken van Boston in, om de kinderen die daar op straat rondhingen te stimuleren deel te nemen aan naschoolse programma's, on-der begeleiding van volwassenen uit de buurt. Het aantal moorden in Bos-ton daalde van 151 in 1991 tot 35 tien jaar later,

De daling van het aantal misdrijven tijdens de jaren negentig vond ech-ter ook in andere steden plaats en werd grotendeels toegeschreven aan de economische bloei in die periode. Dit soort algemene invloeden buiten be-schouwing gelaten, blijft de vraag echter: kan het samenbrengen van men-sen, zoals die zwarte dominees deden, op zichzelf de misdaad in een be-paalde wijk terugdringen? Deze uiterst concrete vraag wordt beantwoord in de meest uitgebreide analyse van maatschappelijke betrokkenheid en misdaad tot op heden, een onderzoek van tien jaar onder leiding van psy-chiater Felton Earls van Harvard University. Het antwoord lijkt een hart-grondig 'ja'.

Met een onderzoeksgroep maakte Earls video-opnames van het straatle-ven van 1408 huizenblokken in 196 wijken in Chicago, inclusief de armste en meest misdadige. De onderzoekers legden alles vast, van drugsdeals tot de verkoop van koekjes voor een goed doel. De tapes werden vergeleken met de misdaadcijfers voor diezelfde buurten en met interviews met 8782 buurtbe-woners.[11]

De groep rond Earls ontdekte dat er twee primaire invloeden zijn op de misdaadcijfers in een buurt. De eerste is het armoedeniveau: het is een be-kend gegeven dat grote armoede leidt tot hoge misdaadcijfers (net als anal-fabetisme, ook een verborgen factor). De tweede is de mate van gehechtheid binnen een gemeenschap. De combinatie van armoede en gebrek aan con-nectie is van grotere invloed op de misdaadcijfers in een bepaald gebied dan de factoren die meestal aangehaald worden, zoals ras, etnische achtergrond of gezinsstructuur.

Zelfs in de armste buurten signaleerde Earls niet alleen een verband tus-sen positieve persoonlijke connecties en lagere misdaadcijfers, maar ook het drugsgebruik onder jongeren en het aantal ongewenste tienerzwangerschap-pen was dan lager. Bovendien presteerden kinderen beter op school. In veel zwarte Amerikaanse gemeenschappen uit de lage inkomensgroepen bestaan krachtige tradities van wederzijdse hulp, via de kerken en familienetwerken. Earls is van mening dat het stimuleren van dit soort gemeenschapszin een vruchtbare strategie is om misdaad te bestrijden.[12]

Als een groep buurtbewoners de graffiti van de muren haalt, is de kans op nieuwe graffiti kleiner dan wanneer een ploeg van de gemeentereiniging dat werk doet. Buurtpreventie betekent dat de plaatselijke jeugd zich veilig kan voelen in de wetenschap dat er attente ogen op hen rusten. In arme buurten overal ter wereld is het uiterst belangrijk dat buren elkaar, en vooral elkaars kinderen, beschermen.

Nee tegen negatief denken

De zoon van een oude vriend, ik zal hem hier 'Brad' noemen, begon in zijn tienerjaren enorm te drinken. Als hij dronken was, ging hij ruzie zoeken en werd hij gewelddadig. Door zijn gedrag kwam hij een aantal malen met de politie in aanraking en uiteindelijk werd hij zelfs naar de gevangenis gestuurd omdat hij bij een gevecht in zijn studentenhuis een studiegenoot ernstig had verwond.

Toen ik Brad in de gevangenis bezocht, zei hij: 'Waar iemand precies voor veroordeeld is maakt niet zoveel uit. In feite zit vrijwel iedereen hier door zijn woedeaanvallen.' Brad had het geluk dat hij kon deelnemen aan een experimenteel programma voor gevangenen van wie men nog verwachtte dat ze in staat waren het roer om te gooien. De deelnemers bewoonden een speciale eenheid van zes cellen en kregen dagelijks een lezing over onderwerpen als het verschil tussen acties gebaseerd op 'creatief denken, negatief denken of helemaal niet denken'.

In de rest van de gevangenis waren vechtpartijen en intimidaties aan de orde van de dag. Brads uitdaging, en dat wist hij zelf ook, was om te leren zijn woede te beteugelen in een sociale omgeving waarin gewelddadigheid en hardheid je plaats in de hiërarchie bepalen. Die wereld, vertelde hij me, is gebaseerd op een paranoïde houding van 'wij tegen de rest', waarin iedereen in uniform 'de vijand' is, en ook iedereen die met hen meewerkt.

'Al die kerels worden bij het minste of geringste kwaad en meningsverschillen lossen ze op met hun vuisten. Maar volgens mijn programma hoef je niet op die manier te leven.'

Toch had Brad het niet makkelijk. 'Op een gegeven moment kwam er een jongen van ongeveer mijn leeftijd bij het programma. Hij zat me steeds te jennen en te treiteren. Hij maakte me knettergek, maar ik liet me niet gaan. In het begin liep ik gewoon weg, maar hij volgde me overal. Ik zei dat hij irritant was en dat het me niets kon schelen wat hij zei, maar hij bleef doorgaan.

Uiteindelijk liet ik mijn woede zover toe, dat ik tegen hem kon schreeuwen. Ik bleef op mijn stuk staan en zei hem keihard hoe vervelend hij was. Daarna bleven we elkaar aanstaren. Dat moest wel vechten worden.

Als je hier wilt vechten, ga je samen een cel in en doe je de deur achter je dicht. Zo kunnen de bewakers je niet zien. Je vecht net zo lang tot een van de twee het opgeeft en dan kom je weer naar buiten. We gingen dus mijn cel in en deden de deur op slot. Maar ik wilde helemaal niet vechten. Ik zei tegen hem: "Oké, als je me wil slaan, kun je dat nu doen. Ik ben vaak genoeg geslagen en ik kan er wel tegen. Ik ga alleen niet met je vechten."

Hij sloeg me niet. Uiteindelijk hebben we een uur of twee zitten praten. Hij vertelde me over zichzelf en ik vertelde hem over mijzelf. De volgende dag werd hij overgeplaatst, maar als ik hem nu tegenkom, valt hij me niet meer lastig.'

Brads programma is van het soort dat volgens de werkgroep uit Kalamazoo bij uitstek geschikt is voor jeugdige delinquenten. Tieners die gevangenzitten voor geweldsdelicten en die vergelijkbare trainingsprogramma's doorlopen, waar ze leren om niet meteen te reageren, maar het hoofd koel te houden, en eerst na te denken over mogelijke oplossingen en de gevolgen van verschillende reacties af te wegen, raken minder vaak betrokken bij gevechten en zijn minder impulsief en inflexibel.[13]

Anders dan mijn jonge vriend, krijgen de meeste gedetineerden nooit de kans om de gewoonten en omstandigheden te veranderen die hen gevangen houden in de cyclus van ontslag, terugval, en terug naar de cel. Aangezien slechts een minderheid van de ontslagen gevangenen zorgt dat hij uit de gevangenis blijft, is de term 'correctiesysteem' een tragische misser: er wordt niets gecorrigeerd.

In plaats daarvan zijn gevangenissen eerder een hogeschool voor misdadigers en versterken ze een misdadige aanleg en vaardigheden. Jongere gevangenen doen bijzonder slechte contacten op. Dikwijls worden ze begeleid door doorgewinterde criminelen, zodat ze verhard, boos en met meer criminele handigheid weer vrijkomen.[14]

De circuits van het sociale brein voor empathie en voor het reguleren van emotionele impulsen (misschien wel de twee meest flagrante tekortkomingen onder de gevangenispopulatie) horen bij de hersengebieden het laatst volgroeid zijn. Uit een telling onder gevangenen in federale en staatsinstellingen blijkt dat ongeveer een kwart jonger is dan vijfentwintig: nog niet te laat om deze circuits tot een meer gezagsgetrouw patroon om te buigen.[15] Zorgvuldige evaluatie van hedendaagse rehabilitatieprogramma's heeft uitgewezen dat programma's die zich op jeugdige delinquenten richten het meest succesvol zijn in het voorkomen van een terugval tot criminaliteit.[16]

Die programma's zouden nog effectiever kunnen worden door methodes over te nemen van succesvolle onderwijscursussen op het gebied van sociale en emotionele leerprocessen.[17] De cursussen richten zich op basisvaardigheden als het omgaan met woede en conflicten, empathie en zelfmanagement. Op scholen hebben ze het aantal vechtpartijen met 69 procent teruggedrongen, intimidaties met 75 procent en pesterijen met 67 procent.[18] De vraag is hoe gemakkelijk deze programma's aangepast zouden kunnen worden voor een gevangenispopulatie van tieners en twintigers (of zelfs nog oudere gevangenen).[19]

Het vooruitzicht om de gevangenis in een nieuw licht te bezien en te gebruiken voor een neurale heropvoeding, is een intrigerend omslagpunt voor de samenleving. In de mate dat dit soort programma's voor *first-time offenders* en jonge criminelen zich verspreidt, zal het aantal gevangenen op landelijke schaal in de loop der jaren ongetwijfeld dalen. Door de jongste criminelen te behoeden voor een leven in de misdaad, kunnen we een grote bijdragen leveren aan het indammen van de stroom van mensen die nu onze gevangenissen bevolken.

Een uitputtende analyse van de 272 111 gevangenen die in 1994 uit justitiële instellingen in de Verenigde Staten werden ontslagen, wees uit dat ze in de loop van hun criminele carrière voor in totaal bijna 4 877 000 vergrijpen waren gearresteerd, een gemiddelde van meer dan zeventien aanklachten per persoon. En dat waren alleen nog maar de misdaden die hun ten laste waren gelegd.[20]

Met het juiste correctief was die telling over een heel leven misschien wel gestopt waar ze begonnen was. Nu is de kans echter groot dat een first-time offender aan het begin staat van een criminele carrière en naarmate de jaren vorderen zijn strafblad steeds langer ziet worden.

Toen ik jong was, noemden we jeugdgevangenissen 'reformscholen'. Dat zouden ze ook echt kunnen zijn als ze ingericht zouden worden als een leeromgeving die de vaardigheden stimuleert die mensen nodig hebben om uit de gevangenis te blijven: niet alleen lezen en schrijven en het volgen van een opleiding, maar ook zelfbewustzijn, zelfbeheersing en empathie. Als dat zo was, zouden we de gevangenis tot een plek kunnen maken waar neurale gewoontes letterlijk her-vormd worden, 'reformscholen' in de diepste betekenis van het woord.

Wat Brad betreft: toen ik twee jaar later eens ging kijken hoe het met hem was, studeerde hij weer en voorzag hij in zijn levensonderhoud met een druk baantje in een chique restaurant.

Een tijdlang had hij een huis gedeeld met een paar oude vrienden van de middelbare school, maar daar zei hij over: 'Ze waren helemaal niet serieus met hun opleiding bezig. Ze bleven maar drinken en vechten. Toen ben ik maar verhuisd.' Hij trok bij zijn vader in en concentreerde zich op zijn studie.

Hoewel hij een aantal oude vrienden was kwijtgeraakt, zei hij: 'Ik heb er geen spijt van. Ik ben gelukkig.'

Het versterken van connecties

Op een vroege morgen in juni 2004 veroorzaakte een brand ernstige schade aan Mood's Covered Bridge, een belangrijke brug in Bucks County, Pennsylvania. Toen de brandstichters twee maanden later gearresteerd werden, betekende dat een schok voor de gemeenschap.

De zes jongens hadden net hun eindexamen aan de plaatselijke middelbare school achter de rug en kwamen uit 'goede' families. De mensen waren verbaasd en woedend. De gehele gemeenschap voelde zich gekwetst en ontgoocheld.

Tijdens een bijeenkomst van de plaatselijke bevolking waarbij ook de zes brandstichters aanwezig waren, liet de vader van een van de jongens blijken dat hij woedend was op een aantal buitenstaanders, die hem en zijn zoon in de plaatselijke media hadden aangevallen. Maar toen hem gevraagd werd naar het effect dat het misdrijf van zijn zoon op hemzelf had gehad, gaf hij toe dat hij er voortdurend aan dacht, niet kon slapen en steeds met een knoop in zijn maag rondliep. Aangedaan barstte hij daarna in snikken uit.

Verward en vol berouw hoorden de jongens het verdriet van hun familie en buren aan. Ze boden hun verontschuldigingen aan en zeiden dat ze verschrikkelijke spijt hadden.[21]

De bijeenkomst was een oefening in herstelrecht, waarbij misdadigers naast hun straf geconfronteerd worden met de emotionele gevolgen van hun daden en waar mogelijk genoegdoening geven.[22] Het plan van Kalamazoo besteedt veel aandacht aan herstelrecht als een van de actieve ingrediënten voor effectieve misdaadbestrijding.

Bij dit soort programma's regelen bemiddelaars vaak een manier waarop de misdadiger de aangerichte schade kan herstellen. Dat kan in de vorm van betalingen zijn, in het aanhoren van de ervaringen van het slachtoffer of in het aanbieden van verontschuldigingen vanuit oprecht berouw. In de woorden van het hoofd van zo'n programma in een gevangenis in Californië: 'De sessies over de impact op het slachtoffer zijn erg emotioneel. Voor veel mannen is het de eerste keer dat ze een verband leggen tussen hun daad en het slachtoffer.'

Emarco Washington was een van die Californische mannen. Als tiener was hij verslaafd aan crack. Om zijn verslaving te bekostigen, beroofde en mishandelde hij mensen. Zelfs zijn moeder moest het ontgelden als zij hem geen geld voor drugs wilde geven. Tegen zijn dertigste had hij bijna elk jaar sinds zijn tienerjaren in de gevangenis gezeten.[23]

Na deelname aan herstelrechtprogramma's in combinatie met een training in geweldbeheersing in de gevangenis van San Francisco, deed hij toen hij vrij kwam iets ongebruikelijks: hij belde zijn moeder op en verontschuldigde zich. 'Ik zei dat ik kwaad was toen ze me geen geld wilde geven, maar dat ik haar absoluut geen pijn had willen doen. Het was alsof de regen me schoonwaste. Toen begreep ik dat ik mezelf en anderen kon bewijzen dat ik zo slecht niet was, als ik mijn gedrag en mijn taalgebruik veranderde.'

De emotionele subtekst van herstelrecht biedt wetsovertreders de kans om hun slachtoffers als een Jij te gaan beschouwen in plaats van als een Het, en empathie te voelen. Jongeren die misdaden plegen zijn vaak dronken of high; de slachtoffers bestaan in zekere zin niet voor hen. Bovendien voelen ze vaak geen verantwoordelijkheid voor de pijn die ze anderen toebrengen. Door een empathische link te leggen tussen dader en slachtoffer levert herstelrecht een bijdrage aan het netwerk van connecties dat het leven van een jongere een andere wending kan geven.

De groep uit Kalamazoo identificeerde nog een belangrijk keerpunt, namelijk het risicovolle moment waarop een jonge gevangene terugkeert naar huis. Zonder interventie vallen jongeren al te gemakkelijk terug op oude groepjes en gewoontes, en eindigen ze meestal weer in de cel.

Van de vele benaderingen om ex-gedetineerden op het rechte pad te houden, is er één bijzonder succesvol, de multisystemische therapie.[24] Het woord therapie lijkt misplaatst. Er zijn geen sessies van vijftig minuten in de spreekkamer van een therapeut, maar de interventie vindt plaats in het dagelijks leven: thuis, op straat, op school. Overal waar de ex-gedetineerde zijn tijd doorbrengt en met iedereen in zijn omgeving.

Een therapeut volgt de ontslagen wetsovertreder en leert zijn privéomstandigheden kennen. Hij speurt in die wereld naar sterke punten, zoals een aardig kind om vriendschap mee te sluiten, een oom die als mentor zou kunnen fungeren, een kerkgemeenschap die een vervangende familie zou kunnen zijn. Vervolgens zorgt de therapeut dat zijn protégé tijd besteedt aan deze positieve contacten, in plaats van aan mensen die hem zo weer op het slechte pad brengen.

Er is geen sprake van modieuze therapietjes. De benadering is uiterst pragmatisch: zorg voor meer discipline en affectie thuis, breng minder tijd door met problematische leeftijdgenoten, werk harder op school of zoek een baantje, en doe iets aan sport. En zorg vooral voor een netwerk van gezonde contacten die de wetsovertreder omringen met mensen die om hem geven en een model zijn voor een meer verantwoordelijke levensstijl. Het komt allemaal neer op mensen: familienetwerken, buren en vrienden.[25]

Hoewel niet meer dan vier maanden voor multisystemische therapie wordt uitgetrokken, lijkt het te werken. Gemeten over een periode van drie jaar, daalt de recidive voor jonge delinquenten die aan het programma hebben deelgenomen ergens tussen de 25 tot 70 procent. Wat vooral indruk maakt, is dat deze cijfers de meest onverbeterlijke, moeilijke gevangenen betreffen, die ernstige geweldsmisdrijven hebben begaan.

Een van overheidswege uitgevoerde inventarisatie van de leeftijd van gevangenen wees uit dat de snelst groeiende groep van middelbare leeftijd is; vrijwel allemaal hebben ze een leven van misdaad achter de rug.[26] De meesten hebben het onvermijdelijke eindpunt bereikt van een misdadige carrière die begon met hun eerste arrestatie, toen ze nog jong waren.

Die eerste arrestatie is een gouden kans om in te grijpen, om hun leven een andere richting te geven dan die van de criminaliteit. Dat is het cruciale moment: helpen we een jongere een draaideurcrimineel te worden, of geven we hem een duwtje in de goede richting?

Als we effectieve programma's door gaan voeren, zoals de heropvoeding van het sociale brein, heeft iedereen daar baat bij. Uiteraard bestaat een breed plan als dat van Kalamazoo uit nog veel meer onderdelen. Op de lijst van 'wat werkt' horen ook kunnen lezen en schrijven, een baan die genoeg opbrengt om van te leven en het nemen van verantwoordelijkheid voor je daden. Al die onderdelen hebben echter hetzelfde doel: wetsovertreders leren om betere mensen te worden, in plaats van betere misdadigers.

HOOFDSTUK 21

Van 'Zij' naar 'Wij'

Het gebeurde tijdens de laatste jaren van de apartheid in Zuid-Afrika, het systeem van volledige segregatie tussen de heersende klasse van Afrikaanders van Nederlandse afkomst en de 'gekleurde' groepen. Dertig mensen hadden elkaar vier dagen lang in het geheim ontmoet. De ene helft bestond uit blanke zakenmensen, de andere helft uit zwarte gemeenschapsleiders. De groep werd getraind om seminars op het gebied van leiderschap te geven, met het oog op de opbouw van bestuurlijke vaardigheden binnen de zwarte gemeenschap.

Op de laatste dag van het programma zaten de deelnemers aan de televisie gekluisterd voor de befaamde speech waarin president De Klerk het naderende einde van de apartheid aankondigde. De Klerk legaliseerde een lange lijst van voorheen verboden organisaties en gaf opdracht tot de vrijlating van vele politieke gevangenen.

Anne Loersebe, een van de aanwezige zwarte gemeenschapsleiders, straalde. Bij iedere organisatie die genoemd werd, stelde ze zich het gezicht voor van iemand die ze kende en die zich nu weer op straat zou kunnen vertonen.

Na de speech vond er een afsluitend ritueel plaats, waarbij iedereen in de gelegenheid werd gesteld nog wat te zeggen. De meesten zeiden niet veel meer dan dat ze het een betekenisvolle bijeenkomst hadden gevonden en dat ze erg blij waren dat ze hadden kunnen deelnemen.

Maar de vijfde die het woord nam, een lange, emotioneel afstandelijke Afrikaander, stond op en keek Anne recht aan. 'Ik wil dat je weet,' zei hij, 'dat ik ben opgevoed met de gedachte dat jullie beesten zijn.' Vervolgens barstte hij in snikken uit.[1]

Wij-Zij is het meervoud van Ik-Het: de achterliggende dynamiek is een en dezelfde. In de woorden van Walter Kaufmann, de Engelse vertaler van Martin Buber, wordt 'met de woorden "Wij-Zij." [...] de wereld in tweeën gedeeld: de kinderen van het licht en de kinderen van het duister, de schapen en de geiten, de uitverkorenen en de verdoemden'.[2]

In de relatie tussen een van Ons en een van Hen ontbreekt het per definitie aan empathie, laat staan aan afstemming. Zou een van Hen het in zijn hoofd halen om een van Ons aan te spreken, dat zouden we die stem niet zo luid en duidelijk horen als die van een van Ons, of helemaal niet.

De kloof tussen Wij en Zij groeit wanneer empathie het zwijgen wordt opgelegd. We zijn vrij om over die kloof heen alles wat we maar willen op Hen te projecteren. Om met Kaufmann te spreken: 'Rechtvaardigheid, intelligentie, integriteit, menselijkheid en victorie zijn aan Ons voorbehouden, terwijl slechtheid, stompzinnigheid, hypocrisie en de ultieme nederlaag bij Hen horen.'

Wanneer we iemand als een van Hen beschouwen, sluiten we ons af voor onze altruïstische impulsen. Voor een onderzoek werd aan vrijwilligers gevraagd of ze bereid waren om in plaats van een ander een elektrische schok te ondergaan. Ze konden het potentiële slachtoffer niet zien, maar kregen alleen een beschrijving te horen. Hoe minder de beschreven persoon op hen leek (hoe meer hij of zij een van Hen was), hoe minder ze geneigd waren om diegene uit de brand te helpen.[3]

'Haat,' zei Elie Wiesel, Nobelprijswinnaar en overlevende van de Holocaust, 'is een kanker die wordt doorgegeven van het ene individu aan het andere, van het ene volk aan het andere.'[4]

De geschiedenis van de mensheid laat een eindeloze stroom van grueldaden zien, die door de ene groep tegen de andere begaan worden, zelfs wanneer er tussen die groepen meer overeenkomsten dan verschillen bestaan. Protestanten en katholieken in Noord-Ierland, maar ook Serven en Kroaten, staan al jaren op voet van oorlog met elkaar, terwijl ze biologisch nauw verwant zijn. We staan oog in oog met de uitdagingen van globalisatie, terwijl we zijn uitgerust met een brein dat ons vooral verbindt met onze eigen stam. Zoals een psychiater die opgroeide te midden van de etnische beroering op Cyprus het formuleerde: groepen die zo op elkaar lijken, veranderen van Wij in Zij via 'het narcisme van kleine verschillen'. We concentreren ons op de kleine kenmerken die groepen van elkaar onderscheiden en negeren de enorme overeenkomsten. Zodra de anderen psychologisch op afstand zijn gezet, kunnen ze het doelwit worden van vijandigheid.

Dit proces betekent een aantasting van een normale cognitieve functie, namelijk het categoriseren. De menselijke geest is afhankelijk van categorieën om orde en betekenis toe te kennen aan de wereld rondom. Door aan te nemen dat de volgende entiteit die we in een bepaalde categorie tegenkomen dezelfde hoofdkenmerken heeft als de vorige, banen we ons een weg door een voortdurend veranderende omgeving.

Zodra we een vooroordeel ontwikkelen, beslaat de lens waardoor we kijken. We zijn geneigd ons te concentreren op wat het vooroordeel bevestigt en te negeren wat het ontkracht. Zo opgevat, zijn vooroordelen hypothesen die wanhopig proberen om ons van hun gelijk te overtuigen. Op het moment dat we iemand tegenkomen op wie ons vooroordeel van toepassing zou kunnen zijn, vertekent onze perceptie, zodat we onmogelijk kunnen testen of het stereotype klopt. Openlijk vijandige stereotyperingen van een groep zijn, voor zover ze op onbewezen aannames berusten, verwrongen mentale categorieën.

Een vage nerveuze spanning, een vleugje angst of gewoon ongemakkelijkheid bij gebrek aan kennis van Hun culturele signalen, kunnen een cognitieve categorie al vertekenen. Met iedere volgende zweem van onrust, ieder onflatteus mediabeeld, ieder gevoel verkeerd behandeld te zijn, bouwt het denken de 'bewijslast' tegen de ander op. Naarmate de incidenten zich opstapelen, verandert ongerustheid in antipathie, en transformeert antipathie zich tot antagonisme.

Pure woede prikkelt zelfs de vooroordelen van mensen die daar normaal niet veel last van hebben. Als olie op het vuur schakelt antagonisme de knop om van Wij *en* Zij naar Wij *versus* Zij: actieve vijandigheid.

Woede en angst, beide door de amygdala aangedreven, vergroten de destructiviteit van een zich ontwikkelend vooroordeel. Wanneer het prefrontale gebied door deze sterke emoties overspoeld wordt, kan het niet meer functioneren en neemt de lage route de teugels van de hoge route over. Dit saboteert ons vermogen tot helder denken, zodat we geen juist antwoord kunnen geven op die fundamentele vraag: Heeft hij echt al die slechte eigenschappen die ik hem toeschrijf? En als we al een vernietigende visie op Hen geaccepteerd hebben, dan stellen we onszelf die vraag zelfs niet als we niet bang of boos zijn.

Impliciete vooringenomenheid

Wij-Zij neemt vele vormen aan, van rabiate haat tot onflatteuze stereotypes die zo subtiel zijn, dat zelfs degenen die ze koesteren het niet merken. Deze ultrasubtiele vooroordelen verbergen zich langs de lage route in de vorm van 'impliciete' vooringenomenheid, automatische en onbewuste stereotyperingen. Deze stille vooroordelen lijken in staat om ons te laten reageren op een manier die in strijd is met onze bewuste overtuigingen.[5]

Mensen die aan de buitenkant niet het geringste vooroordeel tonen en die zich op een positieve manier over een groep uitlaten, kunnen nog altijd verborgen vooroordelen koesteren, zoals uit uitgekookt cognitief onderzoek is gebleken. De Implicit Assumption Test bijvoorbeeld, biedt een woord aan en vraagt dan om het zo snel mogelijk aan een categorie te koppelen.[6] De toets voor verborgen opvattingen over de vraag of vrouwen even geschikt zijn als mannen voor een carrière in de natuurwetenschappen, vraagt proefpersonen om woorden als 'natuurkunde' en 'menswetenschappen' te koppelen aan 'vrouwen' of 'mannen'.

We brengen zo'n koppeling bijzonder snel tot stand wanneer een idee aansluit bij de manier waarop we toch al over iets denken. Iemand die gelooft dat mannen betere natuurwetenschappers zijn dan vrouwen, zal sneller een koppeling maken tussen 'mannen' en woorden die met natuurwetenschappen te maken hebben. Het gaat hierbij om tienden van seconden, verschillen die alleen via computeranalyse meetbaar zijn.

Dit soort impliciete vooroordelen, ongrijpbaar als ze zijn, lijken ons oordeel over mensen in een bepaalde groep te vertekenen en beïnvloeden bijvoorbeeld de keuze of we met iemand willen werken, of ons antwoord op de vraag of een verdachte schuldig is.

Een vrouwelijke cognitiewetenschapper ontdekte naar aanleiding van een test naar impliciete vooringenomenheid tot haar schrik dat ze onbewust een vooroordeel gebaseerd op een stereotype koesterde tegen vrouwelijke wetenschappers. En ze was er zelf een! Daarop veranderde ze de inrichting van haar kantoor en hing overal foto's op van beroemde vrouwelijke geleerden als Marie Curie.

Zou dat haar houding kunnen veranderen? Misschien wel.

Ooit dachten psychologen dat onbewuste mentale categorieën en impliciete attitudes vaststonden; omdat hun invloed automatisch en onbewust is, nam men aan dat ze onvermijdelijk waren. De amygdala speelt tenslotte de voornaamste rol bij impliciete (en flagrante!) vooroordelen en de circuits van de lage route lijken moeilijk te beïnvloeden.[8]

Uit meer recent onderzoek is echter gebleken dat automatische stereotyperingen en vooroordelen veranderlijk zijn: impliciete vooringenomenheid is geen weerslag van iemands 'ware' gevoelens, maar kan fluctueren.[9] Op neuraal niveau zou deze veranderlijkheid kunnen betekenen, dat zelfs de lage route een leven lang graag nieuwe dingen leert.

Laten we als voorbeeld een eenvoudig experiment in de reductie van stereotypes bekijken.[10] Mensen met impliciete vooroordelen tegen zwarten kregen foto's te zien van alom bewonderde zwarten als Bill Cosby en Martin Luther King, en van gehate blanken als de seriemoordenaar Jeffrey Dahmer. De vrijwilligers werden hooguit vijftien minuten geconfronteerd met veertig zorgvuldig uitgekozen foto's.

Dat korte lesje voor de amygdala resulteerde in een enorme verandering in de score van de deelnemers op de test van impliciete attitudes. Onbewuste antizwarte attitudes bleken als sneeuw voor de zon verdwenen. En toen de vrijwilligers vierentwintig uur later opnieuw getest werden, was die positieve verandering nog niet verdwenen. Waarschijnlijk zou de verschuiving doorzetten als dit soort beelden van bewonderde leden van een bepaalde groep van tijd tot tijd in 'opkriksessies' vertoond zouden worden (of bijvoorbeeld een hoofdrol zouden krijgen in een populair televisieprogramma).

De amygdala houdt nooit op met leren en hoeft dus niet in vooroordelen te blijven hangen.

Van veel methodes is bewezen dat ze impliciete vooringenomenheid reduceren, al is het maar voor een tijdje.[11] Wanneer mensen te horen kregen dat uit een IQ-test was gebleken dat ze zeer intelligent waren, verdwenen hun negatieve impliciete vooroordelen, maar als ze te horen kregen dat ze minder intelligent waren, werden de vooroordelen sterker. Impliciete vooringenomenheid tegen zwarten nam af wanneer mensen positieve feedback kregen van een zwarte supervisor.

Ook sociale eisen kunnen dit effect sorteren. Mensen die in een sociale omgeving geplaatst worden waar een bevooroordeelde visie ongepast is, hebben zelf ook minder impliciete vooroordelen. Zelfs het expliciete besluit om te negeren dat iemand deel uitmaakt van een bepaalde groep kan verborgen vooroordelen terugdringen.[12]

Deze bevinding sluit prachtig aan op een staaltje neuraal judo: wanneer mensen over hun tolerantie nadenken of praten, wordt het prefrontale gebied actief en houdt de amygdala zich koest.[13] Wanneer de hoge route op een positieve manier betrokken is, verliest de lage route haar macht om vooroordelen op te wekken. Mogelijk is deze neurale dynamiek werkzaam bij mensen die programma's doorlopen die expliciet gericht zijn op het vergroten van tolerantie.

Een heel andere en vrij nieuwe manier om vooroordelen enigszins te neutraliseren werd ontdekt in Israëlische experimenten. Met subtiele methodes, zoals het denken aan geliefden, werd het gevoel van innerlijke zekerheid bij mensen geactiveerd. Mensen met een vooroordeel tegen groepen als Arabieren en ultraorthodoxe joden voelden zich daardoor positiever ten opzichte van deze groepen. Toen hun gezegd werd dat ze in de gelegenheid werden gesteld om wat tijd door te brengen met een Arabier of een ultraorthodoxe jood, stonden ze daar veel meer voor open dan een aantal minuten daarvoor.

Niemand claimt dat zo'n vluchtig gevoel van veiligheid langdurige historische en politieke conflicten kan beslechten. Desondanks levert bovenstaand resultaat opnieuw bewijzen aan, dat zelfs verborgen vooroordelen verminderd kunnen worden.[14]

Het dichten van de kloof

Psychologen voeren al jaren verhitte discussies over wat nu precies de scheiding tussen Wij en Zij kan herstellen. Aan een groot deel van dat debat is nu een einde gemaakt dankzij het werk van Thomas Pettigrew, een sociaal psy-

choloog die al onderzoek naar vooroordelen doet sinds de Amerikaanse beweging voor burgerrechten een einde maakte aan de in de wet vastgelegde
barrières tussen de rassen. Pettigrew, afkomstig uit Virginia, was een van de
eerste psychologen die rassenhaat tot in de diepste kern trachtte te door-
gronden. Hij begon als student bij Gordon Allport, een sociaal psycholoog
die meende dat langdurige vriendschappelijke contacten vooroordelen ondermijnen.

Nu, drie decennia later, heeft Pettigrew een van de grootste analyses ooit
gemaakt van bestaand onderzoek naar de vormen van contact die het beeld
dat vijandige groepen van elkaar hebben kunnen veranderen. Pettigrew en
zijn medewerkers bekeken 515 onderzoeken, daterend uit de jaren 1940 tot
2000, en verwerkten die tot één enorme statistische analyse met gegevens van
maar liefst 250 493 mensen uit achtendertig landen. De Wij-Zij-scheidingen
liepen uiteen van relaties tussen blank en zwart in de Verenigde Staten tot
etnische, raciale en religieuze conflicten overal ter wereld, en zelfs tot vooroordelen tegen bejaarden, gehandicapten en geesteszieken.[15]

De overtuigende conclusie luidde, dat emotionele betrokkenheid, zoals
vriendschappen en liefdesrelaties tussen individuen aan weerskanten van een
vijandige kloof, maakt dat mensen de andere groep veel meer gaan accepteren. Als een kind bijvoorbeeld een speelkameraadje uit de andere groep had
gehad, bleek dat een probaat middel tegen vooroordelen op latere leeftijd,
zo kwam naar voren uit een onderzoek naar zwarte Amerikanen die in hun
jeugd met blanke kinderen gespeeld hadden (hoewel er op scholen in die tijd
segregatie was). Hetzelfde effect trad op tijdens de apartheid, onder blanke
Afrikaner huisvrouwen op het platteland die bevriend waren geraakt met
hun zwarte Afrikaanse bedienden.

Het is veelzeggend dat onderzoek naar het verloop van vriendschappen
die de kloof overbruggen, uitwijst dat het de emotionele band is die leidt tot
een reductie van vooroordelen. Vrijblijvende contacten op straat of op het
werk dragen weinig of niets bij aan het veranderen van vijandige stereotypes.[16] Pettigrew beweert dat een sterke emotionele connectie de belangrijkste voorwaarde is voor het overwinnen van vooringenomenheid. Na verloop
van tijd breidt de warmte die twee individuen voor elkaar voelen zich uit tot
Hen allemaal. Uit Europees onderzoek bleek bijvoorbeeld dat mensen met
hechte vriendschappen die gespannen etnische verhoudingen overbrugden
(Duitsers en Turken, Fransen en Noord-Afrikanen, Britten en West-Indiërs)
veel minder vooroordelen hadden tegenover de andere groep als geheel.[17]

'Het is nog altijd mogelijk dat je er een algemeen stereotype op nahoudt,
maar daar zijn geen sterke negatieve gevoelens meer aan verbonden,' aldus
Pettigrew.

De cruciale rol van contact (of het gebrek daaraan) bij vooroordelen kwam naar voren uit onderzoek dat Pettigrew in Duitsland deed, met collega's daar. 'Oost-Duitsers zijn over het algemeen veel meer bevooroordeeld tegenover iedere andere groep, van Polen tot Turken, dan mensen in West-Duitsland,' vertelde Pettigrew. 'Uitingen van geweld tegen minderheden komen in het voormalige Oost-Duitsland bijvoorbeeld veel meer voor dan in West-Duitsland. Toen we onderzoek deden naar mensen die voor dit soort vergrijpen gearresteerd waren, kwamen we twee dingen tegen: ze zitten boordevol vooroordelen en ze hebben vrijwel geen contact met de groepen die ze zo intens haten.

Zelfs toen de communistische regering van Oost-Duitsland grote aantallen Cubanen en Afrikanen in het land opnam, werden de groepen apart gehouden,' merkte Pettigrew op. 'Maar in West-Duitsland bestaan er al decennialang vriendschappen die groepsgrenzen overstijgen. Bovendien ontdekten we, dat hoe meer contact de Duitsers met minderheden hadden, hoe welwillender ze stonden tegenover de groep als geheel.'[18] Als Het Jij wordt, veranderen Zij in Wij.

Maar hoe zit het met impliciete vooringenomenheid, de subtiele stereotypes die zelfs mensen ontgaan die zeggen geen vooroordelen te koesteren? Zijn die niet ook van belang? Pettigrew is daar sceptisch over.

'Groepen koesteren juist vaak de stereotypes van zichzelf die in hun cultuur wijdverbreid zijn,' merkte hij op. 'Ik ben bijvoorbeeld Schots: mijn ouders waren immigranten. Schotten worden vaak afgeschilderd als gierig. Maar wij draaien dat om en zeggen dat we gewoon spaarzaam zijn. Het stereotype blijft, maar de emotionele waarde is veranderd.'

Tests naar impliciete vooringenomenheid richten zich op iemands cognitieve categorieën. Dat zijn op zichzelf niet meer dan koele abstracties zonder gevoel. Wat voor een stereotype van belang is, beweert Pettigrew, is de gevoelswaarde die eraan gekoppeld wordt: een stereotype koesteren is minder belangrijk dan de emoties die ermee gepaard gaan.

Gegeven de intensiteit, soms zelfs gewelddadigheid, van de spanning tussen sommige groepen, zou bezorgdheid over impliciete vooringenomenheid wel eens een luxe kunnen zijn die is voorbehouden aan plaatsen waar vooroordelen nog slechts op subtiel niveau de kop opsteken, in plaats van als uitbarstingen van haat. Wanneer groepen een openlijk conflict hebben, draait alles om emotie; wanneer ze goed met elkaar omgaan, is het mentale residu van flagrante vooroordelen alleen van belang voor zover er subtiele bevooroordeelde handelingen uit voortkomen.

Pettigrews onderzoek toont aan dat het koesteren van negatieve gevoelens tegenover een groep met veel meer zekerheid vijandig gedrag voorspelt dan het koesteren van onflatteuze stereotypes.[19] Zelfs als mensen uit vijandige groeperingen vriendschap sluiten, blijft een aantal van de oorspronkelijke stereotypes bestaan. Hun gevoelens worden echter warmer en dat geeft de doorslag: 'Nu vind ik ze aardig, ook al heb ik het algemene stereotype nog niet losgelaten.' Pettigrew speculeert: 'Mogelijk blijft het impliciete vooroordeel bestaan, maar als mijn emoties veranderen, doet mijn gedrag dat ook.'

De legpuzzeloplossing

Om zichzelf te beschermen tegen de fricties tussen de verschillende groepen op hun enorme middelbare school in Manhattan, vormden meisjes uit Puerto Rico en de Dominicaanse Republiek zelf een kliekje. Binnen die hechte clan ontstonden echter ook weer problemen tussen de Dominicaanse en de Puerto Ricaanse factie.

Op een dag ontstond er een ruzie tussen twee van de meisjes, nadat een Puerto Ricaanse tegen een Dominicaanse had gezegd dat ze veel te arrogant was voor iemand die pas zo kort in het land was. De twee werden vijanden en de groep splitste zich op.

Overal in de Verenigde Staten leven leerlingen op middelbare scholen in een steeds diversere etnische mix. In deze nieuwe mondiale microkosmos zijn de standaardcategorieën voor discriminatie (de manier waarop Wij en Zij gedefinieerd worden) aan voortdurende verandering onderhevig.[20] De oude categorieën, zoals zwart en blank, zijn vervangen door veel subtielere contrasten. Op bovengenoemde school in Manhattan werd niet alleen onderscheid gemaakt tussen zwarten versus latino's, maar bijvoorbeeld ook tussen Aziaten onderling in 'ABC's' (American Born Chinese, in Amerika geboren Chinezen) versus 'FOB's' (Fresh Off the Boat, vers van de boot). Met de voorspellingen over immigratie in de Verenigde Staten in het achterhoofd zal deze gelaagde etnische mix met zijn groeiende reeks 'in-' en 'out'-groepen alleen maar leiden tot nog meer varianten van Wij en Zij.

Een ontnuchterend lesje in waar een sociaal versplinterd klimaat toe kan leiden was de verschrikkelijke schietpartij aan Columbine High School op 20 april 1990, waarbij twee 'buitenbeentjes' wraak namen door een aantal medeleerlingen, een docent en zichzelf dood te schieten. Die tragedie inspireerde psycholoog Elliot Aronson tot een onderzoek van het probleem, dat volgens hem geworteld is in een schoolomgeving met een 'competitief karakter, waar een kliekjesgeest heerst en kinderen buitengesloten worden'.

In zo'n omgeving, zag Aronson, 'lijden tieners onder de algemene sfeer van hoon en afwijzing door hun leeftijdgenoten, die hun alle plezier in hun middelbareschooltijd ontneemt. Voor velen is het zelfs meer dan onplezierig. Zij beschrijven het als een levende hel, waarin ze zich onzeker, impopulair, vernederd en bespot voelen.'[21]

Niet alleen de Verenigde Staten, maar ook andere landen, van Noorwegen tot Japan, worstelen met het probleem van kinderen die elkaar pesten. Overal bestaan er populaire leerlingen en buitenbeentjes, die door anderen gemeden en buitengesloten worden. De sociale wereld van de leerling wordt geteisterd door het probleem van disconnectie.

Dat feit lijkt misschien een triviaal neveneffect van normale sociale patronen, waarin sommige leerlingen tot bloei komen en andere buiten de boot vallen. Onderzoek heeft echter uitgewezen dat mensen die zich buitengesloten voelen of die er voortdurend aan herinnerd worden dat ze er niet bij horen, terechtkomen in een neerwaartse spiraal van afwezigheid, angstig gepieker, lethargie en een gevoel dat hun leven betekenisloos is.[22] Heel veel adolescente levensangst komt voort uit deze vrees om buitengesloten te worden.

Laten we niet vergeten dat de pijn van uitsluiting in dezelfde hersenknoop van het sociale brein wordt vastgelegd als daadwerkelijke fysieke pijn. Sociale afwijzing kan de schoolprestaties van leerlingen torpederen.[23] De capaciteit van hun werkgeheugen, de cruciale cognitieve vaardigheid voor het opnemen van nieuwe informatie, raakt zodanig geblokkeerd dat het vermogen om goed werk te leveren in vakken als wiskunde duidelijk afneemt.[24] Naast leerproblemen zie je bij deze geïsoleerde leerlingen vaak een grotere gewelddadigheid, verstoren ze vaker de orde in de klas, spijbelen ze vaker en stoppen ze vaker helemaal met school.

Het sociale universum van de school vormt het hart van het tienerleven. Dat is een gevaarlijk feit, zoals blijkt uit gegevens over vervreemding, maar het is ook een belofte: school biedt iedere tiener een laboratorium om te leren positieve contacten met anderen aan te gaan.

Aronson nam de uitdaging aan om leerlingen te helpen op een gezonde manier contact te leggen. Vanuit de sociale psychologie kende hij één dynamiek om de stap van Zij naar Wij te maken: wanneer mensen uit vijandige groepen aan een gemeenschappelijk doel werken, gaan ze elkaar waarderen.

Aronson wierp zich dus op als pleitbezorger voor wat hij de 'legpuzzelklas' noemt, waarin leerlingen in teamverband samenwerken aan een opdracht waar ze een test over krijgen. Net als bij een legpuzzel, heeft iedere leerling in de groep de beschikking over een brokje informatie dat onontbeerlijk is voor het totaal. Wanneer de leerlingen bijvoorbeeld de Tweede Wereldoorlog bestuderen, specialiseert ieder teamlid zich op een deelgebied, bijvoorbeeld de militaire campagnes in Italië. De specialist bestudeert dat onderwerp met leerlingen uit andere groepen. Vervolgens onderwijzen ze de leerlingen in hun eigen groep.

Om een onderwerp onder de knie te krijgen, moet de hele groep goed luisteren naar wat iedereen te zeggen heeft. Als de anderen iemand belachelijk maken, of niet opletten omdat ze iemand niet aardig vinden, lopen ze het risico dat ze een slecht cijfer halen voor de test. Het leren zelf wordt een laboratorium dat aanmoedigt tot luisteren, respect en samenwerking.

Leerlingen in legpuzzelgroepen laten hun negatieve stereotypes snel varen. Uit onderzoek op multiculturele scholen blijkt bovendien dat hun vooroordelen kleiner zijn naarmate de contacten tussen de leerlingen uit verschillende subculturen vriendschappelijker zijn.[25]

Neem bijvoorbeeld Carlos, een jongetje uit groep zeven dat plotseling van school moest veranderen. Tot die tijd had hij op een school gezeten met vooral Mexicaans-Amerikaanse kinderen als hijzelf, maar nu ging hij met de bus naar een school in een welvarende wijk aan de andere kant van de stad. De kinderen op zijn nieuwe school waren in alle vakken verder dan hij en bovendien lachten ze hem uit om zijn accent. Carlos was van meet af aan een buitenbeentje en werd onzeker en verlegen.

In de legpuzzelklas waren dezelfde leerlingen die hem eerst hadden uitgelachen echter afhankelijk van zijn stukje van de leerpuzzel om een goed cijfer te halen. Aanvankelijk kleineerden ze hem omdat hij lang over zijn werk deed. Hierdoor klapte hij helemaal dicht en scoorden ze allemaal slecht. Daarom begonnen ze hem te helpen en moed in te praten. Hoe meer ze hem hielpen, hoe meer ontspannen en uitgesproken Carlos werd. Zijn prestaties verbeterden en zijn groepsgenoten kregen een steeds positiever beeld van hem.

Een aantal jaren later kreeg Aronson plotseling een brief van Carlos, die op het punt stond af te studeren aan een universiteit. Carlos schreef hoe bang hij was geweest, hoezeer hij school gehaat had, hoe dom hij zich gevoeld had en hoe wreed en gemeen de andere kinderen geweest waren. Maar zodra hij in de legpuzzelklas terecht was gekomen, was dat veranderd en waren zijn kwelgeesten zijn vrienden geworden.

'Ik begon leren leuk te vinden,' schreef Carlos. 'En nu ga ik binnenkort rechten studeren aan Harvard.'

Vergeven en vergeten

Het was een koude dag in december. De Hoogeerwaarde heer James Parks Morton, voormalig deken van de anglicaanse kathedraal in New York en op dat moment directeur van het Interfaith Center, had slecht nieuws voor zijn personeel. De grootste geldschieter van het centrum had zijn bijdrage gekort en nu kon de huur niet meer betaald worden.

Een paar dagen voor kerst meldde zich een zeer onverwachte redder in de nood. Sheikh Moussa Drammeh, een immigrant uit Senegal, had van de problemen gehoord en bood het centrum een ruimte aan in een gebouw waar hij een kinderdagverblijf wilde beginnen.

Dat een moslim een centrum redde waar boeddhisten, hindoes, christenen, joden en moslims konden samenkomen om aan gemeenschappelijke problemen te werken, was volgens Morton zeer toepasselijk en sloot aan op de missie van zijn groep. In Drammehs woorden: 'Hoe meer we over elkaar weten, en hoe meer we bereid zijn om bij elkaar te komen en samen te drinken en te lachen, hoe minder we geneigd zijn om bloed te vergieten.'[27]

Maar wat kunnen we doen om de haat te helen van groepen mensen die wél bloed vergoten hebben? In de nasleep van een gewelddadig conflict tussen verschillende groepen verspreiden vooroordelen en animositeit zich inderdaad als kanker.

Zodra de vijandelijkheden gestaakt zijn, zijn er in het streven naar herstel van harmonieuze relaties ook gegronde persoonlijke redenen om het proces te versnellen. Een daarvan is biologisch van aard: het vasthouden aan haat en wrok heeft ernstige fysiologische gevolgen. Onderzoek onder mensen die een groepsconflict hebben meegemaakt, wijst uit dat ze maar aan de groep die ze haten hoeven te denken, of hun lichaam reageert met opgekropte woede. Ze worden overspoeld door stresshormonen, waardoor hun bloeddruk stijgt en hun immuunsysteem wordt aangetast. Hoe vaker en intenser deze sequentie zich herhaalt, hoe groter waarschijnlijk het risico op blijvende biologische gevolgen.

Een mogelijk tegengif is vergeving.[28] Door iemand te vergeven tegen wie we wrok koesteren, keert de biologische reactie om: onze bloeddruk en hartslag dalen, we maken minder stresshormonen aan en onze pijn en depressie verminderen.[29]

Vergeving kan sociale gevolgen hebben, bijvoorbeeld wanneer we bevriend raken met voormalige vijanden, maar die vorm hoeft het niet aan te nemen. Zeker wanneer de wonden nog vers zijn, betekent vergeving niet dat we kwetsend of agressief gedrag hoeven te accepteren, moeten vergeten wat er gebeurd is of ons met de dader moeten verzoenen. Het betekent dat we een manier moeten vinden om onszelf te bevrijden uit de klauwen van onze obsessie voor onze pijn.

Een week lang werkten psychologen met zeventien Noord-Ierse mannen en vrouwen, zowel katholieken als protestanten, aan vergeving. Elk had een familielid verloren aan het sektarische geweld. Tijdens die week luchtten de getroffenen hun hart en hielp men hen om op nieuwe manieren met de tragedie om te gaan. De meesten besloten niet langer in hun pijn te zwelgen, maar de nagedachtenis aan hun geliefden te eren door zichzelf te wijden aan een betere toekomst. Een groot aantal nam zich voor om anderen te helpen hetzelfde vergevingsritueel te ondergaan. Achteraf voelde de groep niet alleen minder emotionele pijn, maar ook de fysieke traumasymptomen, zoals een slechte eetlust en slapeloosheid, waren substantieel verminderd.[30]

Vergeven, misschien, maar helemaal vergeten is ook niet de bedoeling. De mensheid heeft grote lessen te leren van de ervaring van onderdrukking en geweld. We moeten die ervaringen gebruiken als een blijvende waarschuwing en herinnering. Zoals rabbijn Lawrence Kushner over de Holocaust zegt: 'Ik wil me die gruwelijkheid blijven herinneren om te zorgen dat zoiets noch mij, noch een ander ooit nog gebeurt.'[31]

Kushner heeft op de meest gruwelijke manier geleerd 'wat het betekent om het slachtoffer te worden van een machtige, maar volledig waanzinnig geworden technocratische staat'. Volgens hem is het helpen van anderen die door genocide bedreigd worden de beste manier om met die herinnering om te gaan.

Hetzelfde motief ligt ten grondslag aan New Dawn, een populaire wekelijkse radiosoap in Rwanda, waar van 1990 tot 1994 uitzinnige Hutu's zevenhonderdduizend Tutsi's uitmoordden, plus de gematigde Hutu's die tegen de slachtpartij waren. De soap, die speelt in het heden, volgt de spanningen tussen twee arme dorpen in hun conflict over een stuk vruchtbare grond tussen de dorpen in.

In een Romeo en Julia-achtige verhaallijn is Batamuliza, een jonge vrouw, verliefd op Shema, een jonge man uit het andere dorp. Om het verhaal interessanter te maken, staat haar oudere broer Rutanagira aan het hoofd van een factie in het dorp die de haat tegen het andere dorp probeert aan te wakkeren en aanstuurt op een fysieke confrontatie. Bovendien wil hij dat Batamuliza met een van zijn maatjes trouwt. Batamuliza behoort echter tot een groep die zowel vrienden heeft in haar eigen dorp, als in het andere dorp. Deze jongeren proberen de onruststokers op alle mogelijke manieren tegen te werken. Ze verraden bijvoorbeeld het doelwit van de geplande aanval en confronteren de aanstichters ermee.

Het is precies dit actieve verzet tegen haat waar het tijdens de genocide van een decennium geleden aan ontbrak. Het cultiveren van het vermogen om haat te bestrijden, is de subtekst van New Dawn, een gezamenlijk project van Nederlandse filantropen en Amerikaanse psychologen.[32] 'We geven mensen inzicht in de invloeden die leiden tot genocide en in wat ze kunnen doen om te zorgen dat het nooit meer gebeurt,' aldus Ervin Staub, psycholoog aan de Universiteit van Massachusetts in Amherst en een van de bedenkers van het programma.

Staub kent de dynamiek van genocide niet alleen uit zijn onderzoek, maar ook uit persoonlijke ervaring. Als kind was hij een van de tienduizenden Hongaarse joden die door de Zweedse ambassadeur Raoul Wallenberg van de nazi's werden gered.

Staubs boek *The Roots of Evil* geeft een samenvatting van de psychologische krachten die leiden tot massamoord.[33] De fundamenten worden gelegd tijdens periodes van grote sociale onrust, zoals een economische crisis of politieke chaos, op plaatsen waar een historisch gegroeide scheiding bestaat tussen een dominante en een minder machtige groep. De onrust leidt ertoe, dat mensen uit een meerderheidsgroep zich aangesproken voelen door ideologieën die een zwakkere groep als zondebok aanwijzen: alle problemen zijn aan Hen te wijten en zonder Hen is er een betere toekomst mogelijk. De haat verspreidt zich nog sneller wanneer de meerderheidsgroep in het verleden zelf slachtoffer is geweest, en zich nog altijd gewond en benadeeld voelt. Ze zien de wereld als gevaarlijk en wanneer de spanningen toenemen voelen ze zich gedwongen geweld te gebruiken om zich tegen Hen te verdedigen, zelfs wanneer die 'zelfverdediging' ontaardt in genocide.

Er zijn een aantal factoren die de kans op zulk geweld vergroten: wanneer het doelwit niet in staat is om voor zichzelf op te komen en buitenstaanders (mensen die zouden kunnen protesteren of mensen uit buurlanden) niet ingrijpen. 'Als anderen passief blijven bij het eerste geweld tegen de slachtoffers, dan interpreteren de daders dat als goedkeuring,' zegt Staub. 'En zodra mensen eenmaal met geweld beginnen, sluiten ze hun slachtoffer stapsgewijs buiten hun morele wereld. Daarna houdt niets hen meer tegen.'

In samenwerking met psychologe Laurie Anne Pearlmann doceert Staub deze inzichten aan groepen Rwandese politici, journalisten en gemeenschapsleiders.[34] 'We vragen hun om deze inzichten toe te passen op hun eigen ervaring van de gebeurtenissen. De uitwerking is enorm. We proberen het helingsproces in de gemeenschap te stimuleren en gereedschappen aan te dragen om het geweld te kunnen weerstaan.'

Uit hun onderzoek blijkt dat zowel Hutu's als Tutsi's die aan dit soort trainingen hebben deelgenomen, zich minder getraumatiseerd voelen door wat hun gebeurd is, en de andere groep meer accepteren. Maar er is meer voor nodig dan krachtige emotionele connecties om de kloof tussen Wij en Zij te dichten. Wanneer groepen dicht op elkaar leven, helpt vergeving niet altijd, heeft Staub gemerkt, zeker wanneer de daders niet erkennen wat ze gedaan hebben, geen blijk geven van spijt en geen empathie tonen voor de overlevenden. Als vergeving maar van één kant komt, groeit het gebrek aan evenwicht.

Staub maakt een onderscheid tussen vergeving en verzoening, waarbij het draait om het eerlijk onder ogen zien van de onderdrukking en om pogingen het weer goed te maken, zoals is gedaan door de Commissie voor Waarheid en Verzoening in Zuid-Afrika na de val van het apartheidssysteem. In zijn programma's in Rwanda betekent verzoening dat de daders toegeven wat er gebeurd is en dat mensen aan beide kanten elkaar op een meer re-

alistische manier gaan bekijken. Zo ontstaat de mogelijkheid dat beide vol-
ken op een nieuwe manier naast elkaar gaan leven.

'Tutsi's zeggen vaak,' aldus Staub, '"sommige Hutu's hebben geprobeerd
ons leven te redden. Voor onze kinderen ben ik bereid met hen samen te
werken. Als zij hun verontschuldigingen aanbieden, kan ik me voorstellen
dat ik hen kan vergeven."'

EPILOOG

Wat werkelijk belangrijk is

Ik ontmoette ooit een man die was uitgenodigd om een week door te brengen op een privéjacht voor een tocht langs de Griekse eilanden. Het was niet zomaar een jacht, maar een 'superjacht', een ministoomschip dat zo lang was dat het geregistreerd stond bij de grootste plezierboten ter wereld. Een kopie van dat register lag op een tafeltje in de boot. Het dikke, rijkelijk geïllustreerde boekwerk wijdde twee pagina's aan de luxueuze details van elk superjacht.

Het tiental gasten was opgetogen over al het comfort en de enorme afmetingen van het slanke schip. Tot het moment dat er een nog groter schip voor anker ging. Toen ze het register raadpleegden, ontdekten ze dat hun nieuwe buur een van de vijf grootste jachten ter wereld was en toebehoorde aan een Saudische prins. Bovendien had het een bevoorradingsschip dat aan de boeg een enorme watertrampoline meevoerde. Het bevoorradingsschip was ongeveer even groot als hun eigen boot.

Bestaat er zoiets als jachtafgunst? Absoluut, volgens Daniel Kahneman, psycholoog aan de Universiteit van Princeton. Dit soort exclusieve afgunst komt voort uit wat hij de 'hedonistische tredmolen' noemt. Kahneman, die ooit de Nobelprijs voor economie won, gebruikt het beeld van een tredmolen om te verklaren waarom er nauwelijks verband bestaat tussen betere leefomstandigheden, zoals grotere rijkdom, en tevredenheid in het leven.

Waarom zijn rijke mensen niet ook de gelukkigste? Kahneman beweert dat we onze verwachtingen opschroeven naarmate we meer geld hebben. We verlangen naar steeds indrukwekkender en duurdere pleziertjes. Het is een tredmolen die nooit eindigt, zelfs niet voor miljardairs. In de woorden van Kahneman: 'De rijken hebben misschien meer pleziertjes dan de armen, maar ze hebben ook meer pleziertjes nodig om net zo tevreden te zijn.'[1]

Kahnemans onderzoek signaleert ook een uitweg uit de hedonistische tredmolen: een leven dat rijk is aan bevredigende relaties. Hij en zijn onderzoeksgroep ondervroegen meer dan duizend Amerikaanse vrouwen en vroegen hun hun activiteiten op een bepaalde dag te evalueren. Wat deden ze, met wie waren ze en hoe voelden ze zich? Hoe gelukkig de vrouwen zich voelden, hing vooral af van de mensen met wie ze tijd hadden doorgebracht. Dat was belangrijker dan inkomen, werkdruk, of echtelijke staat.[2]

Als de twee plezierigste activiteiten noemde men, zoals te verwachten viel, vrijen en gezellig samenzijn. Het minst plezierig vond men reizen naar het werk en het werken zelf. En de rangorde van mensen die het geluksgevoel van de vrouwen geprikkeld hadden? Hier is de lijst:

Vrienden
Familie
Echtgenoot of partner
Kinderen
Klanten
Collega's
Baas
Alleen zijn

Kahneman moedigt aan dat we daadwerkelijk een inventarisatie maken van de mensen in ons leven en hoe prettig we het vinden om bij hen te zijn, en dan proberen onze dag te 'optimaliseren' door op een bevredigende manier meer tijd met hen door te brengen (voor zover onze agenda en financiën dat toelaten). Buiten dit soort overduidelijke logistieke conclusies, levert het waarschijnlijk meer op om te zorgen dat onze relaties voor beide partijen bevredigend zijn.

Wat het leven de moeite waard maakt, komt tenslotte voor een groot deel neer op ons gevoel van welzijn. Hoe voldaan en gelukkig voelen we ons? Kwalitatief goede relaties behoren tot de voornaamste bronnen van dit soort gevoelens. Emotionele besmetting betekent dat een flink aantal van onze stemmingen voortkomt uit interacties met anderen. In zekere zin werken afgestemde relaties als emotionele vitamines. Ze helpen ons door moeilijke tijden en geven ons dagelijks voeding.

Over de hele wereld is vrijwel iedereen het erover eens dat goede relaties onontbeerlijk zijn voor een goed leven. De precieze invulling kan van cultuur tot cultuur verschillen, maar iedereen beschouwt hechte contacten met anderen als het belangrijkste element van een 'optimaal menselijk bestaan'.[3]

Zoals we in hoofdstuk 15 hebben gezien, ontdekte John Gottman in zijn onderzoek naar huwelijken dat binnen een gelukkig en stabiel huwelijk een echtpaar ongeveer vijf positieve interacties beleeft tegenover één negatieve. Misschien is diezelfde vijf-op-een-verhouding een gouden standaard voor alle langdurige contacten in ons leven. We kunnen in theorie een inventarisatie maken van de positieve waarde van al onze relaties.

Als de ratio bijvoorbeeld omgekeerd zou zijn, met vijf negatieve interacties tegenover iedere positieve interactie, zou die relatie dringend gerepareerd moeten worden. Een negatieve ratio betekent uiteraard niet per se dat we een relatie zouden moeten beëindigen omdat die soms (of zelfs te vaak) moeilijk is. Het gaat erom dat we doen wat we kunnen om het problematische gedrag te verbeteren, niet dat we de persoon uit ons leven bannen. Legers van experts hebben hiervoor oplossingen aangedragen. Sommige daarvan werken alleen als anderen ook bereid zijn mee te werken. Als dat niet het geval is, kunnen we altijd onze eigen veerkracht en sociale intelligentie een opkikker geven, en daarmee ons aandeel in de emotionele tango veranderen.

Natuurlijk moeten we ons daarnaast afvragen, wat onze eigen invloed is op het leven van onze naasten. Ons effect op anderen getuigt van de manier waarop we onze verantwoordelijkheid vervullen als liefhebbende echtgenoten, familieleden, vrienden en leden van de gemeenschap.

Door een Ik-Jij-benadering van anderen kan onze empathie zich op een natuurlijke manier ontwikkelen tot een betrokken optreden. Het sociale brein functioneert dan als een ingebouwd gidssysteem voor liefdadigheid, goede werken en compassievol gedrag. Gegeven de hedendaagse onbarmhartige sociale en economische werkelijkheid, zouden zorgzaamheid en sensibiliteit, belangrijke onderdelen van sociale intelligentie, wel eens steeds waardevoller kunnen worden.

Sociale sturing

Martin Buber geloofde dat de groeiende hoeveelheid Ik-Het-relaties in de moderne wereld een bedreiging vormt voor het menselijk welzijn. Hij waarschuwde tegen het 'verdingen' van mensen, de depersonalisatie van relaties die de kwaliteit van ons leven en zelfs het wezen van de mens aantast.[4]

Een profetisch geluid dat aan Buber voorafging, was afkomstig van George Herbert Mead, een Amerikaans filosoof uit het begin van de twintigste eeuw. Mead ontwikkelde de gedachte van het 'sociale zelf', het gevoel van identiteit dat we vormen door onszelf waar te nemen in de spiegel van onze relaties. Mead was van mening dat sociale vooruitgang zich zou moeten richten op een 'geperfectioneerde sociale intelligentie', met een sterke nadruk op rapport en wederzijds begrip.[5]

Dit soort utopische idealen voor de mensheid lijkt nauwelijks te rijmen met de tragedies en spanningen van de eenentwintigste eeuw. Bovendien is men in de wetenschap in het algemeen, en niet alleen binnen de psychologie, enigszins huiverig voor de morele dimensie. Veel wetenschappers laten die liever over aan geesteswetenschappen als filosofie of theologie. Maar de verfijnde sociale ontvankelijkheid van het brein vereist dat we beseffen dat niet alleen onze emoties, maar zelfs onze biologische eigenschappen door anderen aangedreven en gevormd worden, en dat wij op onze beurt verantwoordelijkheid dienen te nemen voor de manier waarop wijzelf de mensen in onze omgeving beïnvloeden.

Bubers boodschap aan ons waarschuwt voor een visie die onverschillig staat tegenover het lijden van anderen en sociale vaardigheden alleen aanwendt voor egocentrische doeleinden. Hij pleit voor empathie en betrokkenheid, een houding van zorgzaamheid die zowel verantwoordelijkheid voor anderen neemt, als voor zichzelf.

Die tweedeling heeft implicaties voor de sociale neurowetenschap zelf. Zoals altijd kunnen dezelfde wetenschappelijke inzichten tot kwaadaardige of goedaardige toepassingen leiden. Een orwelliaans gebruik van ontdekkingen op het gebied van de sociale neurowetenschap zou bijvoorbeeld het misbruik ervan zijn voor reclame- of propagandadoeleinden. Een fMRI-onderzoek naar de respons van een doelgroep op een bepaalde boodschap zou gebruikt kunnen worden om de emotionele impact van die boodschap te verfijnen en versterken. Volgens een dergelijk scenario verwordt de wetenschap tot een gereedschap voor mediamanipulatie om een exploiterende boodschap met nog meer kracht in te prenten.

Dat is niets nieuws: onbedoelde gevolgen van nieuwe uitvindingen vormen de onvermijdelijke keerzijde van technologische vooruitgang. Iedere generatie van nieuwe hebbedingetjes overspoelt de maatschappij voordat we volledig beseffen wat het ons gaat brengen. De volgende nieuwigheid is altijd weer een sociaal experiment in uitvoering.

Aan de andere kant richten sociale-neurowetenschappers zich al op veel goedaardiger toepassingen. Eén daarvan is het toepassen van de logaritmische formule voor empathie, de fysiologische afstemming tijdens momenten van rapport, om studenten in de geneeskunde en psychotherapeuten te leren beter met hun patiënten te empathiseren. Iemand anders bedacht een ingenieus heuptasje voorzien van een draadloze monitor voor bepaalde fysiologische processen: patiënten zouden die vierentwintig uur per dag thuis kunnen dragen. Zodra het apparaatje zou registreren dat de patiënt, om maar wat te noemen, een aanval van depressie kreeg, zou het automatisch een signaal versturen.[6]

Ons groeiende inzicht in het sociale brein en in de effecten van onze sociale contacten op onze biologie wijzen bovendien in de richting van een aantal manieren om onze maatschappelijke organisaties beter in te richten. Gegeven de heilzame invloed van gezonde contacten, zullen we de manier waarop we met zieken, bejaarden en gevangen omgaan moeten herzien.

Voor chronisch zieken en stervenden zouden we bijvoorbeeld meer kunnen doen dan alleen een pool van behulpzame vrijwilligers werven uit de familie en vriendenkring van de patiënt: we zouden die vrijwilligers ondersteuning kunnen bieden. Voor bejaarden, die nu maar al te vaak weggestopt worden in grauwe, geïsoleerde instellingen, zouden we woongemeenschappen kunnen ontwikkelen waar mensen van alle leeftijden samenleven en regelmatig samen eten. Op die manier blazen we de familienetwerken nieuw leven in die door de eeuwen heen de zorg voor de ouderen op zich namen. En zoals we gezien hebben, kunnen we onze justitiële instellingen een nieuwe focus geven door gevangenen niet langer af te snijden van de menselijke connecties die hen op het rechte pad kunnen houden, maar die connecties juist te stimuleren.

En laten we vooral het personeel van al deze instellingen niet vergeten, van scholen tot ziekenhuizen en gevangenissen. Al deze sectoren zijn gevoelig voor het waanbeeld van de accountant dat fiscale maatregelen volstaan om sociale doelstellingen te bepalen. Die mentaliteit negeert de emotionele contacten die maken dat we het beste uit onszelf halen.

Leidinggevenden zouden moeten beseffen dat zijzelf voor een groot deel verantwoordelijk zijn voor de emotionele sfeer binnen hun organisatie en dat die weer gevolgen heeft voor het realiseren van gemeenschappelijke doelen, of dat nu gemeten wordt in testscores, verkoopcijfers of het behouden van verpleegkundigen.

En voor dit alles moeten we, zoals Edward Thorndike in 1920 al suggereerde, onze sociale wijsheid stimuleren, de kwaliteiten die maken dat de mensen in onze omgeving tot bloei komen.

Bruto Nationaal Geluk

Het koninkrijkje Bhutan in de Himalaya neemt het 'bruto nationaal geluk' van het land heel serieus. Ze nemen het net zo serieus als het bruto nationaal product, een economische standaard.[7] Het overheidsbeleid, zo verklaarde de koning, zou gekoppeld moeten zijn aan het gevoel van welzijn van het volk, niet alleen aan de economie. Natuurlijk berust het nationale geluk van Bhutan onder andere op financiële onafhankelijkheid, een ongerepte omgeving, gezondheidszorg, onderwijs met behoud van de lokale cultuur en democratie. Maar economische groei op zichzelf is niet meer dan een onderdeel van de optelsom.

Bruto nationaal geluk is niet alleen iets voor Bhutan. De notie om minstens zoveel waarde te hechten aan het geluk en de tevredenheid van de bevolking als aan economische groei wordt omarmd door een kleine, maar groeiende internationale groep economen. Zij beschouwen de universele aanname in beleidskringen overal ter wereld dat de consumptie van meer goederen betekent dat mensen zich beter voelen als misplaatst. Ze ontwikkelen nieuwe manieren om welzijn te meten, die niet alleen gericht zijn op inkomen en werkgelegenheid, maar ook op tevredenheid over persoonlijke relaties en op een gevoel van doelgerichtheid in het leven.[8]

Daniel Kahneman wijst op het goed gedocumenteerde gebrek aan correlatie tussen economische voorspoed en geluk (behalve een uitschieter helemaal onder aan de ladder, wanneer mensen vanuit volstrekte armoede opeens een mager bestaan opbouwen).[9] Recentelijk begint het tot economen door te dringen, dat hun hyperrationele modellen de lage route (en emoties in het algemeen) over het hoofd zien, en daardoor niet precies kunnen voorspellen wat voor keuzes mensen maken, laat staan wat hen gelukkig maakt.[10]

De term *technological fix*, voor technologische interventies in het menselijk leven, werd bedacht door Alvin Weinberg, lang directeur van het Oak Ridge National Laboratory en oprichter van het Institute for Energy Analysis. Weinberg groeide op met de wetenschap van de jaren vijftig en zestig van de vorige eeuw, een tijdperk dat gekenmerkt werd door de utopische visie dat nieuwe technologieën een oplossing zouden bieden voor de meest uiteenlopende menselijke en sociale kwalen.[11] Een van die voorstellen was een enorm systeem van kerncentrales, dat de energiekosten radicaal zou moeten verlagen. Als ze bij een oceaan zouden komen te staan, zouden ze bovendien grote hoeveelheden drinkwater opleveren. Vele landen zouden hiervan profiteren. (Onlangs heeft een aantal milieuactivisten zich vóór kernenergie uitgesproken als een oplossing voor het broeikaseffect.)

Inmiddels negentig jaar oud, is Weinberg filosofischer en voorzichtiger geworden in zijn denkbeelden. 'Door de technologie wordt het steeds makkelijker om het contact met anderen en onszelf te verliezen,' vertelde hij me. 'De beschaving is enorm individualistisch geworden. Wat ooit betekenis had, is weggevaagd. Mensen leven hun leven achter de computer en hebben alleen op afstand persoonlijke contacten. We leven in een metawereld en richten ons helemaal op de nieuwste technologieën. Maar van veel groter belang zijn onze familiebanden, onze gemeenschap en onze sociale verantwoordelijkheid.'

Als wetenschapsadviseur van de president schreef Weinberg in de jaren zestig een invloedrijk artikel over wat hij 'criteria voor wetenschappelijke keuzes' noemde. In dat artikel introduceerde hij de notie dat waarden een rol zouden kunnen spelen bij keuzes in wetenschapsfinanciering en dat ze belangrijk waren in de wetenschapsfilosofie. Nu, bijna een halve eeuw later, heeft hij nog meer nagedacht over wat 'nuttig' of de moeite waard is op het gebied van overheidsuitgaven. 'De conventionele visie zegt dat kapitalisme de enige efficiënte manier is om geld te verdelen, maar het ontbreekt aan compassie.

Ik vraag me af of de mogelijkheden van onze economische modellen uitgeput raken en of de enorme werkloosheid wereldwijd niet structureel en
diepgaand is, in plaats van een verschijnsel van voorbijgaande aard. Misschien zal er altijd een groot, en waarschijnlijk groeiend aantal mensen zijn
dat gewoon geen goede baan kan vinden. En dan vraag ik me af hoe we ons
systeem zouden kunnen aanpassen, zodat het niet alleen efficiënt is, maar
ook compassievol.'

Paul Farner, een gezondheidszorgactivist die befaamd is vanwege zijn werk
in Haïti en Afrika, spreekt zich ook uit tegen het 'structurele geweld' van een
economisch systeem dat zoveel armen over de gehele wereld te ziek houdt
om hun eigen situatie te kunnen verbeteren.¹² Volgens Farmer zou het enorm
helpen als we gezondheidszorg beschouwen als een fundamenteel mensen-
recht en er een prioriteit van maken, in plaats van een sluitpost. Op dezelfde manier meent Weinberg dat een 'compassievol kapitalisme van ons zou
eisen dat we onze prioriteiten zouden herzien en een groter deel van het nationale budget zouden uittrekken voor sociale doeleinden. Als we het economisch systeem voldoende compassie zouden kunnen geven, zou het ook
politiek stabieler worden.'

De economische theorieën die vandaag de dag het nationale beleid bepalen, houden echter maar weinig rekening met menselijk leed (hoewel men
altijd een schatting maakt van de economische kosten van een eventuele
ramp als een overstroming of een hongersnood). Een van de meest schrijnende resultaten daarvan is het beleid dat de armste landen met zulke hoge
schulden opzadelt, dat ze niet genoeg overhouden voor eten of medische
zorg voor hun kinderen.

Die economische houding lijkt *mindblind*, niet in staat om de werkelijkheid van de ander te zien. Empathie is van fundamenteel belang voor een
compassievol kapitalisme waarin ruimte is voor het verlichten van menselijk leed.

Dat betekent dat we het vermogen tot compassie van een samenleving moeten stimuleren. Economen zouden er bijvoorbeeld goed aan doen om onderzoek te starten naar de maatschappelijke voordelen van sociaal intelligent
ouderschap en lesprogramma's in sociale en emotionele vaardigheden, zowel
in het onderwijssysteem als in gevangenissen.¹³ Zulke maatschappelijke in-
vesteringen in de werking van het sociale brein zouden wel eens levenslang
rendement op kunnen leveren voor zowel kinderen, als de gemeenschap waarin ze leven. Die voordelen zouden, zo vermoed ik, uiteen kunnen lopen van
betere prestaties op school en op het werk, tot gelukkiger en sociaal vaardi-
ger kinderen, een veiliger maatschappij en een betere gezondheid. En mensen die beter opgeleid, veiliger en gezonder zijn, dragen het meest bij aan welke economie dan ook.

Al die grootse speculaties daargelaten, zouden wij allemaal ogenblikkelijk baat hebben bij warmere sociale connecties.

Het pure genot van sympathie

In zijn uitbundige dichtwerk *I Sing The Body Electric* zegt de dichter Walt Whitman het in de meest lyrische bewoordingen:

Ik heb gemerkt dat bij hen zijn die ik graag mag voldoende is,
's avonds thuis te blijven in gezelschap van de anderen voldoende is,
Omringd te zijn door prachtig bijzonder ademend lachend vlees voldoende is ...

Ik vraag niet om meer genot... ik zwem erin als in een zee.
Er is iets in de onmiddellijke omgang met mannen en vrouwen en het kijken naar ze
en in het contact met ze en hun geur dat de ziel goed doet,
Alle dingen behagen de ziel, maar deze doen de ziel goed.

[vertaling Elly de Waard in: Walt Whitman *Leaves of Grass-Grasbladen*. Vertaald door 22 dichters, Jacob Groot en Kees 't Hart, red. Querido, Amsterdam, 2005]

Vitaliteit ontstaat uit puur menselijk contact, vooral uit liefdevolle connecties. De mensen om wie we het meest geven zijn als een elixer, een zich steeds vernieuwende bron van energie. De neurale uitwisseling tussen een ouder en een kind, een grootouder en een peuter, tussen minnaars of een tevreden echtpaar, of onder goede vrienden, heeft tastbare kwaliteiten.

Nu de neurowetenschap het pure genot van sympathie met cijfers kan onderbouwen en de voordelen kan kwantificeren, zullen we aandacht moeten schenken aan de biologische impact van ons sociale leven. De verborgen connecties tussen onze relaties, onze hersenfunctie en onze gezondheid en welzijn hebben verbijsterende implicaties.

We zullen de al te gemakkelijke aanname dat we immuun zijn voor toxische sociale contacten moeten herzien. Afgezien van een enkele stormachtige stemming gaan we er vaak vanuit dat onze interacties op biologisch niveau weinig gevolgen hebben. Dit blijkt echter een illusie. Net zoals we een virus van een ander kunnen oppikken, kunnen we een emotionele dip 'oppikken' die ons kwetsbaarder maakt voor datzelfde virus, of ons welzijn op een andere manier ondermijnt.

Vanuit dit perspectief is ernstige ontreddering, zoals walging, minachting of explosieve woede, het emotionele equivalent van passief roken. Het interpersoonlijke equivalent van het werken aan onze gezondheid zou het verspreiden van positieve emoties zijn in onze omgeving.

In die zin begint sociale verantwoordelijkheid hier en nu, door ons te gedragen op een manier die anderen helpt zich optimaal te voelen, van degene die we toevallig tegen het lijf lopen tot de mensen om wie we het meest geven. Geheel in de lijn van Whitman zei een wetenschapper die zich bezighoudt met het belang van sociabiliteit voor ons voortbestaan, dat de praktische les voor ons allemaal luidt: 'Koester je sociale contacten.'[14]

Dat is allemaal leuk en aardig voor ons persoonlijke leven, maar ieder van ons worstelt ook met de enorme sociale en politieke krachten van deze tijd. De afgelopen eeuw heeft benadrukt wat ons van elkaar scheidt, en ons geconfronteerd met de grenzen van onze collectieve empathie en compassie.

Gedurende het grootste deel van de geschiedenis waren de bittere tegenstellingen tussen verschillende groepen op een strikt logistiek niveau nog te hanteren: de beperkte destructiemiddelen zorgden dat de schade binnen de perken bleef. In de twintigste eeuw echter, heeft het destructieve potentieel van de haat immense proporties aangenomen door de ontwikkelingen in technologie en organisatorische efficiëntie. De dichter W.H. Auden voorzag het scherp: 'We moeten elkaar liefhebben of sterven.'

Zijn grimmige visie brengt de dreiging van ontketende haat feilloos onder woorden. Maar we hoeven niet machteloos te zijn. Dat gevoel van dreiging kan ons collectief doen ontwaken, en ons eraan helpen herinneren dat de belangrijkste uitdaging van deze eeuw is hoe we de kring van mensen die we als 'Wij' beschouwen kunnen uitbreiden en het aantal mensen die we tot 'Zij' rekenen kunnen verminderen.

De nieuwe wetenschap van sociale intelligentie biedt ons gereedschap dat deze grenzen stap voor stap op kan rekken. We hoeven een uit haat geboren kloof tussen mensen niet te accepteren. We kunnen onze empathie gebruiken om anderen ondanks onze verschillen te begrijpen en die kloof te overbruggen. De circuits van het sociale brein verbinden ons allemaal in onze gemeenschappelijke menselijke kern.

APPENDIX A

De hoge en de lage route: een notitie

De lage route werkt automatisch, buiten ons bewustzijn om en met een enorme snelheid. De hoge route werkt op bevel, vereist inzet en bewuste inspanning en gaat veel langzamer. De dichotomie tussen hoog en laag zoals ik die hier gebruik, is handig om een onderscheid aan te brengen dat voor ons gedrag van belang is. Tegelijkertijd bestaat het gevaar dat het de realiteit van rommelige, gecompliceerde en nauw verweven hersencircuits te eenvoudig voorstelt.[1]

De neurale eigenschappen van beide systemen moeten nog uitgewerkt worden en zijn nog altijd onderwerp van discussie. Een handige samenvatting is gemaakt door Matthew Lieberman van UCLA. Lieberman noemt de automatische modus het 'X-systeem' (hiertoe behoort bijvoorbeeld de amygdala) en de controlemodus het 'C-systeem' (hiertoe behoren onder andere de anterieure cingulate cortex (ACC) en delen van de prefrontale cortex).[2]

Deze enorme systemen werken parallel. Ze koppelen automatische en gecontroleerde taken al naar gelang de vraag. Als we bijvoorbeeld lezen, beslissen we waar we naar kijken en denken we bewust na over de betekenis: vaardigheden van de hoge route. Tegelijkertijd voeren automatische mechanismen talloze ondersteunende taken uit, zoals het herkennen van patronen en betekenis, en het decoderen van de syntaxis. Misschien bestaat er in werkelijkheid geen pure, isoleerbare taak van de hoge route, terwijl de lage route ontelbare duidelijke taken heeft. Wat ik hier beschrijf als een dichotomie tussen hoog en laag, is in werkelijkheid een spectrum.

De typologie van de hoge en de lage route brengt de twee dimensies cognitief-affectief en gecontroleerd-automatisch tot één dimensie terug: automatisch-affectief en gecontroleerd-cognitief. Gevallen van bijzonder adaptieve automatische cognitieve taken (zoals het herkennen van een woord bij het lezen) en bewust opgeroepen emoties (zeldzamer, maar er zijn acteurs die dat naar believen kunnen) worden met het oog op de discussie buiten beschouwing gelaten.[3]

De automatische processen van de lage route vormen, naar het zich laat aanzien, de standaardinstelling van het brein, en werken dag en nacht door. De hoge route draagt voornamelijk bij wanneer deze automatische processen onderbroken worden, door een onverwachte gebeurtenis, een vergissing of wanneer we bewust iets onder de loep nemen, bijvoorbeeld bij het nemen van een moeilijke beslissing. Vanuit dit perspectief verloopt een groot, zo niet het grootste deel van onze gedachtestroom automatisch en houdt zich bezig met routinezaken. Waar we over moeten nadenken, en wat we moeten leren of corrigeren, blijft over voor de hoge route.

Toch kan de hoge route, als wij dat willen, aan de lage route voorbijgaan, zij het binnen bepaalde grenzen. Dat vermogen geeft ons de mogelijkheid om keuzes te maken in het leven.

APPENDIX B

Het sociale brein

Voor het ontstaan van een nieuw hersencircuit moet zo'n circuit van bijzondere waarde zijn voor de overleving van degenen die het bezitten, zodat de kans dat het aan toekomstige generaties wordt doorgegeven zo groot mogelijk is. In de evolutie van de primaten was het leven in groepen hoogstwaarschijnlijk de oorzaak van het ontstaan van zo'n nieuw hersencircuit, dat tot een steeds betere aanpassing aan de omstandigheden leidde en dus van bijzondere overlevingswaarde was. Elke primaat leeft te midden van anderen die hem kunnen helpen om te overleven. Zo nemen de hulpbronnen waarover een individu kan beschikken toe en levert het de nodige voordelen op om sociale interacties soepel te laten verlopen. Het sociale brein is waarschijnlijk een van de aanpassingsmechanismen van de natuur om de uitdaging van het voortbestaan als groep aan te gaan.

Wat bedoelen neurowetenschappers als ze het hebben over een 'sociaal brein'? De notie dat de hersenen bestaan uit afzonderlijke gebieden die elk op zichzelf verantwoordelijk zijn voor een specifieke taak lijkt minstens zo gedateerd als de frenologische kaarten uit de negentiende eeuw, die de betekenis van schedelknobbels 'verklaarden'. In werkelijkheid zijn de circuits voor een specifieke mentale taak niet op één plek gelokaliseerd, maar over de hersenen verspreid; hoe ingewikkelder de taak, hoe groter de verspreiding.

De verschillende hersenzones zijn op duizelingwekkend complexe manieren met elkaar verbonden. Uitdrukkingen als het 'sociale brein' zijn dus bruikbare ficties. Voor het gemak bestuderen wetenschappers georkestreerde hersensystemen, die voor een specifieke taak met elkaar samenwerken. De centra voor beweging worden zo conceptueel samengevoegd onder de verkorte naam 'motorisch brein'; voor zintuiglijke activiteit praten we over het 'sensorische brein'. Sommige 'breinen' verwijzen naar anatomische zones die nauwer met elkaar verbonden zijn, zoals het 'reptielenbrein', de lagere hersenregionen die onder andere onze automatische reflexen besturen en die evolutionair al zo oud zijn dat we ze delen met reptielen. Deze heuristische etiketten zijn vooral nuttig wanneer neurowetenschappers zich willen richten op hogere niveaus van hersenorganisatie, de modulen en netwerken van neuronen die samenwerken bij een specifieke taak (in dit geval sociale interactie).

Het 'sociale brein', het enorme netwerk van neurale modules dat onze activiteiten orkestreert in ons contact met anderen, bestaat dan ook uit circuits die zich in alle richtingen uitstrekken. Er bestaat nergens in de hersenen een speciale plek die onze sociale interacties regelt. Het sociale brein is eerder een verzameling uitgesproken, maar flexibele en omvangrijke neurale netwerken die zich op elkaar afstemmen in onze relaties met anderen. Het werkt op systeemniveau, waarbij ver uiteenliggende neurale netwerken zich coördineren om een gezamenlijk doel uit te voeren.

Tot dusver heeft de neurowetenschap nog geen specifieke kaart van het sociale brein ontwikkeld waar men het algemeen over eens is, hoewel gerichte onderzoeken beginnen in te zoomen op de gebieden die bij sociale interacties het vaakst actief zijn. Een van de eerste pogingen in deze richting identificeerde structuren in het prefrontale gebied, met name de OFC en de ACC, en hun verbindingen met gebieden in de subcortex, met name de amygdala.[1] Uit meer recent onderzoek blijkt dat deze visie nog altijd grotendeels standhoudt, met toevoeging van nieuwe bijzonderheden.[2]

Welke neurale netwerken precies betrokken zijn, hangt voor een groot deel af van de aard van de sociale activiteit. Als we in gesprek zijn, zorgt een bepaalde groep hersengebieden voor synchronie, terwijl een ander (maar overlappend) systeem actief wordt wanneer we ons afvragen of we iemand aardig vinden. Hieronder volgt een kort overzicht van een aantal ontdekkingen over welke circuits bij welke activiteit actief zijn.

Spiegelneuronen in de prefrontale schors of de pariëtaalkwabben (en waarschijnlijk ook elders) regelen gemeenschappelijke representaties, de mentale beelden die in ons opkomen als we met iemand praten over iets dat we allebei kennen. Andere neuronen, die een rol spelen bij beweging, worden actief wanneer we observeren wat een ander doet, inclusief de verfijnde dans van gebaren en lichaamshoudingen die deel uitmaakt van iedere conversatie. Cellen in het rechter pariëtale operculum coderen de kinesthetische en zintuiglijke feedback die we gebruiken om onze bewegingen af te stemmen op onze gesprekspartner.

Bij het interpreteren van en reageren op de emotionele boodschappen in andermans stem, zijn circuits betrokken die de insula en premotorische schors verbinden met het limbisch systeem, vooral met de amygdala. In de loop van het gesprek regelen directe verbindingen van de amygdala naar de hersenstam onze autonome responsen, zodat bijvoorbeeld onze hartslag versnelt als de uitwisseling verhit raakt.

Neuronen in het fusiformgebied van de temporaalkwab wijden zich aan het herkennen en interpreteren van emoties op gezichten en houden in de gaten waarheen iemands blik afdwaalt. Somatosensorische gebieden gaan een rol spelen wanneer we aanvoelen hoe een ander zich voelt en onze eigen reactie daarop opmerken. En wanneer we onze eigen emotionele boodschappen terugsturen, zorgen projecties van nuclei uit de hersenstam naar onze gezichtszenuwen voor de gepaste frons, glimlach of opgetrokken wenkbrauwen.

Wanneer we ons op de ander afstemmen, ondergaan de hersenen twee varianten van empathie: een snelle via de lage route, via connecties tussen de sensorische schorsen, de thalamus en de amygdala tot aan onze respons; en een langzamere via de hoge route, die loopt via de thalamus naar de neocortex en vervolgens naar de amygdala, voor een meer doordachte reactie. Emotionele besmetting loopt via de eerste route, die automatisch op neuraal niveau de gevoelens van de ander nabootst. De tweede route, via de denkende hersenen, biedt een meer afgewogen empathie die het ook mogelijk maakt om onze afstemming te staken, als we dat willen.

Hier spelen de verbindingen van de limbische circuits naar de OFC en de ACC een rol. Deze gebieden zijn actief in de waarneming van de emoties van anderen en in het nauwkeurig afstemmen van onze eigen emotionele reactie. In het algemeen heeft de prefrontale schors de taak om onze emoties zo te moduleren, dat ze gepast en effectief zijn; als we onaangenaam getroffen worden door wat de ander zegt, stelt het prefrontale gebied ons in staat om het gesprek te vervolgen en, ondanks onze onlustgevoelens, toch geconcentreerd te blijven.

Als we moeten nadenken over de emotionele boodschap van de ander, helpen de dorsolaterale en ventromediale prefrontale gebieden ons uit te zoeken wat alles te betekenen heeft en wat onze alternatieven zijn. Welke respons is bijvoorbeeld zowel effectief in de onmiddellijke situatie als op de lange termijn?

Achter deze hele interpersoonlijke dans houdt het cerebellum onder aan de hersenen onze aandacht gefocust, zodat we de andere persoon kunnen observeren en zelfs de meest subtiele verschuivingen in gezichtsuitdrukking oppikken. Non-verbale, onbewuste synchronie, zoals in de ingewikkelde choreografie van een gesprek, vereist dat we alert zijn op een voortdurende stroom van sociale signalen. En daarvoor zijn we weer afhankelijk van oeroude structuren in de hersenstam, vooral van het cerebellum en de basale ganglia. Deze gebieden uit de lage hersenen hebben een assisterende rol in het tot stand komen van soepele interacties.[3]

Al deze gebieden tezamen verzorgen onze sociale interacties, zelfs de imaginaire. Schade aan een ervan beperkt ons vermogen tot afstemming. Hoe complexer een sociale interactie, hoe complexer ook de neurale netwerkverbindingen die geactiveerd worden. Kortom, er spelen vele circuits en hersengebieden een rol in het sociale brein, een neuraal territorium waarvan de details nog maar nauwelijks in kaart zijn gebracht.

Eén veronderstelde manier om de kerncircuits van het sociale brein te identificeren, bestaat uit het bepalen van het minimum aan neurale netwerken dat bij een bepaalde sociale handeling betrokken is.[4] Alleen al bij het waarnemen en imiteren van de emoties van een ander, zijn volgens wetenschappers van UCLA mogelijk de volgende samenwerkende neurale circuits betrokken: de bovenste temporaalschors zorgt voor een eerste visuele perceptie van de ander en stuurt die beschrijving naar neuronen in de pariëtale gebieden, die een waargenomen handeling kunnen koppelen aan de uitvoering van die handeling. Vervolgens voegen de juiste neuronen meer sensorische en somatische informatie toe aan de beschrijving. Deze meer complexe verzameling gegevens gaat naar de onderste frontale schors, die het doel van de te imiteren handeling codeert. Dan worden de sensorische kopieën van de handelingen teruggestuurd naar de bovenste temporaalschors, die de daaruit voortvloeiende handeling observeert.

Voor empathie is het noodzakelijk dat onze 'hete' affectieve circuits aansluiten op deze 'koude' sensorische en motorische circuits. Dat wil zeggen, het emotioneel droge sensomotorische systeem moet communiceren met het affectieve centrum in het limbische systeem. Het team van UCLA meent dat een bepaald gebied van de insula anatomisch gezien de meest waarschijnlijke kandidaat is voor het tot stand brengen van deze connectie, omdat daar limbische gebieden verbonden worden met delen van de frontale schors.[5]

Wetenschappers van het National Institute of Mental Health (NIMH) beweren dat we bij het in kaart brengen van het sociale brein niet te maken hebben met één samengesteld neuraal systeem, maar eerder met aaneengekoppelde circuits die voor sommige taken samenwerken en dan weer zelfstandig functioneren.[6] Voor primaire empathie bijvoorbeeld, het rechtstreeks overgaan van een gevoel van de ene persoon op de andere, noemen neurowetenschappers routes die de sensorische schorsen verbinden met de thalamus en de amygdala, en vandaar met de circuits die nodig zijn voor de gepaste respons. Voor cognitieve empathie daarentegen, waarbij we de gedachten van de ander aanvoelen, loopt de route van de thalamus via de cortex naar de amygdala, en dan naar de circuits voor de juiste respons.

Voor het empathiseren met specifieke emoties zijn er nog verdere onderscheidingen mogelijk, zo fluisteren de onderzoekers van het NIMH. Uit fMRI-gegevens blijkt bijvoorbeeld, dat er verschillende routes gebruikt worden voor het aflezen van iemands angst of woede. Angstige gezichtsuitdrukkingen geven een reactie in de amygdala, maar zelden in de orbitofrontale cortex, terwijl boze de OFC activeren en niet de amygdala. Dat verschil zou te maken kunnen hebben met de verschillende functies van beide emoties: als we bang zijn, richten we de aandacht op de oorzaak van de angst, terwijl we bij woede focussen op wat we moeten doen om de reactie van de ander om te keren. Bij walging blijft de amygdala volledig buiten beschouwing; hierbij zijn structuren in de basale ganglia en anterieure insula betrokken.[7] Al deze emotiespecifieke circuits worden zowel actief als we zelf de emotie ervaren, als wanneer we die zien bij een ander.

De wetenschappers van het NIMH denken dat er nog een ander systeem bestaat voor een variant van cognitieve empathie, waarbij we niet alleen iets snappen van de innerlijke toestand van de ander, maar ook besluiten hoe we daarnaar kunnen handelen. De belangrijkste circuits die hierbij betrokken zijn, zijn waarschijnlijk de mediale frontale schors, de superieure temporale sulcus en de temporaalkwab.

De link tussen empathie en ons gevoel voor goed en kwaad, wordt op neuraal niveau ondersteund. Onderzoek naar patiënten met hersenbeschadigingen waardoor ze hun vroegere morele normen verloren of in verwarring raakten van morele vragen, suggereren dat voor ethisch handelen de hersengebieden voor het oproepen en interpreteren van instinctieve gevoelens intact moeten zijn.[8] De hersengebieden die actief zijn bij een moreel oordeel (een snoer van circuits dat loopt van delen van de hersenstam, en vooral het cerebellum, naar gebieden in de cortex), zijn onder andere de amygdala, thalamus, insula en de bovenste hersenstam. Al deze gebieden zijn ook betrokken bij het waarnemen van andermans gevoelens en van die van onzelf. Men denkt dat een gekoppeld circuit tussen de frontaalkwab en de anterieure temporaalkwab (inclusief de amygdala en de insulaire schors) van cruciaal belang is voor empathie.

Hersenfuncties kunnen in kaart gebracht worden door het onderling vergelijken van mensen met diverse neurologische aandoeningen. Patiënten met schade aan verschillende emotionele circuits in het sociale brein werden bijvoorbeeld vergeleken met patiënten met beschadigingen in andere hersengebieden.[9] Terwijl beide groepen even capabel waren op cognitief gebied, zoals bij het beantwoorden van vragen in een IQ-test, functioneerden alleen de patiënten met aangetaste emotionele gebieden niet goed in relaties: ze namen slechte interpersoonlijke beslissingen, konden niet goed inschatten hoe anderen zich voelden en waren niet in staat om te voldoen aan sociale eisen.

De patiënten met deze sociale tekortkomingen hadden allen te kampen met beschadigingen op punten binnen een neuraal gebied dat door neuroloog Antonio Damasio van de Universiteit van South Carolina de 'somatische marker' genoemd wordt. Het onderzoek naar de patiënten met hersenbeschadigingen gebeurde in zijn laboratorium. Somatische markers verbinden het ventromediale prefrontale, het pariëtale en het cingulate gebied, en ook de rechter amygdala en insula. Ze functioneren wanneer we een beslissing nemen, in het bijzonder in ons sociale en privéleven.[10] De sociale vaardigheden die door dit belangrijke gebied van het sociale brein gecultiveerd worden, zijn van fundamenteel belang voor soepele relaties. Neurologische patiënten met beschadigingen in somatische-markercircuits zijn bijvoorbeeld slecht in het oppikken of uitzenden van emotionele signalen, waardoor ze gemakkelijk rampzalige relationele beslissingen nemen.

Damasio's somatische markers overlappen voor een groot deel de neurale systemen die Stephanie Pearson en Frans de Waal noemen in hun perceptie-actiemodel van het sociale brein. Beide modellen stellen dat wanneer we een emotie bij een ander waarnemen, de neurale routes voor dat gevoel ook bij onszelf geactiveerd worden, evenals de circuits voor daaraan gerelateerde mentale beelden en handelingen (of de impuls tot handelen). Onafhankelijke fMRI-onderzoeken tonen dat de insula de spiegelsystemen koppelt aan het limbisch gebied en daarmee de emotionele component genereert van de neurale feedback loop.[11]

De precieze details van een interactie bepalen uiteraard welke hersengebieden er in onze reactie werkzaam zijn, zoals fMRI-onderzoek van uiteenlopende sociale momenten laten zien. Brain imaging van vrijwilligers die luisterden naar verhalen over sociaal gênante situaties (een ervan ging over iemand die op een chique diner zijn eten uitspuugde in zijn bord) liet een verhoogde activiteit zien in de mediale prefrontale cortex en de temporaalkwabben (beide worden actief wanneer we empathiseren met andermans mentale toestand), en in de laterale OFC en de mediale prefrontale schors.[12] Dezelfde gebieden worden actief wanneer het verhaal vertelt dat het uitspugen van het eten onvrijwillig gebeurde (de persoon in kwestie verslikte zich). Dit neurale netwerk lijkt gericht op de meer algemene kwestie of een bepaalde handeling sociaal gepast is, een van de eindeloze hoeveelheid kleine beslissingen die we in het interpersoonlijke leven voortdurend moeten nemen.

Klinisch onderzoek naar neurologische patiënten die niet in staat zijn om op dit gebied een goede beslissing te nemen en dus regelmatig een faux pas of een andere blunder op interpersoonlijk gebied begaan, wijst op een aantasting van de ventromediale regio van de prefrontale schors. Antoine Bechara, een medewerker van Damasio, meent dat dit gebied een cruciale rol speelt in het integreren van de hersensystemen voor geheugen, emotie en gevoel; schade in dit gebied gaat ten koste van onze sociale besluitvorming. In het onderzoek naar gênante momenten lieten de meest actieve systemen zien dat er een alternatief netwerk bestaat in een dorsaal gebied van de nabijgelegen mediale prefrontale schors, een gebied waartoe ook de ACC behoort.[13] Deze plek, zo heeft Damasio ontdekt, is een bottleneck van aaneengekoppelde netwerken voor motorische planning, beweging, emotie, aandacht en werkgeheugen.

Voor de neurowetenschapper zijn dit stuk voor stuk opwindende stukjes van de puzzel, en we moeten nog veel meer te weten komen om het web van de neurologie van het sociale leven te ontrafelen.

APPENDIX C

Sociale intelligentie opnieuw bezien

Vanuit een evolutionair perspectief is intelligentie een van de menselijke vermogens die belangrijk zijn geweest voor het voortbestaan van onze soort. Het sociale brein ontplooide zich het sterkst in de zoogdiersoorten die in groepen leven, als een overlevingsmechanisme.[1] De ontwikkeling van de hersensystemen waarmee mensen zich van andere zoogdieren onderscheiden, hield gelijke tred met de groei van de onderlinge band tussen mensen.[2] Er zijn wetenschappers die denken dat sociale vaardigheid, en niet cognitieve superioriteit of fysieke pluspunten, de doorslaggevende factor is geweest in de triomf van de homo sapiens over andere mensachtigen.[3]

Evolutionair psychologen beweren dat het sociale brein, en dus sociale intelligentie, zich ontwikkelde in antwoord op de eisen van het leven in een groep primaten: het zorgt dat je weet wie het alfamannetje is, op wie je kunt rekenen als je in moeilijkheden bent, wie je te vriend moet houden, en hoe (meestal door te 'vlooien'). De evolutie van de grotere hersenomvang en algemene intelligentie bij mensen is voortgekomen uit de noodzaak tot sociaal redeneren, vooral over coördinatie, coöperatie en competitie.[4]

De belangrijkste functies van het sociale brein (interactie, synchronie, de verschillende soorten empathie, sociale cognitie en betrokkenheid bij anderen) representeren stuk voor stuk elementen van sociale intelligentie. Het evolutionaire perspectief stelt ons voor de uitdaging om de plaats van sociale intelligentie in de taxonomie van menselijke vaardigheden te herzien en te onderkennen dat 'intelligentie' ook niet-cognitieve vaardigheden kan omvatten. (Howard Gardner pleit hier nadrukkelijk voor in zijn baanbrekende werk over veelsoortige intelligenties.)

De nieuwe neurowetenschappelijke ontdekkingen over sociale intelligentie hebben het vermogen de sociale en gedragswetenschappen nieuw leven in te blazen. De fundamentele aannames binnen de economie zijn bijvoorbeeld op de tocht komen te staan door de opkomst van de 'neuroeconomie', die besluitvormingsprocessen in de hersenen bestudeert.[5] De resultaten hebben de gebruikelijke manier van denken binnen de economie op zijn grondvesten laten schudden, met name de notie dat mensen over geld altijd rationele beslissingen nemen die gemodelleerd kunnen worden met behulp van beslisboomanalyses en vergelijkbare methoden. Economen realiseren zich nu, dat de systemen van de lage route een veel grotere rol spelen bij dit soort be-slissingen dan puur rationele modellen kunnen voorspellen. Evenzo lijkt het terrein van de intelligentietheorie en intelligentietests rijp voor een herzie-ning van zijn grondslagen.

De afgelopen jaren heeft sociale intelligentie weinig wetenschappelijke aandacht gekregen. Het onderwerp is zowel door psychologen, als door men-sen die zich met intelligentie bezighouden, grotendeels genegeerd. Eén uit-zondering is de kleine bloei in het onderzoek naar emotionele intelligentie, geïnspireerd door het grensverleggende werk van John Mayer en Peter Sa-lovey uit 1990.[6]

Zoals Mayer ooit tegen me zei, ging Thorndike in zijn oorspronkelijke vi-sie uit van een triadisch model van mechanische, abstracte en sociale intel-ligentie, alleen slaagde hij er niet in een methode te vinden om de sociale in-telligentie te meten. Dankzij het groeiende inzicht in de locatie van emoties in het brein, kon Mayer in de jaren negentig opmerken: 'Emotionele intel-ligentie zou met wat opknapwerk de plaats van sociale intelligentie in het model kunnen innemen.'

De meer recente opkomst van de sociale neurowetenschap maakt de tijd rijp voor een herwaardering van sociale intelligentie als gelijkwaardig aan haar zusje emotionele intelligentie. Een herziening van het begrip sociale in-telligentie zou de werking van het sociale brein beter tot haar recht moeten laten komen en ruimte moeten maken voor eigenschappen die van groot be-lang zijn voor onze relaties, maar desondanks vaak genegeerd worden. Het model voor sociale intelligentie dat ik in dit boek ontwikkel, is niet meer dan een suggestie voor hoe dat ruimere concept eruit zou kunnen zien. Anderen zijn vrij om de verschillende aspecten anders te ordenen of nieuwe aspecten aan te dragen; mijn manier van categoriseren is slechts een van de vele mo-gelijkheden. Naarmate de tijd vordert, zullen er uit cumulatief onderzoek meer robuuste en valide modellen van sociale intelligentie ontstaan. Mijn rol beperkt zich tot het katalyseren van zulke vernieuwende denkbeelden.

Hoe sociaal intelligente eigenschappen passen in het model voor Emotionele Intelligentie

EMOTIONELE INTELLIGENTIE	SOCIALE INTELLIGENTIE
Zelfbewustzijn	**Sociaal bewustzijn** Primaire empathie Empathische accuratesse Luisteren Sociale cognitie
Zelfmanagement	**Sociale vaardigheid of Relatiemanagement** Synchronie Zelfpresentatie Invloed Betrokkenheid

Een aantal psychologen zal met de klacht komen dat de definiërende eigenschappen van sociale intelligentie die ik voorstel alleen maar elementen uit het niet-cognitieve vlak toevoegen aan standaarddefinities van intelligentie. Maar dat is nu juist mijn punt: wanneer het gaat om intelligentie in het sociale leven, combineert het brein zelf die verschillende capaciteiten. Niet-cognitieve vermogens als primaire empathie, synchronie en betrokkenheid, zijn uiterst adaptieve aspecten van het menselijke sociale overlevingsrepertoire. En die vaardigheden stellen ons zonder enige twijfel beter in staat om Thorndikes aansporing op te volgen en 'wijs te handelen' in onze relaties.

Het oude concept van sociale intelligentie als een puur cognitief verschijnsel gaat ervan uit, zoals veel vroege intelligentietheoretici claimden, dat sociale intelligentie niet zoveel verschilt van algemene intelligentie. Er zijn ongetwijfeld cognitiewetenschappers die menen dat de twee vermogens identiek zijn. Hun discipline modelleert ons mentale leven tenslotte op basis van de computer, en modules voor informatieverwerking verlopen via zuiver rationele lijnen en computerlogica.

Maar een exclusieve focus op mentale vermogens in sociale intelligentie negeert de onschatbare rol van affect en de lage route. Ik stel een perspectiefverschuiving voor die verder kijkt dan kennis over het sociale leven, en ook de automatische vermogens in aanmerking neemt van zowel de hoge als de lage route, die zo belangrijk zijn in onze contacten. De theorieën over sociale intelligentie die tegenwoordig opgeld doen, werken deze nauw verweven vermogens te grillig en inconsequent uit.

De visies van intelligentietheoretici op sociale vaardigheden zijn beter te begrijpen in het licht van de geschiedenis van hun discipline. In 1920, toen

Edward Thorndike het concept 'sociale intelligentie' introduceerde, was men nog in de ban van het nieuwerwetse concept 'IQ', dat de gemoederen bezighield op een minstens zo nieuw terrein, de psychometrie. In die onstuimige tijd heerste er de nodige opwinding over de succesvolle manier waarop de psychologie tijdens de Eerste Wereldoorlog in staat was gebleken miljoenen Amerikaanse soldaten in te delen naar hun IQ, en hun op grond daarvan taken en posities toe te kennen die ze goed aankonden.

Vroege theoretici op het gebied van sociale intelligentie zochten naar een equivalent van het IQ dat toepasbaar was op sociale talenten. In navolging van de analytische methoden van de zich ontwikkelende psychometrie, probeerden ze verschillen in sociale vaardigheden te meten die equivalent waren aan bijvoorbeeld de verschillen in ruimtelijk en verbaal inzicht die gemeten werden door IQ-tests.

Die vroege pogingen liepen op niets uit, grotendeels omdat ze alleen het intellectuele inzicht van mensen in sociale situaties leken vast te stellen. Een van de eerste tests in sociale intelligentie, bijvoorbeeld, beoordeelde cognitieve vermogens als het identificeren in welke situatie een bepaalde zin het best zou passen. Aan het eind van de jaren vijftig verwierp David Wechsler, de ontwerper van een van de meest gebruikte IQ-tests, het belang van sociale intelligentie. In zijn visie was het niet meer dan 'algemene intelligentie toegepast op sociale situaties'.[7] Dat oordeel verspreidde zich in de psychologie, en sociale intelligentie verdween van de kaart van de menselijke intelligentie.

Een uitzondering hierop vormde het complexe intelligentiemodel dat aan het eind van de jaren zestig ontwikkeld werd door J.P. Guilford. Hij benoemde 120 verschillende intellectuele vermogens, waarvan er dertig te maken hadden met sociale intelligentie.[8] Maar ondanks grootschalige pogingen, was Guilfords model niet in staat om significante voorspellingen te doen over het daadwerkelijk functioneren van mensen in hun sociale omgeving. Meer recente modellen die relevant zijn voor sociale intelligentie, zoals Robert Sternbergs 'praktische intelligentie' en Howard Gardners 'interpersoonlijke intelligentie', hebben meer aandacht getrokken.[9] Toch bestaat er in de psychologie nog altijd geen samenhangende theorie van sociale intelligentie die een duidelijk onderscheid maakt met het IQ en praktische toepassingen heeft.

In de oude visie stond sociale intelligentie gelijk aan het toepassen van algemene intelligentie in sociale situaties, een voornamelijk cognitief vermogen. Die benadering reduceert sociale intelligentie tot een bron van kennis over de sociale wereld.

Maar wat onderscheidt sociale intelligentie dan van algemene intelligentie? Tot nu toe bestaat er geen goed antwoord op die vraag. Een van de redenen is, dat de psychologie als beroep een wetenschappelijke subcultuur is, waarin mensen door hun universitaire en andere opleidingen gesocialiseerd worden. Het gevolg is dat psychologen geneigd zijn om de wereld grotendeels door de mentale bril van het vak zelf te bekijken. Die neiging zou echter wel eens het vermogen van de psychologie kunnen aantasten om het ware karakter van sociale intelligentie te begrijpen.

Toen gewone mensen gevraagd werd om een lijst te maken van wat een persoon intelligent maakt, nam sociale vaardigheid daarop een prominente plaats in. Maar toen psychologen die als experts op het gebied van intelligentie werden beschouwd dezelfde vraag werd gesteld, lag de nadruk op cognitieve vaardigheden als verbaal en probleemoplossend vermogen.[10] Wechslers afwijzing van sociale intelligentie lijkt in de impliciete aannames van het vak voort te leven.

Psychologen die getracht hebben om sociale intelligentie te meten zijn keer op keer in een impasse beland door de opmerkelijk hoge correlaties tussen hun eigen resultaten en die van IQ-tests, wat suggereerde dat er misschien geen werkelijk verschil bestaat tussen cognitief en sociaal talent.[11] Dit was voor velen een belangrijke reden om het onderzoek naar sociale intelligentie de rug toe te keren. Het probleem lijkt echter voort te komen uit de misplaatste definitie van sociale intelligentie als een cognitieve vaardigheid toegepast in de sociale arena.

Die benadering beoordeelt interpersoonlijk talent in termen van wat mensen menen te weten, door bijvoorbeeld te vragen of ze het al dan niet eens zijn met beweringen als 'Ik begrijp het gedrag van anderen' en 'Ik weet hoe andere mensen zich voelen bij wat ik doe.'

Deze vragen zijn ontleend aan een recentelijk ontwikkelde test voor sociale intelligentie.[12] De psychologen die de test ontworpen hebben, vroegen veertien andere hooggeleerde psychologen, een zogenaamd 'deskundig panel', om sociale intelligentie te definiëren. De definitie die daar het resultaat van was, luidde: 'Het vermogen om andere mensen en hoe ze op verschillende sociale situaties zullen reageren, te begrijpen.' Met andere woorden: pure sociale cognitie.[13]

Desondanks begrepen de psychologen dat die definitie niet volstond. Ze formuleerden vervolgens een aantal vragen om uit te vinden hoe mensen daadwerkelijk sociaal functioneren. Mensen moeten bijvoorbeeld aangeven of ze het al dan niet eens zijn met de stelling 'Het duurt lang voordat ik anderen goed leer kennen.' Het zou hun test, en andere, echter ten goede komen om ook de vaardigheden van de lage route te beoordelen, die zo belangrijk zijn in het echte leven. De sociale neurowetenschap komt met nauwkeurige beschrijvingen van allerlei manieren van weten en doen die actief worden zodra we contact maken met anderen. Natuurlijk horen daar vermogens van de hoge route bij, zoals sociale cognitie, maar sociale intelligentie is ook gebaseerd op functies van de lage route als synchronie en af-stemming, sociale intuïtie en empathische betrokkenheid, en misschien ook wel de impuls tot compassie. Onze ideeën over wat iemand intelligent maakt in het sociale leven zouden completer zijn als we daar ook deze vaardighe-den toe rekenen.

Deze vermogens zijn non-verbaal en treden op binnen microseconden, sneller dan we er een gedachte over kunnen formuleren. Hoe geringschat-tend sommigen ook denken over de vermogens van de lage route, het zijn juist deze vaardigheden die het podium creëren voor een soepel sociaal le-ven. Aangezien de vermogens van de lage route non-verbaal zijn, ontsnap-pen ze aan wat we kunnen meten met een vragenlijst en dat is hoe de mees-te test voor sociale intelligentie werken.[14] In feite ondervragen ze de hoge route over de lage, een twijfelachtige tactiek.

Colwyn Trevarthen, ontwikkelingspsycholoog aan de Universiteit van Edin-burgh, betoogt op overtuigende wijze dat de algemeen geaccepteerde ideeën over sociale cognitie diepgaande misverstanden in het leven roepen over men-selijke relaties en de plaats van emoties in het sociale leven. Niet-cognitieve capaciteiten die ons met anderen verbinden, zoals primaire empathie en syn-chronie, worden genegeerd. De affectieve revolutie (en dan hebben we het nog niet eens over de sociale) binnen de cognitieve neurowetenschap is nog niet doorgedrongen tot de intelligentietheorie.[15]

Een meer solide maatstaf voor sociale intelligentie zou niet alleen de ho-ge route testen (waarvoor vragenlijsten uitstekend volstaan), maar ook de la-ge route, bijvoorbeeld met de PONS of Ekmans test voor het interpreteren van microexpressies.[16] Het is ook mogelijk om degenen die de test afleggen deel te laten nemen aan simulaties van sociale situaties (misschien met be-hulp van virtual reality), of op zijn minst het oordeel van anderen te vragen over hun sociale vaardigheden. Pas dan zouden we een meer adequaat pro-fiel krijgen van iemands sociale intelligentie.[17]

Wat men in wetenschappelijke kringen maar al te gemakkelijk vergeet, is dat aan de IQ-tests zelf geen theoretisch principe ten grondslag ligt. In feite zijn ze ad hoc ontworpen om academisch succes te voorspellen. Zoals John Kihlstrom en Nancy Cantor opmerken is de IQ-test vrijwel volledig atheo-retisch en alleen in het leven geroepen als 'model voor het soort dingen die kinderen doen op school'.[18]

Scholen zijn echter zeer recente artefacten van onze beschaving. Waar-schijnlijk is de noodzaak om ons te handhaven in de sociale wereld een veel krachtiger drijfveer in de architectuur van de hersenen dan de drang om tie-nen te halen. Evolutietheoretici betogen dat sociale intelligentie het primai-re talent is van het menselijk brein en verantwoordelijk voor de enorme om-vang van onze cortex. Wat wij nu 'intelligentie' noemen is een bijproduct van de neurale systemen die gebruikt werden voor het overleven in een complexe groep. Degenen die beweren dat sociale intelligentie niet veel meer voorstelt dan algemene intelligentie toegepast op sociale situaties, kunnen die redenatie misschien beter omkeren en algemene intelligentie beschouwen als een bijproduct van sociale intelligentie, zij het een bijproduct waar onze cultuur grote waarde aan hecht.

DANKBETUIGING

Veel mensen hebben een bijdrage geleverd aan mijn denken tijdens de voorbereiding van dit boek, hoewel de conclusies van mijzelf zijn. Ik ben bijzondere dank verschuldigd aan de deskundigen op bepaalde gebieden die bereid waren delen van mijn boek te herzien, met name: Cary Cherniss van Rutgers University; Jonathan Cohen, Princeton University; John Crabbe, Oregon Health and Science Center en Portland VA Hospital; John Cacioppo, University of Chicago; Richard Davidson, University of Wisconsin; Owen Flanagan, Duke University; Denise Gottfredson, University of Maryland; Joseph LeDoux, New York University; Matthew Lieberman, UCLA; Kevin Ochsner, Columbia University; Phillip Shaver, University of California in Davis; Ariana Vora, Harvard Medical School; en Jeffrey Walker, JPMorgan Partners.

Als lezers in de tekst fouten in de gegevens tegenkomen, kunnen ze die melden via mijn website (www.danielgoleman.info). Ik zal dan proberen ze in herdrukken te corrigeren.

Ook anderen die mijn denken geïnspireerd hebben, wil ik graag bedanken, zoals:

Elliot Aronson, University of California in Santa Cruz; Neal Ashkanasy, University of Queensland, Brisbane, Australië; Warren Bennis, USC; Richard Boyatis, Case Western Reserve University; Sheldon Cohen, Carnegie Mellon University; Jonathan Cott; Frans de Waal, Emory University; Georges Dreyfus, Williams College; Mark Epstein, New York City; Howard Gardner, Harvard University; Paul Ekman, University of California in San Francisco; John Gottman, University of Washington; Sam Harris, UCLA, Fred Gage, Salk Institute; Laynde Habib, Shokan, N.Y.; Judith Hall, Northeastern University; Kathy Hall, American International College; Judith Jordan, Wellesley College; John Kolodin, Hadley, Mass.; Jerome Kagan, Harvard University; Daniel Kahneman, Princeton University; Margaret Kemeny, University of California in San Francisco; John Kihlstrom, UCLA; George Kohlrieser, International Institute for Management Development, Lausanne, Zwitserland; Robert Levenson, University of California in Berkeley; Carey Lowell, New York City; Beth Lown, Harvard Medical School; John Mayer, University of New Hampshire; Michael Meaney, McGill University; Mario Mikulincer,

Bar-Ilian University, Ramat Gan, Israel; Mudita Nisker en Dan Clurman, Communication Options; Stephen Nowicki, Emory University; Stephanie Preston, University of Iowa Hospitals and Clinics; Hersh Shefrin, University of Santa Clara; Thomas Pettigrew, University of California in Santa Cruz; Stefan Rechstaffen, Omega Institute; Robert Riggio, Claremont McKenna College; Robert Rosenthal, University of California in Riverside; Susan Rosenbloom, Drew University; John F. Sheridan, Ohio State University; Joan Strauss, Massachusetts General Hospital; Daniel Siegel, UCLA; David Spiegel, Stanford Medical School; Daniel Stern, University of Geneva; Erica Vora, St. Cloud State University; David Sluyter, Fetzer Institute; Leonard Wolf, New York City; Alvin Weinberg, Institute for Energy Analysis (gepensioneerd); Robin Youngson, Clinical Leaders Association of New Zealand.

Rachel Brod, mijn belangrijkste onderzoeker, maakte de meest uiteenlopende wetenschappelijke bronnen gemakkelijk toegankelijk. Grote dank gaat uit naar Rowan Foster, die altijd klaarstaat om te helpen en die zorgt dat alles soepel verloopt. Toni Burbank is nog steeds een fantastische redacteur en een feest om mee te werken. En zoals altijd voel ik grote dankbaarheid jegens mijn partner Tara Bennett-Goleman, wier diepe inzichten mij steunen bij het schrijven en in het leven, en die mij nog altijd veel leert over sociale intelligentie.

NOTEN

Proloog: Een nieuwe wetenschap belicht

1. Van de soldaten bij de moskee werd verslag gedaan in *All Things Considered*, National Public Radio, 4 april 2003.

2. Zie over een zo gering mogelijk gebruik van geweld bijvoorbeeld de competentiemodellen voor ordehandhaving in *MOSAIC Competencies: Professional and Administrative Occupations*. U.S. Office of Personnel Management, 1996; Elizabeth Brondolo et al., 'Correlates of Risk for Conflict Among New York City Traffic Agents' in Gary VandenBos en Elizabeth Bulato, eds., *Violence on the Job* American Psychological Association Press, Washington D. C., 1996.

3. Om te begrijpen hoe dit het discours verbreedt, zou je empathie tegenover rapport kunnen stellen. Empathie is een individuele kwaliteit binnen een persoon. Rapport ontstaat alleen tússen mensen, als een kwaliteit die voortkomt uit hun interactie.

4. Het is hier mijn bedoeling om, net als in *Emotionele Intelligentie*, een in mijn ogen nieuw paradigma te beschrijven voor de psychologie en haar onvermijdelijke partner, de neurowetenschap. Het concept 'emotionele intelligentie' heeft in de psychologie her en der weerstand opgeroepen, maar vele anderen hebben de notie omarmd, met name een generatie studenten die het tot de focus van hun eigen onderzoek heeft gemaakt. Elke wetenschap ontwikkelt zich door het uitwerken van provocerende en vruchtbare ideeën, niet door keurig de geijkte paden te blijven bewandelen. Ik hoop dat de nieuwe inzichten in relaties en het sociale brein die ik hier presenteer tot een vergelijkbare golf van onderzoek en ontdekkingen leidt. Er gaan binnen de psychologie al langer stemmen op die pleiten voor deze hernieuwde focus op wat er in interacties gebeurt, en niet zozeer binnen de persoon, als fundamenteel uitgangspunt van onderzoek, maar die zijn tot op heden grotendeels genegeerd. Zie bijvoorbeeld Frank Bernieri et al., 'Synchrony, Pseudosynchrony, and Dissynchrony: Measuring the Entrainment Prosody in Mother-Infant Interactions'. *Journal of Personality and Social Psychology* 2 (1988), pp. 243-53.

5. Zie over woedeaanvallen Cynthia Garza, 'Young Students Seen as Increasingly Hostile'. *Fort Worth Star-Telegram* (15 augustus 2004), p. 1A.

6. De American Academy of Pediatrics hanteert de aanbeveling om kinderen onder de twee helemaal geen televisie te laten kijken en oudere kinderen niet meer dan twee uur per dag. Het rapport over televisie en peuters werd gepresenteerd door Laura Certain op de jaarlijkse bijeenkomst van de Pediatric Academic Societies, 30 april 2003.

7.   Robert Putnam, *Bowling Alone*. Simon and Schuster, New York, 2000.
8.   Geciteerd in 'The Glue of Society'. *Economist* (16 juli 2005), pp. 13-17.
9.   Voor Hot & Crusty, zie Warren St. John, 'The World at Ear's Length'. *New York Times* (15 februari 2004), sec. 9, p. 1.
10. De gegevens over het checken van e-mail worden geciteerd in Anne Fisher, 'Does Your Employer Help You Stay Healthy?' *Fortune* (12 juli 2005), p. 60.
11. De gegevens over het gemiddeld aantal televisie-uren rond de wereld zijn ontleend aan Eurodata TV Worldwide, *One Television Year in the World: 2004 Issue*. Médiamétrie, Parijs, 2004.
12. Zie over internetgebruik Norman H. Nie, 'What Do Americans Do on the Internet?' Stanford Institute for the Quantitative Study of Society, www.stanford.edu/group/siqss; vermeld in John Markoff, Internet Use Said to Cut into TV Viewing and Socializing'. *New York Times* (30 december 2004).
13. De oudste verwijzing naar de term 'sociale neurowetenschap' die ik tot op heden gevonden heb, komt uit een artikel van John Cacioppo en Gary Berntson. Zie 'Social Psychological Contributions to the Decade of the Brain: Doctrine of Multilevel Analysis'. *American Psychologist* 47 (1992), pp. 1019-28. In 2001 verscheen er een artikel gewijd aan de opkomst van deze nieuwe discipline, maar onder de naam 'sociaal cognitieve neurowetenschap', van de hand van Matthew Lieberman (nu verbonden aan UCLA) en Kevin Ochsner (nu verbonden aan Columbia University). Zie Matthew Lieberman en Kevin Ochsner, 'The Emergence of Social Cognitive Neuroscience'. *American Psychologist* 56 (2001), pp. 717-34. Daniel Siegel verzon de uitdrukking 'interpersoonlijke neurobiologie' en verbond aldus de interpersoonlijke met de biologische dimensies van de menselijke geest, teneinde een breder licht te kunnen werpen op geestelijk welzijn. Ziedaar een andere oorsprong van de sociale neurowetenschap. Zie Daniel Siegel, *The Developing Mind: How Relationships and the Brain Interact to Shape Who We Are*. Guilford Press, New York, 1999.
14. Het heeft een tiental jaren geduurd voordat de sociale neurowetenschap als vakgebied een kritieke massa had bereikt, maar tegenwoordig bestaan er tientallen wetenschappelijke laboratoria die zich aan dit onderzoek wijden. Het eerste congres gewijd aan Sociale Cognitieve Neurowetenschap werd gehouden aan UCLA, 28-30 april 2001, met dertig sprekers en meer dan 300 bezoekers uit verschillende landen. In 2004 verklaarde Thomas Insel, directeur van het National Institute for Mental Health, dat een decennium van onderzoek had aangetoond dat de sociale neurowetenschap een volwassen discipline was geworden. De zoektocht naar het sociale brein, voorspelde hij, zou waardevolle gegevens gaan opleveren voor het publieke welzijn. Zie Thomas Insel en Russell Fernald, 'How the Brain Processes Social Information: Searching for the Social Brain'. *Annual Review of Neuroscience* 27, (2004), pp. 697-722. In 2007 zal er bij Oxford University Press een nieuw tijdschrift verschijnen met de titel *Social Neuroscience*, het eerste op dit vakgebied.
15. De uitdrukking 'sociaal brein' is in de afgelopen jaren binnen de neurowetenschap gemeengoed geworden. Er is bijvoorbeeld een internationaal wetenschappelijk congres gehouden over 'The Social Brain' in Göteborg, Zweden,

25-27 maart 2003. In hetzelfde jaar verscheen de eerste academische verzamelbundel over het onderwerp, Martin Brüne et al., *The Social Brain: Evolution and Pathology*. John Wiley, Sussex, 2003. Het eerste internationale congres over het sociale brein werd in Duitsland gehouden, aan de universiteit van Bochum in november 2000.

16. Zie over de oorspronkelijke definitie van sociale intelligentie Edward Thorndike, 'Intelligence and Its Use'. *Harper's Magazine* 140 (1920), pp. 227-35, op p. 228.

17. Een waarschuwing: lezers die op zoek zijn naar het standaardoverzicht van het psychologische concept 'sociale intelligentie' zullen het hier niet vinden; daarvoor beveel ik de uitstekende samenvatting aan van John Kihlstrom en Nancy Cantor. Het is hier mijn bedoeling om een nieuwe generatie psychologen te stimuleren boven de grenzen van huidige concepten uit te stijgen door ontdekkingen uit de neurowetenschap te integreren en niet gedachteloos de categorieën te blijven hanteren die in de psychologie 'sociale intelligentie' worden genoemd. Zie John Kihlstrom en Nancy Cantor, 'Social Intelligence', in Robert Sternberg, ed., *Handbook of Intelligence*, 2de editie, Cambridge University Press, Cambridge, 2000, pp. 359-79.

18. Thorndike, 'Intelligence', p. 228.

Deel een

Hoofdstuk 1. De emotionele economie

1. Wanneer ik naar de amygdala of een andere specifieke neurale structuur verwijs, doel ik meestal niet alleen op dat gebied zelf, maar ook op de circuits die het verbinden met andere neurale gebieden. Een uitzondering daarop is, wanneer ik een aspect van de structuur zelf bespreek.

2. Brooks Gum en James Kulik, 'Stress, Affiliation, and Emotional Contagion'. *Journal of Personality and Social Psychology* 72, nummer 2 (1997), pp. 305-19.

3. Deze onderzoekende functie vindt plaats via de verbindingen van de amygdala met de cortex, die onze aandacht richt op het exploreren van onzekerheden. Wanneer de amygdala in reactie op een mogelijke dreiging begint te vuren, zorgt deze dat corticale centra de aandacht fixeren op het mogelijke gevaar. Hierbij voelen we ons ontreddert, onbehaaglijk of zelfs een beetje bang. Als iemand dus een gemakkelijk prikkelbare amygdala heeft, ervaart hij de wereld als een ambigue en voortdurend bedreigende plek. Een groot trauma, zoals overvallen worden, kan de waakzaamheid van de amygdala opschroeven, waardoor de hoeveelheid neurotransmitters toeneemt die ons aanzetten om onze omgeving voortdurend af te speuren naar bedreigingen. De meeste symptomen van een posttraumatische stressstoornis, zoals een overdreven reactie op neutrale gebeurtenissen die vaag aan het oorspronkelijke trauma herinneren, zijn tekenen van zo'n prikkelbare amygdala. Zie Dennis Charney et al., 'Psychobiologic Mechanisms of Posttraumatic Stress Disorder'. *Archives of General Psychiatry* 50 (1993), pp. 294-305.

4. Zie bijvoorbeeld Beatrice de Gelder et al., 'Fear Fosters Flight: A Mechanism for Fear Contagion When Perceiving Emotion Expressed by a Whole Body'. *Proceedings of the National Academy of Sciences* 101, nummer 47 (2004), pp. 16, 701-706.

5. Dat is in elk geval één manier om emoties te herkennen. Het bestaan van andere neurale routes zou bijvoorbeeld kunnen betekenen dat wij ons niet gelukkig hoeven te voelen om te herkennen dat iemand anders zich dat wél voelt.

6. Affectieve *blindsight* of 'blindzicht', waarbij iemand die functioneel blind is door bepaalde hersenbeschadigingen via de amygdala de emoties van een ander kan registreren op basis van diens gezichtsuitdrukking, is ook bij andere patiënten gevonden. Zie bijvoorbeeld J.S. Morris et al., 'Differential Extrageniculostriate and Amygdala Responses to Presentation of Emotional Faces in a Cortically Blind Field'. *Brain* 124, nummer 6 (2001), pp. 1241-52.

7. Het klassieke werk over emotionele besmetting is van Elaine Hatfield et al., *Emotional Contagion*. Cambridge University Press, Cambridge, 1994.

8. De hoge route kan echter bewust gebruikt worden om een emotie te genereren; acteurs doen dat voortdurend. Een ander voorbeeld is het systematisch opwekken van compassie in een religieuze context; dit doelbewust genereren van positieve emoties gebruikt de hoge route om de lage te prikkelen.

9. Natuurlijk staan emotie en cognitie gewoonlijk niet tegenover elkaar. Meestal werken de 'hoge route' en de 'lage route' synergetisch samen of beschrijven minimaal parallelle routes naar dezelfde plek. Evenzo werken cognitie en emotie over het algemeen moeiteloos samen om ons te motiveren en in de richting van een bepaald doel te sturen. Er zijn echter gevallen waarin ze uiteenlopen. Die divergenties zijn verantwoordelijk voor de eigenaardigheden en het ogenschijnlijk irrationele gedrag die gedragswetenschappers zoveel hoofdbrekens bezorgen (inclusief psychologen en economen). Ze zeggen ook veel over de afzonderlijke eigenschappen van deze twee samenhangende systemen in ons brein: als twee systemen nauw samenwerken is het moeilijk om te zien welk wat bijdraagt. Wedijveren ze met elkaar, dan zijn die bijdragen gemakkelijker te onderscheiden.

10. De amygdala, in de middenhersenen onder de cortex, is verantwoordelijk voor automatische emotionele processen; de prefrontale cortex, in zijn functie van controlekamer, verzamelt gegevens uit vele neurale gebieden, integreert ze en ontwerpt vervolgens een plan van actie. Zie Timothy Shallice en Paul Burgess, 'The Domain of Supervisory Processes and Temporal Organization of Behaviour'. *Philosophical Transactions of the Royal Society B: Biological Sciences* 351, (1996), pp. 1405-12.

11. De hoge route is echter niet immuun voor vooroordeel en perceptuele vertekening. Zie over de hoge versus de lage route Mark Williams et al., 'Amygdala Responses to Fearful and Happy Facial Expressions Under Conditions of Binocular Suppression'. *Journal of Neuroscience* 24, nummer 12 (2004), pp. 2898-904.

12. Zie over de twee modi John Dewey, *Experience and Nature*. LaSalle, Ill., 1925, p. 256.

13. Roland Neumann en Fritz Strack, '"Mood Contagion": The Automatic Transfer of Mood Between Persons'. *Journal of Personality and Social Psychology* 79, nummer 2 (2000), pp. 3022-514.

14. Zie over het met het gezicht nabootsen van emoties Ulf Dimberg en Monika Thunberg, 'Rapid Facial Reactions to Emotional Facial Expression'. *Scandinavian Journal of Psychology* 39, 2000, pp. 39-46; Ulf Dimberg, 'Facial EMG and Emotional Reactions'. *Psychophysiology* 27 (1990), pp. 481-94.

15. Zie Ulf Dimberg, Monika Thunberg en Kurt Elmehed, 'Unconscious Facial Reactions to Emotional Facial Expressions'. *Psychological Science* 11 (2000), pp. 86-89.

16. Edgar Allan Poe wordt geciteerd in Robert Levenson et al., 'Voluntary Facial Action Generates Emotion-Specific Autonomic Nervous System Activity'. *Psychophysiology* 27 (1990), pp. 363-84.

17. David Denby, 'The Quick and the Dead'. *New Yorker* 80 (29 maart 2004), pp. 103-05.

18. Voor de manier waarop films de hersenen bespelen zie Uri Hasson et al., 'Intersubject Synchronization of Cortical Activity During Natural Vision'. *Science* 303, (no. 5664, 2004), pp. 1634-40.

19. Zie over opvallen en aandacht bijvoorbeeld Stephanie D. Preston en Frans B. M. de Waal, 'Empathy: Its Ultimate and Proximate Bases'. *Behavioral and Brain Sciences* 25 (2002), pp. 1-20.

20. Onze hersenen zijn waarschijnlijk voorgeprogrammeerd om een maximum aan aandacht aan dit soort signalen te schenken, omdat in de natuur momenten van perceptuele en emotionele intensiteit gevaar kunnen betekenen. In de wereld van vandaag geven ze misschien alleen aan wat er vanavond te zien is.

21. Emily Butler et al., 'The Social Consequences of Expressive Suppression'. *Emotion* 3, nummer 1 (2003), pp. 48-67.

22. Het is juist die poging tot onderdrukking die maakt dat we over een zaak gaan malen; dit soort repeterende gedachten dringen zich op wanneer we proberen om onszelf op iets anders te concentreren of gewoon te ontspannen. Ondanks ons verlangen om bewuste controle uit te oefenen en ons veto uit te spreken over onze natuurlijke impulsen, zijn we daar niet altijd voor honderd procent toe in staat. Als we bewust onze oprechte emoties onderdrukken en een uitgestreken gezicht trekken wanneer we eigenlijk in de war zijn, sijpelen onze gevoelens toch door. Rapport neemt toe naarmate we onze gevoelens openlijker aan anderen tonen. Omgekeerd zorgen we ongewild dat de spanning in de lucht stijgt naarmate we onze gevoelens meer onderdrukken en die gevoelens sterker zijn, een gevoel dat iedereen met een partner die sterke emoties 'verbergt' wel kent. Zie over de gevolgen van onderdrukking E. Kennedy-Moore en J.C. Watson, 'How and When Does Emotional Expression Help?' *Review of General Psychology* 5 (2001), pp. 187-212.

23. De neurale radar concentreerde zich in het ventromediale gebied van de prefrontale cortex. Zie Jean Decety en Thierry Chaminade, 'Neural Correlates of Feeling Sympathy'. *Neuropsychologia* 41 (2003), pp.127-38.

24. Zie over betrouwbaarheid Ralph Adolphs et al., 'The Human Amygdala in Social Judgment'. *Nature* 393 (1998), pp. 410-74.

25. Zie over de neurale circuits voor vertrouwen J.S. Winston et al., 'Automatic and Intentional Brain Responses During Evaluation of Trustworthiness of Faces'. *Nature Neuroscience* 5, nummer 3 (2002), pp. 277-83. Kort gezegd scant de amygdala iedereen die we ontmoeten en beoordeelt automatisch hoe betrouwbaar diegene is. Wanneer iemand het predikaat 'onbetrouwbaar' krijgt, wordt de rechter insula actief om die boodschap over te brengen naar de viscera en licht de op gezichten reagerende regio van de fusiforme gyrus op. De orbitofrontale cortex reageert sterker wanneer de amygdala iemand als 'betrouwbaar' bestempelt. De rechter superieure temporale sulcus opereert als een assisterende cortex om het oordeel te verwerken, dat vervolgens gelabeld wordt door de emotionele systemen, waaronder de amygdala en de orbitofrontale cortex.

26. Zie over blikrichting en leugens Paul Ekman, *Telling Lies: Clues to Deceit in the Marketplace, Politics, and Marriage*. W.W. Norton, New York, 1985.

27. Over aanwijzingen voor liegen, zie ibid.

28. Zie over cognitieve controle en liegen Sean Spence, 'The Deceptive Brain'. *Journal of the Royal Society of Medicine* 97 (2004), pp. 6-9. Leugens vragen extra cognitieve en emotionele inspanning van neurale circuits. Deze ontdekking heeft tot de gedachte geleid dat een fMRI ooit als leugendetector gebruikt zou kunnen worden. Dat moment breekt echter pas aan als men een aantal lastige logistieke uitdagingen met betrekking tot deze techniek heeft opgelost, zoals de artefacten die in het signaal optreden wanneer iemand spreekt.

29. Zie over de manier waarop de minder machtige partner zich meer aanpast Cameron Anderson, Dacher Keltner en Oliver P. John, 'Emotional Convergence Between People over Time'. *Journal of Personality and Social Psychology* 84, nummer 5 (2003), pp. 1054-68.

30. Frances La Barre, *On Moving and Being Moved: Nonverbal Behavior in Clinical Practice*. Analytic Press, Hillsdale, N.J., 2001.

31. Hoewel er in de jaren 50 en 60 van de vorige eeuw veel psychofysiologisch onderzoek gedaan werd naar twee mensen in interactie, waren de methodes in die tijd niet precies of overtuigend genoeg. Deze lijn van onderzoek bloedde dan ook dood en bloeide pas weer op in de jaren 90.

32. Zie over empathie en gemeenschappelijke fysiologie Robert Levinson en Anna Ruef, 'Empathy, A Physiological Substrate'. *Journal of Personality and Social Psychology* 63 (1992), pp. 234-46.

Hoofdstuk 2. Een recept voor rapport

1. Zie over het onderzoek naar psychotherapie Stuart Ablon en Carl Marci, 'Psychotherapy Process: The Missing Link'. *Psychological Bulletin* 130, 2004, pp. 664-68; Carl Marci et al., 'Physiologic Evidence for the Interpersonal Role of Laughter During Psychotherapy'. *Journal of Nervous and Mental Disease* 192 (2004), pp. 689-95.

2. Zie over de ingrediënten van rapport Linda Tickle-Degnan en Robert Rosenthal, 'The Nature of Rapport and Its Nonverbal Correlates'. *Psychological Inquiry* 1, nummer 4 (1990), pp. 285-93.

3. Frank J. Bernieri en John S. Gillis, 'Judging Rapport', in Judith A. Hall en Frank J. Bernieri, *Interpersonal Sensitivity: Theory and Measurement*. Erlbaum, Mahwah, N.J., 2001.

4. Wil rapport opbloeien, dan moet er gelijktijdig sprake zijn van volledige aandacht, positieve gevoelens en synchronie. Een robbertje vechten vereist sterke fysieke coördinatie zonder positiviteit. Evenzo is er bij een echtelijke ruzie sprake van wederzijdse aandacht en een beetje coördinatie zonder affectie. De combinatie van wederzijdse aandacht en coördinatie is karakteristiek voor vreemdelingen die op een drukke stoep in elkaars richting lopen: ze kunnen elkaar passeren zonder tegen elkaar op te botsen, maar ook zonder enige interesse voor elkaar.

5. Zie over ineenkrimpen en oogcontact J.B. Bavelas et al., 'I *Show* How You Feel: Motor Mimicry as a Communicative Act'. *Journal of Social and Personality Psychology* 50 (1986), pp. 322-29. Op dezelfde manier zal wanneer twee mensen opgaan in de wederzijdse focus, zoals bij een diepgaand gesprek, de binnenkomst van een derde persoon de betovering van de conversatie verbreken.

6. Zie over negatieve feedback met een positieve uitdrukking Michael J. Newcombe en Neal M. Ashkanasy, 'The Code of Affect and Affective Congruence in Perceptions of Leaders: An Experimental Study'. *Leadership Quarterly* 13 (2002), pp. 601-604.

7. Systematisch onderzoek naar het geven van fooien wijst uit dat de grootste fooien voor goede bediening 's avonds gegeven worden. In een onderzoek verdiende de serveerster met de hoogste fooien gemiddeld 17 procent van de rekening en die met de laagste 12 procent. Over een jaar genomen zou dat een substantieel verschil in inkomen betekenen. Zie Michael Lynn en Tony Simons, 'Predictors of Male and Female Servers' Average Tip Earnings'. *Journal of Applied Social Psychology* 30 (2000), pp. 241-52.

8. Zie over aanpassing en rapport Tanya Chartrand en John Bargh, 'The Chameleon Effect: The Perception-Behavior Link and Social Behavior'. *Journal of Personality and Social Psychology* 76 (1999), pp. 893-910.

9. Het onderzoek naar het veinzen van nabootsing werd gedaan door een student van Frank Bernieri en staat beschreven in Mark Greer, 'The Science of Savoir Faire'. *Monitor on Psychology* (januari 2005).

10. Zie over synchroon bewegen Frank Bernieri en Robert Rosenthal, 'Interpersonal Coordination: Behavior Matching and Interactional Synchrony', in Robert Feldman en Bernard Rimé, *Fundamentals of Nonverbal Behavior*. Cambridge University Press, New York, 1991.

11. Terwijl vreemden zelfs bij een eerste ontmoeting in staat zijn tot de nodige non-verbale coördinatie, wordt synchronie eenvoudiger naarmate mensen elkaar beter kennen. Oude bekenden stemmen zich gemakkelijk op elkaar af in een soepel non-verbaal duet, gedeeltelijk omdat ze elkaar goed genoeg kennen

om zich aan te kunnen passen aan persoonlijke eigenaardigheden waarvan anderen mogelijk uit balans raken.

12. Zie over ademhaling tijdens een gesprek David McFarland, 'Respiratory Markers of Conversational Interaction'. *Journal of Speech, Language and Hearing Research* 44 (2001), pp. 128-45.

13. Zie over rapport tussen leraar en leerling M. LaFrance, 'Nonverbal Synchrony and Rapport: Analysis by Cross-lag Panel Technique'. *Social Psychology Quarterly* 42 (1979), pp. 66-70; M. LaFrance en M. Broadbent, 'Group Rapport: Posture Sharing as a Nonverbal Behavior', in Martha Davis, ed., *Interaction Rhythms.* Human Sciences Press, New York, 1982. De choreografie werkt soms contra-intuïtief; rapport voelt in feite sterker in een rechtstreekse interactie, waarbij de nabootsing eruitziet als in de spiegel, dat wil zeggen, dat persoon A zijn rechterarm optilt in reactie op de linkerarm van persoon B.

14. Over de hersenen van muzikanten in synchronie: E. Roy John, persoonlijk gesprek.

15. Zie over adaptieve oscillatoren R. Port en T. Van Gelder, *Mind as Motion: Explorations in the Dynamics of Cognition.* MIT Press, Cambridge, Mass., 1995.

16. Zie over modellen van synchronie D.N. Lee, 'Guiding Movements by Coupling Taus'. *Ecological Psychology* 10 (1998), pp. 221-50.

17. Zie voor een overzicht van het onderzoek Bernieri en Rosenthal, 'Interpersonal Coordination'.

18. Deze synchronie tussen beweging en spraak kan bijzonder subtiel zijn. Het komt bijvoorbeeld vaker voor in 'fonemische clausules', een aantal opeenvolgende lettergrepen die samen een natuurlijke eenheid van toonhoogte, ritme en geluidssterkte vormen. (De woorden van een spreker bestaan uit aaneenschakelingen van dit soort clausules die elk eindigen met een nauwelijks waarneembare vertraging in het spreken voordat de volgende begint.) Zie ibid.

19. Voor synchronie tussen ledematen zie Richard Schmidt, 'Effects of Visual and Verbal Interaction on Unintended Interpersonal Coordination'. *Journal of Experimental Psychology: Human Perception and Performance* 31 (2005), pp. 62-79.

20. Joseph Jaffe et al., 'Rhythms of Dialogue in Infancy'. *Monographs of the Society for Research in Child Development* 66, serienummer 264 (2001). Rond vier maanden verschuift de aandacht van baby's van handelingen van anderen die perfect getimed zijn ten opzichte van die van henzelf, naar handelingen van anderen die gecoördineerd zijn maar minder goed getimed ten opzichte van hun eigen handelingen. Dat is een indicatie dat hun oscillatoren beter in staat zijn om met de timing te synchroniseren. Zie G. Gergely en J.S. Watson, 'Early Socio-Emotional Development: Contingency Perception and the Social Feedback Model', in Philippe Rochat, ed., *Early Social Cognition.* Erlbaum, Hillsdale, N.J., 1999.

21. Zie over de interactie tussen moeder en baby Beatrice Beebe en Frank M. Lachmann, 'Representation and Internalization in Infancy: Three Principles of Salience'. *Psychoanalytic Psychology* 11 (1994), pp. 127-66.

22. Colwyn Trevarthen, 'The Self Born in Intersubejctivity: The Psychology of In-

fant Communicating'. in: Ulrich Neisser, ed., *The Perceived Self: Ecological and Interpersonal Sources of Self-knowledge*. Cambridge University Press, New York, 1993, pp. 121-73.

Hoofdstuk 3. Neurale Wifi

1. Zie over angst, nabootsing en besmetting Brooks Gump en James Kulik, 'Stress, Affiliation, and Emotional Contagion'. *Journal of Personality and Social Psychology* 72 (1997), pp. 305-19.
2. Zie bijvoorbeeld Paul J. Whalen et al., 'A Functional MRI Study of Human Amygdala Responses to Facial Expressions of Fear Versus Anger'. *Emotion* 1 (2001), pp. 70-83; J.S. Morris et al., 'Conscious and Unconscious Emotional Learning in the Human Amygdala'. *Nature* 393 (1998), pp. 467-70.
3. Degene die naar het gezicht kijkt van iemand die doodsbang is, ervaart dezelfde innerlijke prikkeling, maar minder intens. Een belangrijk verschil is de mate waarin het autonoom zenuwstelsel reageert: die is bij de angstige persoon maximaal en bij degene die kijkt veel zwakker. Hoe actiever de insula van de toeschouwer wordt, hoe sterker de emotionele respons.
4. Zie over nabootsen J.A. Bargh, M. Chen en L. Burrows, 'Automaticity of Social Behavior: Direct Effects of Trait Construct and Stereotype Activation on Action'. *Journal of Personality and Social Psychology* 71 (1996), pp. 230-44.
5. Over de snelheid van de perceptie van angst, zie Luiz Pessoa et al., 'Visual Awareness and the Detection of Fearful Faces'. *Emotion* 5 (2005), pp. 243-47.
6. Zie over de ontdekking van spiegelneuronen G. di Pelligrino et al., 'Understanding Motor Events: A Neurophysiological Study'. *Experimental Brain Research* 91 (1992), pp. 176-80.
7. Zie over het speldenprikneuron W.D. Hutchinson et al., 'Pain-related neurons in the Human Cingulate Cortex'. *Nature Neuroscience* 2 (1999), pp. 403-5. Andere fMRI-onderzoeken wijzen uit dat precies dezelfde hersengebieden actief worden wanneer iemand een vingerbeweging ziet als wanneer iemand die beweging zelf maakt; bij een onderzoek was de activiteit het hoogst wanneer de persoon de beweging maakte in reactie op het zien van dezelfde beweging bij een ander, dat wil zeggen, wanneer hij de ander nabootste: Marco Iacoboni et al., 'Cortical Mechanisms of Human Imitation'. *Science* 286 (1999), pp. 2526-28. Aan de andere kant is uit een aantal onderzoeken gebleken dat het observeren van een beweging andere neurale gebieden activeerde dan bedenken dat je de beweging maakt; de interpretatie luidde dat de gebieden die betrokken zijn bij het herkennen van bewegingen verschillen van de gebieden die bijdragen aan het daadwerkelijk voortbrengen van de beweging, in dit geval het vastpakken van een object. Zie S.T. Grafton et al., 'Localization of Grasp Representations in Humans by PET: Observation Compared with Imagination'. *Experimental Brain Research* 112 (1996), pp. 103-11.
8. Zie over spiegelen bij mensen bijvoorbeeld L. Fadiga et al., 'Motor Facilitation During Action Observation: A Magnetic Stimulation Study'. *Journal of Neurophysiology* 73 (1995), pp. 2608-26.

9. Dit blokkeren gebeurt door remmende neuronen in de prefrontale schors. Patiënten met schade aan deze prefrontale circuits zijn berucht om hun gebrek aan inhibities. Ze zeggen en doen alles wat in hun hoofd opkomt. De prefrontale gebieden hebben mogelijk rechtstreekse remmende verbindingen. Er kunnen ook posterieure corticale regionen geactiveerd worden met lokaal remmende verbindingen.

10. Tot op heden zijn spiegelneuronen gevonden in verschillende gebieden van de menselijke hersenen naast de premotorische schors, inclusief de posterieure pariëtaalkwab, de bovenste temporale sulcus en de insula.

11. Zie over spiegelneuronen bij mensen Iacoboni et al., 'Cortical Mechanisms'.

12. Zie Kiyosche Nakahara en Yasushi Miyashita, 'Understanding Intentions: Through the Looking Glass'. *Science* 308 (2005), pp. 644-45; Leonardo Fogassi, 'Parietal Lobe: From Action Organization to Intention Understanding'. *Science* 308 (2005), pp. 662-66.

13. Zie Stephanie D. Preston en Frans de Waal, 'The Communication of Emotions and the Possibility of Empathy in Animals' in Stephen G. Post et al., eds., *Altruism and Altruisitic Love: Science, Philosophy en Religion in Dialogue.* Oxford University Press, New York, 2002.

14. Als andermans gedrag voor ons emotioneel bijzonder belangrijk is, maken we automatisch een klein gebaar of laten we een gezichtsuitdrukking zien waaruit blijkt dat we hetzelfde voelen. Deze voorvertoningen van een gevoel of een beweging, zo suggereren neurowetenschappers, zouden wel eens essentieel kunnen zijn voor de ontwikkeling van taal en communicatie bij mensen. Volgens één theorie komt de evolutie van taal in de prehistorie voort uit de activiteiten van spiegelneuronen, aanvankelijk voor gebarentaal en later voor een vocale vorm. Zie Giacomo Rizzolatti en M.A. Arbib, 'Language Within Our Grasp'. *Trends in Neuroscience* 21 (1998), pp. 188-94.

15. Giacomo Rizzolatti wordt geciteerd in Sandra Blakeslee, 'Cells That Read Minds'. *New York Times* (10 januari 2006), p. C3.

16. Daniel Stern, *The Present Moment in Psychotherapy and Everyday Life.* W.W. Norton, New York, 2004, p. 76.

17. Paul Ekman, *Telling Lies: Clues to Deceit in the Marketplace, Politics, and Marriage.* W.W. Norton, New York, 1985.

18. Robert Provine, *Laughter: A Scientific Investigation.* Viking Press, New York, 2000.

19. Zie over de voorkeur van het brein voor blije gezichten Jukka Leppanen en Jari Hietanen, 'Affect and Face Perception'. *Emotion* 3 (2003), pp. 315-26.

20. Barbara Fraley en Arthur Aron, 'The Effect of a Shared Humorous Experience on Closeness in Initial Encouters'. *Personal Relationships* 11 (2004), pp. 61-78.

21. De circuits voor lachen bevinden zich in het meest primitieve hersengebied, de hersenstam. Zie Stephen Sivvy en Jaak Panksepp, 'Juvenile Play in the Rat'. *Physiology and Behavior* 41 (1987), pp. 103-14.

22. Zie over beste vrienden Brenda Lundy et al., 'Same-sex and Opposite-sex Best Friend Interactions Among High School Juniors and Seniors'. *Adolescence* 33 (1998), pp. 279-88.

23. Darryl McDaniels wordt geciteerd in Josh Tryangiel, 'Why You Can't Ignore Kanye'. *Time* (21 augustus 2005).

24. Legend werd geciteerd in 'Bling Is Not Their Thing: Hip-hop Takes a Relentlessly Positive Turn'. *Daily News of Los Angeles* (24 februari 2005).

25. Zie over memen Susan Blackmore, *The Meme Machine*. Oxford University Press, Oxford, 1999.

26. Zie over een meer diepgaande beschrijving van priming E.T. Higgins, 'Knowledge Activation: Accessibility, Applicability, and Salience'. *Social Psychology: Handbook of Basic Principles*. Guilford Press, New York, 1996.

27. Zie over priming en beleefdheid Bargh, Chen en Burrows, 'Automaticity of Social Behavior', p. 71.

28. Zie over automatische gedachteketens John. A. Bargh, 'The Automaticity of Everyday Life'. in R. S. Wyer, ed., *Advances in Social Cognition*. Erlbaum, Hillsdale, N.J. 1997, vol. 10.

29. Zie over het accuraat lezen van gedachten Thomas Geoff en Garth Fletcher, 'Mind-reading Accuracy in Intimate Relationships: Assessing the Roles of the Relationship, the Target and the Judge'. *Journal of Personality and Social Psychology* 85 (2003), pp. 1079-94.

30. Zie over geestelijk samensmelten Colwyn Trevarthen, 'The Self Born in Intersubjectivity: The Psychology of Infant Communicating', in Ulric Neisser, ed. *The Perceived Self: Ecological and Interpersonal Sources of Self-knowledge*. Cambridge University Press, New York, 1993, pp. 121-73.

31. De emotionele versmelting gebeurde onafhankelijk van de vraag of het tweetal het gevoel had goede vrienden geworden te zijn. Cameron Anderson, Dacher Keltner en Oliver P. John, 'Emotional Convergence Between People over Time'. *Journal of Personality and Social Psychology* 84, nummer 5 (2003), pp. 1054-68.

32. Bij het beruchte Heizeldrama in 1985 vielen Britse hooligans Italiaanse supporters aan, waardoor er een muur instortte en er negenendertig doden vielen. In de tussenliggende tijd hebben er overal in Europa voetbalrellen plaatsgevonden met fatale of bijna fatale gevolgen.

33. Elias Canetti, *Crowds and Power*. Continuum, New York, 1973.

34. De snelheid waarmee een stemming zich over een groep verspreidt, wordt vermeld in Robert Levenson en Anna Reuf, 'Emotional Knowledge and Rapport', in William Ickes, ed., *Empathic Accuracy*. Guilford Press, New York, 1997, pp. 44-72.

35. Zie over het delen van emoties Elaine Hatfield et al., *Emotional Contagion*. Cambridge University Press, Cambridge, 1994.

36. Zie over emotionele besmetting in teams Sigal Barsade, 'The Ripple Effect: Emotional Contagion and Its Influence on Group Behavior'. *Administrative Science Quarterly* 47 (2002), pp. 644-75.

37. Een feedback loop in een groep zorgt dat iedereen op dezelfde golflengte blijft. Als er beslissingen genomen moeten worden, stimuleert de loop een connectie waarbinnen het mogelijk is om openlijk van mening te verschillen zonder angst dat de boel uit de hand loopt. Als er harmonie heerst binnen een groep,

is het mogelijk om alle mogelijke visies te evalueren en de beste beslissingen te nemen, vooropgesteld dat mensen zich vrij voelen om een afwijkende mening te poneren. Tijdens een verhitte discussie is het moeilijk om te horen wat de ander zegt, laat staan om zich af te stemmen.

Hoofdstuk 4. Een instinct voor altruïsme

1. Zie over het experiment van de barmhartige Samaritaan, een klassieker in de sociale psychologie, J.M. Darley en C.D. Batson, 'From Jerusalem to Jericho'. *Journal of Personality and Social Psychology* 27 (1973), pp. 100-8. Ik citeerde het onderzoek in mijn boek *Liegen om te Leven*.

2. Net als bij de gehaaste studenten beïnvloeden sociale situaties de mate waarin een feedback loop gepast lijkt, als hij überhaupt optreedt. We voelen bijvoorbeeld hoogstwaarschijnlijk geringe drang om iemand die ligt te kreunen te helpen als er al een ambulance staat. En aangezien we het gemakkelijkst een feedback loop vormen met mensen die op ons lijken, en steeds minder gemakkelijk naarmate de verschillen groter zijn, zijn we eerder geneigd om een vriend te helpen dan een vreemde.

3. Zie over de barmhartige Samaritaan en helpen bijvoorbeeld C. Daniel Batson et al., 'Five Studies Testing Two New Egoistic Alternatives to the Empathy-Altruism Hypothesis'. *Journal of Personality and Social Psychology* 55 (1988), pp. 52-57.

4. Het Engels kent geen woord voor *kandou*, zoals Aziatische talen. In het Sanskriet bijvoorbeeld, betekent het woord *mudita* 'plezier hebben in de goedheid van of ontvangen door een ander'. Het Engels heeft wel heel gemakkelijk *Schadenfreude* overgenomen, exact het tegenovergestelde van *mudita*. Zie ook Tania Singer et al., 'Empathy for Pain Involves the Affective but Not Sensory Components of Pain'. *Science* 303 (2004), pp. 1157-62.

5. Zie Jonathan D. Haidt en Corey L. M. Keyes, *Flourishing: Positive Psychology and the Life Well Lived*. American Psychological Association Press, Washington, D.C., 2003.

6. Zie over vissenhersenen Joseph Sisneros et al., 'Steroid-Dependent Auditory Plasticity Leads to Adaptive Coupling of Sender and Receiver'. *Science* 305 (2004), pp. 404-7.

7. Als de baby moe of overstuur is, doet hij het tegenovergestelde en beweegt zich op een manier die zijn perceptuele systemen afsluiten. Hij krult bijvoorbeeld op om opgepakt of geknuffeld te worden, zodat hij kan kalmeren. Zie Colwyn Trevarthen, 'The Self Born in Intersubjectivity: The Psychology of Infant Communicating', in Ulric Neisser, ed. *The Perceived Self: Ecological and Interpersonal Sources of Self-knowledge*. Cambridge University Press, New York, 1993, pp. 121-73.

8. Zie over empathie in de evolutie en bij verschillende diersoorten Charles Darwin, *The Descent of Man*. Princeton University Press, Princeton, 1998, (1872).

9. S.E. Shelton et al. 'Aggression, Fear and Cortisol in Young Rhesus Monkeys'. *Psychoneuroendocrinology* 22, supp. 2 (1997), p. S198.

10. Zie over sociabele bavianen J.B. Silk et al., 'Social Bonds of Female Baboons Enhance Infant Survival'. *Science* 302 (2003), pp. 1231-34.

11. Eerdere theorieën over waarom de mens zo'n groot en intelligent brein heeft ontwikkeld, concentreerden zich op het vermogen om gereedschappen vast te houden en te maken. In de afgelopen decennia heeft de overlevingswaarde van een sociaal leven, ook voor het grootbrengen van kinderen tot op een leeftijd dat ze zichzelf weer voortplanten, meer aanhangers getrokken.

12. Stephen Hill, 'Storyteller, Recovering from Head-on Crash, Cites "Miracle of Mother's Day"'. *Daily Hampshire Gazette* (11 mei 2005), p. B1.

13. De notie dat empathie te maken heeft met het delen van emoties heeft een lange geschiedenis binnen de psychologie. Een van de eerste theoretici, William McDougall, stelde in 1908 dat bij 'sympathie' de fysieke gesteldheid van de ene persoon bij de andere wordt opgewekt. Tachtig jaar later opperde Leslie Brothers dat het om de emotie van een ander te begrijpen noodzakelijk is dat we diezelfde emotie tot op zekere hoogte ook voelen. En in 1992 betoogden Robert Levenson en Anna Reuf, na het vaststellen van een overeenkomstige hartslag bij partners die verwikkeld waren in een emotionele discussie, dat deze fysiologische overeenkomst een basis zou kunnen zijn voor empathie.

14. De neurowetenschapper is Christian Keysers van de Rijksuniversiteit Groningen, geciteerd in Greg Miller, 'New Neurons Strive to Fit In'. *Science* 311 (2005), pp. 938-40.

15. Constantin Stanislavski wordt geciteerd in Jonathan Cott, *On a Sea of Memory*. Random House, New York, 2005, p. 138.

16. Neurale circuits voor onze eigen gevoelens en die van anderen worden besproken in Kevin Ochsner et al., 'Reflecting upon Feelings: An fMRI Study of Neural Systems Supporting the Attribution of Emotion to Self and Other'. *Journal of Cognitive Neuroscience* 16 (2004), pp. 1746-72.

17. Zie voor de circuits die actief zijn bij het observeren of imiteren van een emotie Laurie Carr et al., 'Neural Mechanisms for Empathy in Humans: A Relay from Neural Systems for Imitation to Limbic Areas'. *Proceedings of the National Academy of Sciences* 100, nummer 9 (2003), pp. 5497-502. De geactiveerde gebieden zijn de premotorische cortex, inferieure frontale cortex en anterieure insula en de rechter amygdala (die duidelijk sterker geactiveerd werd door imitatie dan door observatie).

18. Zie over *Einfühlung* Theodore Lipps, geciteerd in Vittorio Gallese, 'The "Shared Manifold" Hypothesis: from Mirror Neurons to Empathy'. *Journal of Consciousness Studies* 8, nummer 5-7 (2001), pp. 33-50.

19. Zie over empathie en de hersenen Stephanie D. Preston en Frans B.M. de Waal, 'Empathy: Its Ultimate and Proximate Bases'. *Behavioral and Brain Sciences* 25 (2002), pp. 1-20.

20. Die overeenkomst duidt echter niet altijd op empathie. Gezien de technische staat van onze meetapparatuur zou het kunnen dat geluk vanuit twee neurale bronnen er vergelijkbaar uitziet.

21. Zie over de hersencircuits bij empathie Stephanie D. Preston et al., 'Functional

Neuroanatomy of Emotional Imagery: PET of Personal and Hypothetical Experiences'. *Journal of Cognitive Neuroscience: April Supplement,* 126.

22. Technisch gesproken is dit neurale steno 'computationeel efficiënt' in zowel het verwerken van informatie als in de ruimte die nodig is om het op te slaan. Preston en de Waal, 'Empathy'.

23. Zie Antonio Damasio, *The Feeling of What Happens.* Harcourt, New York, 2000.

24. Zie over Hobbes J. Aubrey, *Brief Lives, Chiefly of Contemporaries, set down by John Aubrey, Between the years 1669 en 1696.* A. Clark (ed.). Clarendon Press, Londen, 1898, vol. 1.

25. Een vriendelijker versie van 'ieder voor zich' werd ontwikkeld door de achttiende-eeuwse Britse filosoof Adam Smith, die een voorstander was van het scheppen van welvaart in een economisch systeem van laissez faire. Smith spoorde zijn publiek aan erop te vertrouwen dat individueel eigenbelang rechtvaardige markten zou voortbrengen, een van de economische aannames van het systeem van de vrije markt. Zowel Hobbes als Smith worden veelvuldig geciteerd in moderne pogingen om de drijfveren van het menselijk gedrag te analyseren, vooral door mensen die een voorstander zijn van puur eigenbelang, bruut in het geval van Hobbes, rationeel bij Smith.

26. Stephanie D. Preston en Frans de Waal, 'The Communication of Emotions and the Possibility of Empathy in Animals', in S. Post et al., *Altruism and Altruistic Love: Science Philosophy and Religion in Dialogue,* Oxford University Press, New York, 2002, betogen dat het onderscheid tussen zelfzuchtig versus altruïstisch vanuit evolutionair perspectief irrelevant is, omdat veel vormen van gedrag formeel als 'zelfzuchtig' gekwalificeerd zou kunnen worden.

27. Mencius wordt geciteerd in Frans de Waal, *The Ape and the Sushi Master: Cultural Reflections by a Primatologist.* Basic Books-Perseus, New York, 2001, p. 256. Mencius stelt dat als een kind op het punt staat in het water te vallen, iedereen die dat ziet de impuls heeft om te helpen.

28. Jean Decety en Thierry Chaminade, 'Neural Correlates of Feeling Sympathy'. *Neuropsychologia* 41 (2003), pp. 127-38.

29. Ap Dijksterhuis en John A. Bargh, 'The Perception-Behavior Expressway: Automatic Effects of Social Perception on Social Behavior'. *Advances in Experimental Social Psychology* 33 (2001), pp. 1-40.

30. Charles Darwin, *The Expression of Emotions in Man and Animals,* met een commentaar van Paul Ekman, Oxford University Press, New York, 1998 (1872).

31. Beatrice de Gelder et al., 'Fear Fosters Flight: A Mechanism for Fear Contagion When Perceiving Emotion Expressed by a Whole Body'. *Proceedings of the National Academy of Sciences* 101 (2004), pp. 16801-06. Het mediale prefrontale-anterieure cingulate circuit dat reageert op sociale stimuli als foto's van mensen in ontreddering, spreekt zelf weer andere hersensystemen aan al naar gelang de aard van de uitdaging.

32. Zie over overeenkomstigheid bijvoorbeeld Dennis Krebs, 'Empathy and Altruism: An Examination of the Concept and a Review of the Literature'. *Psychological Bulletin* 73 (1970), pp. 258-302; C.D. Batson, *The Altruism Question:*

Toward a Scientific Answer. Erlbaum, Mahwah, N.J., 1991. De conventionele experimentele paradigma's binnen de sociale psychologie presenteren menselijke behoeftigheid mogelijk niet dwingend genoeg om de paden voor empathisch handelen aan te boren. Een checklist die vraagt of iemand aan een liefdadig doel zou geven, spreekt zowel cognitieve als emotionele systemen aan. Een equivalent van Mencius' test (een baby die op het punt staat in een put te vallen), zou echter een totaal ander circuit aanboren en dus contrasterende resultaten opleveren.

33. Preston en De Waal, 'Communication of Emotions', opperen dat er een emotionele gradiënt bestaat in onze omgang met andermans ontreddering. Emotionele besmetting roept dezelfde intense toestand op in de waarnemer als in de ontredderde persoon, waardoor de grenzen tussen het zelf en de ander vervagen. Bij empathie komt de waarnemer in eenzelfde, maar zwakkere, emotionele toestand terecht, maar handhaaft een duidelijke grens tussen het zelf en de ander. Bij cognitieve empathie bereikt de waarnemer eenzelfde toestand door van een afstand over de situatie van de ander na te denken. Sympathie is besef van andermans ontreddering, zonder die toestand te delen. De kans dat iemand te hulp schiet, groeit met de kracht van de emotionele verbinding.

34. Zie over het pleidooi voor vriendelijkheid Jerome Kagan in Anne Harrington en Arthur Zajonc, eds., *The Dalai Lama at MIT.* Harvard University Press, Cambridge, Mass., 2006.

35. Een filosofische benadering die deze posities tracht te verzoenen: Owen Flanagan, 'Ethical Expressions: Why Moralists Scowl, Frown and Smile', in Jonathan Hodge en Gregory Radick, *The Cambridge Companion to Darwin.* Cambridge University Press, New York, 2003.

Hoofdstuk 5. De neuroanatomie van een kus

1. De OFC is wel de 'ultieme convergentiezone voor neurale integratie' genoemd. Belangrijke hersencentra met sterke verbindingen met de OFC zijn de dorsolaterale prefrontale cortex, die de aandacht reguleert; de sensorische cortex, voor perceptie; de somatosensorische cortex en de hersenstam, voor sensaties in het lichaam; de hypothalamus, het neuro-endocriene centrum in de hersenen dat de hormoonhuishouding van het lichaam reguleert; het autonoom zenuwstelsel, dat verantwoordelijk is voor lichaamsfuncties als hartslag en spijsvertering; de mediale temporaalkwab, voor het geheugen; de associatieve cortex, voor abstract denken; en centra van de hersenstam als de reticulaire formatie, die het prikkelingsniveau in het lichaam reguleert. Zie over functies van de OFC en daarmee verbonden hersenstructuren bijvoorbeeld Allan Schore, *Affect Regulation and the Origin of the Self: The Neurobiology of Emotional Development.* Erlbaum, Hillsdale, N.J., 1994; Simon Baron-Cohen, *Mindblindness: An Essay on Autism and Theory of Mind.* MIT Press, Cambridge, Mass., 1995; Antonio Damasio, *Descartes' Error: Emotion, Reason and the Human Brain.* Grosset/Putnam, New York, 1994.

2. Het orbitofrontale gebied (Brodmanns gebieden 11, 12, 14 en 47) reguleert een

groot aantal vormen van sociaal gedrag. Het heeft vele verbindingen met de amygdala, de anterieure cingulate cortex en de somatosensorische gebieden. Een ander corticaal gebied waarmee het verbonden is, is de temporaalkwab, die cruciaal is voor het identificeren van objecten en de betekenis van dingen. Al deze gebieden spelen een rol in de coördinatie van soepele sociale interacties. De orbitofrontale kwab beschikt over een uitgebreid netwerk van projecties in alle emotionele centra, waardoor het onze emotionele reacties kan reguleren. Een van de voornaamste functies van deze netwerken tijdens een sociale interactie lijkt het afremmen van emotionele reacties en de coördinatie van deze reactie met informatie over het sociale moment, zodat onze responsen sociaal goed zijn afgestemd. Zie bijvoorbeeld Schore, *Affect Regulation*. Zie ook Jennifer S. Beer et al., 'The Regulatory Function of Self-conscious Emotion: Insights from Patients with Orbitofrontal Damage'. *Journal of Personality and Social Psychology* 85 (2003), pp. 594-604; Jennifer S. Beer, 'Orbitofrontal Cortex and Social Behavior: Integrating Self-monitoring and Emotion-Cognition Interactions'. *Journal of Cognitive Neuroscience* 18 (2006), pp. 871-80.

3. De OFC is direct verbonden met het autonome systeem, waardoor het een controlecentrum is voor lichamelijke prikkeling en ontspanning. Andere corticale gebieden met autonome projecties zijn onder andere de anterieure cingulate cortex en de mediale prefrontale cortex.

4. Tijdens ogenblikken van moederliefde domineert de OFC andere gebieden in de hersenen en wekt waarschijnlijk een stroom van tedere gevoelens op. Zie Jack B. Nitschke et al., 'Orbitofrontal Cortex Tracks Positive Mood in Mothers Viewing Pictures of Their Newborn Infants'. *NeuroImage* (2004), pp. 583-92.

5. Zie over eerste indrukken Michael Sunnafrank en Artemio Ramirex, Jr., 'At First Sight: Persistent Relationship Effects of Get-Acquainted Conversations'. *Journal of Social and Personal Relationships* 21, nummer 3 (2004), pp. 361-79. Het zal niemand verbazen dat de partner die zich het minst tot de ander aangetrokken voelt de meeste macht heeft om te bepalen of er een vriendschap zal opbloeien. Als de ene persoon contact wil, maar de andere niet, dan heeft de laatste vetorecht. Met andere woorden: als jij mijn vriend niet wil zijn, dan kan ik je daar niet toe dwingen. Twee factoren die intuïtief belangrijk leken, bleken dat niet te zijn: aanvankelijke aantrekkingskracht en een gevoel van overeenkomst.

6. De ACC is bij uiteenlopende functies betrokken, met name bij het sturen van de aandacht, het voelen van pijn, vergissingen opmerken en het reguleren van inwendige processen als de ademhaling en de hartslag. Dit deel van de cortex is sterk verbonden met de emotionele centra lager in de hersenen, zoals de amygdala; sommige neuro-anatomische onderzoekers speculeren dat de ACC geëvolueerd is als een interface die ons denken met ons voelen verbindt. Hierdoor speelt de ACC een sleutelrol in het sociale bewustzijn.

7. Zie over spindle-cellen John M. Allman et al., 'The Anterior Cingulate Cortex: The Evolution of an Interface Between Emotion and Cognition'. *Annals of the New York Academy of Sciences* 935 (2001), pp. 107-17.

8. Terwijl vrijwel alle soorten neuronen in het menselijk brein ook bij ande-
    re zoogdieren te vinden zijn, vormen spindle-cellen daarop een zeldzame
    uitzondering. We hebben ze alleen gemeen met onze verwanten de apen.
    Orang-oetans, die vrij ver van ons afstaan, hebben er een paar honderd. On-
    ze genetisch meest naaste verwanten, gorilla's, bonobo's en chimpansees,
    hebben er veel meer. En wij mensen hebben er het meest, bijna honderd-
    duizend.

9. Zie A.D. Craig, 'Human Feelings: Why Are Some More Aware Than Others'.
    Trends in Cognitive Sciences 8 (2004), pp. 239-41.

10. Zie over de ACC en sociaal inzicht R. D. Lane et al., 'Neural Correlates of Le-
    vels of Emotional Awareness: Evidence of an Interaction Between Emotion
    and Attention in the Anterior Cingulate Cortex'. *Journal of Cognitive Neuro-
    science* 10 (1998), pp. 525-35. Mensen die zo chronisch depressief zijn dat me-
    dicijnen niet helpen, vertonen vaak slechts geringe activiteit in de ACC.

11. Zie over sociale emoties Andrea Bartels en Semir Zeki, 'The Neural Basis of
    Romantic Love'. *NeuroReport* 17 (2000), pp. 3829-34. Gebied F1 van de OFC en
    gebied Z4 van de ACC zijn rijk aan spindle-cellen.

12. Zie over de ACC en de OFC bij sociale oordelen Don M. Tucker et al., 'Corti-
    colimbic Mechanisms in Emotional Decisions'. *Emotion* 3, nummer 2 (2003),
    pp. 127-49.

13. Tanya Chartrand en John Bargh, 'The Chameleon Effect: The Perception-Be-
    havior Link and Social Interaction'. *Journal of Personality and Social Psycholo-
    gy* 76 (1999), pp. 893-910.

14. De ACC is mogelijk slechts een van vele gebieden die betrokken zijn bij een
    wijd vertakt neuraal systeem voor aantrekkingskracht en afkeer. Andere kan-
    didaten zijn o.a. de insula.

15. Henry James, *The Golden Bowl.* Penguin, New York, 1987, (1904), pp. 147-49.

16. Zie over 'mensencircuits' J.P. Mitchell et al., 'Distinct Neural Systems Subser-
    ve Person and Object Knowledge'. *Proceedings of the National Academy of
    Sciences* 99, nummer 23 (2002), pp. 15238-43. De neurale circuits die actief wor-
    den bij oordelen over mensen zijn dorsale en ventrale aspecten van de mediale
    prefrontale cortex, de rechter intrapariëtale sulcus, de rechter fusiforme gy-
    rus, de linker superieure temporale en de mediale temporale cortex, de linker
    motorische cortex en gebieden van de occipitale cortex. De drie die actief zijn
    als het brein in rust is, zijn dorsale en ventrale aspecten van de mediale pre-
    frontale cortex en delen van de intrapariëtale sulcus.

17. Matthew Lieberman is directeur van het Social Cognitive Neuroscience La-
    boratory van UCLA. In 2001 veroorzaakten Kevin Ochsner en hij een onge-
    kende professionele opschudding. Een artikel dat ze aan het begin van hun
    studie aan Harvard geschreven hadden, werd geaccepteerd in het meest pres-
    tigieuze tijdschrift op het gebied van de psychologie, *The American Psycholo-
    gist.* Zelfs beroemde hoogleraren krijgen hun artikelen hierin niet gemakkelijk
    gepubliceerd. In het artikel kondigden ze de fusie aan van sociale psychologie,
    cognitiewetenschap en hersenonderzoek tot een belangrijk gebied binnen de
    sociale neurowetenschap. Lieberman wordt de editor van het eerste weten-

schappelijke tijdschrift van die discipline, *Social, Cognitive, and Affective Neuroscience*, dat waarschijnlijk in 2006 zal verschijnen.

18. Zie over standaardactiviteit Marco Iacoboni et al., 'Watching Social Interactions Produces Dorsomedial, Prefrontal and Medial Parietal BOLD fMRI Signal Increases Compared to a Resting Baseline'. *NeuroImage* 21 (2004), pp. 1167-73.

19. Zie over emoties als het waardesysteem van de hersenen bijvoorbeeld Daniel J. Siegel, *The Developing Mind: How Relationships and the Brain Interact to Shape Who We Are*. Guilford Press, New York, 1999.

20. Die binaire beslissing leidt tot een klassiek 'ja'- of 'nee'-patroon van vuren door de cellen, het neurale equivalent van duim omhoog of duim omlaag. Dat vuurpatroon houdt ongeveer een twintigste van een seconde stand, wat andere gebieden genoeg tijd geeft om de beslissing te 'lezen'. Het duurt ongeveer tien keer zo lang (ongeveer 500 milliseconden) voordat het ja/nee-patroon uiteindelijk duidelijk doorkomt in de OFC. Dit eerste stadium van een leuk/niet leuk-beslissing neemt dus ongeveer een halve seconde in beslag.

21. Als dit een onderhandelingssessie zou zijn, d.w.z. met de kans op herhaalde interacties, dan zou de afwijzing juist rationeel zijn (en heel gebruikelijk) omdat het een onderhandelingspositie creëert die in een later stadium vruchten afwerpt. De afwijzing is alleen 'irrationeel' als het gaat om een situatie waarin iemand maar één kans heeft. Er is geen mogelijkheid om een onderhandelingspositie te creëren tegenover andere potentiële partners.

22. Hoe meer prefrontale activiteit, hoe beter de uitkomst van het Ultimatumspel; zie Alan G. Sanfey et al., 'The Neural Basis of Economic Decision-making in the Ultimatum Game'. *Science* 300 (2003), pp. 1755-57.

23. Het dorsolaterale prefrontale gebied beschikt over een remmend vermogen dat wordt ingezet wanneer we bewust een impuls afremmen. Een andere route voor inhibitie loopt via het mediale gebied van de prefrontale cortex, waar zich exciterende neuronen bevinden die inhiberende neuronen in de amygdala activeren. Zie Gregory J. Quirk en Donald R. Gehlert, 'Inhibition of the Amygdala: Key to Pathological states?' *Annals of the New York Academy of Sciences* 985 (2003), pp. 263-72. Neurowetenschappers zijn het echter niet eens over de precieze details van de routes voor inhibitie.

24. Zie over spijt Natalie Camille et al., 'The Involvement of the Orbitofrontal Cortex in the Experience of Regret'. *Science 304* (2004), pp. 1167-70.

25. De OFC is slechts een van de mechanismen van de hoge route voor het reguleren van de amygdala. Het ventromediale gebied doet hetzelfde. De invloed is wederzijds: de amygdala tast ook de prefrontale functie aan. Welke omstandigheden precies bepalen of de OFC en de amygdala elkaar afremmen, of juist maken dat ze samenwerken, is nog niet ontdekt.

26. Dit gebrek aan inzicht in het eigen ongepaste gedrag wordt ook wel 'sociale anosognosie' genoemd. Zie over beschadigingen aan de OFC en sociale blunders Beer et al., 'Orbitofrontal Cortex and Social Behavior'.

27. De OFC lijkt van belang voor het impliciet reguleren van gedrag, terwijl de dorsolaterale prefrontale cortex dat juist expliciet doet. Als deze laatste intact blijft,

kunnen patiënten iets van hun gedrag corrigeren zodra ze zich expliciet bewust worden van het feit dat ze zich ongepast gedragen hebben. Voor hen zit
hem de kneep in het opmerken dat ze überhaupt iets verkeerd gedaan hebben.

28.   Zie over chatrooms Kate G. Niederhoffer en James W. Pennebaker, 'Linguis-
tic Style Matching in Social Interaction'. *Journal of Language and Social Psychology* 21 (2002), pp. 337-60.

29.   Een voorbeeld van losgeslagen gedrag op het internet onder jonge tienermeisjes
is het 'cyberpesten', het bijzonder wreed lastigvallen en pesten van, en rodde-
len over een leeftijdgenootje. Zie Kristin Palpini, 'Computer Harassment:
Meanness Bottled in a Message'. *Daily Hampshire Gazette* (17 december 2005),
p. 1. Een nog kwalijker vorm van losgeslagen internetgedrag zijn de vunzige
praktijken van volwassenen die via het internet tieners verleiden tot seksuele
handelingen voor de webcam, in ruil voor geld. Zie Kurt Eichenwald, 'Through
His Webcam, a Boy Joins a Sordid Online World'. *New York Times* (19 december 2005), p. 1.

30.   Kevin Ochsner et al, 'Rethinking Feelings: An fMRI Study of the Cognitive Regulation of Emotion'. *Journal of Cognitive Neuroscience* 14 (2002), pp. 1215-29.
De gedachten van de vrouw zijn gereconstrueerd aan de hand van de beschrijving van het onderzoek.

31.   Sommige MRI-onderzoeken maken gebruik van speciale brilletjes om de plaatjes te vertonen.

32.   De dorsolaterale prefrontale cortex (PFC) lijkt erbij betrokken wanneer iemand
taal en werkgeheugen gebruikt om een nieuwe 'oplossing' voor een emotioneel probleem te bedenken. Dat proces is expliciet, via bewuste redenaties. De
OFC daarentegen reguleert emoties naar het zich laat aanzien via representaties van de sociale context, sociale regels, enzovoort, die niet expliciet onder
woorden zijn te brengen. Kevin Ochsner ziet dit proces als associatieve representaties die handelingen koppelen aan affectieve waarden. De dorsolaterale
PFC kan beschrijvingen van deze associaties vasthouden en op die basis ons
gedrag aansturen. Zie Kevin Ochsner en James Gross, 'The Cognitive Control
of Emotion'. *Trends in Neuroscience* 9 (2005), pp. 242-49.

33.   Zie over wisselende routes Kevin Ochsner et al., 'For Better or for Worse: Neural Systems Supporting the Cognitive Down- and Up-regulation of Negative
Emotion'. *NeuroImage* 23 (2004), pp. 483-99.

34.   Kevin Ochsner, 'How Thinking Controls Feeling: A Social Cognitive Neuroscience Approach', in P. Winkleman en E. Harmon-Jones, eds., *Social Neuroscience*. Oxford University Press, New York, in druk.

35.   Zie over het benoemen van een emotie A.R. Hariri et al. 'Modulating Emotional Response: Effects of a Neocortical Network on the Limbic System'.
NeuroReport 8 (2000), pp. 11-43; Matthew D. Lieberman et al., 'Putting Feelings into Words: Affect Labeling Disrupts Affect-related Amygdala Activity'.
UCLA, ongepubliceerd manuscript.

36.   Hoewel in de eerste ogenblikken van een feedback loop het brein onze emoties aanpast aan de emoties die we waarnemen, biedt de hoge route vervolgens

een keuze tussen twee vormen van respons. De ene mogelijkheid is dat we ons blijven aanpassen aan de gevoelens van de ander: hun vreugde maakt ons blij, hun ontreddering brengt ons van slag. De andere mogelijkheid is dat we afgunst voelen bij hun vreugde en leedvermaak bij hun ontreddering.

37. Zie over plankenkoorts David Guy, 'Trying to Speak; A Personal History'. *Tricycle* (zomer 2003).

38. Zie over de amygdala en sociale fobie bijvoorbeeld M.B. Stein et al., 'Increased Amygdala Activation to Angry and Contemptuous Faces in Generalized Social Fobia'. *Archives of General Psychiatry* 59 (2002), pp. 1027-34.

39. In het laterale gedeelte van de amygdala ligt het gebied dat alle zintuiglijke informatie voor het eerst registreert; in het nabijgelegen centrale gebied bevinden zich de cellen die angst aanleren, aldus Joseph LeDoux.

40. Voor het opnieuw opslaan van herinneringen zie het werk van Karim Nader aan McGill University, geciteerd door Joseph LeDoux in een presentatie voor een bijeenkomst van het Consortium for Research on Emotional Intelligence in Organizations, Cambridge, Mass., 14 december 2004.

41. Deze strategie geldt zowel voor cognitieve therapie, als voor farmacologische interventies als die met propanolol. Wanneer het aankomt op het overwinnen van traumatische angst, zou het opnieuw opslaan van de herinnering met minder angst een neuraal directe methode zijn, aldus LeDoux. De neuronen die de angst in het geheugen opslaan, bevinden zich in een deel van de amygdala dat niet direct verbonden is met het gebied in de prefrontale cortex dat het bewuste deel van de herinnering ophaalt, zoals de details van wat er waar met wie gebeurde. Maar bewuste ontspanning, zoals bij extinctietherapie, maakt gebruik van dat gedeelte van de prefrontale cortex dat direct verbonden is met het vreescentrum in de amygdala. Dit biedt een route om de angstherinnering te veranderen door deze opnieuw op te slaan. LeDoux beweert dat iedere keer dat we een oorspronkelijke angst opnieuw beleven, we twee uur de tijd hebben om die herinnering te modificeren. Binnen die tijdspanne zorgt het nemen van propanolol, dat de activiteit van cellen in de amygdala blokkeert, ervoor dat de herinnering anders wordt opgeslagen, zodat de amygdala de volgende keer dat de herinnering wordt opgewekt met minder angst zal reageren.

42. Een alternatieve theorie stelt dat therapie de prefrontale circuits versterkt die doorlopen tot in het inhiberende circuit van de amygdala; Zie Quirk en Gehlert, 'Inhibition of Amygdala'.

43. Zie over het reduceren van woede Elizabeth Brondolo et al., 'Exposure-based Treatment for Anger Problems: Focus on the Feeling'. *Cognitive and Behavioral Practice* 4 (1997), pp. 75-98. Blootstelling aan de stimulus is steeds vaker virtueel, zoals in vluchtsimulaties.

44. Zie over therapie voor sociale fobieën David Barlow, *Anxiety and Its Disorders*. Guilford Press, New York, 1988.

45. LeDoux gebruikt de termen 'hoge' en 'lage route' hier in een specifieke technische zin, namelijk om naar de routes voor zintuiglijke informatie te verwijzen die vanaf de sensorische thalamus en cortex naar de amygdala lopen. De

'lage route' geeft een snelle en onzuivere zintuiglijke indruk, terwijl de hoge route meer zintuiglijke informatie levert. De lage route kan nog geen slang van een stok onderscheiden, maar de hoge route wel. De lage route beperkt zijn zintuiglijke gokjes: veiligheid staat voorop. In termen van automatische versus gecontroleerde verwerking, zoals ik de hoge-lage route heuristisch gebruik, passen zowel de hoge als de lage route van LeDoux in mijn lage route, automatisch en snel als ze zijn.

46. De uitdrukking 'het sociale brein' werd door de befaamde neurowetenschapper Michael Gazzaniga op een andere manier gebruikt: niet om de hersengebieden aan te duiden die actief worden tijdens sociale interacties, maar als een metafoor voor de structuur en functie van de hersenen zelf. Het brein werkt als een kleine gemeenschap, zo beweert hij, waarin duidelijk onafhankelijke modules samenwerken om een bepaalde taak uit te voeren, ongeveer zoals mensen tijdelijk samenwerken aan een gemeenschappelijk project. Ik bedoel met 'het sociale brein' echter de module die werkzaam is tijdens persoonlijke interacties.

47. Ieder hersengebied levert een bijdrage aan vele functies. Geen enkel gebied is dus puur 'sociaal', afgezien misschien van gespecialiseerde structuren als de spiegelneuronen. Het feit dat een gebied tijdens een bepaald sociaal proces actief wordt, betekent niet dat het dat proces 'veroorzaakt'; betrokkenheid is niet hetzelfde als causaliteit. Zie over meer voorbehouden bij het koppelen van neurale activiteit aan sociale processen Daniel Willingham en Elizabeth Dunn, 'What Neuroimaging and Brain Localization Can Do, Cannot Do and Should Not Do for Social Psychology'. *Journal of Personality and Social Psychology* 85 (2003), pp. 662-71.

48. Zie over serotonine Michael Gershon, *The Second Brain.* Harper, New York, 1999; Michael Gershon, 'Plasiticity in Serotonin Control Mechanisms in the Gut'. *Current Opinion in Pharmacology* 3 (1999), p. 600.

49. Welke netwerken precies betrokken zijn is afhankelijk van de specifieke activiteit; al deze circuits vormen samen het sociale brein. Zie over de relatieroute Stephanie D. Preston en Frans B.M. de Waal, 'Empathy: Its Ultimate and Proximate Bases'. *Behavioral and Brain Sciences* 25 (2005), pp. 1-20.

Hoofdstuk 6. Wat is sociale intelligentie?

1. De interactie werd geobserveerd door Dee Speese-Lineham, directeur van de afdeling Social Development, New Haven Public Schools.

2. Edward L. Thorndike, 'Intelligence and Its Use'. *Harper's Monthly Magazine* 140 (1920), pp. 227-35. De vaardigheden van sociale intelligentie zijn ingebed in de gebieden 'sociaal bewustzijn' en 'relatiemanagement' in mijn model voor emotionele intelligentie.

3. Die observatie is nu bekrachtigd door honderden onafhankelijke onderzoeken binnen organisaties gericht op het identificeren van de vaardigheden die topmensen, met name op leidinggevend niveau, onderscheiden van middelmatige presteerders. Zie Lyle Spencer en Signe Spencer, *Competence at Work.*

John Wiley, New York, 1993; Daniel Goleman, *Emotionele Intelligentie in de praktijk*. Contact, Amsterdam, 1998; Daniel Goleman, Richard Boyatzis en Annie McKee, *Primal Leadership*. Harvard Business School Press, Boston, 2002.

4. David Wechsler, *The Measurement and Appraisal of Adult Intelligence*, 4de ed., Williams and Wilkins, Baltimore, 1958, p. 75.

5. Zie Brian Parkinson, 'Emotions Are Social'. *British Journal of Psychology* 87 (1996), pp. 663-83; Catherine Norris et al., 'The Interaction of Social and Emotional Processes in the Brain'. *Journal of Cognitive Neuroscience* 16, nummer 10 (2004), pp. 1819-29.

6. Het prototype van emotionele intelligentie, ontwikkeld door John Mayer en Peter Salovey, behelst ook aspecten van sociale intelligentie. Reuven Bar-On heeft dit probleem zonder plichtplegingen aangepakt door zijn eigen model van emotionele intelligentie 'emotioneel-sociale intelligentie' te noemen. Zie Reuven Bar-On, 'The Bar-On Model of Emotional-Social Intelligence (ESI)'. *Psicothema* 17 (2005). Appendix C legt uit hoe mijn eigen model sociale intelligentie incorporeert.

7. De noodzaak voor dit onderscheid tussen persoonlijke en sociale vaardigheden werd onderkend door Howard Gardner in zijn baanbrekende *Frames of Mind: The Theory of Multiple Intelligences*. Basic Books, New York, 1983.

8. Zie over primaire empathie en spiegelneuronen Greg Miller, 'New Neurons Strive to Fit In'. *Science* 311 (2005), pp. 938-40.

9. Judith A. Hall, 'The PONS Test and the Psychometric Approach to Measuring Interpersonal Sensitivity', in Judith A. Hall en Frank J. Bernieri, *Interpersonal Sensitivity: Theory and Measurement*. Erlbaum, Mahwah, N.J., 2001. De PONS-test meet de gevoeligheid van elk kanaal voor non-verbale emotionele signalen en vraagt de proefpersoon om de sociale situatie te raden. Mogelijk werkt het dus niet als een pure test voor primaire empathie (en daar was het ook niet voor bedoeld). Aspecten van de PONS lijken dit element echter wel op te pikken.

10. Zie over de 'Reading the Mind in the Eyes'-test Simon Baron-Cohen, *The Essential Difference: Men, Women, and the Extreme Male Brain*. Allen Lane, Londen, 2003.

11. Zie voor een overzicht van theorie, onderzoek en praktijk van luisteren A.D. Wolvin en C.G. Coakley, eds., *Perspectives on Listening*. Ablex, Norwood, N.J., 1993. Zie ook B.R. Witkin, 'Listening Theory and Research: The State of the Art'. *Journal of the International Listening Association* 4 (1990), pp. 7-32.

12. Dit geldt overal waar iemands succes afhangt van klanten die terugkeren of het tevredenstellen van de vaste clientèle van een bedrijf. Zie over topverkopers Spencer en Spencer, *Competence*.

13. C. Bechler en S.D. Johnson, 'Leading and Listening: A Study of Member Perception'. *Small Group Research* 26 (1995), pp. 77-85; S.D. Johnson en C. Bechler, 'Examining the Relationship Between Listening Effectiveness and Leadership Emergence: Perceptions, Behaviors, and Recall'. *Small Group Research* 29 (1998), pp. 452-71; S.C. Wilmington, 'Oral Communication Skills Necessary for Succesful Teaching'. *Educatorial Research Quarterly* 16 (1992), pp. 5-17.

14. Zie over uitmuntend personeel in de zorg Spencer en Spencer, *Competence.*
15. Zie Edward Hollowell, 'The Human Moment at Work'. *Harvard Business Review* (januari-februari 1999), p. 59.
16. Zie over fysiologische synchronie en luisteren Robert Levenson en Anna Reuf, 'Emotional Knowledge and Rapport', in William Ickes, ed, *Empathic Accuracy.* Guilford Press, New York, 1997, pp. 44-72.
17. Zie over empathische nauwkeurigheid Ickes, *Empathic Accuracy*, p. 2.
18. Bij primaire empathie zijn naar het zich laat aanzien routes betrokken die de sensorische cortices met de thalamus en de amygdala verbinden, en vandaar met de circuits die nodig zijn voor de gepaste respons. Voor cognitieve empathie, evenals voor empathische nauwkeurigheid of *theory of mind,* loopt het meest waarschijnlijke circuit echter van de thalamus eerst naar de cortex, dan naar de amygdala en vervolgens naar de circuits voor de respons. Zie James Blair en Karina Perschard, 'Empathy: A Unitary Circuit or a Set of Dissociable Neuro-cognitive Systems?' in Stephanie D. Preston en Frans B.M. de Waal, 'Empathy: Its Ultimate and Proximate Bases'. *Behavioral and Brain Sciences* 25 (2002), pp. 1-72.
19. Er bestaan grote verschillen tussen mensen in de mate waarin ze deze voortdurende signalen opmerken, laat staan interpreteren. Maar juist het brede spectrum van dit vermogen in iedere willekeurige groep mensen is een argument om accurate empathie te testen en zo individuele verschillen te evalueren, hét handelsmerk van de psychometrie. Zie William Ickes, 'Measuring Empathic Accuracy', in Judith A. Hall en Frank J. Bernieri, *Interpersonal Sensitivity: Theory and Measurement.* Erlbaum, Mahwah, N.J., 2001.
20. Victor Bissonette et al., 'Empathic Accuracy and Marital Conflict Resolution', in Ickes, *Empathic Accuracy.*
21. Levenson en Reuf, 'Emotional Knowledge'.
22. Ik gebruik de term 'sociale cognitie' hier in beperktere zin dan gebruikelijk in de sociale psychologie. Zie bijvoorbeeld Ziva Kunda, *Social Cognition.* MIT Press, Cambridge, Mass., 1999.
23. Mensen die te opgewonden of verward zijn om helder te kunnen waarnemen of nadenken, of die te impulsief zijn in het verzinnen of uitvoeren van een remedie, brengen het er slecht af. Vandaar de moeite van mensen met psychiatrische stoornissen bij het oplossen van sociale problemen. Zie Edward Chang et al., eds., *Social Problem Solving.* American Psychological Association Press, Washington, D.C., 2004.
24. Zie over de maatstaf voor sociale intelligentie K. Jones en J.D. Day, 'Discrimination of Two Aspects of Cognitive-Social Intelligence from Academic Intelligence'. *Journal of Educational Psychology* 89 (1997), pp. 486-97.
25. De samenwerking tussen de elementen van sociaal bewustzijn zoals ik die hier voorstel, is uiteraard een hypothese die rigoureus getest moet worden.
26. Veel van het onderzoek naar synchronie tijdens interacties is gedaan in de jaren 70 en 80 van de vorige eeuw. Het gebied raakte echter uit de mode en wordt sindsdien vrijwel genegeerd door zowel de sociologie als de sociale psychologie, ondanks vrij recente pogingen om het nieuw leven in te blazen. Een

van de eerste barrières waar het onderzoek op stuitte, namelijk de immense inspanning die het mensen kost om synchronie in gegevens te verwerken, kan nu met computeranalyses misschien overwonnen worden, hoewel er onderzoekers zijn die menen dat de menselijke waarneming nog altijd beter dan computers in staat is om patronen te herkennen. Zie Frank Bernieri et al., 'Synchrony, Pseudosynchrony, and Dissynchrony: Measuring the Entrainment Prosody in Mother-Infant Interactions'. *Journal of Personality and Social Psychology* 2 (1988), pp. 243-53. Correlatie is echter geen causaliteit: de relatie kan ook andersom werken. Een gevoel van rapport zou er bijvoorbeeld voor kunnen zorgen dat onze lichamen zich op elkaar afstemmen. Zie over non-verbale facilitatoren van rapport de meta-analyse van achttien onderzoeken in Linda Tickle-Degnan en Robert Rosenthal, 'The Nature of Rapport and Its Nonverbal Correlates'. *Psychological Inquiry* 1, nummer 4 (1990), pp. 285-93.

27. Onderzoekers van Emory University in Atlanta hebben een versie van de PONS ontworpen om dit probleem bij jongeren te diagnostiseren. De test toont gezichten van kinderen en volwassenen die een van vier belangrijke emoties blijdschap, verdriet, woede en angst laten zien. Ze krijgen ook een neutrale zin te horen, zoals 'Ik ga nu de kamer uit, maar ik kom zo weer terug', die in elk van die vier emotionele 'registers' wordt uitgesproken. Rond de leeftijd van tien jaar kunnen kinderen deze gevoelens probleemloos identificeren op basis van de nuances in de zin. Voor kinderen met dyssemia geldt dit echter niet. Zie Stephen Nowicki en Marshall P Duke, 'Nonverbal Receptivity: The Diagnostic Analysis of Nonverbal Accuracy (DANVA)'. in Hall en Bernieri, *Interpersonal Sensitivity*.

28. Omdat deze basale sociale vaardigheden zo belangrijk zijn voor het vormen van bevredigende relaties gedurende ons gehele leven, zijn er scholingsprogramma's ontwikkeld om dyssemische kinderen te helpen de achterstand in te halen. Zie Stephen Nowicki, *The Diagnostic Analysis of Nonverbal Accuracy-2: Remediation*, ongepubliceerd manuscript, Emory University; en Marshall P. Duke et al., *Teaching Your Child the Language of Social Success*. Peachtree Press, Atlanta, 1996. Een andere oorzaak voor een gebrek aan synchronie zou kunnen zijn wat sommige deskundigen tegenwoordig een 'sensorische verwerkingsstoornis' noemen. Zie Carol Stock Kranowitz, *The Out-of-Synch Child: Recognizing and Coping with Sensory Processing Disorder*. Penguin, New York, 2005.

29. Zie over de checklist voor kinderen Nowicki en Duke, 'Nonverbal Receptivity.'

30. Zie over dyssemia bij volwassenen Stephen Nowicki en Marshall P. Duke, *Will I Ever Fit In*. Free Press, New York, 2002.

31. Over wat van belang is bij dyssemia: Stephen Nowicki in een persoonlijke uitwisseling.

32. Zie over speciale lesprogramma's voor volwassenen met dyssemia Nowicki en Duke, *Will I Ever*. Zie over lesprogramma's voor kinderen Duke et al., *Teaching Your Child*. Nowicki, die dyssemia als eerst identificeerde en er speciale lesprogramma's voor ontworpen heeft, zegt dat onafhankelijk van de oorzaak ie-

dereen met dit probleem baat heeft bij de lessen, hoewel het mensen met neurologische of emotionele handicaps meer moeite zal kosten.

33. In experimenten die natuurlijke synchronie vergelijken met bewuste pogingen om een ander te beïnvloeden door bijvoorbeeld te lachen of ernstig te kijken, heeft de artificiële manipulatie weinig effect. Zie bijvoorbeeld Brooks B. Gump en James A. Kulik, 'Stress, Affiliation, and Emotional Contagion'. *Journal of Personality and Social Psychology* 72 (1997), pp. 305-19.

34. Ronald E. Riggio, 'Charisma', in Howard Friedman, ed., *Encyclopedia of mental Health.* Academic Press, San Diego, 1998.

35. Aan de andere kant kan de juiste regie iemand een enorm aura van macht verlenen. Zoals iedereen in de politiek weet, kunnen krachtige symbolen en rekwisieten, zoals vlaggenzeeën, een indrukwekkend podium en toegejuicht worden door een enthousiaste menigte, iemands charisma behoorlijk opschroeven, ook al ontbreekt het diegene aan expressiviteit of een krachtige uitstraling.

36. Zie over synchronie bij een menigte Frank Bernieri, geciteerd in Mark Greer, 'The Science of Savoir Faire'. *Monitor on Psychology* (januari 2005).

37. Zie over emotionele normen en sekse Ursula Hess et al., *Cognition and Emotion* 19 (2005), pp. 515-36.

38. Elizabeth Brondolo et al., 'Correlates of Risk for Conflict Among New York City Traffic Agents', in Gary VandenBos en Elizabeth Brondolo, eds., *Violence on the Job.* American Psychological Association Press, Washington D.C., 1996.

39. Ronald Riggio en Howard Friedman, 'Impression Formation: The Role of Expressive Behavior'. *Journal of Personality and Social Psychology* 50 (1986), pp. 421-27.

40. Stel dat de ene partner de ander tactloos botte, onplezierige waarheden onder de neus wrijft die de nodige pijn en ontreddering veroorzaken. In zo'n geval zou een grotere empathische nauwkeurigheid tot twijfels en onaangenaamheden kunnen leiden die de relatie zouden kunnen beschadigen. Voor die gevallen komt Ickes met een alternatief: 'welwillende misconcepties'. Zie Jeffrey Simpson et al., 'When Accuracy Hurts, and When It Helps: A Test of the Empathic Accuracy Model in Marital Interactions'. *Journal of Personality and Social Psychology* 85 (2003), pp. 881-93. Zie over ogenblikken dat empathie niet werkt William Ickes en Jeffrey A. Simpson, 'Managing Empathic Accuracy in Close Relationships', in Ickes, *Empathic Accuracy.*

41. Een onderzoek dat Chinese Amerikanen vergeleek met Mexicaanse Amerikanen wees uit dat, hoewel er geen verschil bestond tussen de emoties die ze ervoeren, de Mexicaanse groep zonder uitzondering expressiever was dan de Chinese. Zie José Soto et al., 'Culture of Moderation and Expression', *Emotion* 5 (2005), pp. 154-65.

42. Eerdere versies van Reuven Bar-Ons tests voor emotionele en sociale intelligentie beoordeelden empathie en sociale verantwoordelijkheid los van elkaar. Intussen is echter gebleken dat de twee vaardigheden zo dicht bij elkaar liggen, dat ze in tests nauwelijks van elkaar te onderscheiden zijn. De ontwikke-

ling van de Bar-On-schaal is na te gaan door het model dat wordt uitgewerkt in Reuven Bar-On en James D. A. Parker, eds., *The Handbook of Emotional Intelligence* (San Francisco: Jossey-Bass, 2000) te vergelijken met de latere herziening in Bar-On, 'Bar-On Model'.

43. A.R. Weisenfeld et al., 'Individual Differences Among Adult Women in Sensitivity to Infants: Evidence in Support of an Empathy Concept'. *Journal of Personality and Social Psychology* 46 (1984), pp. 118-24.

44. Zie over donaties Theo Schuyt et al., 'Constructing a Philanthropy Scale: Social Responsibility and Philantropy', lezing t.g.v. het 33e congres van de Association for Research on Nonprofit Organizations and Voluntary Action, Los Angeles, november 2004.

45. Zie over empathische betrokkenheid Paul D. Hastings et al., 'The Development of Concern for Others in Children with Behavior Problems'. *Developmental Psychology* 36 (2000), pp. 531-46.

46. Zie over de training in het interpreteren van micro-expressies MicroExpression Training Tool (METT), een cd verkrijgbaar via www.PaulEkman.com. Tot op heden zijn er nog geen validerende onderzoeken van de METT gepubliceerd, hoewel er op de website melding wordt gemaakt van positieve eerste resultaten. Er is verder onderzoek nodig om vast te stellen hoe lang het resultaat van de training aanhoudt en hoe krachtig het effect is in het werkelijke leven.

47. Het verhaal van de dokter en het spijkertje komt uit een interview met Joseph LeDoux voor www.Edge.com in februari 1997.

48. LeDoux heeft kritiek geuit op emotieonderzoekers die de lage route negeren. 'Het wordt algemeen erkend,'. schreef hij, 'dat de meeste cognitieve processen onbewust plaatsvinden en alleen het eindproduct ons bewustzijn bereikt, en zelfs dat lang niet altijd. Emotieonderzoekers hebben deze conceptuele sprong echter niet gemaakt.' Hetzelfde geldt voor theoretici op het gebied van sociale intelligentie die zich blijven fixeren op sociale cognitie. Zie voor LeDoux' kritiek Joseph LeDoux, 'Emotion Circuits in the Brain'. *Annual Review of Neuroscience* 23 (2000), p. 156.

49. Zie bijvoorbeeld Karen Jones en Jeanne Day, Cognitive Similarities Between Academically and Socially Gifted Students, *Roeper Review* 18 (1996), pp. 270-74; zie ook John Kihlstrom en Nancy Cantor, 'Social Intelligence'. Robert Sternberg, ed., *Handbook of Intelligence*, 2e ed. Cambridge University Press, Cambridge, 2000, pp. 359-79.

50. Ik vind de argumenten van Colwyn Trevarthen bijzonder overtuigend. Trevarthen is ontwikkelingspsycholoog aan de universiteit van Edinburgh. Hij is van mening dat de algemeen geaccepteerde ideeën over sociale cognitie ernstige misverstanden veroorzaken over menselijke relaties en de plaats van emoties in het sociale leven. Zie Trevarthen, 'The Self Born in Intersubjectivity: The Psychology of Infant Communicating', in Ulric Neisser, ed. *The Perceived Self: Ecological and Interpersonal Sources of Self-knowledge.* Cambridge University Press, New York, 1993, pp. 121-73.

51. Lawrence Kohlberg, voorwoord op John Gibbs en Keith Widaman, *Social Intelligence.* Prentice Hall, Englewood Cliffs, N.J., 1982.

Deel twee

Hoofdstuk 7. Jij en het

1. Zie over agentief en communaal David Bakan, *The Duality of Human Existence*. Beacon Press, Boston, 1966. Sinds de jaren 50 van de vorige eeuw hebben theoretische modellen van het interpersoonlijke leven de begrippen 'agentief' en 'communaal' gebruikt als de twee voornaamste dimensies van gedrag, te beginnen met Timothy Leary's invloedrijke 'circumplex'-model. Zie Timothy Leary, *Interpersonal Diagnosis of Personality*. Roland, New York, 1957. Die traditie beleeft momenteel een revival: zie Leonard M. Horowitz, *Interpersonal Foundations of Psychopathology* (Washington D.C.: American Psychological Association Press, 2004).

2. Zie voor de vraag met 'jij' Marcelle S. Fischler, 'Vows: Allison Charney and Adam Epstein'. *New York Times* (25 januari 2004), sec. 9, p. 11. Allison Charney schreef me in een e-mail dat ze niet eens gelegenheid had om de tijd in te stellen.

3. Zie voor een psychoanalytisch verslag van intersubjectiviteit Daniel Stern, *The Present Moment in Psychotherapy and Everyday Life*. W.W. Norton, New York, 2004.

4. Zie over Ik-Jij Martin Buber, *I and Thou*, trans. Walter Kaufmann 1937; Simon and Schuster, New York, 1990. Bubers voornaamste focus in deze aforistische tekst was gericht op een manier van omgaan met anderen die onze alledaagse relaties heiligt en op menselijk contact met een heilige zijnsdimensie.

5. Buber merkte op dat beide partijen die *loop* kunnen beginnen; het hoeft in eerste instantie niet van beide kanten te komen. Als de ene persoon zich afstemt, groeit de kans op wederzijds rapport. Mensen in een Zweeds onderzoek die de keren beschreven dat ze het onderwerp van empathie waren geweest, hadden het gevoel dat de ander hun gevoelens deelde, hen begreep en oprecht betrokken was. Zie Jakob Hakansson en Henry Montgomery, 'Empathy as an Interpersonal Phenomenon'. *Journal of Social and Personal Relationships* 20 (2003), pp. 267-84.

6. Zie over *amae* Takeo Doi, *The Anatomy of Dependence*. Kodansha International, New York, 1973.

7. Zie bijvoorbeeld Emmanuel Lévinas, 'Martin Buber and the Theory of Knowledge', in Sean Hand, ed., *The Levinas Reader*. Blackwell, Oxford, 1989.

8. Zie over mentale overeenkomsten Roy F. Baumeister en M.R. Leary, 'The Need to Belong: Desire for Interpersonal Attachments as a Fundamental Human Motivation'. *Psychological Bulletin* 117 (1995), pp. 497-529.

9. Sommige theoretici roepen dit gevoel van eenheid op om te verklaren hoeveel mensen naar alle waarschijnlijkheid bereid zijn zich in te spannen om een ander uit de brand te helpen, bijvoorbeeld iemand die zijn huis uit wordt gezet. Onderzoeken wijzen uit dat de keuze om te helpen net zo sterk bepaald wordt door de kracht van de band die iemand voelt als door de ernst van de situatie. Dat gevoel van verbondenheid hoeft zich niet te beperken tot mensen die ons na staan; het heeft hetzelfde effect als we die verbondenheid alleen maar er-

varen. Zie Robert Cialdini et al., 'Reinterpreting the Empathy-Altruism Relationship: When One into One Equals Oneness'. *Journal of Personality and Social Psychology* 73 (1997), pp. 481-94.

10. Zie over *high-intensity validation* Lynn Fainsilber Katz en Erica Woodin, 'Hostility, Hostile Detachment, and Conflict Engagement in Marriages: Effects on
Child and Family Functioning'. *Child Development* 73 (2002), pp. 636-52.

11. Buber, *I and Thou*, p. 11.

12. Zie Nicholas D. Kristof, 'Leaving the Brothel Behind'. *New York Times* (19 januari 2005), p. A19.

13. Zie Stephanie D. Preston en Frans de Waal, 'The Communication of Emotions and the Possibility of Empathy in Animals', in S. Post et al., eds., *Altruism and Altruistic Love: Science, Philosophy, and Religion in Dialogue*. Oxford University Press, New York, 2002.

14. Jean-Paul Sartre, *Being and Nothingness*, vert. Hazel Barnes. Philosophical Library, New York, 1959, p. 59.

15. Zie over rapport in hulprelaties Linda Tickle-Degnan en Robert Rosenthal,
'The Nature of Rapport and Its Nonverbal Coordinates'. *Psychological Inquiry* 1, nummer 4 (1990), pp. 285-93.

16. Het verhaal van Mary Duffy is te lezen in Benedict Carey, 'In the Hospital, a
Degrading Shift from Person to Patient'. *New York Times* (16 augustus 2005),
p. A1.

17. Zie over sociale afwijzing en pijn Naomi Eisenberger en Matthew Lieberman,
'Why Rejection Hurts: A Common Neural Alarm System for Physical and Social Pain'. *Science* 87 (2004), pp. 294-300.

18. Zie over een neuraal alarmsysteem Matthew Lieberman et al., 'A Pain by Any
Other Name (Rejection, Exclusion, Ostracism) Still Hurts the Same: The Role
of Dorsal Anterior Cingulate Cortex in Social and Physical Pain', in J. Cacioppo et al., eds., *Social Neuroscience: People Thinking About People*. MIT Press,
Cambridge, Mass., 2005.

19. Zie over plezier en tranen Jaak Panksepp, 'The Instinctual Basis of Human Affect'. *Consciousness and Emotion* 4 (2003), pp. 197-206.

20. Zie over aantal contacten en eenzaamheid bijvoorbeeld Louise Hawkley et al.,
'Loneliness in Everyday Life: Cardiovascular Activity, Psychosocial Context,
and Health Behaviors'. *Journal of Personality and Social Psychology* 85 (2003),
pp. 105-20.

21. Zie over de psychoanalyticus George Ganick Fishman, 'Knowing Another from
a Dynamic System Point of View: The Need for a Multimodal Concept of Empathy'. *Psychoanalytic Quarterly* 66 (1999), pp. 1-25.

22. Hume's citaat is enigszins geparafraseerd. Zie David Hume, *A Treatise on Human Nature*. Clarendon Press, Londen, 1990, (1888), p. 224; hij wordt geciteerd
in Stephanie D. Preston en Frans B.M. de Waal, 'Empathy: Its Ultimate and
Proximate Bases'. *Behavioral and Brain Sciences* 25 (2002), p. 18.

Hoofdstuk 8. Het duistere driemanschap

1. Delroy, Paulhus en Kevin Williams, 'The Dark Triad of Personality: Narcissism, Machiavellism, and Psychopathy'. *Journal of Research in Personality* 36, nummer 6 (2002), pp. 556-63.
2. Harry Wallace en Roy Baumeister, 'The Performance of Narcissists Rises and Falls with Perceived Opportunity for Glory'. *Journal of Research in Personality* 36, nummer 6 (2002), pp. 556-63.
3. Zie over narcistische leiders Michael Maccoby, 'Narcissistic Leaders'. *Harvard Business Review* 78 (januari, februari 2000), pp. 68-77.
4. Zie over de docent van de managementopleiding Howard S. Schwartz, *Narcissistic Process and Corporate Decay*. New York University Press, New York, 1990.
5. Zie over de studenten die een seksuele gunst geweigerd werd Brad J. Bushman et al., 'Narcissism, Sexual Refusal, and Agression: Testing a Narcissistic Reactance Model of Sexual Coercion'. *Journal of Personality and Social Psychology* 84, nummer 5 (2003), pp. 1027-40.
6. Zie over narcisten Constantine Sedikides et al., 'Are Normal Narcissists Psychologically Healthy? Self-esteem Matters'. *Journal of Personality and Social Psychology* 87, nummer 3 (2004), pp. 40-416, op p. 400.
7. Zie over zelfvergroting Delroy Paulhus et al., 'Shedding Light on the Dark Triad of Personality: Narcissism, Machiavellianism, and Psychopathy', lezing t.g.v. het congres van de Society for Personality and Social Psychology, San Antonio, Texas, 2001.
8. Robert Raskin en Calvin Hall, 'Narcissistic Personality Inventory'. *Psychological Reports* 45 (1979), pp. 450-57.
9. Zie over welzijn bij narcisten Sedikides et al., 'Normal Narcissists'.
10. Shinobu Kitayama en Hazel Markus, 'The Pursuit of Happiness and the Realization of Sympathy', in Ed Diener en Eunbook Suh, eds., *Culture and Subjective Well-being*. MIT Press, Cambridge, Mass., 2000.
11. Natuurlijk spoorde Machiavelli tirannen aan om zich zo te gedragen dat hun onderdanen van hen zouden houden, al was het maar net genoeg om een opstand te voorkomen.
12. Paulhus et al., 'Shedding Light'.
13. Het gebrek aan empathie van de narcist is vooral opvallend in vergelijking met mensen die ervan uitgaan dat anderen in principe te vertrouwen zijn; deze mensen zijn bijzonder accuraat in het afstemmen op andermans gevoelens. Mark Davis en Linda Kraus, 'Personality and Empathic Accuracy', in William Ickes, ed., *Empathic Accuracy*. Guilford Press, New York, 1997.
14. Zie over emotionele verwarring Henry Krystal, *Integration and Self-Healing*. Analytic Press, Hillsdale, N.J., 1988.
15. Zelfs wetenschappelijke onderzoeken naar machiavellisten hebben vaak een afkeurend toontje. Die aversie komt vaak voort uit de aanname dat de machiavellist zelf gekozen heeft om het slechte pad op te gaan. Een recente blik op de psychologische mechanismen achter opportunistische manipulatie leert

echter dat de daden van de machiavellist niet geheel vrijwillig zijn. Deze theorie gaat ervan uit dat machiavellisten gewoon hun best doen om een goed leven te leiden, ondanks het feit dat ze oprecht niets begrijpen van andermans gevoelens. Zie Colin Wastell en Alexandra Booth, 'Machiavellism: An Alexithymic Perspective'. *Journal of Social and Clinical Psychology* 22 (2003), pp. 730-44.

16. Zie over het geval Peter Leo J. Potts et al., 'Comprehensive Treatment of a Severely Antisocial Adolescent', in William H. Reid et al., eds., *Unmasking the Psychopath*. W. W. Norton, New York, 1986.

17. John McHoskey et al., 'Machiavellianism and Psychopathy'. *Journal of Clinical and Social Psychology* 74 (1998), pp. 192-210.

18. John Edens et al., 'Further Validation of the Psychopathic Personality Inventory Among Offenders: Personality and Behavioral Correlates'. *Journal of Personality Disorders* 15 (2001), pp. 403-15.

19. Zie bijvoorbeeld Christopher Patrick, 'Emotion in the Criminal Psychopath: Fear Imaging Processing'. *Journal of Abnormal Psychology* 103 (1994), pp. 523-34; Adrian Raine en P.H. Venables, 'Skin Conductance Responsivity in Psychopath to Orienting, Defensive, and Consonant-Vowel Stimuli'. *Journal of Psychophysiology* 2 (1988), pp. 221-25.

20. Paulhus, 'Shedding Light'.

21. Zie over gebrekkige angst bij psychopaten Paulhus en Williams, 'Dark Triad of Personality'.

22. Zie over brain imaging bij psychopaten K.A. Kiehl et al., 'Limbic Abnormalities in Affective Processing by Criminal Psychopaths as Revealed bij fMRI'. *Biological Psychiatry* 50 (2001), pp. 677-84; Adrian Raine et al., 'Reduced Prefrontal Gray Matter Volume and Reduced Autonomic Activity in Antisocial Personality Disorder'. *Archives of General Psychiatry* 57 (2000), pp. 119-27; Antonio Damasio, 'A Neural Basis for Sociopathy'. *Archives of General Psychiatry* 57 (2000), pp. 128-29.

23. Zie over het gebrek aan emotionele resonantie bij psychopaten Linda Mealey en Stuart Kinner, 'The Perception-Action Model of Empathy and the Psychopaths "Coldheartedness"'. *Behavioral and Brain Sciences* 25 (2002), pp. 42-43.

24. Zie over het gebrek aan een impuls om te helpen bij psychopaten Linda Mealey, 'The Sociobiology of Sociopathy'. *Behavioral and Brain Sciences* 18 (1995), pp. 523-99.

25. Zie over succesvolle psychopaten Sharon Ishikawa et al., 'Autonomic Stress Reactivity and Executive Funcitons in Successful and Unsuccessful Criminal Psychopaths from the Community'. *Journal of Abnormal Psychology* 110 (2001), pp. 423-32.

26. Zie over de sociopatische verkrachter Robert D. Hare, *Without Conscience: The Disturbing World of the Sociopaths Among Us.* Pocket Books, New York, 1993, p. 14.

27. Zie over John Chaney Matt Vautour, 'Temple Extends Chaney's Suspension'. *Hampshire Daily Gazette* (26 februari 2005), p. D1.

28. Zie over de uitstalling in de supermarkt G.R. Semin en A. Manstead, 'The Social Implications of Embarrassment Displays and Restitution Behavior'. *European Journal of Social Psychology* 12 (1982), pp. 367-77.
29. Zie over orbitofrontale patiënten Jennifer S. Beer et al., 'The Regulatory Function of Self-conscious Emotion: Insights from Patients with Orbitofrontal Damage'. *Journal of Personality and Social Psychology* 85 (2003), pp. 594-604.
30. Zie over gerechtvaardigde woede D.J. de Quervain et al., 'The Neural Basis of Altruistic Punishment'. *Science* 305 (2004), pp. 1254-58.

Hoofdstuk 9. Geestelijk blind

1. Zie over het Syndroom van Asperger Simon Baron-Cohen, *The Essential Difference: Men, Women, and the Extreme Male Brain*. Allen Lane, Londen, 2003.
2. Zie over het testen van de vaardigheid van een kind in *theory of mind* David Bjorklund en Jesse Bering, 'Big Brains, Slow Development and Social Complexity: The Developmental and Evolutionary Origins of Social Cognition', in Martin Brüne et al., eds., *The Social Brain: Evolution and Pathology*. John Wiley, Sussex, 2003.
3. Wanneer echte apen (chimpansees in dit geval) een variant op Akelige Aap spelen, leren ze niet dat anderen verlangens kunnen hebben die verschillen van die van henzelf. In de versie voor chimpansees mag een van een paar kiezen tussen twee traktaties. De traktatie die hij kiest gaat echter altijd naar de andere chimpansee. In tegenstelling tot vierjarige kinderen, leren chimpansees dit lesje nooit. De reden is waarschijnlijk dat chimpansees niet in staat zijn hun verlangen naar de lekkerste traktatie te beheersen, zelfs niet om alleen de minder lekkere te kiezen zodat ze uiteindelijk krijgen wat ze willen.
4. Zie over de stadia van empathie bij kinderen Phillipe Rochat, 'Various Kinds of Empathy as Revealed by the Developing Child, not the Monkey's Brain'. *Behavior and Brain Science* 25 (2002), pp. 45-46.
5. Zie over spiegelneuronen Marco Iacoboni, lezing voor de jaarlijkse bijeenkomst van de American Academy for the Advancement of Science, feb. 2005, aangehaald in Greg Miller, 'New Neurons Strive to Fit In'. *Science* 311 (2005), pp. 938-940.
6. C.A. Sanderson, J.M. Darley en C.S. Messinger, '"I am not as thin as you think I am",: The Development and Consequences of Feeling Discrepant from the Thinness Norm'. *Personality and Social Psychology Bulletin* 27 (2001), pp. 172-83; Mark Cherrington, 'The Sin in Thin'. *Amherst* (zomer 2004), pp. 28-31.
7. Zie Temple Gradin en Catherine Johnson, *Animals in Translation: Using the Mysteries of Autism to Decode Animal Behavior*. Scribner, New York, 2005.
8. Op al deze testen scoren mensen met autisme of Asperger lager dan de meeste mannen.
9. De verschillen tussen wat Baron-Cohen het 'mannelijke' en het 'vrouwelijke' brein noemt, treden alleen op aan de uiteinden van een klokkromme voor de ratio tussen empathie en systematiseren, bij de 2 tot 3 procent van de mannen

en vrouwen die de uiterste extremen vertegenwoordigen. Een verder voorbe-
houd: het is niet Baron-Cohens bedoeling om het 'mannelijke' brein aan alle
mannen toe te schrijven, of het prototypische 'vrouwelijke' brein aan alle vrouwen. Sommige mannen hebben een 'vrouwelijk' brein en sommige vrouwen
een 'mannelijk': ongeveer een op de vijf mensen met autisme is een vrouw. En
hoewel er geen snelle en gemakkelijke manieren zijn om een schatting te maken van het aantal mannen met een uitstekend empathisch vermogen, hebben we alle reden om aan te nemen dat er een even grote groep mannen bestaat met dit talent voor afstemming als er vrouwen zijn die goed zijn in
systeemdenken.

10. Layne Habib is van Circle of Friends, Shokan, New York.

11. Het verhaal van Marie, dat gebruikt werd in een *theory of mind*-test, is afkomstig van S. Channon en S. Crawford, 'The Effects of Anterior Lesions on
Performance of a Story Comprehension Test: Left Anterior Impairment on a
Theory of Mind-type Task'. *Neuropsychologia* 38 (2000), pp. 1006-17; geciteerd
in R.G. Morris et al., 'Social Cognition Following Prefrontal Cortical Lesions'.
in Brüne et al., *Social Brain*, p. 235.

12. Om een voorbeeld te geven: overduidelijke sociale feiten zijn niet alleen voor
autisten moeilijk te begrijpen, maar voor iedereen met een klinische stoornis
die belangrijke delen van het sociale brein aantast, zoals een hersentrauma ten
gevolge van een auto-ongeluk. Deze hersengebreken ondermijnen het vermogen tot accuraat *mindsight*, waardoor mensen niet precies weten wat anderen
denken, voelen of bedoelen. Zie over hersentrauma Skye McDonald en Sharon Flanagan, 'Social Perception Deficits After Traumatic Brain Injury'. *Neu-
ropsychology* 18 (2004), pp. 572-79. Verwant onderzoek wijst uit dat het ge-
zichtsgebied coördineert met een netwerk van onder andere de amygdala, de
mediale prefrontale cortices en de superieure temporale gyrus, die samen uit-
zoeken hoe we moeten interpreteren en reageren tijdens sociale interacties. Dit
netwerk is verantwoordelijk voor de belangrijke taak van het herkennen van
mensen en het lezen van hun emoties, maar ook voor het begrijpen van relaties. Paradoxaal genoeg beschikken mensen met gebreken in deze neurale circuits soms over opmerkelijke vaardigheden in andere. Zie over neurale netwerken voor sociale interacties bijvoorbeeld Robert Schultz et al., 'fMRI
Evidence for Differences in Social Affective Processing in Autism', lezing voor
het National Institute of Child Health and Development, 29 oktober 2003. Een
andere hersenbasis voor autisme bevindt zich waarschijnlijk in de FFA, die, zo
blijkt uit MRI- en ander onderzoek, bij autistische mensen kleiner is dan bij
niet-autisten. Dit leidt waarschijnlijk tot problemen bij het aanleren van de
normale links tussen sociale percepties en reacties, mogelijk zelfs op het meest
basale niveau, doordat mensen niet in staat zijn om aandacht te geven aan de
juiste stimuli. Het onvermogen om de aandacht te coördineren met een ander betekent dat autistische kinderen de meest fundamentele sociale en emotionele signalen niet oppikken en daardoor niet in staat zijn om hun gevoelens te delen met een ander, laat staan empathie te voelen. Zie over het
onvermogen tot aandacht schenken Preston en De Waal, 'Empathy'.

13. F. Gougoux, 'A Functional Neuroimaging Study of Sound Localization: Visual Cortex Activity Predicts Performance in Early-Blind Individuals'. *Public Library of Science: Biology* 3 (2005), p. e27 (e-publicatie).
14. K.M. Dalton et al., 'Gaze-fixation and the Neural Circuitry of Face Processing in Autism'. *Nature Neuroscience* 8 (2005), pp. 519-26.
15. Zie Simon Baron-Cohen et al., 'Social Intelligence in the Normal and Autistic Brain: An fMRI Study'. *European Journal of Neuroscience* 11 (1999), pp. 1891-98. Problemen met spiegelneuronen spelen hierbij ook een rol; zie Lindsay M. Oberman et al., 'EEG Evidence for Mirror Neuron Dysfunction in Autism Spectrum Disorders'. *Cognitive Brain Research*, 24 (2005), pp. 190-98.

Deel drie

Hoofdstuk 10. Genen bepalen niet alles

1. Een andere theoreticus van Harvard, bioloog Edwin O. Wilson, deed in de jaren 70 nog meer stof opwaaien met de publicatie van zijn theorieën over sociobiologie. Ook antropoloog Irven DeVore en zijn sterstudent Robert Trivers deden van zich spreken. Zij werkten aan een theorie over evolutionaire psychologie die tegenwoordig bijzonder invloedrijk is. In die tijd werden deze nieuwe denkrichtingen te vuur en te zwaard bestreden door een groep onder leiding van paleontoloog Stephen Jay Gould en geneticus Richard Lewontin, ook van Harvard.
2. John Crabbe et al., 'Genetics of Mouse Behavior: Interactions with Laboratory Environment'. *Science* 284 (1999), pp. 1670-72.
3. Een aantal gedragsgenetici verzette zich tegen wat zij een 'de keizer heeft geen kleren aan'-achtige ontdekking noemden, hoofdzakelijk omdat dat de toon was van een begeleidend commentaar. De meer sobere boodschap van het artikel luidde echter dat één enkele test voor hetzelfde gedrag niet langer genoeg was: het onderzoek legde de methodologische lat voor het vakgebied een stukje hoger. Nu, aldus Crabbe, zie je dat 'wanneer iemand een angstgen elimineert [...], hij drie tests gebruikt om het effect aan te tonen, terwijl hij er vroeger al met één wegkwam'.
4. Het methylmolecuul bestaat uit slechts vier atomen: een koolstof en drie waterstof; hoe ze zich aan een gen hechten, bepaalt wat er gebeurt. In één formatie maakt de methylgroep het gen inactief. Het DNA krimpt samen, zodat het gen zich niet kan uitdrukken. In een andere configuratie ontspant de methylgroep de DNA-winding zodat het gen zijn specifieke RNA kan aanmaken (en dus zijn proteïne).
5. Zie over genen en omgeving Robert Plomin en John Crabbe, 'DNA'. *Psychological Bulletin* 126 (2000), pp. 806-28.
6. Michael J. Meany, 'Nature, Nurture, and the Disunity of Knowledge'. *Annals of the New York Academy of Sciences* 935 (2001), pp. 50-61.
7. Zie over de plasticiteit van de genetische mechanismen die het gedrag reguleren Elizabeth Hammock en Larry Young, 'Microsatellite Instability Generates

Diversity in Brain and Sociobehavioral Traits'. *Science* 308 (2005), pp. 1630-34.

8. Zie over slechte afkomst en kinderen die door goede of slechte gezinnen ge-adopteerd worden R. J. Cadoret et al., 'Genetic-Environmental Interaction in the Genesis of Aggressivity and Conduct Disorders'. *Archives of General Psychiatry* 52 (1995), pp. 916-24.

9. Michael Meaney, 'Maternal Care, Gene Expression, and the transmission of Individual Differences in Stress Reactivity Across Generations'. *Annual Review of Neuroscience* 24 (2001), pp. 1161-92.

10. Zie over gedragsgenetica S. McGuire en J. Dunn, 'Nonshared Environment in Middle Childhood', in J.C. DeFries et al., eds., *Nature and Nurture During Middle Childhood*. Blackwell, Oxford, 1994.

11. Zie over genetische verwantschap David Reiss et al., *The Relationship Code*. Harvard University Press, Cambridge, Mass., 2000.

12. In de gedragsgenetica wordt de unieke ervaring van hetzelfde gezin door ie-der kind een 'niet-gemeenschappelijke omgeving' genoemd. Zie Judy Dunn en Robert Plomin, *Unshared Lives: Why Siblings Are So Different*. Basic Books, New York, 2000.

13. Het wordt nog gecompliceerder door een genetische tijdschaal. Het onderzoek bracht bijvoorbeeld aan het licht dat ongeveer een derde van de genen die in-vloed uitoefenen op antisociaal gedrag in de vroege tienerjaren, dat halverwe-ge de adolescentie niet meer doen; ze zijn dan vervangen door nieuwe socia-le en genetische factoren die eerder niet werkzaam waren.

14. Aan de andere kant is het zo, dat een extraverte baby die flirt en van knuffelen houdt meer knuffels terugkrijgt. Wanneer zo'n kind opgroeit zal het warmte en betrokkenheid van anderen blijven ontvangen, wat zijn eigen sociale ge-drag weer ten goede komt. Hoe het ook zij, de manier waarop ouders met hun baby omgaan lijkt de betrokken genen te bekrachtigen en de manier waarop het kind zich gedraagt te versterken.

15. Over neurogenese: Fred Gage, Salk Institute, in een persoonlijke uitwisseling.

16. Over samen vuren: op cellulair niveau bijvoorbeeld betekent het leerproces dat glutamaat een receptor op één neuron activeert, terwijl op een ander neu-ron calciumkanalen zich openen. Dat prikkelt de synthese van proteïnen in het cellichaam, waardoor de receptoren 'samenplakken'. Die connectie resul-teert in een grotere respons van cel tot cel. Op cellulair niveau betekent dat, dat de input van één cel nu een grotere output heeft. Zie Joseph LeDoux, le-zing op het congres van het Consortium for Research on Emotional Intelli-gence in Organizations, Cambridge, Mass., 12 december 2004.

17. Zie over ervaring en de ontwikkeling van neurale systemen B.J. Casey, 'Ima-ging the Developing Brain: What Have We Learned About Cognitive Deve-lopment?' *Trends in Cognitive Science* 9 (2005), pp. 104-10.

18. Dit soort stress gaat ten koste van de neurogenese, reduceert de omvang van de hippocampus, veroorzaakt veranderingen in de HPA-functie en resulteert in emotionele hyperreactiviteit. Zie C.L. Coe et al., 'Prenatal Stress Dimini-shes Neurogenesis in the Dentate Gyrus of Juvenile Rhesus Monkeys'. *Biological Psychiatry* 54 (2003), pp. 1025-34.

19. Zie over neurale standaardroutes Gerald Edelman, *Neural Darwinism*. Basic Books, New York, 1987.

20. Zie over spindle-cellen en stress tijdens de migratie naar de aangewezen plaats John Allman et al., 'The Anterior Cingulate Cortex: The Evolution of an Interface Between Emotion and Cognition'. *Annals of the New York Academy of Science* 935 (2001), pp. 107-17.

21. Davidson voegt daaraan toe dat we met meer precisie dienen te identificeren welke circuits gedurende ons gehele leven het meest plooibaar zijn en welke vooral aan het begin van ons leven bijzonder plastisch zijn, maar in onze volwassenheid weinig meer veranderen.

22. Jerome Kagan en Nancy Snidman, *The Long Shadow of Temperament*. Harvard University Press, Cambridge, Mass., 2004.

23. Carl Schwartz et al., 'Inhibited and Uninhibited Infants 'Grown Up': Adult Amygdalar Response to Novel versus Newly Familiar Faces'. *Science* 399 (2003), pp. 1952-53.

24. Zie over het eens angstige jongetje Kagan en Snidman, *Long Shadow*, pp. 28-29.

Hoofdstuk 11. Een veilige basis

1. Zie over de suïcidale patiënt John Bowlby, *A Secure Base: Parent-Child Attachment and Healthy Human Development*. Basic Books, New York, 1988.

2. Zie over zekere kinderen Mary Ainsworth et al., 'Infant-Mother Attachment and Social Development: Socialization as a Product of Reciprocal Reponsiveness to Signals', in M.P.M. Richards, ed., *The Integration of a Child into a Social World*. Cambridge University Press, Londen, 1974.

3. Zie over protoconversatie en denken Trevarthen, 'The Self Born in Intersubjectivity: The Psychology of Infant Communicating', in Ulric Neisser, ed. *The Perceived Self: Ecological and Interpersonal Sources of Self-knowledge*. Cambridge University Press, New York, 1993, pp. 121-73.

4. Zie over de hersencircuits voor hechting Jaak Panksepp, *Affective Neuroscience: The Foundations of Human and Animal Emotions*. Oxford University Press, New York, 1998.

5. Tot de hechtingscircuits behoren onder andere 'de cingulate cortex, het septum, de bed nucleus van de stria terminalis, en preoptische en mediale gebieden van de hypothalamus, plus hun respectievelijke projectiegebieden in de middenhersenen', aldus Panksepp, *Affective Neuroscience*, p. 249. Beschadigingen van de bed nucleus van de stria terminalis, die rijk is aan oxytocinereceptoren, betekenen een zware aantasting van de moederlijke vermogens.

6. Zie over zekere baby's en hun moeders Russell Isabella en Jay Belsky, 'Interactional Synchrony and the Origins of Infant-Mother Attachments: A Replication Study'. *Child Development* 62 (1991), pp. 373-94.

7. Zie bijvoorbeeld M. J. Bakermans-Kranenburg et al., 'The Importance of Shared Environment in Infant-Father Attachment: A Behavioral Genetic Study of the Attachment Q-Sort'. *Journal of Family Psychology* 18 (2004), pp. 545-49;

C.L. Bokhorst et al., 'The Importance of Shared Environment in Mother-Infant Attachment Security: A Behavioral Genetic Study'. *Child Development* 74 (2003), pp. 1769-82.

8. Zie over hechtingsstijl Erik Hesse, 'The Adult Attachment Interview: Historical and Current Perspectives', in Jude Cassidy en Philip Shaver, eds., *Handbook of Attachment: Theory, Research and Clinical Applications.* Guilford Press, New York, 1999.

9. De synchronie tussen baby's en hun moeders werd beoordeeld op grond van simultane bewegingen, een overeenkomstig tempo in hun handelingen en de coördinatie van hun interacties. Frank Bernieri et al., 'Synchrony, Pseudosynchrony, and Dissynchrony: Measuring the Entrainment Prosody in Mother-Infant Interactions'. *Journal of Personality and Social Psychology* 2 (1988), pp. 243-53.

10. Het liedje in het Italiaans: '*Batti, batti, le manine,/ Che tra poco vie-ne papà. /Ti porta le cara-mel-line/Fabiana le man-ge-rà*'.

11. Zie over de depressieve moeder en haar baby Colwyn Trevarthen, 'Development of Intersubjective Motor Control in Infants'. in M.G. Wade en H.T.A. Whiting, *Motor Development in Children.* Martinus Nijhoff, Dordrecht, 1986, pp. 209-61.

12. Zie over de depressieve feedback loop Edward Z. Tronick, 'Emotions and Emotional Communication in Infants'. *American Psychologist* 44 (1989), pp. 112-19.

13. Meany betoogt dat het zinniger is om niet alleen de relevante genen te identificeren, maar ook de opvoedingsstijlen (en andere vergelijkbare factoren) die het niveau van expressie van de genen voor depressie zouden kunnen veranderen. Met andere woorden: wat voor ervaringen zouden een kind kunnen beschermen tegen een depressie? Antwoorden op die vraag zouden dan tot belangrijke interventies kunnen leiden, die de kans zouden kunnen verminderen dat het kind later zelf depressief wordt. Zie Michael Meaney, 'Maternal Care, Gene Expression'.

14. Zie over depressieve moeders en cortisol bij baby's Tiffany Field et al., 'Maternal Depression Effects on Infants ad Early Interventions'. *Preventive Medicine* 27 (1998), pp. 200-03.

15. Zie over het voorkómen van de overdracht van stemmingsproblemen A. Cumberland-Li et al., 'The Relation of Parental Emotionality and Related Dispositional Traits to Parental Expression of Emotion and Children's Social Functioning'. *Motivation and Emotion* 27, nummer 1 (2003), pp. 27-56.

16. Zie over kinderen van depressieve moeders Tronick, 'Emotions and Emotional Communication'.

17. Zie over emotieherkenning door verwaarloosde kinderen Seth Pollak et al., 'Recognizing Emotion in Faces: Developmental Effects of Child Abuse and Neglect'. *Developmental Psychology* 36 (2000), pp. 679-88.

18. Een extreem voorbeeld zijn de duizenden Roemeense baby's die tijdens de zware economische crisis in de jaren 80 van de vorige eeuw in kindertehuizen werden geplaatst. Deze kinderen brachten soms wel twintig uur per dag in hun bedje door zonder dat iemand aandacht aan hen besteedde. Als achtjarigen

vertoonde een groepje van deze kinderen dat door Amerikaanse gezinnen was geadopteerd nog altijd problematisch gedrag. Ze waren ultrastoïcijns, huilden nooit en toonden geen pijn. Ze hielden niet van spelen en ze hamsterden eten. Veel van hun problemen verbeterden in hun nieuwe gezin. Desondanks wezen hersenscans uit dat belangrijke gebieden in hun sociale brein onderactief waren, waaronder de orbitofrontale cortex. Zie Harry Chugani et al., 'Local Brain Functional Activity Following Early Deprivation: A Study of Postinstitutionalized Romanian Orphans'. *NeuroImage* 14 (2001), pp. 1290-1301.

19. Zie over mishandelde kinderen en boze gezichten Seth Pollak et al., 'P3b Reflects Maltreated Children's Reactions to Facial Displays of Emotions'. *Psychophysiology* 38 (2001), pp. 267-74.

20. Zie over het speuren naar woede Seth Pollak en Stephanie Tolley-Schell, 'Selective Attention to Facial Emotion in Physically Abused Children'. *Journal of Abnormal Psychology* 112 (2003), pp. 323-38.

21. Zie over het vormen van de orbitofrontale cortex door ouders Allan Schore, *Affect Regulation and the Origin of the Self: The Neurobiology of Emotional Development.* Erlbaum, Hillsdale, N.J., 1994.

22. Zie over het herstellen van jeugdtrauma's Daniel J. Siegel, *The Developing Mind: How Relationships and the Brain Interact to Shape Who We Are.* Guilford Press, New York, 1999.

Hoofdstuk 12. Het referentiepunt voor geluk

1. E.Z. Tronick en J.F. Cohn, 'Infant-Mother Face-to-Face Interaction: Age and Gender Differences in Coordination and the Occurrence of Miscoordination'. *Child Development* 60 (1989), pp. 85-92.

2. Zie over ruziënde stellen en kleuters Lynn Fainsilber Katz en Erica Woodin, 'Hostility, Hostile Detachment, and Conflict Engagement in Marriages: Effect on Child and Family Functioning'. *Child Development* 73 (2002), pp. 636-52.

3. Zie over de beoordeling van kinderen door ouders en leraren John Gottman en Lynn Fainsilber Katz, 'Parental Meta-emotion Philosophy and the Emotional Life of Families: The Theoretical Models and Preliminary Data'. *Journal of Family Psychology* 10 (1996), pp. 243-68.

4. Zie over een positieve affectieve kern Robert Emde, 'The Pre-presentational Self and Its Affective Core'. *Psychoanalytical Study of the Child* (1983), pp. 165-92.

5. Zie over de drie scenario's Daniel J. Siegel, *The Developing Mind: How Relationships and the Brain Interact to Shape Who We Are.* Guilford Press, New York, 1999.

6. Zie over de orbitofrontale cortex Allan Schore, *Affect Regulation and the Origin of the Self: The Neurobiology of Emotional Development.* Erlbaum, Hillsdale, N.J., 1994.

7. Deze afstemming begint in het eerste levensjaar, wanneer het sympathisch zenuwstelsel operationeel wordt en zich vanuit de hersenen door het gehele lichaam vertakt. Het sympathisch zenuwstelsel zorgt voor fysiologische prikke-

ling, zoals de hartslag, en geeft het lichaam energie, o.a. door het genereren van opgewekte emoties als opwinding en interesse, plezier en vreugde: de uitbundige blijdschap van de babytijd. Wanneer ouders hun eigen energie daarop afstemmen, leren ze hun kind dat vreugde en andere positieve gevoelens gedeeld kunnen worden en dat het veilig is om ze te uiten. In gezonde gezinnen bestaat het grootste gedeelte van de communicatie tussen ouder en kind in het eerste levensjaar uit feedback loops van positieve gevoelens. In het tweede levensjaar gaat het parasympathische zenuwstelsel zich ontwikkelen. Dit gedeelte van het zenuwstelsel heeft een remmende of regulerende uitwerking op onze impulsen. Het kalmeert en ontspant ons. Let op de gelukkige timing: het parasympatische gedeelte komt tot ontwikkeling op het moment dat baby's mobieler en onafhankelijker worden: in staat om op die tafel met die lamp te klimmen. Zie ibid.

8. Zie over opvoedingsstijlen Siegel, *Developing Mind*.

9. Veel zeldzamer zijn ouders die woedend de lamp op de grond gooien. Zij reageren op het kind alsof het een Het is in plaats van een Jij. Op deze ogenblikken hebben ze geen empathie, maar laten ze zich leiden door hun slechtste impulsen. Wanneer ouders op ondeugend gedrag reageren met een totaal gebrek aan beheersing van hun eigen emotionele impulsen, maken ze hun kinderen zo bang, dat die vrezen voor hun eigen veiligheid. Neurologisch, stelt Siegel, ondergaat het kind simultaan een tegengestelde activiteit in het zenuwstelsel, zoals tegelijkertijd versnellen en afremmen. De ouder, zelf ook vaak het slachtoffer van een problematische jeugd, biedt ongewild een desoriënterend voorbeeld en wordt eerder een bron van angst voor het kind, dan een veilige basis. Het kind krijgt een dubbele klap: het wordt overspoeld door vrees voor de ouder en verliest de enige relatie die het emotioneel had kunnen helpen overleven door het veiligheid te bieden. Als volwassenen gaan deze kinderen vaak stormachtige en chaotische relaties aan. Hun ervaringen met partners zijn meestal intens emotioneel en lopen verwarrend en rampzalig af.

10. Emily Fox Gordon, 'In the Garden of Childish Delights'. *Time*, 17 januari 2005, p. A22.

11. Mary Ainsworth et al., *Patterns of Attachment*. Erlbaum, Hillsdale, N.J., 1978.

12. Zie over de hersencircuits voor spel Jaak Panksepp, *Affective Neuroscience: The Foundations of Human and Animal Emotions*. Oxford University Press, New York, 1998.

13. Ibid.

14. Zie over spel en epigenetica Nakia Gordon et al., 'Socially Induced Brain "Fertilization": Play Promotes Brain-Derived Neurotrophic Factor Transcription in the Amygdala and Dorsolateral Frontal Cortex in Juvenile Rats'. *Neuroscience Letters* 341 (2003), p. 17.

15. Panksepp, *Affective Neuroscience*.

16. Zie over kietelen Jaak Panksepp et al., 'Empathy and the Action-Perception Resonances of Basic Socio-emotional Systems of the Brain'. *Behavioral and Brain Sciences* 25 (2002), pp. 43-44.

17. Zie over ADHD en spelen, Jaak Panksepp, *Affective Neuroscience*. Het idee van

een energieke invulling van de pauze in plaats van medicatie is, zo merkt hij op, nog nooit grondig getest en blijft speculatief. Maar aangezien langdurig gebruik van de medicijnen die meestal bij ADHD worden voorgeschreven blijvende veranderingen kunnen veroorzaken in het catecholaminesysteem van het kind, zijn dit soort medicatieloze interventies als ze effectief blijken waarschijnlijk wenselijker.

18. Zie over charisma Panksepp *Affective Neuroscience.*

19. Zie over een emotioneel referentiepunt R.J. Davidson en W. Irwin, 'The Functional Neuroanatomy of Emotion and Affective Style'. *Trends in Cognitive Neuroscience* 3 (1999), pp. 11-21.

20. Davidson is de eerste om erop te wijzen dat dit soort gegevens sterk de suggestie wekken dat er een verband bestaat tussen onze opvoeding en een gelukkig leven, maar dat geenszins bewijzen. Misschien is het alleen zo dat tevreden volwassenen zich eerder hun goede jeugdervaringen herinneren dan hun slechte en hun ouders achteraf zorgzamer vinden dan ze eigenlijk waren. Er is een longitudinaal onderzoek van decennia onder vele kinderen voor nodig om met grotere wetenschappelijke zekerheid vast te kunnen stellen wat de relatie is tussen de zorg die we als kind krijgen en het vermogen van onze hersenen tot vreugde in onze volwassenheid.

21. Het is van groot belang dat ouders de angst of ontreddering van een kind niet wegwuiven, maar er juist empathie voor tonen – en dan zorgen dat ze niet in de stemming van het kind verstrikt raken, maar de situatie geruststellend en optimistisch benaderen, in de overtuiging dat er een oplossing is. Door ogenblikken van ontreddering te gebruiken om empathie en intimiteit te kweken en het kind te helpen met zijn leerproces, laten deze ouders het kind zien hoe het met de onvermijdelijke ups en downs van het leven kan omgaan. Er zijn bewijzen dat deze opvoedingsmethode niet alleen het gedrag van een kind verandert, maar ook zijn hersenen. Een van de tekenen van deze biologische verschuiving is dat een kind een fysiologisch groter vermogen ontwikkelt om te herstellen van stressprikkeling. Zie Siegel, *Developing Mind.*

22. Zie over kleuters en HPA M.R. Gunnar et al., 'Temperament, Social Competence and Adrenocortical Activity in Preschoolers'. *Developmental Psychobiology* 31 (1997), pp. 65-85.

23. Voor het kind bestaat de cruciale les eruit om te leren hoe het vanuit ontreddering weer kan kalmeren. Zonder het vermogen om ontreddering gemakkelijk van zich af te schudden, kunnen kinderen verkeerde tactieken aanleren om zichzelf een beetje beter te voelen. Sommigen overreageren en onderdrukken hun ontreddering in overdreven zelfbeheersing. Anderen raken overweldigd door angst. Als dit soort verdedigingsmechanismen een gewoonte worden, kunnen ze verstarren en zich in de hersenen manifesteren als levenslange mentale manoeuvres om alle mogelijke vormen van dysforie af te weren.

24. Zie over doodshoofdaapjes Karen Parker et al., 'Prospective Investigation of Stress Inoculation in Young Monkeys'. *Archives of General Psychiatry* 61 (2004), pp. 933-41.

Deel vier

Hoofdstuk 13. Netwerken van genegenheid

1. De drie verschillende soorten liefde zijn op biochemisch niveau kristalhelder. Zoals het hoort wakkeren de geslachtshormonen (androgenen en oestrogenen) hoofdzakelijk lust aan. Aantrekkingskracht, de sine qua non van romantisch contact, lijkt aangedreven te worden door een mix van een hoge dopamine- en norepinefrinespiegel (die genot en ontspanning aanwakkeren) en een lage serotoninespiegel (voor een prettige stemming). De chemie die een relatie laat voortduren, zorgt voor vriendelijkheid en betrokkenheid, die toe- en afnemen al naar gelang de fluctuaties in de oxytocine- en vasopressinespiegels. Zie Helen Fisher, *Why We Love*. Henry Holt, New York, 2004.

2. John Bowlby, *Attachment and Loss*, vol. 1, *Attachment*, 2e ed. (New York: Basic Books, 1982).

3. M.K. McClintock, 'A Functional Approach to the Behavioral Endocrinology of Rodents', in D. Crews, ed., *Psychobiology of Reproductive Behavior*. Prentice-Hall, Englewood Cliffs, N.J., 1987, pp. 176-203.

4. Zie over de blik van de vrouw Sarah-Jayne Blakemore en Uta Firth, 'How Does the Brain Deal with the Social World?' *NeuroReport* 15 (2004), pp. 119-28. Zie over de vier gezichten Knut Kampe et al., 'Reward value of Attractiveness and Gaze'. *Nature* 413 (2001), p. 589.

5. Het klassieke onderzoek naar flirtgedrag is van Irenäus Eibl-Eibesfeldt, die met behulp van een speciale camera heimelijk foto's maakte van verliefde stelletjes in Samoa, Brazilië, Parijs en New York. Zie I. Eibl-Eibesfeldt, *Human Ethology*. Aline de Gruyter, New York, 1989.

6. Zie over de parallellen tussen flirten bij geliefden en bij baby's Jaak Panksepp, *Affective Neuroscience: The Foundations of Human and Animal Emotions*. Oxford University Press, New York, 1998.

7. Deze overweging speelt een grotere rol in de manier waarop vrouwen naar een potentiële partner kijken dan bij mannen, wat misschien een reden is dat mannen meestal sneller verliefd worden dan vrouwen.

8. Zie over liefde als verslaving Panksepp, *Affective Neuroscience*.

9. Zie over drugsverslaving R.Z. Goldstein, 'Drug Addiction and Its Underlying Neurobiological Basis: Neuroimaging Evidence for the Involvement of the Frontal Cortex'. *American Journal of Psychiatry* 159 (2002), pp. 1642-52. Dit onderzoek toont aan dat, afgezien van de subcorticale circuits waarvan we allang weten dat ze een rol spelen bij verslaving, prefrontale gebieden zorgen voor het bovenmatig positieve oordeel over de drug en de neuronale mechanismen voor het afremmen van impulsen uitschakelen.

10. Brenda en Bob worden als voorbeeld gebruikt in Eileen Kennedy-Moore en Jeanne C. Watson, *Expressing Emotion: Myths, Realities and Therapeutic Strategies*. Guilford Press, New York, 1999.

11. Zie over gehechtheidsstijlen Jude Cassidy en Phillip Shaver, eds., *Handbook of Attachment Theory: Research and Clinical Applications*. Guilford Press, New York, 1999.

12. Judith Feeney, 'Adult Romantic Attachment and Couple Relationships', in ibid. Feeney merkt op dat er verschillende typologieën van gehechtheidsstijlen bestaan, waaronder een aantal met vier types in plaats van drie, en dat die stijlen niet noodzakelijkerwijs 'bevroren' zijn, d.w.z. dat iemand verschillende stijlen kan gebruiken in verschillende relationele ervaringen. Er bestaan geen keiharde grenzen tussen de types; mensen kunnen ze vermengen of het ene bij sommige mensen toepassen en bij andere weer een andere.

13. Zie over een zekere partner Deborah Cohn et al., 'Working Models of Childhood Attachments and Couple Relationships'. *Journal of Family Issues* 13, nummer 4 (1992), pp. 432-49.

14. Zie over gehechtheidsstijl en hersenmechanisme Omri Gallath et al., 'Attachment-style Differences and Ability to Suppress Negative Thoughts: Exploring the Neural Correlates'. *NeuroImage* (in druk).

15. De voornaamste neurale circuits voor gehechtheidsstijlen lopen waarschijnlijk tussen de belangrijkste structuren van de hoge en de lage route van het sociale brein: het orbitofrontale gebied, de amygdala, de anterieure temporale pool (ATP), de anterieure cingulate cortex en de hippocampus. De amygdala activeert de lage route bij vrees, de ATP en de cingulate bij verdriet. De hoge route opent zich wanneer het orbitofrontale gebied betrokken raakt, bijvoorbeeld wanneer we over onze relaties nadenken en onplezierige emoties daarover proberen te overwinnen.

16. De structuren worden allemaal aan de rechterkant van het brein geactiveerd, die meer betrokken lijkt bij emoties van ontreddering.

17. Dit ophalen van angst werd aangegeven door een verhoogde activiteit in de hippocampus, de plek die actief is bij het ophalen van herinneringen in het algemeen.

18. Het dorsale gebied van de ACC houdt in de gaten of er situaties zijn waarin een grotere controle door de prefrontale cortex nodig is, zoals emotionele ontreddering. Zie Matthew M. Botvinick et al., 'Conflict Monitoring and Anterior Cingulate Cortex: An Update'. *Trends in Cognitive Sciences* 8, nummer 12 (2004), pp. 539-46.

19. Zie over de vermijdende stijl Mario Mikulincer en Phillip Shaver, 'The Attachment Behavioral System in Adulthood: Activation, Psychodynamics, and Interpersonal Processes', in Mark P. Zanna, ed., *Advances in Experimental Social Psychology* 35. Academic Press, San Diego, 2003, pp. 53-152.

20. Deze patronen van hersenactiviteit lijken ontdekkingen uit eerder onderzoek van Shavers groep te verklaren. Wanneer mensen met een lange relatie zich bijvoorbeeld levendig voorstelden dat hun partner hen verliet voor een ander, waren degenen met een angstige gehechtheidsstijl niet in staat om te stoppen met piekeren, terwijl zekere en vermijdende types daar geen enkele moeite mee hadden. Zie over stoppen met piekeren R.C. Fraley en P.R. Shaver, 'Adult Attachment and the Suppression of Unwanted Thoughts'. *Journal of Personality and Social Psychology* 73 (1997), pp. 1080-91. Maar terwijl het gepieker de baas worden zekere mensen gemakkelijk afgaat, kost het onderdrukken van gevoelens van ontreddering over relaties vermijdende types

voortdurend mentale inspanning. Zie Mario Mikulincer et al., 'Attachment-Related Strategies During Thought-Suppression: Ironic Rebounds and Vulnerable Selfrepresentations'. *Journal of Personality and Social Psychology* 87 (2004), pp. 940-56.

21. Zie over vermijdende types Feeney, 'Adult Romantic Attachment', in Cassidy en Shaver, *Handbook*.

Hoofdstuk 14. Verlangen: het zijne en het hare

1. Zie over brain imaging bij het kijken naar een foto van de geliefde H.A. Fisher et al., 'Early Stage Intense Romantic Love Activates Cortical-basal Ganglia Reward/Motivation, Emotion and Attention Systems', posterpresentatie voor de Annual Meeting of the Society for Neuroscience, New Orleans, 11 november 2003.

2. De twee centra zijn de caudate nucleus en het septum.

3. Zie over terloopse seks Helen Fisher, *Why We Love*. Henry Holt, New York, 2004, p. 117.

4. Zie over aantrekkelijke eigenschappen David Buss, 'Sex Differences in Human Mate Preference: Evolutionary Hypotheses Tested in 37 Cultures'. *Behavioral and Brain Sciences* 12 (1989), pp. 1-49.

5. Zie over het zweetonderzoek Charles Wysocki, 'Male Axillary Extracts Contain Pheromones that Affect Pulsatile Secretion of Luteinizing Hormone and Mood in Women Recipients'. *Biology of Reproduction* 68 (2003), pp. 22107-13.

6. Zie over de heup-taille-borstenratio David Buss, 'Sex Differences'.

7. Devendra Singh, 'Female Mate Value at a Glance: Relationship of Hip-to-Waist Ratio to Health, Fecundity, and Attractiveness'. *Neuroendocrinology Letters*, suppl. 4 (2002), pp. 81-91.

8. De voornaamste gebieden die bij romantische liefde geactiveerd worden zijn o.a. de mediale insula, de acc, de caudate nucleus en het putamen, alle aan weerszijden. Al deze structuren lichten op bij intens geluk. Minstens zo belangrijk is dat delen van de cingulate gyrus en de amygdala die bij dysforie actief zijn, gedeactiveerd werden. Zie Andrea Bartels en Semir Zeki, 'The Neural Basis of Romantic Love'. *NeuroReport* 17 (2000), pp. 3829-34.

9. Zie over seksuele opwinding en hersencircuits bij mannen Serge Stoleru et al., 'Neuroanatomical Correlates of Visually Evoked Sexual Arousal in Human Males'. *Archives of Sexual Behavior* 28 (1999), pp. 1-21; s. L. Rauch et al., 'Neural Activation During Sexual and Competitive Arousal in Healthy Men'. *Psychiatry Research* 91 (1999), pp. 1-10.

10. Bij de neurale circuits voor seks zijn structuren in het hogere limbische brein betrokken, zoals het septum, de bed nucleus van de stria terminalis en de preoptische gebieden, die via de anterieure hypothalamus verbonden zijn met de mediale-voorhersenbundel van de laterale hypothalamus. Zie Jaak Panksepp, *Affective Neuroscience: The Foundations of Human and Animal Emotions*. Oxford University Press, New York, 1998.

11. Het agressiecircuit concentreert zich in de temporaalkwabben, een gebied dat

bij mannen actiever is; de circuits voor tederheid en koestering in het cingu-late gebied zijn over het algemeen actiever bij vrouwen. Wat er precies gebeurt, hangt hier, net als op andere plaatsen in de hersenen, af van de bijzonderhe-den. Hoe testosteron de seksuele verlangens van vrouwen precies beïnvloedt is afhankelijk van de dosis; een gematigd niveau verhoogt het libido, maar een zeer hoog niveau onderdrukt het. Zie R.C. Gur et al., 'Sex Differences in Re-gional Cerebral Glucose Metabolism During a Resting State'. *Science* 267 (1995), pp. 528-31.

12. Dopamine verhoogt de testosteronspiegel. Om die reden stimuleren antide-pressiva die de dopaminespiegel verhogen vaak ook het libido. Zie J.P. Hea-ton, 'Central Neuropharmacological Agents and Mechanisms in Erectile Dys-function: The Role of Dopamine'. *Neuroscience and Biobehavioral Reviews* 24 (2000), pp. 561-69.

13. Vasopressine kan ook agressie opwekken. Vasopressine en oxytocine spelen een rol in de hersenen van zowel mannen als vrouwen. De ene stimuleert waar-schijnlijk de meer assertieve kant van het moederschap bij vrouwen, de ande-re de meer tedere kant van het vaderschap bij mannen.

14. Dit gesimplificeerde overzicht van de neurochemie van de liefde is gebaseerd op Panksepp, *Affective Neuroscience*. Panksepp merkt op dat er bij seksualiteit nog veel meer hersenchemicaliën betrokken zijn waar we tot op heden nog weinig van begrijpen.

15. Zie over naspel C.S. Carter, 'Oxytocin and Sexual Behavior'. *Neuroscience and Behavioral Reviews* 16 (1992), pp. 131-44.

16. Zie over de jonge advocate en haar verloofde Mark Epstein, *Open to Desire*. Gotham, New York, 2005.

17. Anne Rice sprak over haar seksuele fantasieën in Katherine Ramsland, *Roquelaure Reader: A Companion to Anne Rice's Erotica*. Plume, New York, 1996.

18. Zie over veelvoorkomende fantasieën Harold Leitenberg en Kris Henning, 'Sex Fantasy'. *Psychological Bulletin* 117 (1995), pp. 469-96.

19. Niet alle seksuele fantasieën zijn tot in details uitgewerkt; soms zijn het niet meer dan vluchtige gedachten of beelden van een romantische of seksuele ac-tiviteit. Zie ibid. voor een overzicht van de consensus in de hedendaagse psy-chologie.

20. Zie over fantaseren Sigmund Freud, 'Creative Writers and Daydreaming', in James Strachey, ed., *The Standard Edition of the Complete Psychological Works of Sigmund Freud*, Vol. 9. Hogarth Press, Londen, 1962, (1908) p. 146.

21. Zie over dagdromen en de liefde bedrijven bijvoorbeeld G.D. Wilson en R.J. Lang, 'Sex Differences in Sexual Fantasy Patterns'. *Personality and Individual Differences* 2 (1981), pp. 343-46.

22. Maar als de fantasiewerkelijkheid aan de ander wordt opgedrongen zonder dat deze daarin toestemt, dan verwordt Ik-Jij tot Ik-Het seksualiteit: '*het* windt me op' in plaats van '*jij* windt me op'. De etiquette voor het omgaan met de grens tussen toestemming en dwang lijkt duidelijk vastgesteld in de subcultuur van bondage en straf, waar de uitgeleefde fantasieën gezien hun karakter gemak-kelijk kunnen ontaarden in een interpersoonlijke ramp.

23. Michael J. Bader, *The Secret Logic of Sexual Fantasies*. St. Martin's Press, New York, 2002, p. 157.
24. Zie over narcisten en seksuele attitudes Brad J. Bushman et al., 'Narcissism, Sexual Refusal, and Agression: Testing a Narcissistic Reactance Model of Sexual Coercion'. *Journal of Personality and Social Psychology* 48 (2003), pp. 1027-40.
25. Zie over vrouwen die gedwongen zijn tot seks Edward O. Laumann et al., *The Social Organization of Sexuality: Sexual Practices in the United States*. University of Chicago Press, Chicago, 1994.
26. E.J. Kanin, 'Date Rapists: Differential Sexual Socialization and Relative Deprivation'. *Archives of Sexual Behavior* 14 (1985), pp. 219-31.
27. Zie voor gedwongen seks als prikkel of afknapper Bethany Lohr et al., 'Sexual Arousal to Erotic and Aggressive Stimuli in Sexually Coercive and Non-coercive Men'. *Journal of Abnormal Psychology* 106 (1997), pp. 230-42.
28. K.E. Dean en N.M. Malamuth, 'Characteristics of Men Who Aggress Sexually and of Men Who Imagine Aggressing'. *Journal of Personality and Social Psychology* 72 (1997), pp. 449-55.
29. Zie over testosteron Alan Booth en James Dabbs, Jr., 'Testosterone and Men's Marriages'. *Social Forces* 72, nummer 2 (1993), pp. 463-78.
30. Zie over opwinding door beelden van verkrachting G. Hall et al., 'The Role of Sexual Arousal in Sexually Aggressive Behavior: a Meta-analysis'. *Journal of Clinical and Consulting Psychology* 61 (1993), pp. 1091-95.
31. Zie over het gebrek aan empathie bij veroordeelde verkrachters D. Scully, *Understanding Sexual Violence*. HarperCollinsAcademic, Londen, 1990.
32. Zie over verkrachters en negatieve boodschappen E.C. McDonell en R.M. McFall, 'Construct Validity of Two Heterosocial Perception Skill Measures for Assessing Rape Proclivity'. *Violence and Victims* 6 (1991), pp. 17-30.
33. Er zijn klinische bewijzen dat zedendelinquenten regelmatig masturberen op fantasieën over hun favoriete scenario. Sommige gevangenissen voor pedofielen, verkrachters en exhibitionisten proberen de recidive na ontslag te verminderen door behandelprogramma's aan te bieden. Jarenlang concentreerde de behandeling zich op pogingen om de fantasieën van de overtreders te veranderen door bijvoorbeeld het seksuele scenario tijdens het masturberen te koppelen aan een misselijkmakende geur of door hormoonblokkerende medicatie voor te schrijven om het problematische verlangen te verdrijven. Tegenwoordig worden die benaderingen als onvoldoende gezien als men niet ook werkt aan empathie voor de slachtoffers. De behandeling kan dus behelzen dat de dader slachtoffers van vergelijkbare misdrijven ontmoet en moet luisteren naar de pijn en het leed van deze mensen. De behandelingen richten zich ook op het vertekende beeld van de overtreders over hoe slachtoffers hen zien. Exhibitionisten worden bijvoorbeeld geconfronteerd met het feit dat de vrouwen aan wie ze zich laten zien hen eerder zielig dan indrukwekkend vinden. De therapie haalt ook het verwrongen idee van de daders onderuit dat hun daad niets te betekenen heeft. Aan de andere kant kunnen pogingen om gevaarlijke fantasieën te onderdrukken een tegengesteld effect hebben: soms ne-

men ze eerder toe dan af. De meest effectieve programma's leren overtreders dan ook om herhaling te voorkomen door hun gevaarlijke fantasieën in een vroeg stadium te herkennen en de gewoontes die er voorheen toe leidden dat ze hun fantasieën in praktijk brachten in de kiem te smoren. Zie Leitenberg en Henning, 'Sex Fantasy'.

34. Zie bijvoorbeeld Neil Malamuth, 'Predictors of Naturalistic Sexual Aggression'. *Journal of Personality and Social Psychology* 50 (1986), pp. 953-62.

35. Zie over verlangen met empathie Judith Jordan, 'Clarity in Connection: Empathic Knowing, Desire, and Sexuality', in *Women's Growth in Diversity*. Guilford, New York, 1997. Zie over ego-orgasme bijvoorbeeld Masud Khan, 'Ego-Orgasm in Bisexual Love'. *International Review of Psycho-analysis*. 1 (1974), pp. 143-49.

Hoofdstuk 15. De biologie van compassie

1. Het citaat is een lichte parafrase van John Bowlby, *A Secure Base*. Basic Books, New York, 1988, p. 62.

2. Zie over partners in een romantische relatie Brooke Feeny, 'A Secure Base: Responsive Support of Goal Strivings and Exploration in Adult Intimate Relationships'. *Journal of Personality and Social Psychology* 87, nummer 5 (2004), pp. 631-48.

3. Aan de andere kant kan iemand die niet het vertrouwen heeft dat hij op eigen benen kan staan het als geruststellend ervaren om een overheersende partner te hebben en blij zijn met de kans om afhankelijk te zijn.

4. Zie over bindingsangst en zorgzaamheid Mario Mikulincer et al., 'Attachment, Caregiving and Altruism: Boosting Attachment Security Increases Compassion and Helping'. *Journal of Personality and Social Psychology* 52 (1987), pp. 749-58.

5. Zie over zelfzuchtig altruïsme R.B. Cialdini et al. 'Empahty Based Helping: Is It Selflessly or Selfishly Motivated?' *Journal of Personality and Social Psychology* 52 (1987), pp. 749-58.

6. De zekere types boden zelfs aan de vrouw te helpen wanneer haar problemen nog extremer leken: hun werd verteld dat ze niet alleen aan de grond zat, maar ook zwaar depressief was. Waarschijnlijk zou ze zich nog steeds gedeprimeerd voelen als ze haar hielpen, maar toch waren ze bereid om de handen uit de mouwen te steken. Dit lijkt in strijd met de theorie dat mensen anderen helpen omdat het een lekker gevoel geeft anderen gelukkig te maken, in de ogen van deze theoretici een 'zelfzuchtig' motief voor compassie.

7. Jack Nitschke et al., 'Orbitofrontal Cortex Tracks Positive Mood in Mothers Viewing Pictures of Their Newborn Infants'. *NeuroImage* 21 (2004), pp. 583-92.

8. Oxytocine wordt geproduceerd in nuclei van de hypothalamus, vanwaar het naar de hypofyse stroomt en vervolgens in de bloedbaan belandt. Via andere routes vanuit de hypothalamus werkt oxytocine in vele andere gebieden, zoals de amygdala, de Raphe-kernen en de locus coeruleus, plus de ruggenmergvloeistof.

9. Zie over woelmuizen en oxytocine C. Sue Carter, 'Neuroendocrine Perspectives on Social Attachment and Love'. *Psychoneuroimmunology* 23, nummer 8 (1998), pp. 779-818.
10. Zie over de complexe verbindingen tussen oxytocine en testosteron Helen Fisher *Why We Love*. Henry Holt, New York, 2004.
11. Zie over sociale allergieën Michael R. Cunningham et al., 'Social Allergies in Romantic Relationships: Behavioral Repetition, Emotional Sensitization, and Dissatisfaction in Dating Couples'. *Personal Relationships* 12 (2005), pp. 273-95. De passage over de natte handdoeken en de toiletrol is ontleend aan de Rob Reiner-film *The Story of Us* (2000).
12. Zie over basale neurale systemen Jaak Panksepp, *Affective Neuroscience: The Foundations of Human and Animal Emotions*. Oxford University Press, New York, 1998.
13. Zie over het tegemoetkomen aan emotionele behoeftes John Gottman, *The Relationship Cure*. Three Rivers Press, New York, 2002.
14. Zie John Gottman, *What Predicts Divorce: The Relationship Between Marital Processes and Marital Outcomes*. Erlbaum, Hillsdale, N.J., 1993.
15. Zie over gezichtsgelijkenis bij stellen R.B. Zajonc et al., 'Convergence in the Physical Appearance of Spouses'. *Motivation and Emotion* 11 (1987), pp. 335-46.
16. S.M. Drigotas et al., 'Close Partner as Sculptor of the Ideal Self'. *Journal of Personality and Social Psychology* 77 (1999), pp. 293-323.
17. Erik Filsinger en Stephen Thoma, 'Behavioral Antecedents of Relationship Stability and Adjustment: A Five-Year Longitudinal Study'. *Journal of Marriage and the Family* 50 (1988), pp. 785-95.
18. Zie bijvoorbeeld Gottman, *What Predicts Divorce*.
19. Zie over oudere echtparen en genoegens Robert W. Levenson et al., 'The Influence of Age and Gender on Affect, Physiology and Their Interrelations: A Study of Longterm Marriages'. *Journal of Personality and Social Psychology* 67, nummer 1 (1994), pp. 56-68.
20. Zie over de vijf-tegen-één-ratio Gottman, *Relationship Cure*.

Deel vijf

Hoofdstuk 16. Stress is sociaal

1. Zie voor het verhaal van het huwelijk van de Tolstojs William L. Shirer, *Love and Hatred: The Stormy Marriage of Leo and Sonya Tolstoy*. Simon and Schuster, New York, 1994.
2. Zie over overleven na congestief hartfalen H.M. Krumholz et al., 'The Prognostic Importance of Emotional Support for Elderly Patients Hospitalized with Heart Failure'. *Circulation* 97 (1988), pp. 958-64.
3. Mannen die verklaarden dat ze zich diep bemind voelden hadden verreweg het minste last van coronaire hartziekte. Terwijl het hebben van een liefhebbende partner bescherming geeft, kan gevangen zijn in een toxische relatie

schadelijk zijn voor de gezondheid. Zie T.E. Seeman en S.L. Syme, 'Social Networks and Coronary Heart Disease: A Comparative Analysis of Network Structural and Support Characteristics'. *Psychosomatic Medicine* 49 (1987), pp. 341-54.

4. Zie over het gezondheidsrisico van slechte relaties Janice Kiecolt-Glaser et al., 'Marital Stress: Immunologic, Neuroendocrine, and Autonomic Correlates'. *Annals of the New York Academy of Sciences* 840 (1999), pp. 656-63.

5. Zie over relaties en ziekte Teresa Seeman, 'How Do Others Get Under Our Skin: Social Relationships and Health', in Coral Ryff en Burton Singer, eds., *Emotion, Social Relationships, and Health.* Oxford University Press, New York, 2001.

6. Activatie van de HPA-as begint wanneer de hypothalamus het hormoon corticotropine (CRH) afscheidt, dat er weer voor zorgt dat de hypofyse adreno-corticotropine afscheidt (ACTH). ACTH stimuleert de bijnierschors om cortisol af te scheiden, dat zich door de bloedbaan verspreidt en een grote uitwerking heeft door het gehele lichaam. Zie Robert Sapolsky et al., 'How Do Glucocorticoids Influence Stress Responses?' *Endocrine Reviews* 21 (2000), pp. 55-89. Het laboratorium van Sapolsky behoorde tot de eerste die aantoonden dat langdurige stress schadelijk kan zijn voor de hippocampus, een hersengebied dat een centrale rol vervult bij leren en geheugen. Uit hun onderzoek blijkt dat de glucocorticoïden, een groep steroïden die bij stress door de bijnieren wordt uitgescheiden, van fundamenteel belang is voor deze neurotoxiciteit. Bovendien hebben zij als eersten aangetoond dat de glucocorticoïden het vermogen van de neuronen in de hippocampus aantasten om een aantal neurologische aandoeningen te overleven, waaronder een beroerte of een epileptische aanval. Het laboratorium richt zich vooral op het onderzoek naar cellulaire en moleculaire gebeurtenissen die ten grondslag liggen aan de dood van neuronen in de hippocampus, en op het identificeren van de onderdelen van dit proces die verergerd worden door de werking van glucocorticoïden.

7. De voornaamste gebieden bevinden zich in de prelimbisch en cingulate regio's.

8. Via het sociale brein kunnen onze interacties biologisch van belang zijn voor onze weerbaarheid tegen gezondheidsrisico's. Op dit moment zijn wetenschappers echter nog niet tot veel meer in staat dan het maken van een vage schets van de specifieke hersenmechanismen die hierbij betrokken zijn. We weten dat sociale informatie eerst verwerkt wordt door de zintuiglijke systemen van de neocortex en dan via de temporaalkwab wordt doorgegeven aan de amygdala en de hippocampus. Die sturen vervolgens signalen naar de HPA-as en het noradrenergisch en serotonergisch systeem. Zie Seeman, 'How Do Others'.

9. Zowel in het positieve als in het negatieve geval gaat het om de gestage accumulatie van dit soort emoties gedurende vele jaren, niet om een aantal intense episodes van voorbijgaande aard, zoals bleek uit een onderzoek naar stress en hartziekten waarvoor duizenden mannen en vrouwen tien jaar lang gevolgd werden. Als hun stress alleen in het eerste jaar groot was, of alleen in het tiende jaar, dan was de kans dat ze cardiovasculaire problemen zouden krijgen

veel lager omdat de stress tijdelijk was en niet chronisch. Mensen die zowel in het eerste als in het laatste jaar onder grote druk stonden, wat suggereerde dat stress naar alle waarschijnlijkheid een constant ingrediënt was van hun emotionele dieet, liepen het meeste risico op hartziekten. Zie James House et al., 'Social Relationships and Health'. *Science* 241 (1989), pp. 540-45.

10. Zie over het geval van Elysa Yanowitz Steven Greenhouse, 'Refusal to Fire Unattractive Saleswoman Led to Dismissal, Suit Contends'. *New York Times* (11 april 2003), p. A14.

11. De oorzaken van hoge bloeddruk zijn natuurlijk complex. In de geneeskunde gaat men ervan uit dat er altijd sprake is van een genetische aanleg, hoewel stress (plus dieet en lichaamsbeweging) ook bepaalt hoe snel of sterk die aanleg zich ontwikkelt tot een daadwerkelijke aandoening. Iemand aanwijzen als de 'oorzaak' van hoge bloeddruk lijkt een hoogst twijfelachtige zaak.

12. Nadia Wager, George Feldman en Trevor Hussey, 'Impact of Supervisor Interactional Style on Employees' Blood Pressure'. *Consciousness and Experiential Psychology* 6 (2001).

13. De jury moet zich nog uitspreken over de oorzaak van Elysa Yanowitz' te hoge bloeddruk, maar medische gegevens suggereren dat haar kritische bazen op zijn minst een kleine rol gespeeld hebben in haar bloeddrukstijging. Chronische sprongen in de bloeddruk kunnen het punt tot waar de bloeddruk daarna weer terugzakt verhogen, waardoor deze geleidelijk stijgt tot hypertensie bereikt is. De epigenetica zegt dat iemand met een genetische aanleg voor hoge bloeddruk de kwaal sneller zou kunnen ontwikkelen onder invloed van langdurige blootstelling aan stressvolle omstandigheden, zoals hier. Aan de andere kant zou hetzelfde effect gewoon hydraulisch veroorzaakt kunnen worden. Zie bijvoorbeeld B.D. Perry et al., 'Persisting Psychophysiological Effects of Traumatic Stress: The Memory of States'. *Violence Update* 1, nummer 8 (1991), pp. 1-11. Zie voor een sceptische visie Samuel A. Mann, 'Job Stress and Blood Pressure: A Critical Appraisal of Reported Studies'. *Current Hypertension Reviews* 2 (2006), pp. 127-38.

14. S.P. Wamala et al., 'Job Stress and the Occupational Gradient in Coronary Heart Disease Risk in Women'. *Social Science and Medicine* 51 (2000), pp. 481-98; M.G. Marmot en M.J. Shipley, 'Do Socio-economic Differences in Mortality Persist after Retirement? 25 Year Follow-up of Civil Servants in the First Whitehall Study'. *British Medical Journal* 313 (1996), pp. 1177-80.

15. Zie over rechtvaardigheid en bazen M. Kivimaki et al., 'Justice at Work and Reduced Risk of Coronary Heart Disease Among Employees: The Whitehall II Study'. *Archives of Internal Medicine* 165 (2005), pp. 2245-51.

16. Sommigen zijn van mening dat het hogere ziektepercentage bij mensen op lagere posities te wijten is aan het lagere opleidingsniveau of aan lagere salarissen of aan minder controle over hoe ze hun werk invullen. Deze factoren zouden zeker een rol kunnen spelen. Uit uitgebreide analyses is echter toxische interactie tussen bazen en werknemers als de belangrijkste variabele naar voren gekomen. Zie: R.G. Wilkinson, *Unhealthy Societies: The Afflictions of Inequality*. Routledge, Londen, 1996.

17. Y. Gabriel, 'An Introduction to the Social Psychology of Insults in Organizations'. *Human Relations* 51 (1998), pp. 1329-54.

18. Zie over status en bloeddruk James Lynch, *The Broken Heart*. Basic Books, New York, 1979.

19. Zie over een verhoogd risico op hart- en vaatziekten bijvoorbeeld S.P. Thomas, 'Women's Anger: Relationship of Suppression to Blood Pressure'. *Nursing Research* 46 (1997), pp. 324-30; T.M. Dembroski et al., 'Components of Type A, Hostility, and Anger-in: Relationship to Angiographic Findings'. *Psychosomatic Medicine* 47 (1985), pp. 219-33.

20. Zie over bloeddruk tijdens interacties Julianne Holt-Lunstad et al., 'Social Relationships and Ambulatory Blood Pressure: Structural and Qualitative Predictors of Cardiovascular Function During Everyday Social Interactions'. *Health Psychology* 22, nummer 4 (2003), pp. 388-97.

21. Zie over valse beschuldigingen en hartziekte Jos A. Bosch et al., 'Acute Stress Evokes Selective Motibliation of T Cells that Differ in Chemokine Receptor Expression: A Potential Pathway Linking Reactivity to Cardiovascular Disease'. *Brain, Behavior and Immunity* 17 (2003), pp. 251-59.

22. Dit prikkelde de T-cellen tot een aanval op het endothelium, waar de dodelijke plaquevorming begint. Dit inschakelen van T-cellen, die weefselontstekingen veroorzaken bij het bevechten van binnendringende bacteriën, sluit aan op het groeiende inzicht in de cruciale rol van dit soort ontstekingen in de opbouw van atherosclerotische plaque.

23. Een paar dagen voordat ze naar het lab kwamen, stelde Cohen de emotionele kwaliteit van de sociale interacties van een van zijn vrijwilligersgroepen vast. Onplezierige interacties, met name langdurige conflicten, verhoogden de kans dat iemand een zware kou te pakken zou krijgen. Zie Sheldon Cohen, 'Social Relationships and Susceptibility to the Common Cold', in Ryff en Singer, *Emotion, Social Relationships*, pp. 221-44.

24. Sheldon Cohen et al., 'Sociability and Susceptibility to the Common Cold'. *Psychological Science* 14 (2003), pp. 389-95. Het onderzoek richtte zich op sociale contacten in de weken voorafgaand aan de blootstelling aan het rhinovirus, niet in de dagen er vlak voor en er vlak na (omdat de vrijwilligers op dat moment in quarantaine waren). Zodoende geeft het geen antwoord op de vraag of plezierige dan wel onplezierige contacten vlak voor en op de dag van blootstelling de immuunfunctie beïnvloeden. Dat onderzoek moet nog gedaan worden.

25. Sociabiliteit (het op een vriendelijke en hartelijke manier zoeken van contact met anderen) werd in verband gebracht met een beter humeur, beter kunnen slapen en een lagere cortisolspiegel, wat het risico op een verkoudheid weer verminderde. Maar, merkt dr. Cohen op, als we blijven zoeken of er een duidelijker verband bestaat, kunnen we misschien met meer precisie aangeven hoe sociabiliteit 'in het lichaam kan komen'. Die vraag is nog altijd een mysterie dat wacht op een meer rigoureus antwoord. Zie Sheldon Cohen, 'Psychological Models of Social Support in the Etiology of Physical Disease'. *Health Psychology* 7 (1988), pp. 269-97. Relaties met een huwelijkspartner, kleinkin-

deren, buren, vrienden, medevrijwilligers of medekerkgangers voorspellen alle dat iemand minder vatbaar is voor een verkoudheid bij blootstelling aan rhinovirussen. Zie Sheldon Cohen, 'Social Relationships and Health'. *American Psychologist* (november 2004), pp. 676-84.

26. Zie over meta-analyse Sally Dickerson en Margaret Kemeny, 'Acute Stressors and Cortisol Responses: A Theoretical Integration and Synthesis of Laboratory Research'. *Psychological Bulletin* 130 (2004), pp. 355-91.

27. Een aantal onderzoeken bepaalde ook de ACTH-spiegel, een ander stresshormoon dat geactiveerd wordt door de HPA-as. De effecten waren vrijwel hetzelfde, alhoewel ACTH sneller werkt en ongeveer tien tot twintig minuten na blootstelling aan een stressor zijn piek bereikt. Cortisol piekt ongeveer dertig tot veertig minuten na blootstelling. Er bestaan twee veelgebruikte maatstaven voor cortisol: hoeveel het lichaam afscheidt en hoe lang het duurt voordat het normale niveau weer hersteld is. Er bestaan grote verschillen tussen mensen voor wat betreft de tijd die ze nodig hebben om te herstellen: sommigen zijn na een stressvol moment snel weer in hun gewone doen, terwijl anderen in hun slechte stemming blijven hangen.

28. Om de een of andere reden realiseren we ons waarschijnlijk niet hoe groot de invloed is van sociale stress op onze biologie. Subjectief vonden mensen het geluid net zo hinderlijk als de som, ondanks het feit dat de cortisolspiegel door de som veel sterker steeg.

29. Sociale stress activeert meestal de volgende gebieden (stuk voor stuk belangrijke onderdelen van het sociale brein): de rechter prefrontale cortex, de amygdala, de anterieure cingulate cortex (ACC), de hippocampus, de insula.

30. Wanneer ze het gevoel hadden dat ze tijdens het oplossen van de wiskundevraagstukken geëvalueerd werden, was hun cortisolspiegel opnieuw hoger dan wanneer ze de sommen alleen in een kamertje maakten. Zie Tara Gruenewald et al., 'Acute Threat to the Social Self: Shame, Social Self-esteem, and Cortisol Activity'. *Psychosomatic Medicine* 66 (2004), pp. 915-24.

31. Wanneer een kritische toeschouwer neerbuigende opmerkingen maakte, bleven mensen daar nog lang op broeden en handhaafden dus hun stressprikkeling. Ze raakten daarentegen veel minder van slag als de kritiek onpersoonlijk was, bijvoorbeeld als ze een elektrisch schokje kregen wanneer een computerprogramma aangaf dat ze bij het horen van een toon te laat een knop indrukten. Zie Laura Glyn et al., 'The Role of Rumination in Recovery from Reactivity: Cardiovascular Consequences of Emotional States'. *Psychosomatic Medicine* 64 (2002), pp. 714-26.

32. Zie over achteruitgang Teresa Seeman et al., 'The Price of Adaptation: Allostatic Load and Its Health Consequences'. *Archives of Internal Medicine* 157 (1997), pp. 2259-68; Teresa Seeman et al., 'Exploring a New Concept of Cumulative Biologic Risk: Allostatic Load and Its health Consequences'. *Proceedings of the National Academy of Sciences* 98 (2001), pp. 4770-75.

33. Zie over de cumulatieve emotionele toon van relaties en gezondheid Ryff en Singer, *Emotion, Social Relationships*. De negatieve invloed van relaties op de gezondheid lag bij mannen hoger dan bij vrouwen, vooral omdat zij meer in-

dicatoren voor hartziekten bleken te hebben, terwijl bij vrouwen het niveau van de stresshormonen hoger was.

34. De linker dorsaal-superieure zone van de prefrontale cortex, om precies te zijn.

35. Zie over relaties en immuunfunctie Rosenkrantz et al., 'Affective Style and In Vivo Immune Response: Neurobehavioral Mechanisms'. *Proceedings of the National Academy of Sciences* 100 (2003), pp. 11, 148-52.

36. In zijn onderzoek naar hoe moederlaboratoriumratten met hun jongen omgaan ontdekte Michael Meaney dat verschillen in ouderlijke zorg de genen in de hippocampus beïnvloeden die de HPA-output beheersen door middel van glucocorticoïde, een voorstof van cortisol. Glucocorticoïden zijn steroïden die veranderingen reguleren in de glucosespiegel in het bloed, de hartslag en het functioneren van neuronen. Genetisch onderzoek naar de complexe manieren waarop de glucocorticoïden zelf gereguleerd worden wijst uit dat ze sterk beïnvloed worden door sociale contacten, met name stressvolle. De jongen uit Meaneys onderzoek die door de moeder het meest gelikt en verzorgd werden, ontwikkelden genen die maar weinig van het stresshormoon uitdrukten, terwijl de genen van de verwaarloosde jongen juist veel stresshormoon uitdrukten. Bij goed verzorgde jongen waren de genen voor de regulatie van stresshormonen twee keer zo actief als bij verwaarloosde jongen. De sleutelzone in het linker frontale gebied bij de eindexamenkandidaten uit Wisconsin lijkt overeen te komen met het gebied dat bij Meaneys knaagdieren veranderde onder invloed van de hoeveelheid zorg die ze als jongen gekregen hadden. Meaneys onderzoek heeft exacte mechanismen geïdentificeerd die verzorging koppelen aan de lichamelijke respons op stress. Onder stress begint de hersenrespons bij cellen in de hypothalamus die CRF (corticoïde releasing factor) afscheiden, wat de hersenen het teken geeft om te mobiliseren. CRF activeert cellen in de hypofyse, die ACTH afgeven in het bloed en zo de bijnieren prikkelen tot het afscheiden van glucocorticoïden. Deze hormonen bewegen zich naar de hersenen, waar ze cellen in de hippocampus prikkelen die de CRF-spiegel in de gaten houden; deze cellen geven vervolgens cellen in de hypothalamus het signaal om de CRF-spiegel omlaag te brengen. Dit regelsysteem voor het aanpassen van de CRF-spiegel is voortdurend actief. Zoals Meaney laat zien heeft de manier waarop deze genen tijdens de kindertijd beïnvloed zijn, levenslange gevolgen: als hun expressieniveau eenmaal is vastgesteld, blijft dat patroon bestaan. Goed ouderschap, zo heeft Meaney ontdekt, produceert genen die de hippocampus beter in staat stellen om stresshormonen te reguleren, zodat er bij stress een optimaal niveau wordt afgescheiden. Wij mensen hebben exact dezelfde circuits voor stresshormonen als alle zoogdieren, inclusief Meaney's laboratoriumratten. Zie Michael Meaney, 'Maternal Care, Gene Expression, and the Transmission of Individual Differences in Stress Reactivity Across Generations'. *Annual Review of Neuroscience* 24 (2001), pp. 1161-92.

37. Zie over Borden Laura Hillenbrand, 'A Sudden Illness – How My Life Changed'. *The New Yorker* (7 juli 2003).

38. De groep draait om Janice Kiecolt-Glaser, een psychologe, en haar man Ro-

nald Glaser, een immunoloog. Andere deelnemers waren William B. Malarkey, arts aan het Ohio State College of Medicine en John T. Cacioppo, een van de grondleggers van de neurowetenschap en momenteel verbonden aan de Universiteit van Chicago. Zie bijvoorbeeld John T. Cacioppo et al., 'Autonomic Endocrine, and Immune Response to Psychological Stress: The Reactivity Hypothesis'. *Annals of the New York Academy of Sciences* 840 (1998), pp. 664-73.

39. Zie over vrouwelijke zorgverleners William B. Malarkey et al., 'Chronic Stress Down-Regulates Growth Hormone Gene Expression in Peripheral Blood Mononuclear Cells of Older Adults'. *Endocrine* 5 (1996) 1, pp. 33-9.

40. Zie over een eerder onderzoek naar verzorgers van iemand met de ziekte van Alzheimer Janice Kiecolt-Glaser et al., 'Slowing of Wound Healing by Psychological Stress'. *Lancet* 346 (1995), pp. 1194-6.

41. Zie over celveroudering Elissa Epel et al., 'Accelerated Telomere Shortening in Response to Life Stress'. *Proceedings of the National Academy of Science* 101 (2004) 49, pp. 17.321-5.

42. Suki Casanave, 'Embracing this Imperfect Life'. *Hope* (maart/april 2002), pp. 32-35.

Hoofdstuk 17. Biologische bondgenoten

1. Zie over het kiezen van aangename relaties Robert W. Levenson et al., 'The Influence of Age and Gender on Affect, Physiology, and Their Interrelations: A Study of Long-Term Marriages'. *Journal of Personality and Social Psychology* 67, nummer 1 (1994), pp. 56-68.

2. Zie over emotionele steun en biologische stress Teresa Seeman et al., 'Social Ties and Support and Neuroendocrine Function'. MacArthur Studies of Succesful Aging, *Annals of Behavioral Medicine* 16 (1994), pp. 95-106. Eerder onderzoek heeft hetzelfde verband gevonden – tussen emotionele steun en een verlaagd risico – voor een reeks andere biologische maatstaven, waaronder een lagere hartslag en bloeddruk, lager serumcholesterol en lager norepinefrine: Teresa Seeman, 'How Do Others Get Under Our Skin?' Carol Ryff en Burton Singer, eds., *Emotion, Social Relationships, and Health*. Oxford University Press, New York, 2001.

3. Zie over oudere mensen en emotionele complexiteit L.L. Carstensen et al., 'Emotional Experience in Everyday Life Across the Lifespan'. *Journal of Personality and Social Psychology* 79 (2000), pp. 644-55.

4. Zie over een ondersteunende omgeving en cognitief vermogen bij ouderen Teresa E. Seeman et al., 'Social Relationships, Social Support, and Patterns of Cognitive Aging in Healthy, High-functioning Older Adults'. *Health Psychology* 4 (2001), pp. 243-55.

5. Zie over eenzaamheid en gezondheid Sarah Pressman et al., 'Loneliness, Social Network Size, and Immune Response to Influenza Vaccination in College Freshmen'. *Health Psychology* 24 (2005), pp. 297-306.

6. Zie over het verband tussen sociale vernieuwing in bejaardentehuizen en snel-

lere neurogenese Fred Gage, 'Neuroplasticity', lezing voor de twaalfde bijeen-komst van het Mind and Life Institute, Dharamsala, India, 18-22 oktober, 2004.

7. Zie over meningsverschillen tussen pasgehuwden Janice Kiecolt-Glaser et al., 'Marital Stress: Immunologic, Neuroendocrine, and Autonomic Correlates'. *Annals of the New York Academy of Sciences* 840 (1999), pp. 656-63.

8. Ibid., p. 657.

9. Er bestond weinig verband tussen de verbale strijd en endocriene metingen bij de oudere echtgenoten.

10. Tor Wagner en Kevin Ochsner, 'Sex Differences in the Emotional Brain'. *Neuro-Report* 16 (2005), pp. 85-87.

11. Zie over het belang van persoonlijke relaties Carol Ryff et al., 'Elective Affini-ties and Uninvited Agonies: Mapping Emotion with Significant Others Onto Health', in Ryff en Singer, *Emotion, Social Relationships*. Vanaf middelbare leef-tijd gaan mannen relaties steeds belangrijker vinden, maar nog altijd minder dan vrouwen.

12. Zie over vrouwen en verzorging R.C. Kessler et al., 'The Costs of Caring: A Perspective on the Relationship Between Sex and Psychological Distress'. in I.G. Sarason en B.R. Sarason, eds., *Social Support: Theory, Research and Ap-plications*. Martinus Nijhoff, Boston, 1985, pp. 491-507.

13. Zie over grotere gevoeligheid bij vrouwen M. Corriel en S. Cohen, 'Concor-dance in the Face of a Stressful Event'. *Journal of Personality and Social Psy-chology* 69 (1995), pp. 289-99.

14. Zie over herinneringen en biologische veranderingen Kiecolt-Glaser et al., 'Marital Stress.'

15. Uit een groot aantal studies is gebleken dat vrouwen sterkere immuun-, en-docriene en cardiovasculaire reacties vertonen op echtelijke ruzies dan hun echtgenoten. Zie bijvoorbeeld Janice Kiecolt-Glaser et al., 'Marital Conflict in Older Adults: Endocrinological and Immunological Correlates'. *Psychosoma-tic Medicine* 59 (1997), pp. 339-49; T.J. Mayne et al., 'The Differential Effects of Acute Marital Distress on Emotional, Physiological and Immune Functions in Maritally Distressed Men and Women'. *Psychology and Health* 12 (1997), pp. 277-88; T.W. Smith et al., 'Agency, Communion, and Cardiovascular Reac-tivity During Marital Interaction'. *Health Psychology* 17 (1998), pp. 537-45.

16. Zie over overlijden aan hartziekten bij vrouwen James Coyne et al., 'Prognos-tic Importance of Marital Quality for Survival of Congestive Heart Failure'. *American Journal of Cardiology* 88 (2001), pp. 526-29.

17. Zie over het gebrokenhartsyndroom Ilan Wittstein et al., 'Neurohumoral Fea-tures of Myocardial Stunning Due to Sudden Emotional Stress'. *New England Journal of Medicine* 352 (2005), pp. 539-48.

18. Zie over tevredenheid en de gezondheid van vrouwen Linda Gallo et al., 'Ma-rital Status and Quality in Middle-aged Women: Associations with Levels and Trajectories of Cardiovascular Risk Factors'. *Health Psychology* 22, nummer 5 (2003), pp. 453-63.

19. Zie over elkaars hand vasthouden J.A. Coan et al., 'Spouse, But Not Stranger, Hand Holding Attenuates Activation in Neural Systems Underlying Response

to Threat'. *Psychophysiology* 42 (2005), p. S44, J.A. Coan et al., 'Lending a Hand: Social Regulation of the Neural Response to Threat'. *Psychological Science* (2006) in druk.

20. Tot dit circuit behoren de insula, hypothalamus, rechter prefrontale cortex en de anterieure cingulate cortex (ACC).

21. Zie over neuro-endocrinologie en oxytocine C. Sue Carter, 'Neuroendocrine Perspectives on Social Attachment and Love'. *Psychoneuroimmunology* 23 (1998), pp. 779-818. De gegevens voor de positieve uitwerking van oxytocine op de gezondheid zijn krachtig, maar onderzoekers naar de biologische invloeden van relaties zullen ongetwijfeld vinden dat ook andere neuro-endocriene routes een bijdrage leveren.

22. Zie over het gunstige effect op de gezondheid Kerstin Uvnäs-Moberg, 'Oxytocine Linked Antistress Effects: The Relaxation and Growth Responses'. *Acta Physiologica* 161 (1997), pp. 38-42. Hoewel de hoeveelheid oxytocine al binnen een paar minuten drastisch afneemt, lijkt het een stortvloed van secondaire mechanismen in gang te zetten die de gezondheid op vele manieren gunstig beïnvloedt.

23. Zie over bloeddruk en oxytocine ibid.

24. Carol Radziwill, *What Remains: A Memoir of Fate, Friendship, and Love*. Scribner's, New York, 2005.

25. Zie over vrouwen en stress Shelley E. Taylor et al., 'Female Responses to Stress: Tend-and-Befriend, not Fight-or-Flight'. *Psychological Review* 107 (2000), pp. 411-29. Zie ook Shelley E. Taylor, *The Tending Instinct*. Times Books, New York, 2002.

26. Zie over relaties als emotieregulatoren Lisa Diamond en Lisa Aspinwall, 'Emotion Regulation Across the Life Span: An Integrative Perspective Emphasizing Self-regulation, Positive Affect, and Dyadic Processes'. *Motivation and Emotion* 27, nummer 2 (2003), pp. 125-56.

27. Sommigen menen dat ons algemene patroon van cardiovasculaire en neuroendocriene activiteit belangrijke variaties kent al naar gelang de emotionele status van onze belangrijkste relaties. Zie bijvoorbeeld John Cacioppo, 'Social Neuroscience: Autonomic, Neuroendocrine and Immune Responses to Stress'. *Psychophysiology* 31 (1994), pp. 113-28.

28. Zie over stress en besmetting Brooks Gump en James Kulik, 'Stress, Affiliation, and Emotional Contagion'. *Journal of Personality and Social Psychology* 72, nummer 2 (1997), pp. 305-19.

29. Zie over patiënten en operaties James Kulik et al., 'Stress and Affiliation: Hospital Roommate Effects on Preoperative Anxiety and Social Interaction. *Health Psychology* 12 (1993), pp. 118-24.

30. In deze zin is het netwerk van mensen die diep betrokken zijn bij het welzijn van de patiënt een te weinig gebruikt medicijn.

31. Zie over hersenactiviteit bij minimaal bewuste patiënten N.D. Schiff et al., 'fMRI reveals Large-scale Network Activation in Minimally Conscious Patients'. *Neurology* 64 (2005), pp. 514-23.

32. Mark Pettus, *The Savvy Patient*. Capital Books, Richmond, Va., 2004.

Hoofdstuk 18. Menselijkheid op recept

1. Zie over burn-outcijfers Sameer Chopra et al., 'Physician Burnout', *Student JAMA* 291 (2004), p. 633.
2. Zie over de hartchirurg die patiënt werd Peter Frost, 'Why Compassion Counts!' *Journal of Management Inquiry* 8 (1999), pp. 127-33. Het verhaal van de hartchirurg dat door Frost wordt verteld, is losjes gebaseerd op het verhaal van Fitzhugh Mullan, een arts die geschreven heeft over zijn eigen geschiedenis van autoritaire arts tot hulpeloze kankerpatiënt in *Vital Signs: A Young Doctor's Struggle with Cancer.* Farrar, Straus and Giroux, New York, 1982. Ik heb op mijn beurt de versie van Frost iets aangepast en ingekort.
3. David Kuhl, *What Dying People Want.* Doubleday, Garden City, N.Y., 2002.
4. Zie over rapport en rechtszaken W. Levinson et al., 'Physician-Patient Communication: The Relationship with Malpractice Claims Among Primary Care Physicians and Surgeons'. *Journal of the American Medical Association* 227 (1997), pp. 553-59.
5. Fabio Sala et al., 'Satisfaction and the Use of Humor by Physicians and Patients'. *Psychology and Health* 17 (2002), pp. 269-80.
6. Zie over tevredenheid bij patiënten Debra Roter, 'Patient-centered Communication'. *British Medical Journal* 328 (2004), pp. 303-4.
7. Het blijkt dat artsen niet al te best in staat zijn om te beoordelen hoe goed hun patiënten hen begrijpen. Toen patiënten die onder behandeling waren vanwege een myocaridiaal infarct of longontsteking werden ondervraagd over het behandelplan na ontslag uit het ziekenhuis, zei slechts 57 procent dat ze het plan begrepen. Toen echter de artsen die de plannen hadden opgesteld en aan de patiënten hadden uitgelegd, dezelfde vraag kregen voorgelegd, zeiden ze dat 89 procent het begrepen had. Datzelfde verschil kwam weer naar voren toen slechts 58 procent bleek te weten wanneer ze hun gewone leven weer konden oppikken, terwijl de artsen de onderzoekers verzekerden dat 95 procent dat wist. Zie Caroly Rogers, 'Communication 101'. *American Academy of Orthopedic Surgeons' Bulletin* 147 (1999), p. 5.
8. Zie over ontslaggesprekken ibid.
9. Zie over de tweedejaars geneeskundestudenten Nancy Abernathy, 'Empathy in Action'. *Medical Encounter* (winter 2005), p. 6.
10. Zie over zekerheid en compassie Omri Gillath et al, 'An Attachment-Theoretical Approach to Compassion and Altruism', in P. Gilbert, ed., *Compassion: Conceptualizations, Research, and Use in Psychotherapy.* Routledge and Kegan Paul, Londen, 2004.
11. Zie voor het stroomschema van zorgzaamheid William Kahn, 'Caring for the Caregivers: Patterns of Organizational Caregiving'. *Administrative Science Quarterly* 38 (1993), pp. 539-63.
12. Lyndall Strazdins, 'Emotional Work and Emotional Contagion', in Neal Ashkanasy et al, eds., *Managing Emotions in the Workplace.* M. E. Sharpe, Armonk, N.Y., 2002.
13. Zie voor een gedetailleerde studie van uitmuntend leiderschap in de medische

sector en dienstverlening in het algemeen Lyle Spencer en Signe Spencer, *Competence at Work: Models for Superior Performance.* John Wiley, New York, 1993.

14. Zie over het ondraaglijke draaglijk maken Kenneth B. Schwartz, 'A Patient's Story'. *Boston Globe Magazine*, 16 juli 1995.

15. Het Kenneth B. Schwartz Center heeft een website: www.theschwartzcenter.org

16. Deze visites kunnen gaan over ieder onderwerp dat raakt aan het persoonlijke aspect van patiëntenzorg, van de omgang met een moeilijke of boze patiënt of familie, tot het omgaan met de emotionele last die de zorg voor ernstig zieke patiënten met zich meebrengt. Er wordt in Mass General (zoals het meest befaamde ziekenhuis van de geneeskundefaculteit van Harvard genoemd wordt) regelmatig tijd uitgetrokken voor deze bijeenkomsten, en meer dan zeventig andere ziekenhuizen hebben het initiatief overgenomen. Het Schwartz Center biedt hulp aan ziekenhuizen die belangstelling hebben om met dit soort visites te beginnen.

17. Mark Lipkin et al, *The Medical Interview* (New York: Springer-Verlag, 1995).

Deel zes

Hoofdstuk 19. De prikkel van succes

1. Amy Arnsten, 'The Biology of Being Frazzled'. *Science* 280 (1998), pp. 1711-13.

2. Dat getuigt van de wijsheid van de natuur als ontwerper voor dit soort situaties. Het probleem ontstaat wanneer diezelfde respons wordt opgewekt wanneer er geen sprake is van een levensbedreigende situatie, maar we slechts geconfronteerd worden met de symbolische gevaren van het moderne leven. In die situaties moeten we een beroep doen op de controlekamer van het brein, niet op onze oergewoontes. Als we ons werk zo goed mogelijk willen doen, dan moet de lage route de hoge ondersteunen, niet commanderen.

3. Zie over de intensiteit van stress en beperking, J.T. Noteboom et al, 'Activation of the Arousal Response and Impairment of Performance Increase with Anxiety and Stressor Intensity'. *Journal of Applied Physiology* 91 (2001), pp. 2039-101.

4. Hoewel die dysfunctie geldt voor de tijdelijk gehandicapte controlecentra van de hersenen, waagt het brein toch een gefundeerde gok die goed uit kan pakken, zoals blijkt uit onderzoek naar mensen onder extreme stress in bijvoorbeeld brandweerkazernes, gevechtseenheden of basketbalteams. Onder zware druk presteerden de meest doorgewinterde leiders het best door te vertrouwen op jarenlange expertise en gewoontes. Een brandmeester kon bijvoorbeeld zijn brandweerlieden tijdens de chaotische onzekerheid en angst van een brand aansturen door te vertrouwen op de intuïties die hij ontwikkeld had in een lange geschiedenis van vergelijkbare situaties. Terwijl oudgedienden in dit soort intense momenten instinctief weten wat te doen, kan voor een nieuweling zelfs de beste theorie ontoereikend zijn. Zie Fred Fiedler, 'The Curious

Role of Cognitive Resources in Leadership', in Ronald E. Riggio et al., eds., *Multiple Intelligences and Leadership*. Erlbaum, Mahwah, N.J., 2002.

5. Zie over de hersencorrelaten van verdriet en vreugde Antonio R. Damasio et al., 'Subcortical and Cortical Brain Activity During the Feeling of Self-generated Emotions'. *Nature Neuroscience* 3 (2002), pp. 1049-56.

6. Sam Intrator, *How Teaching Can Inspire Real Learning in the Classroom*. Yale University Press, New Haven, Conn., 2003.

7. Een positieve stemming kan iemand bijvoorbeeld realistischer maken; als mensen die zich goed voelen een belangrijk doel willen bereiken, gaan ze op zoek naar bruikbare informatie, ongeacht of die negatief en vervelend is. Zie bijvoorbeeld L.G. Aspinwall, 'Rethinking the Role of Positive Affect in Self-regulation'. *Motivation and Emotion* 22 (1998), pp. 1-32. Aan de andere kant is een opgewekte stemming niet noodzakelijkerwijs voor iedere taak even effectief: als je te frivool bent, gaat dat ten koste van gedetailleerd werk als het nakijken van een contract. Soms maakt een negatieve stemming onze perceptie realistischer dan een rooskleurige. Het loont om op de juiste momenten ernstig te zijn. Zie verder Neal M. Ashkanasy, 'Emotions in Organizations: A Multi-level Perspective'. in Neal Ashkanasy et al., eds., *Emotions in the Workplace: Research, Theory, and Practice*. Quorum Books, Westport, Conn., 2000.

8. Zie over de diagnoses van radiologen C.A. Estrada et al. 'Positive Affect Facilitates Integration of Information and Decreases Anchoring in Reasoning Among Physicians'. *Organizational Behavior and Human Decision Processes* 72 (1997), pp. 117-35.

9. Hoe meer moeite we hebben met het uitvoeren van een bepaalde taak, hoe meer diffuus en ongefocust het patroon van actieve gebieden in de hersenen. Een diffuus geactiveerd brein treedt bijvoorbeeld op als we verveeld zijn en dagdromen, of wanneer we erg nerveus zijn. De hersenactivatie bij optimale cognitieve efficiëntie ziet er heel anders uit. Brain imaging van mensen die een taak goed uitvoeren laat zien dat het brein de gebieden gemobiliseerd heeft die voor die activiteit noodzakelijk zijn en andere gebieden niet. Cognitieve efficiëntie vereist dat de specifieke gereedschappen van de hersenen op een goed georkestreerde manier bijdragen aan wat er gedaan moet worden.

10. Angst erodeert de cognitieve efficiëntie. De capaciteit van het werkgeheugen van leerlingen met wiskundevrees is bijvoorbeeld lager als ze een wiskunde-vraagstuk moeten oplossen. Hun angst houdt de aandachtsruimte gevangen die ze nodig hebben voor wiskunde, zodat ze minder goed in staat zijn om vraagstukken op te lossen of nieuwe concepten te begrijpen. Zie Mark Ashcroft en Elizabeth Kirk, 'The Relationship Among Working Memory, Math Anxiety, and Performance'. *Journal of Experimental Psychology* 130, nummer 2 (2001), pp. 224-27.

11. Dit argument, in termen van het 'X-systeem' en het 'C-systeem' (grofweg respectievelijk de lage en de hoge route), is van Matthew Lieberman et al., 'A Pain by Any Other name (Rejection, Exclusion, Ostracism) Still Hurts the Same: The Role of Dorsal Anterior Cingulate Cortex in Social and Physical Pain', in

J. Cacioppo et al., eds., *Social Neuroscience: People Thinking About Thinking People*. MIT Press, Cambridge, Mass., 2005.

12. Zie over cortisol en de omgekeerde U Heather C. Abercrombie et al., 'Cortisol Variation in Humans Affects Memory for Emotionally Laden and Neutral Information'. *Behavioral Neuroscience* 117 (2003), pp. 505-16.

13. Beperkte stress stimuleert geconcentreerde aandacht. Zie Eran Chajut en Daniel Algom, 'Selective Attention Improves Under Stress: Implications for Theories of Social Cognition'. *Journal of Personality and Social Psychology* 85 (2003), pp. 231-48.

14. Zie over angst en het werkgeheugen Mark Ashcroft en Elizabeth Kirk, 'The Relationship Among Working Memory, Math Anxiety, and Performance'. *Journal of Experimental Psychology* 130 (2001), pp. 224-27.

15. Zie bijvoorbeeld Mario Mikulincer et al., 'Attachment, Caregiving and Altruism: Boosting Attachment Security Increases Compassion and Helping'. *Journal of Experimental Psychology* 89 (2005), pp. 817-39.

16. Mihalyi Csikszentmilhalyi en Reed Larson, *Being Adolescent: Conflict and Growth in the Teenage Years*. Basic Books, New York, 1984.

17. Zie over managers met een slecht humeur J.M. George en A.P. Brief, 'Motivational Agendas in the Workplace'. *Research in Organizational Behaviour* 18 (1996), pp. 75-109.

18. Mijn beschrijving van de relatie tussen stemming en prestatie in termen van de omgekeerde U is enigszins simplistisch. Iedere belangrijke emotie heeft haar eigen invloed op ons denken. Onze stemmingen bepalen onze oordelen; wanneer we een zure bui hebben, vinden we wat we tegenkomen sneller vervelend. Als we vrolijk zijn, zijn we daarentegen vergevingsgezinder of meer waarderend. Zie Neal M. Ashkanasy, 'Emotions in Organizations: A Multi-level Perspective', in Neal Ashkanasy et al., eds., *Emotions in the Workplace: Research, Theory, and Practice*. Quorum Books, Westport, Conn., 2000. Een goed humeur brengt veel voordelen met zich mee, maar ook negatieve emoties kunnen in specifieke situaties nuttig zijn. Een 'slechte' stemming is goed voor bepaald soort werk, zoals iets nauwkeurig nakijken op fouten of verfijnde afwegingen maken bij bepaalde keuzes. Deze aansluiting tussen stemming en taak is meer gedetailleerd in kaart gebracht in het werk van John Mayer van de universiteit van New Hampshire. Zie voor een overzicht van de manier waarop stemmingen prestaties beïnvloeden David Caruso et al., *The Emotionally Intelligent Manager*. Jossey Bass, San Francisco, 2004. Neurowetenschappers zijn begonnen om de specifieke manieren waarop verschillende emotionele toestanden onze intellectuele vermogens stimuleren in kaart te brengen. Als het geen al te heftige stemmingen zijn, kunnen ze bepaalde taken gemakkelijker maken. Een beperkt aantal taken heeft soms baat bij een slecht en te lijden van een goed humeur. Angst bijvoorbeeld, in elk geval op het niveau veroorzaakt door het kijken naar een fragment uit een horrorfilm, lijkt taken te stimuleren die worden uitgevoerd door de rechter prefrontale cortex, zoals het herkennen van gezichten. Plezier (gewekt door het kijken naar een komedie) stimuleert taken van de linker hersenhelft, zoals verbale uit-

drukkingkracht. Zie Jeremey R. Gray et al., 'Integration of Emotion and Cognition in the Lateral Prefrontal Cortex'. *Proceedings of the National Academy of Sciences* 199 (2002), pp. 4115-20.

19. Zie over sociale stress en aantasting van het werkgeheugen Bernet Elizuya en Karin Rochlofs, 'Cortisol-Induced Impairments of Working Memory Requires Acute Sympathetic Activation'. *Behavioral Neuroscience* 119 (2005), pp. 98-103.

20. Het vernietigen van de hippocampus betekent de vernietiging van ons leervermogen; neurologische patiënten met een beschadigde hippocampus leven ieder moment alsof het vorige nooit gebeurd was. Onder sommige omstandigheden, zoals een trauma of een chronische depressie, krimpt de hippocampus door celdood. Wanneer patiënten weer genezen, groeit hun hippocampus geleidelijk weer aan.

21. Zie over cortisol en de omgekeerde U Abercrombie et al., 'Cortisol Variation in Humans'.

22. R. Alpert and R.N. Haber, 'Anxiety in Academic Achievement Situations'. *Journal of Abnormal and Social Psychology* 61 (1960), pp. 207-15.

23. Sian Beilock en Thomas Carr, 'When High-powered People Fail: Working Memory and "Choking Under Pressure" in Math'. *Psychological Science* 16 (2005), pp. 101-5.

24. Jeanne Nakamura, 'Optimal Experience and the Uses of Talent', in Mihalyi en Isabella Csikzentmihalyi, eds., *Optimal Experience: Psychological Studies of Flow in Consciousness*. Cambridge University Press, New York, 1988.

25. Vreemd genoeg kwam goed nieuws dat met een somber gezicht gebracht werd nog slechter aan dan op sombere toon gebracht slecht nieuws. Zie over de effecten van een positieve gezichtsuitdrukking bij managers Michael T. Newcombe en Neal M. Ashkanasy, 'The Code of Affect and Affective Congruence in Perceptions of Leaders: An Experimental Study'. *Leadership Quarterly* 13 (2002), pp. 601-4.

26. Thomas Sy et al., 'The Contagious Leader: Impact of the Leader's Mood on the Mood of Group Members, Group Affective Tone, and Group Processes'. *Journal of Applied Psychology* 90 (2005), pp. 295-305.

27. M.T. Dasborough, 'Cognitive Asymmetry in Employee Emotional Reactions to Leadership Behaviors, *Leadership Quarterly* 17 (2006), pp.163-178

28. Neal Ashkanasy et al., 'Managing Emotions in a Changing Workplace', in Ashkanasy et al., *Emotions in the Workplace*.

29. James Harter, Gallup Organization, ongepubliceerd rapport, december 2004.

30. De peiling wordt geciteerd in Amy Zipkin, 'The Wisdom of Thoughtfulness'. *New York Times* (31 mei 2000), p. C5.

31. Leerlingen voelen zich meer deel uitmaken van de school naarmate hun docenten behulpzamer en betrokkener zijn, en naarmate ze er meer vrienden en buitenschoolse activiteiten hebben. Zie de speciale editie van het *Journal of School Health* 74, nummer 7 (september 2004).

32. Zie voor het onderzoek naar doceerstijl en leerlingprestaties Bridget Hamre en Robert Pianta, *Child Development* 76 (2005), pp. 949-67.

33. K. Wentzel, 'Are Effective Teachers Like Good Parents? Teaching Styles and Student Adjustment in Early Adolescence'. *Child Development* 73 (2002), pp. 287-301.

34. Joseph Durlak en Roger Weisberg, 'A Major Meta-Analysis of Positive Youth Development Programs'. Presentatie voor de jaarlijkse bijeenkomst van de American Psychological Association, Washington, D.C., augustus 2005.

35. Zie over de onderwijskundige voordelen van een betrokken omgeving bijvoorbeeld K.F. Osterman, 'Students' Needs for Belonging in the School Community'. *Review of Educational Research* 70 (2000), pp. 323-67.

36. Zie bijvoorbeeld het speciale nummer van het *Journal of School Health* (september 2004) over verbondenheid met school.

Hoofdstuk 20. De correctieve kracht van relaties

1. Voormalig bewaker John Tindall zoals geciteerd in 1949 door de *St. Louis Dispatch* in een rapport van de Annie E. Casey Foundation, *Small Is Beautiful* (Missouri Division of Youth Services, 2003). Mijn verslag van het systeem in Missouri is op dat rapport gebaseerd.

2. Zie ibid. voor recidivismecijfers. Vergelijkingen tussen staten moeten echter met enige voorzichtigheid bekeken worden: mogelijk hanteert men niet dezelfde maatstaven. Een betere vergelijking zou zich op alle staten moeten richten en alle ontslagen gevangenen op dezelfde manier moeten volgen. Dit soort gegevens zijn nog niet voorhanden.

3. Zie over prefrontale schade Adriane Raine et al., 'Brain Abnormalities in Murderers Indicated by Positron Emission Tomography'. *Biological Psychiatry* 42 (1997), pp. 495-508.

4. Adriane Raine et al., 'Reduced Prefrontal Gray Matter Volume and Reduced Autonomic Activity in Antisocial Personality Disorder'. *Archives of General Psychiatry* 57 (2000), pp. 119-27. Veel gewelddadige mensen hebben atrofie in de amygdala; zie R. Davidson, K.M. Putnam, C.L. Larson, 'Dysfunction in the Neural Circuitry of Emotion Regulation – A Possible Prelude to Violence'. *Science* 289 (2000), pp. 591-94.

5. Zie over de prefrontaalkwab en cognitieve controle E.K. Miller en J.D. Cohen, 'An Integrative Theory of Prefrontal Cortex Function'. *Annual Review of Neuroscience* 24 (2001), pp. 167-202.

6. Dit neurologische tijdpad vormde de basis voor een beslissing van het Hooggerechtshof uit 2005 tegen de executie van minderjarigen, omdat jonge hersenen nog niet de dezelfde rijpheid hebben als volwassene wat betreft het nemen van beslissingen en impulsbeheersing.

7. De jaarlijkse kosten van het enorme Amerikaanse gevangenissysteem overstegen in 2002 de 60 miljard dollar. Zie over de gevangenispopulatie Bureau of Justice Statistics, U.S. Department of Justice, november 2005.

8. Zie over kosten en recidivecijfers Patrick Langer en David Levin, 'Recidivism of Prisoners Released in 1994'. Rapport van het Bureau of Justice Statistics, NCJ 193427 (juni 2002).

9. Kalamazoo County Coalition on Criminal Justice, 'A Plan for Integrating Prevention, Intervention, Corrections, and Reintegration Programs in the Kalamazoo County Criminal Justice System',. 15 september 2004.

10. Zie over contacten en misdaad Dr. Felton Earls, interview door Dan Hurley, 'On Crime as Science (A Neighbor at a Time)'. *New York Times* (6 januari 2004), p. C1.

11. Zie over de analyse van wijken Robert J. Sampson et al., 'Neighborhoods and Violent Crime: A Multi-level study of Collective Efficacy'. *Science* 277 (1997), pp. 918-24.

12. Het scheppen van grotere samenhang is een sociaal experiment dat wacht op een goede uitvoering.

13. Nancy Guerra en Ronald Slaby, 'Cognitive Mediators of Aggression in Adolescent Offenders: 2. Intervention'. *Developmental Psychology* 26 (1990), pp. 269-77.

14. Zie over jongere gevangenen 'Childhood on Trail: The Failure of Trying and Sentencing Youth in Adult Criminal Court'. Coalition for Juvenile Justice, Jaarverslag 2005.

15. Deze circuits blijven een leven lang enigszins plooibaar. Als iemand van welke leeftijd dan ook de motivatie heeft om iets te leren, kan dat met enig succes altijd, mits er gebruik wordt gemaakt van het juiste leermodel. Nadat deze kritieke periode als we in de twintig zijn tot een einde komt, kost het echter veel meer tijd en moeite. Iemand moet dan ook zeer gemotiveerd zijn en heeft meer persoonlijke hulp nodig. Zie voor een geschikt leermodel deel twee van Daniel Goleman, et al., *Primal Leadership,* Harvard Business School Press, Boston, 2002. Zie ook 'Best Practices' op www.eiconsortium.org.

16. Zie over rehabilitatie in de gevangenis James McGuire, ed., *What Works: Reducing Reoffending.* John Wiley, New York, 1995; James McGuire, *Offender Rehabilitation and Treatment.* John Wiley, New York, 2002.

17. Zie over programma's voor sociale en emotionele scholing www.casel.org.

18. Zie over lagere cijfers Wendy Garrard, 'Does Conflict Resolution Education Reduce Antisocial Behavior in Schools? The Evidence Says Yes'. Lezing voor de jaarlijkse bijeenkomst van de Ohio Commission on Dispute Resolution and Conflict Management, Columbus, Ohio, november 2005.

19. Het National Emotional Literacy Project for Youth-at-Risk is een experimenteel programma gericht op sociaal-emotionele vaardigheden bij de jonge gevangenispopulatie (www.lionheart.org). Een ander experimenteel programma doceert sociaal-intelligente vaardigheden aan jeugddelinquenten in gevangenissen in Connecticut. Ze leren bijvoorbeeld om sociale problemen beter op te lossen en manieren om met woede om te gaan. Zie Zak Stambor, 'Can Teaching Troubled Teens Social Problem-solving Keep Them Out of Trouble?' *Monitor on Psychology* (december 2005).

20. Zie over de hoogste recidive bij jonge gevangenen en die met een langer strafblad Bureau of Justice Statistics, 2005.

21. Zie over de bijeenkomst in Bucks County Laura Mirsky, 'Directing *Burning Bridges,* a Documentary About a Restorative Conference'. Op www.realjustice.org.

22. Zie over herstelrecht Gerry Johnstone, *Restorative Justice*. Willan Publishers, Londen, 2001.
23. Zie Kathleen Kenna, 'Justice for All'. *Great Good* (voorjaar/zomer 2005).
24. Zie over recidive bij multisystemische therapie C.M. Boruin et al., 'Multisystemic Treatment of Serious Juvenile Offenders: Long-term Prevention of Criminality and Violence'. *Journal of Consulting and Clinical Psychology* 63 (1995), pp. 569-78.
25. ibid.
26. Zie over de leeftijd van gevangenen Paige Harrison en Alan J. Beck, 'Prisoners in 2003'. *Bulletin*, Bureau of Justice Statistics, Washington, D.C., november 2004.

Hoofdstuk 21. Van 'Hen' naar 'Ons'

1. De Afrikaander en Anne werden gezien door Peter Senge en naverteld in Peter Senge et al., *Presence: Human Purpose and the Field of the Future*. Society for Organizational Learning, Cambridge, Mass., 2004.
2. Zie over Ons-Hen Walter Kaufmann, voorwoord op Martin Buber, *I and Thou*. Simon and Schuster, New York, 1990, p. 13.
3. Zie over overeenkomsten en shocks bijvoorbeeld Dennis Krebs, 'Empathy and Altruism; An Examination of the Concept and a Review of the Literature'. *Psychological Bulletin* 73 (1970), pp. 258-302; C. Daniel Batson, *The Altruism Question: Toward a Scientific Answer*. Erlbaum, Hillsdale, N.J., 1991.
4. Elie Wiesel maakte deze opmerkingen op de zestigste verjaardag van de bevrijding van Auschwitz. Zie *Jerusalem Post* (25 januari 2005).
5. Data uit de Implicit Association Test laten bijvoorbeeld zien dat in de Verenigde Staten de meeste blanken en ongeveer de helft van de zwarten positieve termen als 'vreugde' eerder associëren met blanken en negatieve als 'bom' met zwarten. Zelfs mensen die antiracistische standpunten innemen ontdekken vaak tot hun ergernis dat zij ook eerder positief zijn over blanken en negatief over zwarten.
6. Zie over de Implicit Association Test Anthony Greenwald et al., 'Measuring Individual Differences in Implicit Cognition: The Implicit Association Test'. *Journal of Personality and Social Psychology* 74 (1998), pp. 1464-80.
7. T. Andrew Poehlman et al., 'Understanding and Using the Implicit Association Test: III. Meta-analysis of Predictive Validity'. Ongepubliceerd manuscript.
8. Uit brain imaging blijkt dat hoe sterker iemands subtiele vooroordelen zijn, hoe actiever de amygdala wordt bij het kijken naar een foto van iemand uit de betreffende doelgroep, of het nu blanken, vrouwelijke wetenschappers of bejaarden zijn. Zie Alan Hart et al., 'Differential Response in the Human Amygdala to Racial Out-group Versus In-group Face Stimuli'. *NeuroReport* 11 (2000), pp. 2351-55; Elizabeth Phelps en Mahzarin R. Banaji, 'Performance on Indirect Measures of Race Evaluation Predicts Amygdala Activation'. *Journal of Cognitive Neuroscience* 12 (2000), pp. 729-38. En wanneer beel-

den van een Hen-groep snel (of gemaskeerd) vertoond worden, zodat het bewuste denken geen idee heeft van wat het gezien heeft, reageert de amygdala sterker op deze beelden dan op de beelden die bewust gezien zijn. Zie ook William Cunningham et al., 'Separable Neural Components in the Processing of Black and White Faces'. *Psychological Science* 15 (2004), pp. 806-13.

9. Irene V. Blair, 'The Malleability of Automatic Stereotypes and Prejudice'. *Personality and Psychology Review* 202 (2002), pp. 242-61.

10. Zie over de reductie van stereotypes Nilanjana Dasgupta en Anthony Greenwald, 'On the Malleability of Automatic Attitudes: Combating Automatic Prejudice with Images of Admired and Disliked Individuals'. *Journal of Personality and Social Psychology* 81 (2001), pp. 800-14.

11. Zie over methodes om impliciete vooroordelen te reduceren Blair, 'The Malleability.'

12. Opmerkelijk genoeg zijn mensen die zich voortdurend voornemen om negatieve stereotypes te onderdrukken daartoe in staat zolang ze zich bewust zijn van het moment dat ze iemand zien die tot de doelgroep behoort. Wanneer de blootstelling aan de betreffende persoon echter subliminaal is (een glimp van ongeveer 33 milliseconden) blijft de impliciete vooringenomen bestaan. Zie Blair, 'The Malleability'.

13. Zie over prefrontale en amygdala-activiteit Matthew Lieberman et al., 'A Pain by Any Other Name (Rejection, Exclusion, Ostracism) Still Hurts the Same: The Role of Dorsal Anterior Cingulate Cortex in Social and Physical Pain'. in J. Cacioppo et al., eds. *Social Neuroscience: People Thinking About Thinking People.* MIT Press, Cambridge, Mass., 2005.

14. Dit onderzoek levert ook een mogelijke verklaring voor het verschijnsel dat volksmenners altijd angst en woede koppelen aan vijandigheid tegen Hen. Als een groep zich zeker voelt, loopt er één ding gevaar: vooroordeel.

15. Zie over onderzoeken naar de verhoudingen tussen groepen Thomas Pettigrew en Linda Tropp, 'A Meta-analytic Test of Intergroup Contact Theory'. *Journal of Personality and Social Psychology* (2006, in druk).

16. Terloopse contacten tellen minder zwaar mee dan relaties die mensen belangrijk vinden. Zie Rolf van Dick et al., 'Role of Perceived Importance in Intergroup Conflict'. *Journal of Personality and Soical Psychology* 87, nummer 2 (2004), pp. 211-27.

17. Zie over etnische scheiding in Europa Thomas Pettigrew, 'Generalized Intergroup contact Effects on Prejudice'. *Personality and Social Psychology Bulletin* 23 (1997), pp. 173-85.

18. Zie over Duitsers en vooroordeel Ulrich Wagner et al., 'Ethnic Prejudice in East and West Germany: The Explanatory Power of Intergroup Contact'. *Group Processes and Intergroup Relations* 6 (2003), pp. 22-36.

19. Zie over affect versus cognitieve categorieën Pettigrew en Tropp, 'Meta-analytic Test'.

20. Zie over de versplintering van categorieën Susan Rakosi Rosenbloom en Niobe Way, 'Experiences of Discrimination Among African American, Asian

American and Latino Adolescents in an Urban High School'. *Youth & Society* 35, (2004), pp. 420-51.

21. Elliot Aronson, *Nobody Left to Hate*. W. H. Freeman, New York, 2000, p. 15.

22. Zie over de prijs van het er niet bij horen Mean Twenge et al., 'Social Exclusion and the Deconstructed State: Time Perception, Meaninglessness, Lethargy, Lack of Emotion, and Self-awareness'. *Journal of Personality and Social Psychology* 85 (2003), pp. 409-23.

23. National Center for Chronic Disease Prevention and Health Promotion, Division of Adolescent and school Health, *School Connectedness: What We Know That Makes a Difference in Students' Lives*. Atlanta, Ga., 2004.

24. Zie over afname van het werkgeheugen Toni Schmader en Michael Johns, 'Converging Evidence that Stereotype Threat Reduces Working Memory Capacity'. *Journal of Personality and Social Psychology* 85 (2003), pp. 440-52.

25. Samuel Gaertner et al., 'The Contact Hypothesis', in Judith Nye en Aaron Brower, *What's Social about Social Cognition?* Sage, Thousand Oaks, Calif., 1996.

26. Zie over de brief Aronson, *Nobody Left*, p. 151.

27. Zie over het geschenk Joseph Berger, 'A Muslim Santa's Gift to an Interfaith Group: Free Rent'. *New York Times* (24 december 2004), p. B3.

28. Vergeven is natuurlijk gemakkelijker wanneer de dader zijn oprechte excuses aanbiedt. Zoals een Israëli voorstelde zou een leider aan een van beide kanten van de kloof tussen Israëli's en Palestijnen een rituele verontschuldiging kunnen aanbieden als: 'Jullie hebben zoveel doorstaan door ons toedoen. Het spijt ons. Het spijt ons omdat we jullie geen leed wilden berokkenen, we wilden alleen een staat opbouwen.' Dat zou kunnen bijdragen aan het vredesproces. Zie Lucy Benjamin, 'Impasse: Israel and Palestine'. Conferentie aan Columbia University, New York, 20 november 2004.

29. Zie over de fysiologie van vergeving Fred Luskin, *Forgive for Good*. HarperSanFrancisco, San Francisco, 2001.

30. Zie over vergeving in Noord-Ierland ibid.

31. Rabbi Laurence Kushner werd geïnterviewd in Jonathan Cott, *On a Sea of Memory*. Random House, New York, 2005, p. 153.

32. De producer van *New Dawn* is George Weiss, La Benevulencija Productions, Amsterdam. De website van het Rwandaproject is www.Heal-reconcile-Rwanda.org.

33. Ervin Staub, *The Roots of Evil*. Cambridge University Press, New York, 1992.

34. Ervin Staub en Laurie Anne Pearlman, 'Advancing Healing and Reconciliation in Rwanda and Other Post-conflict Settings', in L. Barbanel en R. Sternberg, eds., *Psychological Interventions in Times of Crisis*. Springer-Verlag, New York, 2006.

Epiloog: Wat werkelijk belangrijk is

1. Zie over de hedonistische tredmolen Daniel Kahneman et al., 'A Survey Method for Characterizing Daily Life Experience: The Day Reconstruction Method'. *Science* 306 (2004), pp. 1776-80, op p. 1779.

2. De andere belangrijke factoren die ongelukkig maakten waren gedeprimeerd zijn en slapeloosheid. Beide kunnen soms een indirecte maatstaf voor relaties zijn.

3. Zie over levendige relaties Ryff en Singer, 'The Contours of Positive Human Health'. *Psychological Inquiry* 9 (1988), pp. 1-28.

4. Zie over verdinglijking James Gustafson, G.H. Mead en Martin Buber on the Interpersonal Self', in Ulric Neisser, ed., *The Perceived Self.* Cambridge University Press, New York, 1993.

5. Zie over geperfectioneerde sociale intelligentie George Herbert Mead, *Mind, Self, and Society.* University of Chicago Press, Chicago, 1934, p. 310.

6. Carl Marci van het Massachusetts General Hospital heeft voorgesteld om empathie te onderrichten volgens de fysiologische logaritme en heeft (in samenwerking met collega's van MIT's Media Lab) al een prototype ontworpen voor een heuptasje met een patiëntmonitor.

7. Hoewel de koning van Bhutan dit al tientallen jaren geleden tot nationale prioriteit uitriep, trok het idee pas in 2004 zoveel aandacht dat het inspireerde tot een internationale conferentie, gehouden in Thimbu, de hoofdstad van het land. Het verslag van een eerdere bijeenkomst werd in 1999 gepubliceerd door het Centre for Bhutan Studies als *Gross National Happiness: a Set of Discussion Papers* (Thimbu, Bhutan).

8. Een maatstaf voor nationaal welzijn zou tevredenheidsfactoren kunnen behelzen als betrouwbare en betrokken relaties, in het kader van een meer uitgebreide beoordeling van de consequenties van het overheidsbeleid. Zie voor de index van sociaal goed www.neweconomics.org

9. David Myers, *The Pursuit of Happiness.* William Morrow, New York, 1992.

10. Colin Camerer et al., 'Neuroeconomics: How Neuroscience Can Inform Economics'. *Journal of Economic Literature* 43 (2005), pp. 9-64.

11. Alvin Weinberg stond tientallen jaren aan het hoofd van een van de grootste nationale nucleaire laboratoria van de Verenigde Staten in Oak Ridge, Tennessee. Daarnaast was hij adviseur voor wetenschapsbeleid onder twee presidenten. Zijn lab speelde een leidende rol in de 'van zwaarden tot ploegscharen'-beweging die zocht naar vredelievende toepassingen voor nucleaire en aanverwante technologieën, en verrichtte baanbrekend onderzoek naar o.a. nucleaire geneeskunde, alternatieve energiebronnen, het klimaat, genetica en biomedische tests. Zie Alvin Weinberg, *Reflections on Big Science.* MIT Press, Cambridge, Mass., 1967. Alvin Weinberg is ook een oom van mij.

12. Zie over structureel geweld Paul Farmer, *Pathologies of Power.* Universtiy of California Press, Berkeley, 2003.

13. Zie voor informatie over lesprogramma's voor ouders bijvoorbeeld www.families_first.org., en voor sociale en emotionele leerprogramma's, inclusief gegevens over de effectiviteit ervan, en hun gunstige invloed op academische prestaties www.casel.org.

14. Susan Alberts, biologe aan Duke University, wordt geciteerd in 'Social Baboons Make Better Mums'. *New Scientist* (november 2003).

Appendix A. De hoge en de lage route: een notitie

1. Zie voor een meer uitgebreide bespreking van deze systemen Colin Camerer, 'Neuroeconomics: How Neuroscience Can Inform Economics'. *Journal of Economic Literature* 43 (2005), pp. 9-64.

2. Lieberman noemt als kandidaten voor de neurale circuits van het X-systeem de amygdala, basale ganglia, laterale temporale cortex, ventromediale prefrontale cortex en de dorsale anterieure cingulate cortex. Bij de controlestand zijn volgens hem o.a. de anterieure cingulate cortex, laterale prefrontale cortex, posterieure pariëtale cortex en de hippocampus betrokken. Zie Matthew D. Lieberman, 'The X- and C-systems: The Neural Basis of Automatic and Controlled Social Cognitions'. in E. Harmon-Jones en P. Winkielman, *Social Neuroscience*. Guilford Press, New York, 2006. Daniel Siegel gebruikt een andere 'hoge-lage route'-dichtotomie. Hij gebruikt 'hoog' voor een intact en goed functionerend sociaal en emotioneel apparaat, en 'laag' voor een aangetast. Zie Daniel Siegel, *The Developing Mind*, Guilford Press, New York, 1999.

3. Sommige cognitietheoretici zouden zeggen dat veel emotionele reacties een mengeling zijn van cognitie en affect, beide tot op zekere hoogte automatisch en gecontroleerd: weer een manier waarop deze dichotomie de complexiteiten te eenvoudig voorstelt.

Appendix B. Het sociale brein

1. Leslie Brothers, 'The Social Brain: A Project for Integrating Primate Behavior and Neurophysiology in a New Domain'. *Concepts in Neuroscience* 1 (1990), pp. 27-51.

2. Een andere hypothetische kaart van het sociale brein is bijvoorbeeld gemaakt door Preston en De Waal in hun bespreking van de neuroanatomie van empathie. Zie Stephanie D. Preston en Frans B.M. de Waal, 'Empathy: Its Ultimate and Proximate Bases'. *Behavioral and Brain Sciences* 25 (2002), pp. 1-20.

3. Ibid.

4. Zie over het minimum aan circuits Marco Iacoboni en Gian Luigi Lenzi, 'Mirror Neurons, the Insula, and Empathy'. *Behavioral and Brain Sciences* 25 (2002), pp. 39-40.

5. Zie over emotionele resonantie Marco Iacoboni, 'Understanding Intentions Through Imitation', in Scott Johnson, ed., *Taking Action: Cognitive Neuroscience Perspectives on Intentional Acts*. MIT Press, Cambridge, Mass., 2003, pp. 107-38.

6. Zie over gekoppelde en onafhankelijke circuits James R. Blair en Karina S. Perschardt, 'Empathy: A Unitary Circuit or a Set of Dissociable Neuro-Cognitive Systems?' *Behavioral and Brain Sciences* 25 (2002), pp. 27-28.

7. Zie over walging Anthony Atkinson, 'Emotion-specific Clues to the Neural Substrate of Empathy'. *Behavioral and Brain Sciences* 25 (2002), pp. 22-23.

8. Zie over moreel oordeel en empathie Paul J. Eslinger et al., 'Emotional and

Cognitive Processing in Empathy and Moral Behavior'. *Behavioral and Brain Sciences* 25 (2002), pp. 34-35; Iacoboni en Lenzi, 'Mirror Neurons'.

9. Zie over het emotionele brein en relaties Reuven Bar-On et al., 'Exploring the Neurological Substrates of Emotional and Social Intelligence'. *Brain* 126 (2003), pp. 1790-1800.

10. Zie over somatische markers Antonio Damasio, *Looking for Spinoza: Joy, Sorrow, and the Feeling Brain*. Harcourt, New York, 2003.

11. Zie over de rol van de insula Iacoboni en Lenzi, 'Mirror Neurons'.

12. Zie over gênante momenten S. Berthoz et al., 'An fMRI Study of Intentional and Unintentional Embarrassing Violations of Social Norms'. *Brain* 125 (2002), pp. 1696-1708.

13. Zie over de neurologie van sociale beslissingen Antoine Bechara, 'The Neurology of Social Cognition'. *Brain* 125 (2002), pp. 1673-75.

Appendix C. Sociale Intelligentie opnieuw bezien

1. Stephanie D. Preston en Frans B.M. de Waal, 'Empathy: Its Ultimate and Proximate Bases'. *Behavioral and Brain Sciences* 25 (2002), pp. 1-20.

2. Hoe meer leden een groep van een primatensoort gemiddeld heeft, hoe groter de omvang van de neocortex in verhouding tot de rest van het brein. Zie T. Sawaguchi en H. Kudo, 'Neocortical Development and Social Structures in Primates'. *Primates* 31 (1990), pp. 283-89.

3. Sarah-Jayne Blakemore en Uta Firth, 'How Does the Brain Deal with the Social World?' *NeuroReport* 15 (2004), pp. 119-28.

4. Zie over de sociale oorsprong van intelligentie Denise Cummins, *Human Reasoning: An Evolutionary Perspective*. Bradford/MIT Press, Cambridge, Mass., 1997.

5. Zie over neuro-economie Colin Camerer et al., 'Neuroeconomics: How Neuroscience Can Inform Economics'. *Journal of Economic Literature* 43 (2005), pp. 9-64.

6. Mayer, psycholoog aan de Universiteit van New Hampshire, en zijn collega's hebben de standaard gezet voor theorie en onderzoek op dit terrein. Zoals Peter Salovey en Mayer (en anderen, waaronder ikzelf) emotionele intelligentie definiëren, overlapt het concept sociale intelligentie. Zie bijvoorbeeld John Mayer en Peter Salovey, 'Social Intelligence', in Christopher Peterson en Martin E. P. Seligman, eds., *Character Strength and Virtues: A Handbook and Classification*. Oxford University Press, New York, 2004.

7. David Wechsler, *The Measurement and Appraisal of Adult Intelligence*, 4e ed. Williams and Wilkins, Baltimore, 1958, p. 75.

8. J.P. Guilford, *The Nature of Intelligence*. McGraw-Hill, New York, 1967.

9. Zie bijvoorbeeld Robert Hogan, 'Development of an Empathy Scale'. *Journal of Consulting and Clinical Psychology* 33 (1969), pp. 307-16; Robert Sternberg, *Beyond IQ: A Triarchic Theory of Human Intelligence*. Cambridge University Press, New York, 1985; Howard Gardner, *Multiple Intelligences: The Theory in Practice*. Basic Books, New York, 1993.

10. Zie over wat iemand intelligent maakt Robert Sternberg et al., 'People's Conceptions of Intelligence'. *Journal of Personality and Social Psychology* 41 (1981), pp. 37-55.

11. Zie over de hoge correlatie met IQ bijvoorbeeld Ronald Riggio et al., 'Social and Academic Intelligence: Conceptually Distinct, but Overlapping Domains'. *Personality and Individual Differences* 12 (1991), pp. 695-702.

12. David H. Silvera et al., 'The Tromso Social Intelligence Scale'. *Scandinavian Journal of Psychology* 42 (2001), pp. 313-19.

13. In een ander onderzoek waarin psychologen, allemaal experts op het gebied van intelligentie, gevraagd werd om een vergelijkbaar lijstje op te stellen, negeerden ze praktische sociale vaardigheden en noemden ze vooral meer abstracte cognitieve vaardigheden als verbale vermogens en meer abstracte probleemoplossende vermogens op sociaal gebied. Zie Sternberg et al., 'People's Conceptions.'

14. Vanwege het gemak hebben psychometrici zich tot voor kort geconcentreerd op vragenlijsten. Hierdoor is de nadruk komen te liggen op aspecten van intelligentie die op die manier vastgesteld kunnen worden. Dit zou wel eens een verborgen oorzaak kunnen zijn van de dominantie van cognitieve vermogens als de 'gouden standaard' bij het bepalen van sociale intelligentie. Ongetwijfeld zullen sociale-intelligentietests dankzij de onstuitbare opmars van de digitale media meer aandacht gaan schenken aan de lage route.

15. Colwyn Trevarthen, 'The Self Born in Intersubjectivity: The Psychology of Infant Communicating', in Ulric Neisser, *The Perceived Self: Ecological and Interpersonal Sources of Self-knowledge*. Cambridge University Press, New York, 1993, ed. pp. 121-73.

16. De PONS is zo'n veelgebruikte non-verbale maatstaf. Paul Ekmans internettest op het vermogen om micro-emoties te detecteren is een nieuwe methode voor het vaststellen van iemands empathisch vermogen op non-cognitief niveau, een voorwaarde voor emotionele afstemming. Sommige tests in emotionele intelligentie (dat overlapt met sociale intelligentie), zoals de MSCEIT, maken al gebruik van een aantal non-cognitieve maatstaven; zie bijvoorbeeld John Mayer et al., 'Emotional Intelligence; Theory, Findings, and Implications'. *Psychological Inquiry* 60 (2004), pp. 197-215. Ekmans webtest in micro-emoties is te vinden op www.paulekman.com. Uit Ekmans test blijkt dat het sociale brein een gretige leerling is wat het lezen van micro-emoties betreft. Dat zou betekenen dat een aantal belangrijke sociaal intelligente vaardigheden door middel van training via de elektronische media versterkt kunnen worden.

17. Het model voor sociale intelligentie dat ik hier ontwikkel is heuristisch: bedoeld om het denken over sociale intelligentie te prikkelen. Ik neem aan dat het bekritiseerd en herzien zal worden, hopelijk op basis van gegevens die voortkomen uit innovatief onderzoek. De lijst voegt nieuwe vermogens toe aan de lijst die gehanteerd wordt in bestaande modellen van sociale intelligentie; vier daarvan zijn, voor zover ik weet, nog op geen enkele inventarisatie genoemd: primaire empathie, afstemming, synchronie en betrokkenheid. Ze zullen de nodige controverse oproepen bij mensen die zich bezighouden

met intelligentietests. Het is mijn overtuiging dat sociale intelligentie de interpersoonlijke vermogens van het sociale brein zou moeten weerspiegelen, en
neurale logica volgt niet noodzakelijkerwijs dezelfde paden als conventionele
wijsheid. Desondanks bestaan er al een aantal tests en schaalverdelingen die
verschillende aspecten van deze 'softe' vaardigheden meten. Geen daarvan omvat ze echter allemaal. De beste maatstaf zou het gehele spectrum van sociale
intelligentie moeten beslaan, en zowel uitblinkers op interpersoonlijk gebied
als sociale gebreken kunnen identificeren. Zie John Kihlstrom en Nancy Cantor, 'Social Intelligence'. in Robert Sternberg, red., *Handbook of Intelligence*,
2e dr. Cambridge University Press, Cambridge, 2000, pp. 359-79.
18. Kihlstrom en Cantor, ibid.

REGISTER